昭和初年の神田神保町古書店街

古書と生きた人生曼陀羅図

青木正美著

この本の成り立ち

一、前半の第一部は二〇〇八年ちくま文庫『古本屋群雄伝』として出版しました。〈目次は3～7頁〉

二、後半の第二部は一九九三年東京堂出版刊『古本屋奇人伝』から三篇を選びました。〈目次は501頁〉

三、両書ともすでに絶版、この度両社の了解を得て改編、一冊として出版するものです。

第一部　古本屋群雄伝

第一部　古本屋群雄伝　目次

はじめに

昭和二十八年、私は二十歳で葛飾区堀切に間口六尺の古本屋を開業した。父は駅前通りで貧しい自転車修理店をしており、その一部を使わせて貰ったのだ。動機は本好きからであったが、翌年父が脳出血で倒れ一家十人の命運は長男の私の肩にかかった。私は全店を古本屋とし、ただただ生活の維持と売上向上のために働く。これで自分に、読書や物を書いたりの時間が来るのだろうかとは思うだけで、私の希望と言ったら下町地区有数の古本屋になりたいということだけだった。

……そんな「井の中の蛙」だった私が変るのは昭和四十年、神田の近代文学の専門書市「明治古典会」に経営員として引かれてからである。そこでは、弘文荘・反町茂雄氏他、日本有数の古書店主達とも親しく接することが出来た。私は急激に「古書」にも目覚め、本能的に好きだった自筆本（作家原稿・書簡・色紙短冊等）の蒐集、売買に志し、古書即売展にも加入するようになった。

こうして働くばかりの古本屋生活が三十年になった五十歳の時、私は来し方を記録し、『古本屋三十年』（ちくま文庫『古本屋五十年』の親本）として自費出版した。この本に序文を寄せて下さったのが反町茂雄氏で、氏はすでに八十代であり、自らも代表作となる『一古書肆の思い出』を書き始めていた。また傍ら、戦前自らが業界の古老から聞き書きした『紙魚の昔がたり』を改稿「明治大正篇」として刊行、更に同世代書店主の聞き書「昭和篇」を「図書新聞」に連載する。するとここへ、「下町古本屋の生活と盛衰」のもと一話せよとの要請が私にあった。結局、『紙魚の昔がたり』の語り手は正続で二十六人、私以外はあの反町氏のめがねにかなった業界の重鎮ばかり。だから私の話を引き出す反町氏の最初の言葉は、

「第一流の古本屋さんの話の中では、下町の話は〝異色例外〟でありますが、一つの彩りとしてはいいのではないでしょうか」というものであった。

　その反町氏が没したのは平成三（一九九一）年。それから十年経て雑誌「彷書月刊」平成十二年一月号からの本書の元となる文章の連載依頼に、私が意識したのはあの「昭和篇」のことだった。

「超一流の古書店ばかりが古本屋ではないし、古典籍や高額品ばかりが古本ではない。古本は人々の教養となり、貸本と共に働く人達の娯楽でもあった。それらを提供し続けたのが大多数の古本屋だったのだ。私は私の心に残った古本屋たちのことを書きつけていってみよう」と思った。そして本年六月号、八年間百一回を以って連載は終了した。

――こうして今、この文庫化のため編集されたものを眺め、私はこの業界の多様な個

性達に、改めて感じるものがあった。そう、私が近しくおつき合いした下町の業者から始まり、もっとも忘れがたい人々の生涯へ入って行く。そして作家たちの古本屋では、業界を通過しただけの江戸川乱歩、晩年は糊口の計とした弟の平井通、我が国で初めて古本屋小説を書いて芥川賞候補（三回も）になった埴原一亟（はにはらいちじょう）、すぐ敗戦となって作家に戻れたが、大真面目に貸本屋となった川端康成、高見順、中山義秀、久米正雄たち。

多芸多才な人々としては、生涯古本屋を始めた頃を懐しがった岩波茂雄があり、歌人渡辺順三、芥川徳郎、画家横井弘三は生活の手段として業界入りし、詩人ドン・ザッキーは詩人だったことを隠し続け、逆に『芥川龍之介自筆未定稿図譜』の著者は晩年古本屋であったことを隠すようになった。

やがて最終章に至り、日本一を謳われた一誠堂書店主、独立後は業界で「天皇」とまで言われるようになる弘文荘主、「古本屋に悪い人間はいない」と言い続けた信念の人明治堂書店主から最後は、我が出自たる下町古本屋の祖にまで辿りつくのだ。その上よくよく調べるとこの人達は出身地を通じ、古本市場を通じ、「本」を介し、いつかどこかで色々な縁でつながりまで持っているのだ。まるでそれは、わが業界の糧であり、これなくしては生活さえ成り立たない御本尊たる「書物」を中央に置き、それを囲む古本屋達からなる「曼荼羅図」を見るようでさえある古本屋群像！

そしてそれぞれは一生懸命この世を生き抜き、多分二、三名の方を除けばすでに幽明界を異にする人々である。本書がその方々に、古本屋生活五十五年目の著者が捧げるレクイエムともなってくれるならと願うものである。

平成二十年十月

第一章　古本業界の先達たち

蔵書印でいまも信頼される江戸の古本屋

待賈堂・達磨屋五一

一

二〇〇五年四月二十一〜二十四日の四日間、東京古書会館・二階情報コーナーで『古本屋の書いた本』展」が開かれたが、私も古書通信社の八木福次郎氏と共にその目録作成のお手伝いをした。東京古書組合・広報部発行になる、「『古本屋の書いた本』展目録」がそれである。

文字通り古本屋が著者、編者になっている本と雑誌を記録しようとするものだが、当初それだけでは大した点数にはなるまいと、そこへ家族や従業員のものも加えることになる。私に与えられた主な仕事の一つは、これまでの知識から業界史の上で記録さるべき主要な本を選び、写真版の口絵八頁にまとめることだった。その最初に浮かんだ書名は、反町茂雄が業界の長老達の聞き書きをした『紙魚の昔がたり』を措いてなかった。と、関連して思い出したのが、今は幻の本となっている『瓦の響』であった。

著者名は達磨屋五一。五一は多分、街の古本屋からはともかく、明治大正の業界、昭和になっても古典籍を扱う業者間では、知らぬ者ない存在なのだ。何故なら、流通している和本中に、五一の押印が見つかると、それはほとんど善本や珍本だったからである。

すると前記目録の編集の場に、八木福次郎氏がこの本を持参されたのである。私は迷わずこれを口絵の巻頭にすえることにきめ、解説を書くため本を借りて帰った。先の押印本の話もだが、私の達磨屋五一の知識は反町茂雄の文章からのもので、反町は創業時、将来の目標を達磨屋五一におき、その販売目録に、五一の屋号〝待賈堂(たいかどう)〟から取って〝弘文荘待賈古書目〟としたことも知る。無論反町は、一誠堂での五年間の経験で五一を知ったのだし、『瓦の響』を読んだに違いなかった。いや反町は、五一が取り扱った記録のある写本まで入手、調査していた。

――帰宅後私は、初めて『瓦の響』を読んだ。聞くと実際に手にするとは大違いで、まずこの本は五一が出した本ではなかった。和綴じ本で頁を繰っても終始文語体だが、奥付の刊年は意外に新しく大正六年。発行者は岩本米太郎で、孫にあたる。頁末には系図もあり、五一の父は〝岩本氏、尾・紀両家御蔵預り〟で、〝天保十三年没〟とある。五一はその四男で、文化十四年生まれ。

本には見返しのあと、

法斎五一遺稿
瓦の響―志のふくさ
占春堂蔵

とのタイトル頁がある。そして裏面が七種の印譜集で、そこに先述の「待賈堂」「江戸四日市・古今珍書儈・達磨屋五一」の二印が交じり、これこそ五一が永く古本屋間に名を残すことが出来た要因となった。次に〝序〟があるので、現代文にしてみよう。

これは人の求めるままに、歌や文章やを何くれとなく書いた下書きを、反故の裏や駄本の裏表紙などに記しておいたのだが、年を経て紙魚の住み家となってしまった。棄ててしまおうとしたのだが、色んな友達が来て、棄てる前に一度文集にしてみては、と言う。その言葉にそそのかされ、そうしてみようかと思い立ったのである。が今や、老いてしまって、このところは病みがちであり、これらの整理も中々にはかどらない。それでも何とかあとさきをつけてみたのであるが、このようなもの、見る人が見ればたちまち土の上に投げたくなるというもの。黄金の声などではない、きっと瓦の響がするであろう。

というところか。末尾、〃慶応二年の一月物なしの翁 覚（サムル）〃とある。どうやらこの本、大正の発行ではあるが、五一自身が生前出そうとして、稿本で残したものの翻刻だったようだ。そう言えば、目次前には次の〃又言う〃の辞もついている。

これらの文章、つたないのは勿論だが、間違いも多々あると思う。それらはまたひまを見て訂正することにしよう。何しろ二十歳前後の頃に書いたものもあるのでなおさらのことである。とにかく、ずさん極りないもので、恥かくばかりの代物であろう。

が、この本の目次は中々のものである。左に三十八篇もの刊本の題が並ぶのであるが、その十篇だけを記してみよう。

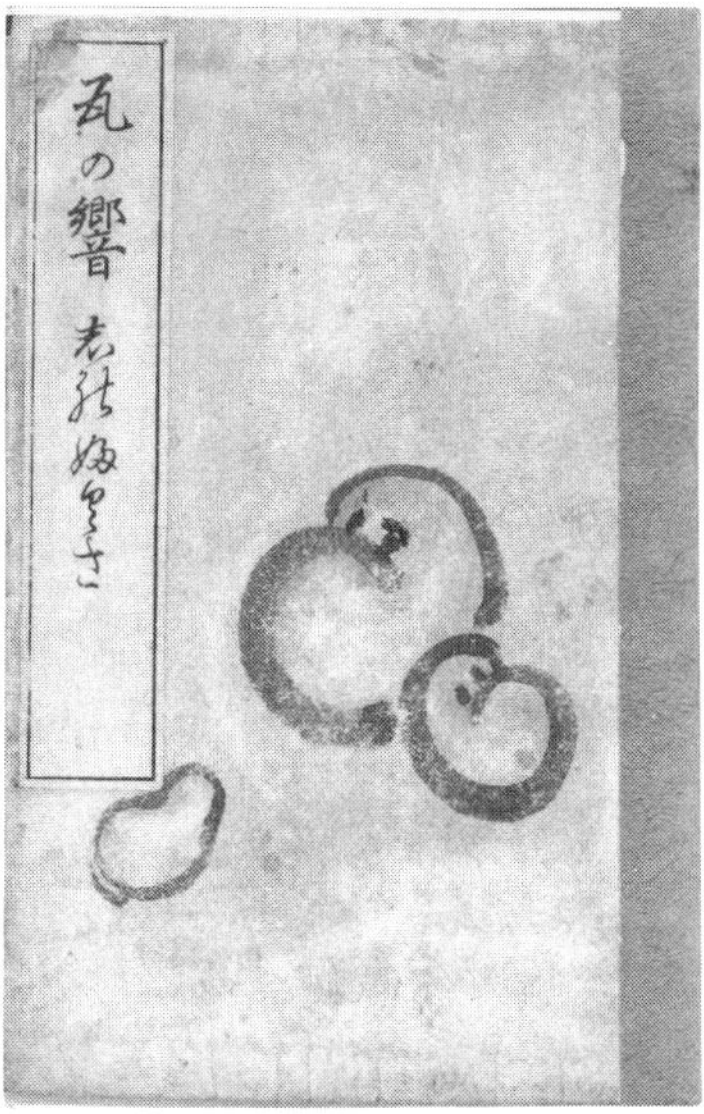

『瓦の響』（大正６年刊）

「桜都々一序」「地震三十六撰序」

「午祭口上行灯口状」「寥鷲ぬしを送る辞」「文人寿命附題目」「安政風聞集序」「精神一註巻尾」「小団次肖像賛」「大金主人に与へし狂歌」「忠臣蔵狂歌」

で、例えば「桜都々一序」は、

　花の雲。鐘は上野か浅草の。観音薩埵の旁よ。千本の桜を植たるは。百歳あまり昔となりし。享保年間のことゝなん。其は白雲の消て迹なくなりぬるを。今茲何がしらが相はかりて。再びおもひ興しつゝ。地狭まで栽たれど。遊びの幅は広ごりて。群来る人の。これは〳〵とばかり花の吉野は素足。……

とある。が、この遺文集はあくまで五一の余技である。五一は十二歳で本屋奉公をして一度主人を換え、更に五年してまたそこを、更に一年で再びと計三度暇を取った。最初の奉公替えは主家の閉店によるもの、他の二度は五一の十九歳の時から始まった放蕩癖にもとづくものと言われる。五一も古本屋である前にごく普通の若者だったわけだ。

　ともあれ、この遊びも人一倍好きな文学青年が、近代古本屋の祖と言われるような存在に進む過程が、このあとで辿れたらと、思うのである。

二

ここは、〝達磨屋五一〟の項を戦前の『日本人名辞典』（芳賀矢一編、大正三年、思文閣復刻、昭和四十四年）にあたることから始めてみよう。

吾一（ママ）（達磨屋）日本橋の書肆。通称岩本伊三郎。無物老人、活東子、花の屋蛙麿と号す。和歌俳句を好み、世に珍書屋吾一と呼ばれる。

とあり、わずかに三行の記事。とは言え、「記述は極めて簡明を旨とした」と凡例にあるように、ある意味で古書史にも残る滝沢馬琴の項目でも五行だから、必ずしも短いとは言えない。

反町茂雄の三十一歳時の文章「瓦の響（其の二）」によれば、日本古本屋史上には他にも慶元堂・松沢老泉、万笈閣・英（はなぶさ）平吉、浪華の鹿田古丼、八世浅倉屋久兵衛などが数えられると言う。しかし、いずれも特色ある人物ではあるが、これらの人々と言えども、その名が愛書家、読書家に聞こえたことでは、また書物の鑑識眼の高かった点では、みな待賈堂に一目おいたに違いない、と断言している。

そして反町は、この昭和六年時からは先代となっていた斎藤琳琅閣主人の談として、古本屋が「名を千載に伝へる妙策は大なる銅像でもなく、記念碑でもない。珍書を多く集め此に蔵書印を捺して置くに限る。誰でも珍書を粗末にするものはないから本と共に名は後世に残る」との言葉を記録している。そして反町は、この秘策を、琳琅閣主人に先立って生まれ没し、しかも徹底的に行なったのが達磨屋五一だった、と言う。

さて、前にもちょっと触れたが、五一は十九歳からの数年徹底して道楽をした人のようだ。この辺りを詳しく語っているのが『瓦の響』の翻刻から二十年した昭和十二年、六十九歳の岩本米太郎が語っているもので、

《私の祖父なる者は、元来大変道楽者でございましたので、お恥しい話ですが、つまり、儲ければ忽ち夫(それ)を持つて行つて消費すると云ふ風な遊蕩児でございました。諺にも申します通り廓の金には詰るが習ひで不義理の借財が殖えました結果は、其尻は親の所に持つて行くと云ふことは、これもお定りでございます。それが為に到頭昔で言ふ勘当と云ふことになつて了つた。今度は融通が効きませぬので友達の……或は援助もあつたでございませう。それが為に芝の切通しへ本の露店を出した。それは自分の蔵書を題材としてそして並べた訳なんでございます》（訪書会主催「明治初年の古書業界を聴く」於・学士会館）

とある。

ところがその露店でも、五一は利益が上がりさえすれば、これを遊里に運んでしまう

という無分別さだった。そうして五一は、二十五歳の時には、もうにっちもさっちも行かなくなってしまう。自分はもう、江戸にいたのでは駄目だと、田舎への逃避行を思い立った。そこで五一は、未練らしくその名残りに、馴染みの女に一目遇って行きたいと、ある夜密かに吉原の某楼格子先に訪ねる。

「……というわけで、これから栃木の方へ行くんだ」と五一。するとその遊女が何を思ったか五両の金を包んで出て来る。女は、

「実は私は栃木のこれこれの晒屋の娘ですが、誘拐されてこんな所に来てしまったんです。どうか栃木へ行ったら、私の両親の家を訪ねてくれませんか」と、細々と頼むのである。

それで五一は、その金を預かって吉原土手をぶらぶら帰って来るのだが、ふと気が変ってしまう。「まてよ。これだけ金があったら、何も栃木へ行くことなどないではないか。こいつは一番、自分を建て直すいい機会なのではないか!」

何とも情誼にはかなわない話だが、心機一転、その金を資本として、五一は真面目に稼ぎ始めたと言う(遊女とのその後は、何の証言もない)。

さて多少叙述が前後するが、五一の文才は二度目の英(はなぶさ)文蔵方にいた頃から発揮される。二十二歳、今度は両国広小路の書店・山田方の番頭となった。かたわら初代花迺屋(はなのや)光枝の門人となり、世に狂歌狂文を発表するようになった。が早くも天保九年十一月に

は、五一は何事かの故あって、店に一書を残して山田方を去ってしまう。実家は長兄が継いでおり帰って行くこともならず、五一は姉の嫁ぎ先の古着屋・伊勢屋弁次郎方に身を寄せ、食客となる。

この時五一は〝居候〟の呼称に合せ、伊三郎と名乗るのである。その頃流行の草子類の戯作をし、あるいは人の代作を依頼されて、多少の金銭を受け取る。が、これもよくよく前途を考えると、到底生涯の生計は立てられそうもなく、五一は筆を捨て、以前の書物の商いに戻ろうと思い直した。五一は風呂敷一つを肩に、書物の仲買い（のちに言うセドリ）を始める。時に二十四歳の春であった。それでも五一の道楽はやまず、稼いだものはみな廓通いに消えてしまっていたのだ。

その五一の道楽がやむのは、あの栃木行の決心と、馴染みの女から貰った五両での変心というきっかけからだったのである。さてその頃、芝の西久保切通シという往来もしげく露店商人も出て香具師、見世物小屋まで出ていた繁華な場所があった。ある人が五一にここへ店を出すようにと誘う。それに従って出店した五一は、意外なほどの利益が上がるのを知る。

二十六歳の天保十三年、父文三郎が没し、五一は翌年秋、芝仲門前に住む熊倉市右衛門の娘を娶り、浜松町一丁目に家を持った。弘化二年に長女ひでが、嘉永元年長男才之助が生まれる。翌二年、母美枝が没し、三年春、麴町より起こった大火に浜松町も延焼、五一の家も罹災する。

このあと五一は、日本橋西岸の四日市に店舗を設け、初めて「珍書屋」の看板を上げるのである。

三

五一は三十四歳で日本橋四日市に転居、初めて「珍書屋」の看板を掲げた。五一の孫・岩本米太郎は書いている。《之より人多く其の名を知つて好事家店頭に集ふ》と。

ところで、待賈堂の一枚看板「珍書屋」の意味だが、今日の古書店を意味したと思われる。周知の如く、江戸時代にあっては出版と新本の小売が書店稼業の大部分で、古本などほんのついでに置くくらいのもの。第一それでなくては商売にならず、古本だけでは到底生活して行けなかったのである。その上掲げたのが珍書屋である。内容は古い版本か写本の類だったのだろうが、五一は熱心にそれを集めた。朝早く起き、遠近を問わずかたわら古本を置く同業をテクテクと訪ね、漁り歩き、夜遅くまで店頭で古書の売り手を待った。

例のない古本専業となった五一は、棚ボタ式に出物のころがって来るのを待っているわけにはいられなかった。「俺の店は古書専門店だ、古書はもっとも高く多く買う」と市中に広く告げる必要があった。広告技術などほとんど具わらなかった当時、五一はどんな手段をとったか。昭和三十年代位までの古本屋がよく店のレッテルを貼っていたように、五一は珍書と見れば、〝待賈堂〟印を代表とした捺印をし、「この本は達磨屋が見て珍書だと裏書きをし、保証をした本だ」と世に広告したのだ。それが結果として、巻頭または末尾に五一の印を見出した後世の同業にまで、その商風を知らせたのである。

こうして数多くの古書が集まるようになると、五一はその内から熱心に古典籍の価値の再発見に努力を傾ける。どれが貴重有用で、どれが稀覯本かを撰別する眼は、その青年時代からの飽くなき読書によって生まれた知識が役立ってのことは言うまでもなかった。

時は幕末、脱藩の浪士達が右往左往し、血なまぐさい風が二百五十年の泰平の夢を呼び覚まし、町の辻々には新しい高札の前に暗殺された死骸が捨てられたりした頃。井戸端にまで黒船の話が上り始め、町の人々がおののいていた時に、書肆・達磨屋ばかりは平和の風が吹いていた。その店内には、山崎美成、笠亭仙果、石塚豊芥子、斎藤月岑、中山花海、関根只誠などの愛書家が集まり、珍書の鑑賞に古書の評価に、また己の掘り出し話に花を咲かせていたのだ。時にはその楽しく愉快そうな高笑いが通りにまでもれて、神経のとがった町役人の眉をひそめさせたりした。

ここで反町茂雄の「瓦の響（其の二）」から五一の風貌を写すと、《身長は五尺二寸、丸顔で鼻高く眉濃く口大きく、頬骨聳へた先づ魁偉と称すべき人相だった。四十余で頭が禿げ》とある。

また大の甘党で、鰻に目がなく、酒は一滴も呑まず、着物は古渡(こわたり)唐桟、芝居好きの江戸っ子らしい好みだった、ともある。毎日店務を終えると、あとは机に向って読書をするか、筆をとるかが欠かさない日課だった。しかし座右の蔵書として置いていたのは、『和訓栞』『五雑俎』『鶉衣』でしかなかった。筆記具は必ず文魁堂製の筆を用い、紙は古本の中から出る古紙か、駿河半紙のみを使う。没後残った草稿は約五十巻、箱で三つ四つもあった。

五一を襲った波乱の一つは安政二年の大地震で、四日市の店が倒壊しかけ、それを機会に同じ日本橋一丁目の横丁に店を移したこと。しかし同四年には、自らの編集になる『燕石十種』を公けにし始める。

　燕石十種(えんせきじっしゅ)　六輯。叢書。岩本活東子(達摩屋佐七)編、達磨屋五一(花の屋蛙麿。活東子の養父)補。計画は天保(一八三〇―一八四四)頃からあり、一輯・二輯は安政四年(一八五七)に成ったと思われ、三輯・四輯は安政五年より文久元年(一八六一)に、五輯・六輯は文久元年より同三年までに成立。

と『日本古典文学大辞典　簡約版』(一九八六年、岩波書店)に書かれているものがそれである（近来には八冊物で中央公論社刊）。初めは写本で流布し、《専ら近世俚俗の珍書を集め、江戸時代に於ける風俗人情或ひは出来事を知らん材料として、頗る趣味あるもの》とその後評されたが、五一自身は「下玉は非常にして、おのれ玉なるを知らず、燕石も又石なるを知るべからず。人見て能くこれを分てり。此の書玉にして捨てられんや、はた石にして用ゐられんや、おのれ素より有情なりといへども、吾か撰集の巧拙を知らず。人視てよく之を別たん。玉たるか石なるか、光りありや光りなしや」と謙遜した。

五一はしかし、翌安政五年には妻と死別するのである。次の年同業から後妻を迎え、文久二年には長子才之助を疫病で奪われてしまう。この才之助の急死にはさすがの五一も打ちのめされたが、幸いこの翌年、後に二世達磨屋活東子と称し、『燕石十種』を完成した人を娘婿として迎えることが出来たのであるが、青年時代の放蕩や過労がたたったのであろうか、五一の老衰期は早く来た。慶応二年五十歳の時に浅草蔵前に隠居し、同四年（即ち明治元年）に病を得、夏に入ると共に、維新の新しい光を見る数十日前にこの世を去った。時に五十二歳、府下大崎町の寺に葬られた。

親友の一人、二代目柳亭種彦は『燕石十種』の第六輯に書いている。五一翁は《物学びの道に志厚く、詞林にさへ立入り、戯文、狂歌をさへ傍に翫びて、博識なり。（略）さらに渡世の営に賢く、日毎に市に出て、店棚を守り、一日も人に任せたるを見ず。煙草を吸ひ木芽の湯啜る間をだに惜みて、書をも読み筆をも執て、二六時中怠慢なし》と。

浅吉・吉田音次郎
緑雨が描く古本屋の小僧さん

一

本誌（『彷書月刊』）二〇〇三年五月号の〝ホンの情報〟に紹介された『古書肆「したよし」の記』の記事によって、二つのことが私の頭に上った。

一つはもう伝説ともなった挿話、反町茂雄がこの下吉（したよし）書店から鷗外の『舞姫』原稿を三百円で仕入れ、三百五十円で上野精一に売った話のこと。実はこの金額となる（『一古書肆の思い出』第二巻）以前、「明治古典会通信」第十八号（昭和三十七年三月）「思い出二つ三つ」中では、「三百八十円で仕入れ……」とあったからである。もう一つは、大正中期頃神田の古本市場には、吉田姓が三人来ていて、山帖などへの記入の便宜上、この下谷の吉田書店は「下吉」、本郷春木町の吉田書店は「本吉」、もう一人浅草蔵前の吉田書店を「浅吉」と言い習わしたということ。

そしてこの項では、「浅吉」吉田音次郎を取り上げる。

——江戸期まで遡るまでもなく、戦前までの下町は東京の中心に近く位置していた。このことは古本屋の歴史を調べるとよくわかる。昭和十年には、本所深川を中心に、露店のものを入れると何と三百軒からの古本屋がひしめいていた。現在は当時から見ると郊外までも入れても、下町の業者数（非組合員は別）は七十軒ほどにすぎず、それさえ減りつつあるのが現状。昔、房総方面への始発駅でもあった両国は、何と言っても墨東地区有数の繁華街であった。

《両国薬研堀（やげんぼり）に、もと水名楼といふ待合ありたり。大坂なる富田屋の妓来りて開けるものにて、……》云々とは、斎藤緑雨「おぼえ帳」の一節である。その薬研堀にあった〝車屋の市〟こそ、明治中期より大正初期まで続いて盛会だった、下町古本市場発祥の地と言われる。

その車屋の市についての証言を読んだことがある。それが明治二十九年十五歳で浅草蔵前の大洋堂に入った吉田音次郎の「古本生活六十年を辿って」（「古書月報」昭和三十四年五月）という談話で、中にこんな珍話もあった。

——市はまだ公共性に乏しく、明治三十年代頃にはワ印本（売ったのがバレると警察につかまるワイセツ本）まで公然と扱っていたとか。会場は二階の貸席で、座敷は細長くその時々に三つ四つに区切られた。ある日、席主が次の市日には隣りを呉服屋の会合に貸すことになったのでよろしく、と言って来た。さて当日、隣りの部屋からは、いかにも商売人らしくパチパチと算盤の音なども聞こえる。一同はまず普通本を競り合ったのち、安心してワ印本を競り始めた。それが最高潮に達した頃、突然隣りとの境の襖が開き、大喝一声、「全員、立っちゃいかん」と声がかかった。皆啞然となるところへ、下からもドカドカっと三、四人の刑事が踏み込み、一網打尽になってしまった。〝呉服屋の会合〟は、警察の張り込みだったのである。

さて、吉田音次郎が小僧として入店した店だが、戦後両国に戻るまでお馴染みだった蔵前の国技館の辺りに所在した。主人の大塚周吉は大阪出身の倹約主義者、その上何も馬力があって四谷の古本市から大風呂敷を背負って、必ず自分の店まで歩いて帰るという豪の者。するとこの大塚に吉田の姉が妻君を世話したところ、夫婦の仲はむつまじく家業もどんどん発展して来た。ところが何を思ったか大塚は、この店を吉田にたった十五円で譲ってしまう。吉田は談話で、「姉の縁談の世話を大塚が恩義に感じたからか」と言い、その頃の大塚については村口半次郎（四郎の先代）の「和本一夕話」によられたい、とある。そこで筆者は、戦前の「古書月報」昭和七年版からその文章を探した。《浅草には大塚周吉といふのが居りました。これは器用な男で――田舎へやります――石版へ絵具でもつて塗る――店をしまつてから百枚くらゐの安いそれをやつてたものです。私もずい分ここへ（仕入れに）行きましたが、かつてどんなに荷物があつても車に乗つたことがなく、市では弁当さへ食つたことがない。（そのうち）国へ帰ると言ふのでみんなで心配して、大分金が集りましたところ、国へは帰らず、今川橋の傍で店を始めてしまつた。道などで逢ふと「やあ、遊びに来てくれ」といふやうな話で、それが今の書籍組合の副組長をしてゐる大塚君で……》とあり、大塚も中々の奇人だったようだ。

一方吉田の方は、とにかく蔵前の店を、父親を手伝わせて十七歳で受け継ぐ。その頃の一日の売上げは三円ぐらいあり、五円も売れてしまうことがあった。吉田が父と暮す生活費は月に二十五円もあれば充分で、「今から思えば全く夢のよう」と、談話している。仕入は店買いも多く、市へも行った。よく来るセドリ屋の中には、幸堂得知の実弟・銀次郎もいたと言う。

当時は下町にも文化人が住んでいたし、店にもよくやって来た。宮崎三昧や、斎藤緑雨のことはよく覚えており、宮崎は小石川から来ていたが、村井弦斎の『小弓の御所』を二十銭で売った場面を吉田は憶えている。もっとも印象深かったのが、黒紋付きを着て不愛想な、またいつも売買にネバって行く緑雨で、「この私の店のことを、緑雨は『あられ酒』に書いてある」はずと言う。

そこで筆者は、その『あられ酒』をその箇所を探して頁を繰り続け、次の文を見つけた。

《蔵前なる古本屋にて、人の小説買ひ居たるを何の気もなくのぞき込みしに、この辺ならばお安うございますといふ小僧の差出したるは、無残やわが著書なりけり》

で、『あられ酒』の発行は明治三十一年、これを緑雨が「太陽」に連載していたのが前年。するとここにある小僧というのは十六歳の吉田音次郎だったのだろうか？

二

私は昔、下町の業界史を書く資料にと、戦前の「古書月報」の記事やその他古老に尋ねたりして、十数人の略歴表のようなものを作ったことがあった。そこで辿れる最年長者は明治十六年生まれの人で、次の二十一年生まれの人とは市でも会っている。今その表を眺めていると、すでに吉田音次郎のことも〝参考〟として欄外に記していたのを知った。その明治十四年生まれの吉田音次郎辺りまでしか、下町の業界史（浅倉屋書店等の和本屋さんは別）は遡ることは出来ないのである。

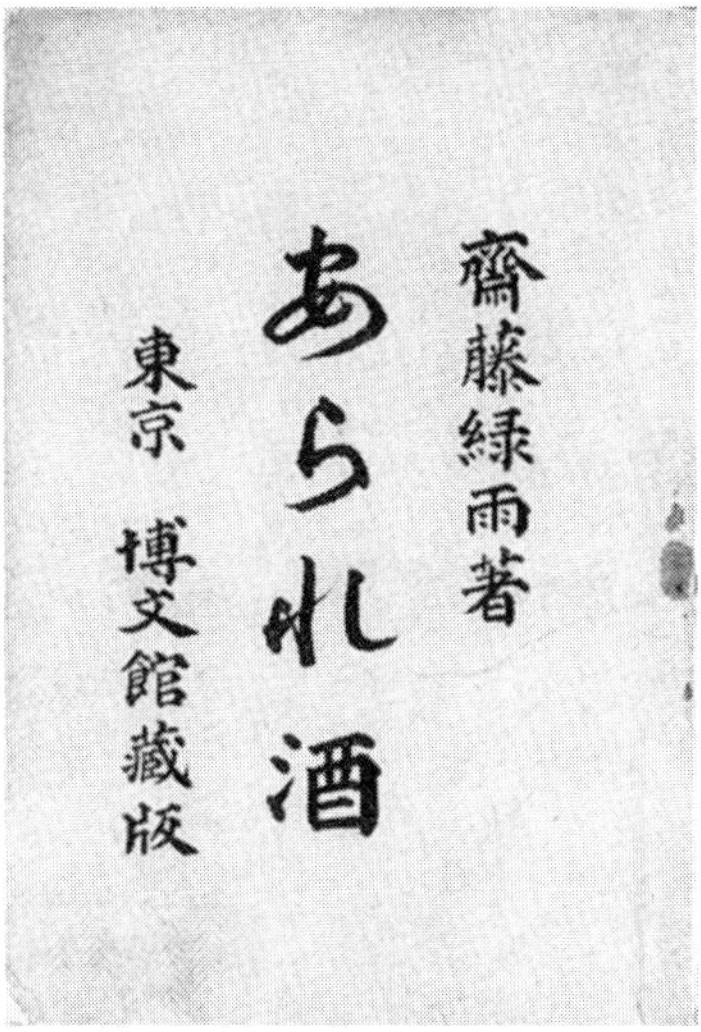
齋藤緑雨著
あられ酒
東京 博文館藏版

緑雨『あられ酒』扉

㈠で私は、吉田の談話の中の〝車屋の珍事件〟を紹介したが、ここではその後半を吉田の語るままに写すところから始めたい。

……一同ギョッとした途端に、間髪を

入れず下から刑事数名がドカドカと梯子を上って来た。上からと下からに包囲されたので、ワ印本扱者は難なく文字通りの一網打尽につかまったのであった。席主がいう呉服屋の会合とは真っ赤な嘘の方便で、そこには呉服屋ならぬ警官の張り込みで、襖の間から市の様子を残らず見ていたのである。そして居合せた一人々の風呂敷や品物、本を調べ、この種の売買に関係のない者だけはすぐに帰された。勿論私はそういう物は扱わなかったから只驚いて帰った。売買した人はそこから久松署に連行され、散々油をしぼられたとのことであった。あの、襖があいた一瞬、怒号の光景は歌舞伎劇にも見られぬ、虎造の浪曲そっくり、「境のフスマがガラリとあいて」……そのままの有様は、私の一生の思い出である。

吉田はまた、若き日のこんな客の話をする。それは明治四十二、三年頃、店の横丁の猿屋町に住んでいた辻潤のこと。ある日辻に呼ばれて古本を買いに行った吉田は、若い妻君が生まれたばかりの赤ん坊を抱いていたのを見る。吉田はのちにその妻君が、大杉栄に走り大正十二年の大震災直後に大杉と共に殺された、伊藤野枝と知る。当時の辻は、浅草橋際にあった千代田(ママ)女学校の英語教師をし、野枝と家庭をいとなんでいたのだ。今でもこの頃の若き日の辻が、女性的なえくぼを見せる可愛いらしさのある青年としてアリアリと浮かぶと言う。ところが、吉田はのち吉祥寺に店を移したが、その三十年後の店へ飄然と辻がやって来た。「やあ」とお互いに分かったものの、辻はすでに正気の人ではなく、尺八を持った異様な風体だった。吉田は辻が本を持って行って返さないので困ったと言い、戦争中に淋しく死んで行ったのだそうだ。

吉田の話は明治末期の同業たちの遊びのことに移った。その頃吉田は足駄・傘・前掛けなどは買ったことがなかった。というのは、吉田の店がナカ（吉原）へ行く途中にあるので、同業が朝帰りで金がなくなると、色んな持ち物を担保に入れて借金をして行くのである。しかしこれらを取りに来る者がない。それでも彼等が出かけて行く姿が見られ、それも今度は新しい足駄・傘に取り替えて行くのを見ては、吉田は真面目に取っておいてやっている自分の馬鹿正直さに、あきれてしまったと言う。ある時、吉田の店に使者が来て、手紙が渡された。見ると、「この袋の中に五円入れてくれ――吉原にて佐太郎」とあり、この使者は遊廓の馬であった。吉田が五円を袋に入れたかどうかは話していないが、その神田・後凋閣書店の店員佐太郎と言えば、当時道楽者のチャンピオンとして有名であった。

無論吉田は古本市にも関係していく。初めての市は明治四十年頃の青柳亭、これは月三回、二の日の市で、会主は高岡、深沢、大塚と吉田の四人。のち業界でセドリの名手、名振り手として知らぬ者なき人物となる深沢良太郎が振り、もっぱら吉田が山帖を書いた。その後この市の延長とも言える本郷の志く本に移り、そこでは新松堂（杉野正吉）などと知り合う。ここは月三回、九の日の市であったが、その市に当たっていた四月九日の吉原の大火のことが忘れられない。何しろ市場からも炎々たる黒煙りが見え、吉田は市終了後その吉原の火事場を見廻って帰る。当時はこういう時、〝見舞廻り〟と言って顔出しするのが流行していたのである。

その後芳賀大三郎組合長の斡旋で、市が本郷と神田に別れていては不便だというので、合併して松本亭の連合会市会として発足する。

……ところで、これは談話筆記者の資質の問題でもあろうが、吉田のその後については何も話されていない。辻潤の思い出で「約三十年後私が吉祥寺で……」とあった他、佐竹堂・水谷春之助という同業を語っている所で「彼は淀橋に移り、私は吉祥寺へと離ればなれとなったので……」とあるきり。そして談話の語り出しは「終戦後は転々として、今は古本営業はしていないが……」で、家族のこと後継ぎのことなどには一切触れられていない。末尾には筆記者の後書きで、吉田の山帖書きがいかに上手だったかが記され、あの反町茂雄編集の『紙魚の昔がたり』（昭和九年、和装三五〇部限定）の題簽も吉田が書いた、とある。

さて、いまひとつよく分からない吉田について、私は『東京古書組合五十年史』に当たったのである。私たちの組合の創立は大正九年、何と第一回から、二回大正十〜十一年、三回大正十二〜十三年、四回大正十四〜十五年、五回昭和二〜三年、そして第六回昭和四年（変則的に一年の任期）度と、吉田音次郎は評議員（現在の理事）を務めていることが分かった。

ここには、我々の窺い知れぬ人生、初期組合への奉仕の姿なども隠されているのだろうが、今吉田の痕跡として残るものと言えば、この「古書月報」の談話と『紙魚の昔がたり』の墨のあとくらいしかない……。

一誠堂（初代）・酒井宇吉

日本一の古本屋といわれた男

酒井宇吉（昭和十五年八月十五日五十四歳で没）は新潟県長岡市に、男ばかり七人兄弟の四男として生れる。

今手元にある、もっとも詳しい宇吉の履歴は「運送屋の小僧から日本一の古本屋になった酒井宇吉君」のタイトルのもと、四段組四頁に亘って紹介された「実業之日本」昭和七年七月二十五日号である。

――十二歳で運送屋の小僧、一年でやめ明治三十二年十月に博文館の小僧だった兄福次を頼って上京、東京堂に勤める。三十六年、故郷長岡で貸本と雑誌文房具の取次店を始めていた福次の手伝いのため帰郷。兄の結婚を期に支店を出したが失敗、宇吉は開拓民となって北海道に行く。しかし旭川の殺風景な広野に立って、「餅は餅屋」と覚り悄然として帰郷、再上京して兄弟で書店を始め、やがて古本屋に転ずる。弟助次も上京して手伝う。そこで宇吉が兵役に取られ、帰還した明治四十四年二月に兄弟は独立。翌年二十六歳で宇吉は妻帯、店員も五人持った。

右までを、同誌八年新年号付録「金儲け実話集」中の「地方の雑貨文房具商から日本一の古本屋になった一誠堂の酒井君」（瀬古四郎・文）に比べても経歴に大差はない。ただ二年の兵役中に宇吉が、日々拝読した軍人勅諭の言葉「一つの誠こそ大切なれ」から屋号を取った挿話は後者に出て来る。

またもう一冊、同誌九年十月十五日号の「裸一貫より叩き上げた商売大当り成功者苦心座談会」で宇吉は自らを、

「国を出る時十円金を貰つたきり、それから店を持つ時親父から五百円ばかり借りましたかね。一体私は商人に生れついてゐたものと見えまして、十五位の時から、早く一人前の商人になりたいと考へ、当時一寸評判だつた国本米蔵といふ人の『修行行商日記』などを愛読しました」とも語っている。

大正二年、神田三崎町から出火して神田地区はひとなめにされてしまう。丸裸からの出発は、本郷燕楽軒の横丁から始まった。

やっと神田へ戻り、大正五年宇吉は「錦絵」に着目、「箪笥の底から思はぬ金儲け」なるチラシを全市に撒いて買入をし、これが当たって八年、家を購入。以後十二年九月一日の東京大震災でのわずか半月後からのテント張りでの再出発と、やがて昭和六年十月の新店舗竣工に至る出世譚は、「主婦之友」十年二月号の記事「夫婦奮闘して日本一の古本屋を築き上げる迄」にも詳しく書かれている。

酒井宇吉（初代）昭和11年

では、宇吉の人間像は、近く接した人々によってどう証言されているだろうか？

「須ラク他ノ頌辞ハ他ノ人ニ任スベシ。コレガ小生ノ受ケタ最モ深キ印象デス」（市川円応）、「尠い紙面では書尽されないが、端的に言へば正義感の強い性格」（高橋誠一）、「色々の方面に能くトップを切る人でした。旅客機の創始時代に早くも之に乗ったり、古本屋として神田で一番早く正札販売を始められた」（斎藤英一郎）、「地方歩きも業界一と思はれます。例を上げると九州へは五十何回も行かれ、支那方面二回、樺太等全国歩かないと言ふ所無い」（鹿島元吉）、「三十年間古書籍業として和漢洋、及び錦絵、書画等を極めて広範囲に亘り取扱ひの多かつたこと天下一」（井上喜多郎）とは、私達の先輩が発行していた「古書月報」昭和十五年九月号の追悼記事中の一部抜粋である。またこれを編集した石川光太郎は、

「訃報の業界に受けとられた感じは、政界の巨頭が凶変に斃れた号外を見た感じ」とも

記している。

この時宇吉の死は新聞紙上にも報ぜられ、「日本古書通信」十五年十一月五日号には石井研堂の「酒井一誠堂の回顧」が載っている。研堂はここで、己の見聞として全国どこを歩いても、「この山は一誠堂さんに……」と本が積み上げられた山を示し、宇吉を心待ちにしていた様を述べ、一誠堂が内地外地に得ている、埋蔵幾万金にも値する宇吉の築いた「信用」という財産のことを指摘している。その指摘は正しく、翌年初めに二十七歳で父〝宇吉〟の名跡を継いだ長男堅一郎氏に店は受け継がれますます盛業を誇った。昭和三十年の「創業五十周年記念・一誠堂古書目録」には、巻頭に初代を中心にした店の来歴が先代の小照入りで印刷されている。

さて、戦後特に目録販売の分野で質量ともに業界の第一人者となった弘文荘・反町茂雄が、初代宇吉の店で五年間修業したことは今では周知となっている。

後年著述家としても名をなす反町には、すでに戦前編集の同業先達の聞き書集『紙魚の昔がたり』があるが、その頃宇吉はすでに堂々たる大家ぶりながら年齢が四十そこそこで、次の機会に、と思っている内亡くなってしまう。

だから、反町は晩年の著書『一古書肆の思い出』第一巻では、それこそ意識的に詳述したと言うだけに壮年期の宇吉像が鮮やかに活写されている。

そんなある日の反町邸で、筆者は宇吉についての反町のこんな一挿話を聞いたことを思い出す。ちなみに、この時の会話は、「印象に残った業界人は誰か?」というもので、反町の目標にした達摩屋五一の他、近代では朝倉屋八代目、琳琅閣の初・二代目、伊賀の沖森書店と来て、談宇吉に及んだのだった。

「負けん気・強運ということでしょうね。とにかくいい店員が集まりました」と名を列挙、「私もいましたしね。度量が大きかった、損などしても一言も叱ることがない……」

その日帰る時になって、玄関まで送って来られた反町が突然、懐しむように笑いながら言った。

「いや、一誠堂さんのことで思い出しました。私と共通のお客が、反町はどこで商売を? って聞いたらしい。すると知りません、って言ったと言うんです。——今考えれば、独立すればもう商売敵という考え方は立派ですね。何しろ、一つの物を争って、買えるのは一人という商売ですからね」

白井書店・白井常次郎
市場を仕切った下町の顔

一

白井常次郎は、現在文献から調べ得るもっとも古い下町業界人であった。

すでに本書巻頭で私は、自分が現実にこの目で見た、先輩諸氏の中の最長老・島田道之助の像を写した。その島田の、戦後「古書月報」の下町を語る座談会の言葉に、《その頃竹林亭では白井常次郎、白石吉之助、石川、武内、杉山、私などが会主で……私達の知っている限り白井さんは下町では一番古いでしょう》とあるくらいだ。現、ブックブラザー武内書店の先々代・武内豊平（当時は下町業者）も、《下町には両国車屋の市というのが古くからあり、浅吉書店、淡海堂、春江堂、白井常次郎さんがやっていた》と別の座談会で証言している。また、明治文学書の先駆的書店窪川書店・窪川精治も戦後、《(私が) 大正元年に独立して本の買い出しに行ったのは、先輩に聞いてその頃もっとも出荷の多かった浅草の竹林亭市場だ。深川の白井常次郎さん、武藤平次郎氏等が振り手、実に華やかで、特に白井さんの振り上手に感心したものだった》と言っている。

白井が古いということはこれで分かるが、それがどうして記事や人の記憶に残ったかと言うと、下町業界での最有力者として、永く市場の〝顔〟だったからである。何しろ組合草創期の大正九年度を起点に、十・十一年度、十五・昭和二年度等で、白井は組合の評議員（現在の理事）を十一年間も務めている。遊びごとも好きで、下町から初めて副理事長に選ばれた杉山留治（明治三十一〜昭和三十七年）は、こんな思い出を文章にしている。

《白井常次郎氏は下町随一の大先輩で威張っていたが、人間も出来ていた。江戸の生残りは俺だと言わぬばかりで、粋と通のお守りはこの人が出すのかと思うほど振り手も上手で、座談の名人でもあった。雑学の大家であった。深川の安宅倶楽部が白井さんの市だったが、ある夏のこと市が終ると突然白井さんが「さあ是れから洲崎へ遊びに行こう」と言い出した。居合せた七、八人がそれっとばかり市の荷物をそのままに放って円タクを呼んで飛び乗った。遊廓は夏の日盛りでひっそりしている中、海に近い二流の店へドヤドヤと登楼する。昼寝最中の番頭もおばさんも大狼狽、二階の風通しのいい広間で一同半裸の車座。主催者の白井大人は白粉もまだらの娼妓達を制して「お化粧なんかいい。今日はお前達が今夜御盛んになるよう運を授けに来たんだから。とに角、福の神のご連中で冷たいものでも御馳走してやろう」という訳で、娼妓達をズラリと並べひと

しきり洒落と冗談で笑わせ遊ばせて、夕風の立つ頃に綺麗に引き上げて来たことなどもあった》

無論それこそが生甲斐だった竹林亭では、白井は何と言っても振り手中のダントツのエースだった。

《竹林亭の市で白井君が、振り台で声を聞き違へ、品物を他の人へ落としてしまつた。間違ひだ、聞き違ひだと言はれ、当人グッと反り身になり、いやしくも我輩の耳は千軍万馬の耳だと啖呵を切つた。なる程大さうな耳だが……》

《灰汁(アク)の抜け切つた江戸っ子式振り手の白井君。「ガンジー」「河童」「易者」「校長」など片っ端からお客にあだ名をつけて、相手を思はずダアつと言はせるやうな、警句を吐いて鮮やかにも又痛快に、ハイスピードで市を進行させて行く》

《深川の白井君は漫談的座談の天才。いかなる話題も一度君の舌頭に上るや、包丁の冴え鮮やかに忽ち天下の珍となること妙なり。殊に遊覧旅行地等については通暁せざることなく、微に入り細に渉つて、恰も吉野初瀬の花は見ねども歌人はゐながらにしてこれを知るさ、と》

また、当時は本所竪川町に住み、空襲で焼け戦後は町田市に移って営業された田中書店・田中義夫（現、二の橋書店主の祖父）は、戦後「古書月報」に、

《当時「竹林亭」の隆盛さは何と言っても下町一だった。隅田川を往く河蒸汽ののびや

かさは、花見船や潮干船のお囃子が聴かれたりした。都内随一のいい席で、ここで白井常次郎老が、針で刺すような皮肉と堂に入った警句を吐いての振り台は、如何にも四畳半式の気分だった。そして帰りは伊勢喜のどじょう汁で昼飯と言った、楽しさは忘れ難いものがある》

と書いている。

ところで、その白井常次郎の私的実像はどんなものだったのか？　私はもう二十年ほど前になるが、ある下町の古老を訪ね、白井を含め戦前下町業界人の真実のエピソードを聞き書きして歩いた時期があった。それによる白井の像には表の顔とは別の面があった。まず、奥さんに任せていたのであろう店舗だが、終始中くらいで、場所も売上げも到底一流店とは言い難かったようである。その古老の語る具体例として、白井は店舗近くに大きな倉庫を借りていて、二、三流出版社の整理本を手形で引き取り、月末には市でそれを売り飛ばすなどしていたと言う。また白井はいよいよ金繰りに困ると、今日の市で百円買うと、それを払わず次の市で百五十円買い、それをすぐその市で売って前の市の百円を払うという方法まで取っていた。

要するに白井は、組合や市場に突っ込み過ぎたのと、人を連れて飲み歩くなど金遣いが荒く、反面それで体面を保っていたのだ。しかしこの下町一の物知りと自他共に許した白井も、場違いに訪れた当時の高級品には全く刃が立たなかったらしく、こんなゴシップ記事が「組合月報」（戦後「古書月報」と改題）に残されている。《深川の某君、旧臘某家より、景文の軸物の売却を依頼された。美術倶楽部の入札などで時価数万円もするものと聞いてゐるので、思はぬ金儲けとばかり百円の保証金を置いて某氏を頼り、一誠堂に見て貰つたら、似ても似つかぬ贋物でがつかり。然し何とか保証金の返つたのは何より……》

二

さて、下町業界人を語る時に必ず出る〝竹林亭〟だがこれは貸席のことで、浅草観音裏から通り一つ渡った馬道（地名）にあり、下町最大の市場で、〝下町睦（むつみ）会〟という有力な親睦団体も作られていた。

すでにしかし、白井常次郎にも確実に老いは忍び寄っていた。昭和十四年には白井は五十六歳、この年深川〝一力〟において「下町業界先輩に感謝の会」が行なわれ、白井は他の四名と共に表彰される。即ち他は倉田岩之助、白石吉之助、武内豊平、島田道之助で、来賓としては高橋誠一組合長、井上喜多郎、酒井宇吉、荒田惣太郎、それに「日本古書通信」の八木敏夫等業界切っての錚々たる顔ぶれ。総代として白井は、「顧みれば竹林市会が出来て三十三年、いささか自慢出来るのはこの間一日も市を欠席したことがないだけで、あとはひたすら他力本願、皆様の出荷によつて市が成立つて来たのであり、厚くお礼を申し上げます。私も引退後は自作農園でもと計画しておりますが、まだ四、五年の間は、皆様と相変らず袖を連ねて行くことが出来ませう。何分宜しく」

と挨拶、やがて廻された寄せ書帳には、「床前にずらりと咲いた憂曇華の花も実もあるけふの宴席」の歌を記した。

白井については、もう学歴なども分かるすべもないが、今右に即席の短歌を見ることは出来るように、俳句を多く残している。また大正十四年の「組合月報」には一つだけ「古本屋は古本屋で欲しい」という文章を残している。これは当時の古物商の中の古本屋が、少しも世に文化的役割を果たしているところが認められていないとして、最もその筋ににらまれてしかるべき貴重品など他の全ての古物商と同じ規則の中に取り込まれたままだ、古本屋はやがてこの束縛から解かれるよう、組合は改正運動を起こすべきだ、というもの。そしてこの悲願は、終戦後の昭和三十年、やっと後輩達の運動として実り、一冊一冊に買い受けから売り渡しまでを記さなくてはならなかった義務から解放されるのである（今も一万円以上の品は買受記録は残す）。

ここで白井の俳句を左に写してみよう。昭和六年「組合月報」所載のもので、俳号は〝白中老〟と称した。

留置場に「猟奇の果」の暑さ哉

朝の陽にきらめく水の金魚鉢
鮮人の家やかましき蚊遣かな
夏祭り雨に湧き立つ神輿かな
夕立や岩のみ登る浪がしら
漫談のおかしくもなき扇かな
梅くらく糠みそ桶の匂ひ立ち
（右、蛙声吟社・例会にて）
青空を見つむる癖やくるゝ秋
菊売りの荷をとりまくや秋の町
縁近く聴く放談や秋寒し

話を初めの昭和十四年まで戻すが、「組合月報」一月号は、すでに組合が募集していた〝銃後と古本〟というテーマで標語の当選作を発表している。一等、二等、佳作、選外と十七点が載せられているが、佳作及び選外として、

賢者に古典　勇者に勲章（白井弘）
古典は歴史を語り戦勝は歴史を作る（白井孝次）

というのが採用されている。共に〝深川常盤町　白井常次郎方〟とあり、白井の長男、次男の名であろうか。私には、白井が作って息子達の名で応募したのでは、と思われる。

ところでこの年十一月、その次男の孝次が応召されたことが「組合月報」の消息欄に見える。翌昭和十五年一月号には、〃市場係委員〃として、十名中、高林末吉、反町茂雄、北川義雄などに交じり白井常次郎の名が記録されている。するとこの年十一月号の〃消息欄〃には、

《……中支に出征された現組合役員、白井常次郎次男孝次君は、本月十六日杭州に於て名誉の戦死をされた》

の記事が載る。関連して十六年二月号には、次男の英霊に対する区民葬が深川小学校で行なわれたことが載った。

そして十七年十二月号には、十月三十日の深川〃安宅倶楽部〃で下町地区業者による句会が催され、〃白中老〃の句、

乱れ咲く野菊や水の湧くところ

が最高得点を得たことが記されている。

昭和十九年、商工省の指示により古書組合は国策強化の一環として統制組合に移行した。疎開や空襲被害などで、業者の異動が激しくなると廃業して脱退する者も多くなり、「月報」中には〃組合員移動・移転〃欄の行数がにわかに多くなった。十九年十一・十二月合併号には、

白井常次郎　深川区高橋一丁目三に移転

の記事。空襲により家を失ったのだろうか？「古書月報」に白井常次郎の記事が載る最後は、昭和二十六年六月号で、「東都書友会箱根行」のもと、塔の沢への、下町有志三十名の懇親旅行が行なわれた記事が出ている。反町茂雄も一目おいた本部下町にまたがる大人物・永森良茂（現・秦川堂書店永森譲氏の叔父）がこの会の会長に、六十四歳になっていた白井常次郎が相談役に選ばれたことが記録されている。

その後、白井の長男弘が古本屋を継いだことが「古書月報」にあるが、すぐに「組合員名簿」からは消える。昭和二十八、九年になると、下町古老の〝回顧座談会〟がはやる。その古老の一人がこんな発言をしている。

「当時、下町業界では芝居や脚本朗読などもよくやった。〝いろは座〟と称して島田（道之助）さんが座頭、佐藤、森本、染谷、森八郎（今浅草の劇場にいる白井さんの息子）が座員で……」

この〝森八郎〟が白井の長男〝弘〟だったのだろうか？

東京大空襲で消えた下町の雄

石川書店・石川光太郎

一

下町業界史の中で、誰にもっとも興味を持つかと問われたら、石川光太郎（明治二十一〜昭和二十年）と答えるに私は躊躇しない。私がこだわるのは、その生き方もだが、自伝こそ残さなかったものの、ゆうに単行本が出せるほどの今に読める沢山の文章を残しているからだ。その石川のため、下町業界は昭和三十一年、追善法要を行なっている。

《太平洋戦争いよいよ敗戦の色濃く、一億国民をして本土決戦を覚悟せざるを得ぬ段階に到達した前夜、昭和二十年三月九日。昼からの烈風が夜に入って一層吹きつのり、灯下管制下の人々は早くから戸を立て寝入ったであろう。ああその夜こそ、十数万の東京都民を焦熱地獄に追い込み、今日の悲しい思い出を語る日となろうとは！》

で始まる筆者名のない記事が「古書月報」に載った。続けて石川の下町業界での活躍から、やがて組合行政へまで参加して行く概略が書かれる。今度私は戦前の、「組合月報」(戦後「古書月報」と改題)「支部報」に載る古老の思い出話、かつて取材しておいた資料、また石川の残した文章などによりその生涯を追おうとするものである。

「私は大正二年に松倉町で古本の夜店を出していたんですが、ある日ゾロっとした着流しの男が現われ、新聞に関係していた者だが……と話しかけ、初めは本の話からやがて、俺も古本屋をやってみたいんだがと言う。これが石川さんで、それならと閻魔堂の市へ連れて行ったんです。その時分からあの様な口調で、振り手の私を呼び出し、何故俺に落とさないんだ、と文句です」

こう語るのは島田道之助で、二人の二十五、六歳の頃である。

下町業界の多くがそうだったように、石川もまた露店から始める。すぐに才覚を発揮、顔にもなって行ったらしい。

「その頃、江東方面の露店、特に夜店は非常に盛んでした。この世界には所謂テキヤと三寸と称された固い商人と二つあって、場所割りを巡って両者にしばしば争いが起こりました。やがて石川さんは江東三寸組合で一番盛んだった源徳稲荷の場所割を指図するようになったわけです。テキヤ勢力がだんだん強くなって三寸組合の場所割りは目に見えて不利になったが、石川はガンとして譲らないんです。そこで悶着が起き、石川さんも怪我を負った。話し合いはつかず、双方共それぞれ親分の家に集まり、不穏な形勢になった。万一に備え警戒していた警察も明け方引き揚げ、石川さんも自宅へ帰ったんで

「下町業界先輩に感謝の会」（昭和14年、深川一力にて）

53頁前列一番右が白井常次郎・右ナナメ後ろが石川光太郎

す。ところがその直後日本刀を持った男達が押し寄せ、一人殺され、三人が負傷しました。結局この出入りは浅草一の有名な田中春吉という人が仲に入って納めた。その責任を取る形で、石川さんは露店業から足を洗ったのです」

と語っているのは杉山留治だ。

この頃から、石川は店舗を持つことに執着、また持ったのであろう。一方石川は市場の会主にも潜り込み、組合役員にも色気を見せ始める。島田道之助の話。

「あの時、組合評議員の選挙に、下町から六名選出されることになり石川さんも、私も立候補したんです。私のことは森本君の兄貴が一生懸命運動してくれました。するとその兄貴のところへ石川さんが行き、島田君は人気があるんだから余り運動しないでくれ、と言って行ったらしい。怒ったのは森本君で、石川さんのところへ談判して乗り込んだことがありました。その挙げ句森本君は、騒ぎを起こして島田さんに済まない、と言って一時大阪へ逃げて行ったんです」

昭和初年の「古書月報」には、石川に関して次のようなゴシップ記事が載っている。

《人形町の市で、岡本君が読んでゐた新聞がなくなつて、日暮君の懐にあるのが同じ新聞だと言ひ出した。日暮君の両眼閃光を放つて緊張し、「これは今朝家から持参した新聞だ、失敬なことを言ふな。我輩の名誉に関することである」と腕まくりして、懐中からやおら短刀を取り出し、畳へ突き刺した。周囲の空気は酸化し、一同顔色を蒼くさせた。そこへのつそりと肩をいからせ出てきたのが本所の石川君だ、「刃物が怖くては洋食屋へは入られない。話は僕がつけるから、その道具は片づけ給へ」と言つて、かたをつけた。元の起こりが新聞紙だから、刃物が飛び出してはめちゃめちゃになるところだが、最後に石が出て来て無事に納まりました》

どうやらこの時代、古本屋も血の気のある人々が少なくなかったようだ。無論短刀は論外としても、私が行き始めた下町の市では、振り手がいきなり立ち上がって来て客の一人に殴りかかった光景を見ている。これは後年ある古老から聞いたのだが、石川は上背もあり威勢もよく、中々に押し出しのきく人だった、好男子でもあったとか。この頃下町には〝下町睦会〟という親睦団体があり、市場を経営し、園遊会や運動会、旅行会なども催した。その報告記事を石川が書くようになり、新聞記者を経験した石川の文章は巧みなもので、すぐに目立った。

《凡そ何商売に限らず長く同一の事に従事してゐると、不知不識の間に一種のタイプが生れ、そこに一種の風格が生ずるものである。即ち職人のタイプがあり、呉服屋には呉服屋の風格が、自然に表現されるのを否む事が出来ない。古人の所謂「桃李物言はず下おのづから径を就す」の謂ひだ》

昭和五年九月、石川はこんな一節で始まる「ああ、道義地に堕ちたり——古本屋気質の誇りや何処」という文章を「古書月報」に投稿した。

二

「古書月報」に投稿された石川の文章を、もう少々引用しよう。
《時代は移る。吾人はこの言葉を呪ふ。震災を一期画として生存競争の荒波は、もはや吾々をして悠々道を楽しむ底の事は望み得ない迄、吾々の足下に押寄せて来た。見よ此頃の古本屋のエゴイスト振りを。彼等に眼中先輩なく、書籍に対する観賞眼なく、道を楽しむ風雅なく、ただ尖鋭化されたる個人主義あるのみ。利己あるのみ。又これを今日の市会（殊にゴミ市に於て）に見よ。支那の文人が「骨肉相食む」とか「弱肉強食」とか形容したその通りの修羅場を呈してゐるのが市会の現状ではないか。不景気が刻一刻と深刻となる今日此頃、古本の市場が反比例に段々殖えて来る事は何を物語るか》
石川は要するにまだ私営だった市場の乱立時代の到来を憂えたものである。石川はこのあと昭和六年の組合総会で、組合加入者の制限を提案している。一方石川は、先に述べた如く評議員になるとすぐ、月報委員に選ばれる。以後石川は昭和十六年十月号までの「古書月報」を献身独力で編集して行くことになる。昭和六年ある月の巻頭言の一節。
《古本屋になつた大部分の人は、本に対する趣味から商売に入つたのだと思ふ。単に生きる為のみならば、八百屋でも魚屋でも変りはなかつたであらう。道楽とは読んで字の如く、道を楽しむことである。人生、真に道を楽しむことを得れば達人と言ひ得る。私

等凡俗、努力尚その域に達し得ざるを憾むものである》
石川はまた、とかく議事録など固い記事で終始しがちな月報の末に、〝壁新聞〟というくだけた六号記事を書いた。
《〇湯川市会の会場の下は「サンライ」といふカフエーだが、その立看板に曰く、〝未亡人美棒サービス〟、その美棒の棒の字がイミシンか。〇下町の市会に於ける紅一点、大網女史の人気は素晴らしい。此の間も市終へて女史が帰らうとすると、側から「背負へますか」「重いでせう」とシンセツな男達が集まつて来る。ある人駄句つて曰く、「背負へますかなどと狼二人寄り」〇古本屋の事を書いてある本を川島氏が拾ふと鷗外の『かげ草』にロンドンの古本屋、服部撫松の『東京新繁昌記』二巻に洋書舗、明治四十三年刊の『八百八景』に市の事が出ており、その他石井研堂の「たやすく出来る小売店」なんかにも書いてある、と》
こうして石川は自ら取材しての先駆的仕事も「古書月報」に残している。まず昭和十年六月号に載せた「展覧会巡り」、翌七月号に載せた「展覧会総まくり」は、以後戦争への道を歩み衰退して行く、戦前もっとも盛んだったその最終近くの古書展の模様が詳しく分かる貴重資料と言えよう。ちなみに、筆名の〝緑町人〟であるが、石川はこの頃、本所緑町市電交差点際の、下町一、二の良い場所に店舗を張っていた。専門は珍らしく児童書で、公共図書館への納入を行なっていたと言われている。緑町人は所在地から取ったものであろう。その「展覧会巡り――第二十回記念青展（昭和十年六月・緑町人）」の書き出しを転載してみよう。時に石川は四十八歳だった。

《賑やかな二十六日の日曜午後、プラタナスの並木を通して燦々と輝く街の陽を浴びながら、O氏同道青山会館の〝青展〟に往く。途中珍らしい掘出し物でもあったか、にこ〳〵しながら大きな包みをかかへて帰られる馬場孤蝶氏に遇ふ。

地下室の会場に至れば、各室ゴツタ返すやうな夥だしき人手に先ず愕く。その出品物の多種多様なると、売価の安いのに更に愕きを新たにする。殊に今回は第二十回記念として、十名の会員が全力を尽くして出品に務め、又盛んに宣伝したのも、この盛況を来した原因であらう。会員の清水氏、時代や氏は語る。

「私共の青展も今回で二十回となり、回を追って益々の盛況を皆さんの御後援の賜と感謝してゐます。殊に今朝の景気の素晴しいのには愕きました。八時の開場に七時頃から客が詰めかけ、定刻と同時に七、八十人もの人達が扉が開くと同時にマラソン競争のスタートよろしく会場へ突入し、怪我人まで出、陳列棚が壊されたのには怖しくなりました。この青展のそも〳〵は旧小町亭と矢来倶楽部の展覧会とが合併したものですが

……」》

石川は、このあと新宿三越六階の「第十回春秋会」、高島屋八階の「三都連合展」、神田図書倶楽部二階での「山手書好会展」、牛込神楽坂倶楽部での「神楽坂古書展」を描

いている。次いで七月号の「展覧会総まくり」では、銀座三共薬局二階の「紙魚の会即売展」、図書倶楽部階上の「尚古会即売展」、神田東京堂二階の「古典会展」、京橋第一相互ビルの「烏合会展」、渋谷道玄坂の「愛書会展」、日本橋白木屋での「古書会展」を取材、記事にしている。

世の中は激動の時代へ突入し始めていた。昭和十一年、二・二六事件。十二年、日中戦争の発端となった盧溝橋での日中両軍の衝突。十三年四月一日、国家総動員法発令。日中戦争は泥沼化し、新刊書の安っぽくなるに比し、古本の価値は増すばかりで市場は大盛況、店売りの好況が続いた。――しかし、業界は徐々に坂を下る如く衰退への道を辿り始めていた。石川の編集する「古書月報」まで、時局を反映した内容のものとなって行くのだ。

三

昭和十三年という年は、出版物の分岐点である。十二年までの本も雑誌も製本ということで戦時色の影響を受けない。しかしそれから十四年で微妙に変化、十五年からの出版物は全て〝戦時版〟と言ってよい体裁に移行する。

石川はこの年数えの五十歳、すでに「古書月報」を九年間編集、行政面でも三役の一人と言われていた。石川は夜店からの業歴と、組合中枢部での見聞を書く構想を立て、九月号から連載を始める。十四年二月まで書き続ける文章は題して「市会漫語」。第一回の書き出しはこうだ。

《二三年前、弘文荘反町茂雄君が「市場の話」を放送したことがあつたが、それは「市」の歴史から説き起こして、倶楽部市の情景に及んだ、未だに忘れ得ぬ名放送であつた。あれは珠玉、これは何の価値もない瓦石で単なる市場に関する放言漫語にすぎない。／古物の市にも、一品何万円のものを取引する骨董の市もあれば、家財道具ばかり取扱ふ道具屋の市もある。その中で古本の市は、市の回数の多いことと、出品の点数を扱ふことは、あらゆる古物の市に於ての白眉である。／日本の出版事業は、出版数の夥しき点に於て、世界屈指である。多いといふことと、優良といふことは、あながち一致するものでないが、それだけセコンドハンドが多いことは、これまたハツキリした事実なのである。その出版物の大部分が、都会地に於て読書消化される。東京に古本の量の多いことも、尤のことと肯づけるのである》

右の内、もし最初の〃／〃までの段落がなければ、私は石川の古本市場を語るこの文章を見事と思う。石川はこの頃、すでに組合内にあって怖いものなどない存在だったのだ。そう、この六年前に一誠堂から独立、「古書月報」その他に寄稿、出版を手がけ、この年までに「弘文荘待賈古書目」を次々と第十一号までを出した反町茂雄という、帝大法学部を出た男を除いては——。

私は昨年（二〇〇五年）出版した『古書肆・弘文荘訪問記』（日本古書通信社）中の、八十九歳時の反町の石川評を思い出すのだ。

「あなたは石川光太郎のことを書かれたとか。勿論私は会ってます。そう言っては何ですが、商売はただ手段で、中央で顔をきかせたいって人のようでしたね。でも一つ印象に残ってる出来事があるんです。私がある席上、自分は迫力のない人間で……って言ったところ石川氏がね、『反町さん、あなたが迫力のない人間と言うなら、この世に迫力のある人間などありませんよ』って言う。いや、それまで私は自分を全くそう見ていたんです」

私はこの石川評は、ある意味で反町の下町業者評、そしてある部分私への評でもあったのでは、と今は少なからず思い当たるのである。ともあれ石川の文章は、昔は古本専業というものはなく大抵出版屋やその小売なども兼ねており、明治期になってやっと古本専業の店が現れたというところから語り始める。仕入れ方法は買入広告、同業を廻ってのセドリ、古本市場とあることをその時代背景と共に書いて行く。

「市会漫語」（二）で、石川はいきなり、今業界は各方面で品不足に困っており、ますますそれが進むだろう、と予想する。今の私に言わせれば、出版事情が古本に適さぬ〝戦時版〟に移行して行く背景がそうさせたのだが、石川はこれを同業者が〝目録販売〟に力を入れ始めたことに要因を見ようとする。第二の理由は、と石川は書いている。

《日支事変でも解決すれば、亜細亜大陸は日本の支配下に置かるゝことになる。日本人もドシ〳〵進出する。出版物の幾割かは満洲・支那方面に消化されて内地にはそれだけ減少される。紙の統制で出版部数も減少してゐる上、海外への流出だから、この影響は相当に深刻だ。それに雑誌雑本のセコンドも、現在慰問品として戦地に送られるから、東京全市では一日何万冊の多数に上るだらう。／かういふ事情を総合して考へてみると、これから先吾々の商品は、益々少なくなるのは解りきつたことだ。生産能力のない古本屋よ、将来は何処に行く。かういふ叫びが思はず、ほとばしるのだ。／それを思ふと、品物がダブついて、楽に商売が出来た昔の古書業界がつく〴〵しのばれる》と。

しかし石川は、それから辿る業界の歴史を知らない。国の行く末を知らない。自らの運命を知らない。当然物があり余ってしまった果ての地獄のような業界のことなど知るはずもない。それでも、書くことの魔に魅入られてしまった石川は、せめて自らが見て来た二十五年間だけでもきちんと書き残したいと思う。

《過去を賛嘆するものは老人で、前途を憧憬するのは青年だ。老人は退歩し、青年は進歩する所以だ。然し、詠嘆のうちにも真理があり美もある。「過去」は歴史の最も必要なる要素の一つだ。又、過去を思ひ過去のことを思索することは、向上のための一つの条件とも言ひ得る》

石川は、明治維新で打撃を受けた武家社会から書物が放出される時代、そんな背景からセドリの発生を説き、セドリ屋の生活を記す。そして自らも体験した古本の露店の生態を描く。岩波書店の業界への関わり、反町茂雄の業界入り、巖松堂、一誠堂主の出世物語を記した。またこのあとに記す永森書店の販売目録に載せられた「北海道鉱物調査資料」を掘り出した買い出し人の話は、埴原一亟によって「翌檜」という作品となり、第十六回芥川賞候補となった。

四

石川はあの「市会漫語」を、本当は何回まで書こうとしていたのだろうか。文章は突然中途半ぱで打ち切られたが、それでも業界の草創期から、組合結成二十周年も近い、それなりに業界特有の秩序が出来上がって行く辺りまでの、近代古書業界外史くらいにはなっていると思える。いや、この六年後の、石川の無念の死を思えば、この文章（拙著『下町の古本屋』〈日本古書通信社・平成六年〉に全文掲載）こそ、石川が私達業界に遺した「遺言」とも言えるものであった。

……昭和十四年八月、下町の荒川区を中心に別派としてもう一つの組合を形作っていた〝昭和古書籍商業組合〟が新たに東京組合に吸収合併される。九月八日、組合の中から戦死者、戦病者が出るようになり、家族弔慰金制度を決定。十月八日役員選挙、石川再任。十二月、〝昭和十四年度組合員名簿〟を「古書月報」付録として発行。この時点での組合員総数は千四百七十八名、市場数は都内四十二カ所を数えた。昭和十五年、商工省が古本の公定価格を発表。石川は月報巻頭に、

《皇紀二千六百年、島国日本の終止符だ、億兆一心真に覚悟を新たにせねばならぬ。殊に東亜の文化工作に大いなる責務を担ふわれ等日本古本屋、固より大いに自粛発奮、皇国の為め全力を尽くさうではないか》

の文言の入る〝奉祝皇紀二千六百年〟を書いた。

六月、古書貫史料展覧会を企画するが、その筋より記念展の縮小を求められる。月報には「暴利行為等取締規則と業者」「左翼書籍清掃の風」などの文章、十二月号には〝古書籍公定価格表〟が載った。

昭和十六年、四月一日米穀配給通帳制実施。十月十八日東條内閣成立。十二月八日米英両国に宣戦布告。三月二十六日、公定価格官報に告示され、即日実施。七月、石川は、「文化の鍵を握る同業諸君へ」なる格調高い文章を巻頭に寄せる。そして十月号に、石川は「月報委員を辞するに臨んで」を書き、十三年に亘る委員の座を下りた。

昭和十七年の新年総会で、組合は〝商業組合〟に改組される（十九年〝統制組合〟）。三月、組合内に〝勤労報国隊〟を結成（十八年二月〝商報推進隊〟も発足、禁止本の摘発に各店を巡視）。十一月、古書即売展を改組して〝共同販売所〟とした。昭和十八年四月十八

日、連合艦隊司令長官山本五十六戦死。十九年三月、全国の新聞夕刊を廃止。七月、情報局「中央公論」「改造」の自発的廃止を指示。十一月二十四日、マリアナ基地のB29約七十機、東京を初爆撃。

古本屋は本を売り惜しむようになり、貸本というものを考え、実行する。「立読は遠慮しませう決戦下」「立読は決戦型だ五分間」「立読の悠長許す時でなし」「立読は時局にそむく姿なり」の標語が作られる。

組合は野放しの貸本料金を協定、東京都の認可を受ける（昭和十九年三月）が、この年も後半になると組合員の疎開、出征、動員、廃業などが相次ぎ、古本市場の機能も麻痺して行く。

……昭和二十年元旦を、石川光太郎は一家と共に無事本所緑町の自宅で迎えたはずだ。そして運命の三月十日未明より、深川、本所、浅草を中心とした下町は米軍機の大空襲を受ける。特に本所を中心に、円を縮めるように揮発油、焼夷弾の雨を降らせたので、人々は逃げ場を失い十万の人達が焼死する。その中に石川家全員もあり、その具体的被害さえ不明と言われた。しかし、この時の空襲の模様は奇しくも新宿区で営業の同業者によって記録されていたのだ。一草堂・宮田四郎がその人で、一日おいた十一日昼間、本所菊川町の妻の長兄の安否を尋ね、探し歩いていたのだ。宮田は昭和二十五年、「古書月報」に記した。

《新大橋を渡り、一歩本所に入れば其惨状目も当てられず、恰かも焦熱地獄の絵巻物を展開するが如きでした。都電の鉄塔は高熱の為にへし曲り架空の電信、電話線は錯綜せる糸の如く乱れ揺れています。路上には猛火に巻かれて最後を遂げたる老若男女の屍体横たわり……》

こうして義兄宅に辿りつくが、遺骸さえ見つからなかった。宮田は帰路につき、書き次いでいる。

《菊川二丁目から緑町に通っている改正道路に出ました。ここは道路の広き為、東西南北に逃げ場を失いたる群集が殺到して集まりたるを、整理せんとせし警官が数十人殉職して居りました。又群集に圧倒されて横転したるを混乱の際とて踏まれたるか、七歳位の眉目麗しい少女が右腹を破かれ、其の傷口より大腸がゴム風船の如く露出して居た。此辺の焼死体は夥しく層を重ねて、死人の丘陵を築いて居り、其の数何千とも数え切れない有様でした。／これより緑町に出ましたが……》

昭和二十年四月、組合員のよりどころだった小川町の〃図書倶楽部〃も焼失、組合事務は焼け残っていた神保町の一誠堂書店内に置かれた。

◇罹災組員に告ぐ

疎開又は戦災の為め、組合員にて営業所又は住所を変更された方は、至急新住所を組合事務所宛御通知を乞ふ。

という記事が、謄写刷りの月報、二、三、四月合併号に載っているが、石川光太郎はもうこれに応えられる人ではなかったのである。

古本屋旋風を駆けぬける

一草堂・宮田四郎

一

一草堂書店という名は、神田の東京古書会館を利用している業者なら、平成十三年までは時折りは思い出していたのではないか。何故なら、エレベーターで荷を上下するため誰もが使用する、共同使用の台車の一台に、ハッキリと〝一草堂書店寄贈〟の表示がされていたからである。宮田四郎は昭和五十六（一九八一）年に八十五歳で没したから、台車は少なくとも三十年近く（寄贈は没年より前）使われていたことになる。

私はその宮田を、七十代半ばくらいの小柄で温厚な老人として時々古書会館で見ているが、この人を業界史的に眺めるようになったのは、自分が同業三人で季刊雑誌「古本屋」を出し始める昭和六十年頃からである。しかし、明治古典会会員でもあった宮田の息子・堯好（たかよし）君とは、ほとんど同時期に入会し、彼が脱会する十年間ほどつかず離れずつき合っている。そんな彼と私が、明古の幹事に起用されたのは昭和五十一年度、鶉屋書店が会長になった時で、彼は本会計、私はその補助である、〝金券〟係（会員はひと月延べ勘定での支払いが可能で、その督促状などを出す仕事）であった。並行して毎週の市場経営にもタッチすることは言うまでもない。とうとう伺ったことはなかったが、店舗ビルは新宿区歌舞伎町にあった。四郎は高齢になって堯好君に店を継がせるべく、彼が三十すぎまで一流銀行に勤めていたのをやめさせたのだった。ソロバンなど見事で、私が無事に金券係をこなせたのも、彼のその計算能力のお陰だったことは言うまでもない。ただ、貧しい育ちから石橋を叩いて渡る式の私の性格からは、小柄ではあったが見るからに才気煥発、見た目の若々しい堯好君に、その生き方等に何やら危うげなものを見てしまったのである。ともあれその一年、私は幾度か彼の店に電話して、八十歳頃の四郎と、「おられますか?」「ちょっとお待ちを……」の会話を交したのだった。と、この翌年辺りのことか、堯好君が癌に倒れ、彼は療養などあってその後健康を回復したらしいが、明古とは縁が切れてしまう。

前にもふれたが、私は昭和五十七年に業歴三十年を記した『古本屋三十年』（自費出版）を出したあと、急激に業界の歴史を調べ始めた。それまでにもかなりの文献を蒐集していたが、集めるばかりで読み込むことは少なかった。そんな蒐集の中に、戦後都崎友雄が編集をになった「古書月報」の昭和二十二年五月から二十七年までのもの（二十八年組合加入の私には保存がなかった）があり、これを熟読した。中でももっとも詳細に、戦

古本屋旋風時代
東京第二支部　宮田四郎

「古本屋旋風時代」

時下の街の古本屋の生活、その営業風景を描いていたのが、外ならぬ宮田四郎の筆によって連載された「古本屋旋風時代」（昭和二十五年九月～二十六年三月まで連続七回、最終八回のみ昭和二十七年五月号に掲載）だったのである。ついでに言っておくと、宮田の文章は「古本屋旋風時代」以前、昭和二十五年一、二月号に「沖縄から台湾へ」（一）（二）と、同三～五月号に「探書旅行――支那から満洲へ」（一）（二）（三）を書いている。これらは文字通り古書買い出しの記録で、そのあとを、と言われた宮田が、三カ月後に書き始めたのが〝旋風時代〟だった。書き出しがふるっている（以下カッコ内は筆者補筆）。

《機関誌部長さんから私に、既連載の訪書旅行記が好評だったから、又旅行記（の続き）を書けとのお話がありました。大東亜戦争が、東條さんの妄想の通り日独が勝って、亜欧連絡鉄道の夢が実現し（てい）たら、私の訪書旅行記の続篇も書けたかも知れませんが、其れも痴人の夢と化した今日では、旅行記の種もつきました。今度は筆を終戦前後の業界の大異変を断片的乍ら記録して見たいと思います》

こうしてもう一節、宮田の感慨が述べられたあと、

《さて私も、昭和六年新宿駅に近き今の処に店を構えましたが、横通りで店が利かぬ為め、古本の地方通信販売を始めた。（これが）当って、一時は二百頁位の目録を年に二、三万部発行して内外地に配って随分大きな商売をしたのです。大東亜戦争勃発以来、股肱と頼む若き四人の店員は次々と応召、手足をもがれ、加うるに目録発行用紙の統制で（発行）不能となり、遂に十年苦心の結晶たる古本通信販売も廃業するの止むなきに至った。昭和十七年でした》

と〝旋風時代〟が始まるのだが、終始これ以前の履歴が書かれていないので、ここは収集資料中の、〝新宿支部古書店創業年・来歴一覧〟（東京都古書籍商業協同組合「新宿支部報」三十三号・昭和五十六年）の、一草堂書店の項を引用すると、

宮田四郎　明治二十八年九月生　東京都出身　来歴＝明治四十一年横浜有隣堂に勤務、大正二年日本橋にて創業

とあった。こうして昭和六年に新宿へ出店したというのである。その〝横通り〟がや

がて名高い超繁華街・歌舞伎町になるのかどうかは分からないが、今私の所有する昭和二十七年度の組合員名簿中に見る一草堂の所在地は間違いなく〝歌舞伎町〟である。すでにふれているが、「昭和六年……今の処に店を構え」とは〝旋風時代〟の宮田の言葉であることを思えば、多分に右の想像が正しいと思われるのである。

ところで、何故宮田は戦後五年を経た五十四歳のこの時、この頃誰もが食うに忙しく、ほとんど誰もやらない業歴の公開などする気になったのだろうか？〝人生五十年〟という言葉が常識だったことでの、区切りの気持からだったのだろうか？ともあれ今となっては、この〝旋風時代〟執筆だけが宮田の業界への存在証明となってしまっていることは確かである。

二

ともあれ、宮田がこのあといかに〝街の古本屋〟として戦争をくぐり抜け、戦後を迎えたかを、描ければと思う。無論これは、宮田の「古本屋旋風時代」があるからで、のちのち、同業が思い出して書いたものと違い、敗戦わずか五年目の、しっかりした記憶ということを、私は強調しておきたい。

宮田はまず、店売りの利く場所探しをした。すると表通りに一軒、疎開する人があって権利金千円を出し、そこを借りることが出来た。当時その新宿三越通りに古本屋はなく、柏木通り、四谷通り、新大久保などに点在するだけで、それら同業も過半は応召、徴用で閉店同様だった。宮田は持ち前の積極性から、買入のビラを大久保、渋谷、四谷方面のお屋敷に自ら配り、新聞の折込広告も出した。それが効いて、店は大口小口の買物で溢れるようになった。それを㊣で並べておくから、飛ぶように売れる。㊣を説明すると、昭和十五年末、突如商工省が〝古書籍公定価格表〟というものを発表、十六年三月から実施された。その内容は、昭和十三、四年発行の本は定価の十割、一二〜十二年発行の本は十三割までと、何段階かに分けて古本売価の上限を決めてしまったのだ。それが飛ぶように売れた。というのは、急激に粗悪になる新刊本と比べ、しっかり造られた二、三年前までの本が割安に見えたからだろう。しかし宮田もサルモノ、もう少し裏もあった、その辺りを、「旋風時代」で書いている。《岩波の本などは奥へ仕舞って置くと、好事家が酒や煙草、衣料品、食糧品など配給以外（には）手に入らぬ品を手土産に持って来て、奥の方の棚から漁って私が㊣でよいと言うのに、又売って貰おうと余分の金を置いて買って行くので面白い様に儲かりました》

宮田はまた、その頃下町業者を中心に流行り始めた〝貸本〟という方法に着目している。《全集や単行本が相当集まったので㊣で売るのが馬鹿々々しくなり、片側の棚に二千冊ばかり並べて貸本を始めました。其の頃、警戒警報や空襲警報が頻繁になり映画館や劇場も落ち付いて見られぬようになった為、娯楽を読書に求める様になった、又一方、小説など新刊書は軍部に媚びる愛国的堅苦しいものしか発行されない為、昭和初頭の自由な時代の恋愛小説などは貸本でどんどん出ました。それに貸本だと公⃝の倍位保証金を取って、返らないで売れても公⃝違反にならぬので、高級な文学書なども貸本の方へ並べるようになりました。何しろ利用者が一日に百人位殺到するので、普通の帳簿では不便で、カード式にして箱を設け、五十音順に利用者の名を検索しました。目が回る様に忙しかったのでした。貸本の見料の公⃝は大抵一日五銭か十銭でしたから、二十銭五十銭の小額紙幣が手提金庫の中へ紙屑の様に堆高く投げ込まれ、閉店後整理するのに骨が折れました》

が、宮田はこう書いて、我に返ったようである。

《この様に景気の良かった話をすると、最愛の妻子と別れて応召した人や、徴用されて馴れぬ力仕事に苦しむ人や、企業整備の為先祖伝来の家業を捨てた人が、戦争の災禍に依り苦しんで居るのに、私だけが独り自由に商売をして楽な生活をして居たと思われますが、実際は気楽に落ちついて商売して居たのではないのでした》

と、繁昌は束の間のことだったと弁解している。

何しろ二日おきに防火演習がある。その上毎日のように鳴る警戒警報に出動、配置につかなくてはならない。さらに世相は、中年に近い者までが出征して行き、とうとう五十歳も間近の宮田にまで週二日から三日の徴用がかかるところまで来た。最初は市ヶ谷の大日本印刷で働く。手押車での資材の運搬で、すぐに若い職工から「そのくらいでマゴマゴしていては、少しもお国のためにならないよ」とどなられてしまう。宮田は「瘦せても枯れても一家の主人たる自分が……」と悔し涙をこぼした。次に回されたのは同じ大日本印刷の〝紙幣部〟で、そこでは大東亜共栄圏内各国の紙幣を印刷中で、機械からはずれて落ちて来る印刷物を揃える役だった。その後も宮田の徴用は続き、青果会社の運搬の上乗り、丸通の貨物自動車の配達係などをした。

そんな中、宮田は何ともこの戦時下では珍らしい出来事を記している。それは戦後いち早く新宿の目抜き通り、あの高野果実店から三越までの焼跡を腕力で占拠、マーケットを作りその店子たちから法外の権利金を取り、巨万の富を築いて全国に名を轟かせた、尾津組・尾津喜之助の動向である。昭和十九年に入った春寒き頃、宮田の隣組へ、殺人罪で二十余年の刑を終えた尾津が帰って来たのだ。そして近所への配り物というのが、もう貴重品だったセルロイドの洗面器だった。また隣組の子供という子供を集め、大きな餅入りのお汁粉を食べさせる。そして初夏の頃には武蔵野館を二日間借り切り、警察官、消防員、警防団員の慰安会を開き、有名芸人数十名の芸まで披露させる。その上帰りには豪華な折詰まで持たせた。

尾津はまた、宮田の店に現われ、日本刀を買い集めているのでその参考にするのだからと、よく刀剣の本を買って行ったり、貸本は武張った講談や股旅物を借りて行く。しかし時には子分を日本刀を持って追いかけるなどの、深夜のご乱行で隣組の夢を破ることも忘れなかったと言う。

（雑誌「真相」昭和二十五年No.49「都市復興の立役者」には、尾津はその後経済違反や傷害暴行で公判に付されたが、「光は新宿から」との復興の功績は裁判長も認め、尾津も「それさえわかってくれれば」、とニッコリ頭を下げた、とある）

三

古書会館での市取引はどうだったのだろう。公定価格の押しつけで、一般書の場合振り、入札とも公定価格の一割引――つまり九割までしか競ることが出来ず、出品者は更に手数料もかかるので、神田や本郷の大店へ直接運んでしまうようになった。中では、あまり定価に左右されない〝資料市〟が、軍需景気と共に盛況を極めた。ちなみに戦前、窪川精治、永森良茂などが興した〝一心会〟へ宮田が出品者側から会主として参加していた記録が『東京古書組合五十年史』に残されている。

かくて昭和十九年暮となった。

《赤城下ろしの寒風が木枯となって都大路を吹きすさび、平時なら年末売出しに賑う街頭も、物資の配給組織の深刻化の為、何一つ自由販売品を持たぬ商店街は火の消えた様な淋しさ。一方米機の偵察的来襲は、日毎夜毎繰り返され、（略）空襲警報に入れば全町悉く戸を下し、灯火は滅し真に暗黒の街と化し。敵機を迎撃する無気味な高射砲のブスンブスンとする音のみ、吾人の耳朶を刺戟し、遠隔の地に落ちた爆弾の音が遠雷の如く響き、往来の行人も警防団員と隣組員の靴音のみかすかに聞こえると言う寂寞たる風景。旧日本の末路を象徴するかの様に、そこらお屋敷の庭の松を切って来て飾った貧弱な門松が戸口に立ててある位で、竹も〆縄(しめ)もなく況んや神前に供えるお供え餅は瀬戸物の代用品を以ってし。正月用の配給品は一人分餅米が三合、酒一合、蜜柑が百匁、それに干数の子と鯡(にしん)の入らぬ昆布巻が若干あった位で、鯛や蒲鉾など全然手に入らず、煮〆の材料たる蓮根、人参、大根などを知り合いの八百屋で平身低頭、拝み倒して高い闇値で買いやっと乏しい正月の支度をしました》

そんな正月六日の第二一般書(いっぱんしょ)交換会(一心会)に、宮田は新宿から都電に乗って出かけた。この日の市は客もやっと二、三十人で、早くも一時間ほどで終ってしまう。

さて、先程も引用した宮田の文「古本屋旋風時代」の圧巻は、その三カ月後、あの三月十日未明よりの深川、本所、浅草への揮発油と焼夷弾による、いわゆる東京大空襲直後の描写であり、連載の七、八回がこれに当てられている。

幸い宮田はこの日の直接の被害者ではなかったが、この日まで何とか営々として生活を支えて来た旧下町(当時は足立、葛飾、江戸川区などは田園地帯)の人々と下町の古本業界を、この空襲は壊滅させてしまう。即ち、同業の店の多くが、この日に焼失、あるいは爆死、焼死させられてしまうのである。何しろ、その夜の江東一帯の炎上は、二里離れた新宿の街を赤く染め、家の中は灯りがなくとも歩けるほどであった。また翌朝新宿駅前には、下町を焼け出された人々が中野方面へ向け列になって歩いて行くのを宮田は見た。

《所々焼け焦げたる夜具を重たげに負うて行く者、タイヤの焼失して赤く焼けたリヤカーに残った家財を積んで行く者、顔を煤で真黒にしたる母親が履物もなき素足の子供達を叱咤激励し連れ行く者、火傷したる老婆を背に負うて行く者等、千種万態の行列は跡を絶たず、前夜の艱難に人々は憔悴し、衣服は恰も乞食同然で歩く姿は、支那の難民の行列を連想せずに居られませんでした。私は支那事変で日本の攻撃に依り生じた難民の記事を、新聞紙上でよく見ましたが、因果は巡る小車の今は中国々民を苦しめた日本国民の身に及んで来たのでした》

と……宮田は、妻の長兄が本所菊川町に住んでいるのを思い出し、自分の所か初台の義姉宅に避難あって当然と鶴首したが、十日昼になっても連絡なく、義姉にも相談、一人安否を確かめるべくシャベルと鍬をかつぎ家を出た。都電は日比谷より先は不通で、それからは徒歩。銀座、浜町と焼野原と化し、明治座は鉄骨は残るも、地下に避難した何千の人が焼死とか。

《新大橋の中央高きに立って眺めれば、下町一帯は一大焼野原と化し、余燼くすぶり煙の為に天に高く残れるは赤爛れたる鉄筋コンクリートの建物と、工場や銭湯の大煙突のみ残骸を晒し居る惨憺たる大パノラマを展開して居るのでした。嗚呼、江東の地の如何にしてかく度々の天災、人災に見舞われるにや。大正十二年の大震災に依り、被服廠の内に幾万の人骨の山を築き、爾来二十星霜、孜々営々拮据再建に努め漸く復興したる今又、米機の鬼畜に等しき無差別爆撃に依り一夜にして潰滅す。米国が幾隻の巨船にて復興材料や日常必需品を率先送ってくれた恩義を忘れ、功名心に驕れる日本軍閥の野望とは言いながら、真珠湾を奇襲し多くの米将兵を海底の藻屑と化せしめたる悪業の報いが、巡り来たって今此の惨状を呈す。あな、天意の恐ろしきかな》

ここまでが「旋風時代」の第七回であった。そして一年二カ月を経てやっと掲載された宮田の完結第八回は、

《新大橋を渡り一歩本所に入れば……》

で始まり、

《恰も焦熱地獄の絵巻物を展開するが如く、都電の鉄塔は高熱でヘシ曲り、架空の電信、電話線は錯綜せる糸の如く乱れ、路上には猛火に巻かれて最後を遂げたる老若男女の屍体横たわり、幼児らしきは骸骨と化し、大人の髪は燃えつくし裸体となって横死している有様は五百羅漢の如く……》

と続き、それは、まるで昭和の『方丈記』を読むようだった。

結局義兄一家は影も形も見つからずに終り、その後の空襲で宮田の借り店も焼かれたらしき暗示があって、「旋風時代」は終っている。

なお、末尾に「原稿は貰ってありながら……」の編集部の断わり書きがあり連載が延ばされたのは、戦争から五年、この内容は誰もが振り返りたくなかった故の配慮だったのだろうか?

大観堂・北原義太郎
尾崎一雄が借金した古本屋

昭和二十四年十月刊の「別冊小説新潮」に、創作二十八集の一篇として載っているのが、この「大観堂の話」である。

この私小説は、昭和二十三年十一月三日、尾崎一雄が早稲田の別の店の古本屋から大観堂の死（享年五十二）を知らせる電報を受け取るところから始まる。四日の告別式に出たかったが、尾崎は病気療養中で代りに妻を下曾我から上京させた。妻は帰ると、大観堂は病気で入院中急に病状が悪化したのだと言う。何でもひどい不眠症になっていたとのことだ。このあと尾崎は、己と大観堂とのことを回想する。……大観堂が早稲田鶴巻町の世界堂で、小僧から番頭とつとめ上げて独立、戸塚に店を持ったのは大正十年頃、尾崎が早稲田第一高等学院の第一回入学生としてその辺をうろつき出したのと同じ頃だった。古本道楽に凝り出し、二、三の仲間と東京中の古本屋を歩き廻るようになり、戸塚附近ではその好青年的な大観堂と親しくなった。大観堂には間もなく、色白で丸顔の綺麗な新妻が座るようになる。大正十二年の大震災も無事で、大観堂はそこを界に特に頭角を現わす。国文学、現代文学に関する限りすでに古本屋並に相場を知っていた尾崎は、あっちこっちがむしゃらに買って来て、要らないのは一まとめに大観堂に売る。

たまには、主人が留守で首をひねっている客に、「どれ見せたまえ」と言って本を調べ、「これで十円なら買っといても」と細君に言ったりの芸当もした。

やがて昭和三、四年頃には大観堂は戸塚の別の所に店を新築、その裏に建てた貸家へ、尾崎は最初の妻と半年ほど暮らした。その上尾崎はひどい貧乏から、迷惑をかけ通しだったのが大観堂で、店先で客のいるのもかまわず、「金を貸せ」「いや困る」と喧嘩になることも一度や二度ではなかった。

《借りては返し、返しては借り、結局は少しずつ借りがふえる。というようなことを何年かつづけた。つづけるこっちはともかくとして、大観堂の方でよく続かしたと思う》

その大観堂に、金の借りぶりの三大豪傑は「坂口安吾さん、檀一雄さん、それにあなた」と、尾崎は言われるようになる。

すでに大観堂は出版も始めていたのだ。文学書を多く出し、尾崎の本も『南の旅』『長い井戸』と出したが、最も成功したのは本庄陸男の『石狩川』（昭和十四年）だった。翻訳書の『フランス敗れたり』はベストセラーとなった。また昭和十四〜十九年にかけて同人雑誌「現代文学」の発行元ともなった。

尾崎が大観堂と最後に会ったのは、昭和二十年七月中旬で、家族は疎開して家は荒れていたが、大観堂に泊めて貰うことになった。二人は一つ蚊帳の中で話した。尾崎はそれまでに預けてあった本を、金を払って一まとめにし、在京の若い知人に運ぶのを頼んだ。そして尾崎は、芥川賞で貰った時計でも借金していたので、「時計は?」と聞いた。

「あれは新潟の方へやってあります」

「自分で持っているより、安全だな」

「あの時計は売らない方がいいですよ。記念ですからね」と大観堂に言われてしまう。

そのあとも終戦をはさみ二度上京した尾崎だったが、一度目は大観堂が留守で会えず、十月の上京では最初の知人宅で倒れ、やっとのことで帰郷して以後四年東京を見ないというのが実状であった。

……ここまでを、尾崎は(一)~(五)で書き、(六)を《大観堂は、税金のことを苦にして身体を痛め、それがもとでああいうことになったのだ。――そんな風なことを、私は誰かから噂話としてきいた》と書き始めている。そしてめずらしいほどくだくだと、尾崎は四百字六枚を費やし、《丈夫だ丈夫だと云っていた彼が、何かの調子で病気になった、病中たまたま税のことで嫌な思いをした、多少は病気に障ったかも知れぬ、その位のことは、あるいはあったであろう。しかし税を苦にして倒れたとは尾ひれのつき過ぎとしか私には思えない》と結ぶが、いま一つ、歯切れが悪い表現に終始してしまう。死因に何かはっきり言えない事情でもあったのだろうか。このあと(七)で、尾崎は北

大観堂「特殊古書販売目録」

原未亡人から、大観堂の近くに住む人に托されて、あの時計が届くところで、この小説は終わるのである。

ところで、筆者が今目の前にしている大観堂資料として、その独特な販売目録がある。「大観堂・円本全集販売書目」これは昭和六年版が最も古く、改訂十一年版、十二年版、十三年版と出され、年々部厚になっている。次は「大観堂・一般古書販売目録」で、昭和七年度版、改訂十二年度版、十三年版と出され、二百七十頁の厚冊。別に「特殊古書販売目録」(昭和八年度)は、後ろから洋書が三十数頁載せられている。大観堂目録の特徴は、その百%が、定価いくらとあって、売値は半額以下の薄利多売方式だった。今は高い、『現代大衆文学全集』はもちろん、『江戸川乱歩全集』も『少年冒険全集』も『令女文学全集』も、一冊みな三十銭、五十銭売りだ。『春陽堂小説文庫』など五銭から売り出している。そしてどの目録にも、最終頁に「大観堂発行書目」が印刷されている。

古本市場人としても、大柄で押し出しも利く人物で、戦前の神田〝一心会〟市の中心として活躍していた。組合活動の方も昭和五年、七〜八年度に評議員（現在の理事相当）、昭和十七年、新宿支部長。残された北原の文章「古本屋の嘆き」（「古書月報」昭和四年八月号）を読みたかったが、唯一組合だけに残るバックナンバーは、残念ながら新会館落成まで見ることが出来ない。

時代や書店・菰池佐一郎

いまも語り継がれる尾崎紅葉日記の掘出し

時代や書店・初代菰池佐一郎（一八九九〜一九八八）は京都生まれの大阪育ちである。大正初めに上京し、市ヶ谷の朝比奈骨董店の店員となる。八年、神田末広町に小さな骨董店を始めたが、佐一郎は銀座一丁目に印籠や根付勾玉など小物を並べた露店も出した。

その隣に出ていたのが彰文堂という古本屋だったが、都合でやめるという話なので本好きだった佐一郎はその本と車を譲り受け、本屋に転業した。

次いで上野広小路の本屋・片岡屋の支店を譲り受けたが、十二年九月の大震災に遭遇、元の木阿弥。下谷区（現・渋谷区恵比寿）に移転する。

今度は、まだ狭く賑やかだった渋谷道玄坂に露店を出した。六、七年経った頃、徳富蘇峰の建てた青山会館の事務員と店頭で知り合い、地下があいているから即売展でもやらないか、と誘われる。佐一郎が早速本屋仲間を集め、同じ道玄坂で錦絵を売っていた小寺という人が和本屋を誘って、明治堂、辰巳屋など十八ほどで始めたのが「青山会館

大震災後の夜店

古書即売展」=青展である。

昭和六年のことで、佐一郎の得意にしたのは文学書。丁度明治物のブームとも重なり、詩集歌集を中心によく売れた。青展は戦前古書展の代名詞ともなり、ここには三宅雪嶺、木村毅、柳田泉、斎藤昌三、本間久雄、山本有三、宮武外骨など名士が溢れ、計六十八回まで行なわれ、戦争のため十九年に幕を閉じた。

青展を巡る逸話は多く、時代やを有名にした話としては「尾崎紅葉自筆日記」の掘出しがある。ふとした手づるで手に入れたこの品を、佐一郎が内々で同人達に見せると、「これはすごい」ということで「ただ値をつけて並べたんでは勿体ない、下見させて公開入札に付そう」ということになった。時に昭和十一年末だ紅葉死後三十五年で、今なら三十年前に死んだ三島由紀夫辺りの感覚で、当時硯友社の総帥として紅葉の自筆本は超のつく高値だったのである。

日記は半紙判の和とじ四、五十枚の冊子。表紙に表

晩年の菰池佐一郎

題はなかったが、まぎれもない紅葉の自筆。

明治三十四年七月末から翌年一月末までの日記で、晩年の生活が達筆な細字でぎっしりと書かれており、第一級の伝記資料だ。佐一郎は底値を百円とつけた。

さて当日の公開入札の結果である。弘文荘・反町茂雄が三百三十八円三十銭で落札した。反町は初め、これを安田善次郎にと想定していたが、ふと佐佐木信綱博士に見せると、是非にと懇望され、五百円で納める。後日談としては、佐佐木はこれに解説を加え、明治文学史上近来の大発見として、「中央公論」紙上に大々的に公開したのである。

一方、佐一郎は、この昭和十一年から古書販売目録「東京デ一番安イト評判ノ」と肩書きした「時代や書目」を発刊。戦前十七号まで出し、戦後もすぐに復活させる。ところで、佐一郎がただの古本屋でなかったことの一つとして、森鷗外資料の蒐集者の一面を忘れることが出来ない。

戦前時代やの顧客で、鷗外のものなら何でも買ってくれた人があった。その人が戦後、金が入用になったことから佐一郎がそれを買い戻すのだが、元来の本好きから自身すっかり鷗外に取りつかれ、逆に徹底的に集める方に回ってしまう。

昭和三十四年、佐一郎は自分の還暦を一区切りに「家蔵鷗外書目（三十七年に追加目録）」をまとめる。何しろ多くの貴重な原稿書簡に至る、鷗外と名のつくもの一切、二千二、三百点（追加は別）という膨大なコレクションで、佐一郎はこれを開館当時の日本近代文学館に驚くほどの廉価で納入してしまう。

……私が時代やさんを知ったのは、昭和四十年に明治古典会に入ってからである。氏が六十代半ばの頃で、いつも和服に雪駄履きの坊主頭が特徴で、一見お坊さんのように見えた。

氏とは、明治古典会の大先輩というだけでなく、私が四十二年に入会した「趣味の古書展」同人としても接するようになる。四十六年、明治古典会主催、大阪近代資料会協賛、東京古典会後援で、反町茂雄と共に「古稀記念祝賀会」が京王プラザホテルで催され、古書会館では記念大市会も開催された。

その後も時代やさんの元気な姿が明治古典会や古書展の現場で見られ、両会で行なわれる旅行会でも私は時代やさんと一緒だった。やがて古書展終了時の会食などには、氏の高齢を気遣う孫の好青年が介添えに付くようになったが、氏はいつも変らない健啖家ぶりを見せていた。

時代やさんは昭和六十三年に八十八歳で亡くなり、古書展は孫の佐千夫君が継いだ。

実はその佐千夫君から、現在の営業活動を紹介した「ふるほん探偵団・10——三軒茶屋・時代や書店」（花崎真也・文）を載せた雑誌「東京人」（二〇〇〇年二月号）を頂いて、彼がすでに五十二歳と書かれてあったことに私は驚いたばかりなのである。

さて菰池佐一郎文献である。右の「ふるほん探偵団」でも触れている逸話として、どうしても即売会の前に売ってくれと主人公が自宅に押し寄せるが、そんなインチキは出来ないと突っぱねながら会場では粋な計らいをする佐一郎の人情家ぶりが『夜の旅人』（阿刀田高・文春文庫）の冒頭に出てくる。

また、私が小林静生君などと出していた雑誌「古本屋」（一九八八年七号）では「菰池佐一郎追悼」を組んだ。ここにはアン・ヘリング女史が「天国のK・S氏への手紙」を寄せ、日本への留学でどん底生活の中、佐一郎と出会い、《その出合から以降は、いわば「懐に飛び込む」お弟子として育て上げて頂くことが出来ました》と感謝の思いを記していた。

私はまた、佐一郎の古い文章を三篇（「うてうてん」「青展創立当時を想う」「鴎外本そのほか」）を「菰池佐一郎遺文集」としてそこへ収録した。

もっとも詳しく、今も読める佐一郎の文献としては反町茂雄編『紙魚の昔がたり・昭和篇』（八木書店）がある。

古書業界の天皇といわれた男

弘文荘・反町茂雄

反町茂雄（一九〇一～一九九一）を、畸人伝（「古本屋畸人伝」が本書連載のタイトル）に取り上げることには異議ある人があるかも知れない。がこの商売を始めてすでに四十七年目を迎える私の考え方は、「畸人」とは、この商売で何か強烈なものを残した人達、としか取れないのである。どうか、この勝手な解釈で先人達を取り上げる私の立場を諒とされるようお願いする。

……というわけで、業界では「天皇」の異名もあった人の伝である。

小学卒で丁稚小僧に入って修業するのが普通だった昭和二年に、帝大法科出で業界入りしたこと。閑静な邸宅をかまえ、稀覯本に学術的解説を添えての目録販売に徹したこと。早くから理論家で鳴らし、上に立っては厳しく後輩を指導したこと。国宝・重要美術品クラスの古典籍を無数に扱い、『為家本・土佐日記』の発掘で朝日新聞夕刊のトップ記事になるなど、しばしばジャーナリズムの対象にされる等々、反町を巡るエピソードにはこと欠かない。そして反町を社会的にも著名にした自伝『一古書肆の思い出』

（全五巻・平凡社刊）は、

《さあ、どこか実務の見習いに、半年か一年勤めたい。十字屋さんの意見では、古本屋へ入ると、出版の動向の一端がわかると同時に、永い生命を持つ本と、すぐ読み捨てられる書物との差別がハッキリ判って、大いに参考になるだろうとの事。その方面なら世話してあげる、との親切な提案。古本のことなら嫌いではない、渡りに舟とすぐに一任しました》と書き出されており、私は贈られてこれを読み『福翁自伝』を思い出した。のち同級生から文部大臣を出すほどの学歴なのに、一小僧として一誠堂に入りついに十畳間の個室付月給百六十円の第一番頭にまで昇りつめるところも、福沢諭吉が洪庵塾で奮闘努力、ついに塾頭に伸し上がるのと似ている。教育者としても二十代で店員を指導し、書誌学雑誌「玉屑」を六冊刊行している。更に独立後は、昭和八年に訪書会という業界内の研究会を結成して業界全体の知的水準、マナーの向上を画った。この会はやがて「古典を読む会」「物を見る会」等に発展、多くの人材を育成した。

反町茂雄（左）と著者

大東亜戦争の勃発と共に政府によって業界に新体制が要求されると、組合の専務理事として業界＝古本市場の機構改革に奔走し、今日の古書籍協同組合の基礎を作っている。その間「弘文荘待賈古書目」を創刊、戦前だけで十五冊を出した。

昭和二十年八月九日、ソ連の対日参戦を知って、戦争止むとのインスピレーションを得た反町は、持金の全てで東長崎・中野・鵠沼などの不動産を買い急ぐが、やがてそれらは戦後の仕入資金に化ける。この敗戦時が働き盛りの四十四歳。

以後反町は、戦時下・戦後動乱期の膨大な収儲品（しゅうもう）を、昭和終焉までの古書価の昇り坂に売り続ける。それだけで巨人と言うべきなのに、反町は傍ら個人全集が出来るほどの著作まで残した。

さて、右の経歴の裏には、反町は近く接した人達に、その強烈な個性で時には反発させるものさえ遺し去っている。その反町の一面を、ある人達は「興奮荘」ともじって言ったほどで、私もそれを体験している。

……それは、私を明治古典会に入れてくれた下町業界の恩人、鶉屋書店・飯田淳次が没したことに関連している。その年私は明治古典会の会長職にあり、会の名誉顧問でもあった反町の要請で飯田の追悼座談会を開き、司会をしたのだ。その稿本を作り反町他全会員に配布して一年した平成二年一月、反町が市場の終了時に私を訪ねて来た。

そもそも反町が座談会を開かせたのは鶉屋書店の追悼集作りのためで、多忙な反町は

『一古書肆の思い出』の稿まで中絶させてその仕事を始めたのである。

　反町の思いでは、現在に続く明古の功労者は御自分に続いては鶉屋書店を位置づけており、ここへ来て初めて読んだ座談会の内容が、その趣旨からは遠くその不満を私に言いに来たのだった。反町は初め、にこやかにその朱の入った稿本の説明を始めた。

「このところの四行をはずさせて欲しいと思います」私は、「はい」と言ったものの、これをまとめるには各発言者に当たって正確を期してあり、不満を感じた。その煮え切らない返事が気に入らなかったのか、反町は次第に興奮して来て、そこここの箇所を辿る声や指先が震え始めた。そして思わぬ言葉を耳元に発した。

「大体、あなたなど、今日こうしている人ではないんです。みんな飯田さんのお陰じゃないですか！　ましてや会長などやるお人ではなかったんだ！」

　さすがに聞き捨てならない気になったが、私は笑いでごまかすしかなかったのである。

するとと反町はますます怒り、固い拳でドンドンと二度も私の背を叩いた。

「いいですか、飯田さんをホメているのは私だけじゃないですか！」

……今からは、八十九歳でこれほどに人を叱責出来た反町が懐しいが、帰宅後のその一夜ほどに、得体の知れぬ悪夢にさいなまれた夜はなかったのである。ともあれ、その夏『鶉屋書店飯田淳次の仕事と人』は刊行された。

　翌平成三年一月、反町は永年の功績が認められて「東京都文化賞」を受賞。が、「好事魔多し」のたとえから三月、反町は胆のうに故障を受け虎の門病院へ入院。入院は死の九月四日まで続く。死の二日前、「文車の会」の教え子の一人、神田玉英堂・斎藤孝夫が出来たばかりの古書目録を持参。斎藤が反町に向け頁を繰って見せると、「これとこれ」とその内の三点を反町は注文したと言う。

そして最後の言葉は、夫人への、

「疲れたから少し眠りますよ。起こさないで欲しい」だった。

明治堂書店・三橋猛雄

戦後古書業界、最大の功労者

都内七〇〇人、全国では二三〇〇軒なる私たち全国古書籍協同組合員が、商売と情報のよりどころとしている東京古書会館がこの秋（二〇〇三年）、解体（二年後新会館となる）されることとなった。現会館が出来たのは昭和四十二年で、現在六十七歳の筆者が本格的に神田に出入りするようになった年次と重なり、古本屋生活の大半を——明治古典会だけで週一日、古書展同人として二十六年、理事二年他事業部役員としても、私はここに通った。

その会館であるが、無論当時の組合員の総意と協力あって建ったわけだ。しかし、ある仮定のもとで言うと、この人なくば少なくともあの時点で古書会館が建ったろうか、という人物がこの三橋猛雄なのである。

猛雄は明治三十六年に神田駿河台北甲賀町に生まれる。父は甲州から上京、露店の古本屋をしていたが猛雄の出生を機にここに店を構えたのだった。現明大の明治法律学校が近く明治堂を名乗った父は教科書から始め、学術雑誌、報告書等の資料物を専門とするようになり、大正八年からは古書販売目録「史籍目録」を謄写版で創刊した。

店がすっかり軌道に乗っていた大正十二年九月一日、東京は大震災に襲われ、一家は一切を焼失する。猛雄は二十歳、まだ大倉商業の学生だったが、父の苦境を救うべく立ち上った。すでに見よう見まねで店の本のことはある程度知っていたので、関西へ本を買うため出かけたのである。幸い神戸には親友の同級生が帰省しており、その貿易商の父親は猛雄を見込み、仕入資金まで貸してくれた。猛雄は神戸、大阪と古本屋という古本屋を廻り、沢山の本を仕入れ、父のもとに送りつけた。

帰京すると父がバラック建の店を造ってあった。東京は本に飢えており、本はまたたく間に売れてしまう。神田の古本市場も再開され、猛雄は早目に帰宅すると学生服のまま市へ駈けつけるようになった。こうして猛雄は店の経営に参加する一方、学業にも精を出し、中央大学を卒業した。

父彦次郎は、昭和初期からは「明治堂和本部」を受け持つようになる。その父は昭和五年組合長に選出され、昭和十四年まで九年間務める。「人を信ずること厚く、一旦一任した仕事は殆ど批判せず、しかも自己の責任を回避することがなかった」とは、当時の同業の言葉である。彦次郎は十七年、七十一歳で没。

一方猛雄が昭和三年から出し始めた「文献」を筆者は四、五十冊所蔵しているが、昭和四年の「新集古書販売目録」一冊を見ても、東京に関する文献、法規・法制史・法学・政治・経済・社会学、歴史・伝記・地誌・文明移入明治文化史料、語学・明治初期翻訳小説、女性に関する文献等に分類されて、洋書二百点を含む千数百冊が掲載されている。ちなみに猛雄は英文は無論のこと、独・仏文も理解し、最後まで通った古本市場は東京洋書会であった。

猛雄はまた、昭和初年関西ビブリオクラブに参加、これが昭和五年には「書好会」に発展。その後東京の若手と共に共同販売目録「書物春秋」を発刊。ここには中山太郎、森銑三、庄司浅水、西脇順三郎、横山重、川瀬一馬等の著名人の執筆も仰いだ。いや、猛雄自らが文章の人でもあった。吉野作造、尾佐竹猛等の明治文化研究会が誕生、猛雄も何かその一翼を担いたいと思うようになった。猛雄は人が手をつけていない幕末明治の泰西経済思想の影響を、当時の原資料を蒐集することで実証しようとした。しかし昭和十年前後になると本庄栄治郎、加田哲二、堀経夫の著作が出て、蒐集が無駄になったことを知る。猛雄はコレクションを、土屋喬雄の世話で帝大経済学部に納入した。

昭和二十年四月十三日、猛雄は折からの大空襲ですべてを失う。戦後逸速く、猛雄は新宿伊勢丹での古書展から始まり、古書目録「文献」も復活させる。二十五年、猛雄は親子二代となる東京組合の理事長に半期一年だけ就任した。堅牢な木造本格建築だった図書倶楽部が戦災で焼失、平屋建のバラックが早くも老朽化していた。昭和三十年代に入ると、古書会館改築が業界の大命題となって行く。が、一口に組合と言っても、神田地区と郊外の本屋の根深い対立等多くの問題があった。そこへ再び選ばれたのが六十歳の猛雄だった。支部会館同時建設ということで郊外との話合いはついたが、建設案はすぐに行き詰まった。本郷地区から理事に選出され経理部長となった反町茂雄の、周囲の一部を買収、高層十階建にする案と対立したのだ。結局反町が理事を辞任、猛雄他の総合建設案により推進される。それでも生じる幾つもの対立の場面で、猛雄がきまって心からつぶやくように言った言葉は、

「古本屋に悪い奴などいないよ!」だった。

こうして、神田小川町に、地下一階地上四階・延床面積一七〇七平方メートルの鉄筋コンクリート造りの東京古書会館は建った。同時に新会館での〝竣工記念・善本展示会〟が開かれたが、当日特別に出席の皇族三笠宮殿下に寄り添う説明役は、弘文荘・反町茂雄に譲っている。

猛雄は古書会館の成ったのを見て二期四年で理事長を辞す。そのあと、猛雄は、A5判一一六〇頁、四百字で五千枚の大著『明治前期思想史文献』の執筆に着手、完成させた。昭和六十一年に入り、自ら死期を悟った猛雄は信頼する日本古書通信社の八木福次郎に、自らの旧文をまとめた『古本と古本屋』(三〇〇部)の製作を依頼する。三月十日に本が出来、十二日、八木がめくる本にうなずくようにして、猛雄は八十二歳の生涯を終えた。

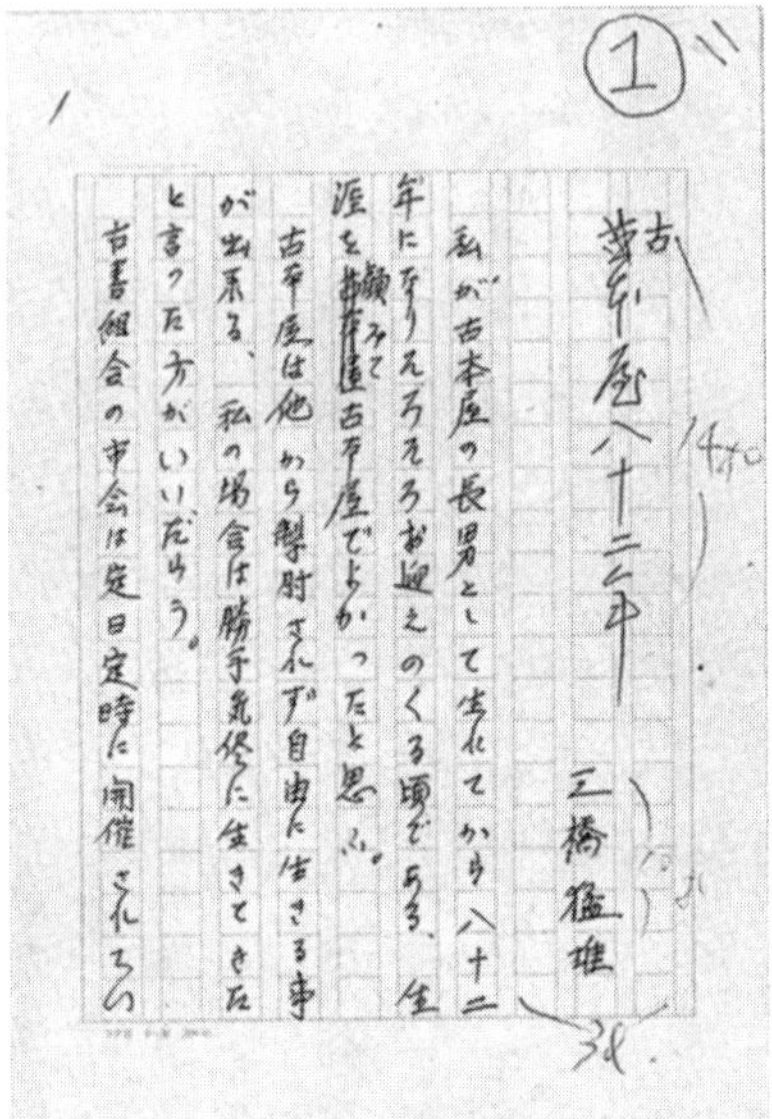
古本屋八十二年
三橋猛雄
私が古本屋の長男として生れてから八十二年になりそろそろお迎えのくる頃である。生涯を顧みて古本屋でよかったと思ふ。
古本屋は他から掣肘されず自由に生きる事が出来る、私の場合は勝手気保に生きてきたと言った方がいいだらう。
古書組合の市会は定日定時に開催されるの

三橋猛雄の筆跡

前年秋に創刊の筆者たちの雑誌「古本屋」に、猛雄は「古本屋八十二年」なる文章を書いてくれたが、文は「一生を古本屋で通し得たことを幸せと思う」と結ばれており、奇しくもこれが絶筆になった。

波木井書店・波木井吉正
戦後復興の象徴といわれた店

一

下町で私は、すでに取り上げた鶉屋書店と文化堂と知り合うのだが、三十歳そこそこのこの頃、二人とも老人支配だった下町の市場ではまだ鳴かず飛ばずだった。二人は下町、池袋地区の十五人くらいの不満分子を糾合、〝十一会〟なる本の勉強、書店経営、市場の在り方などを話し合う会を始めたのである。

私が鶉屋から入会を誘われたのは開業一年後の昭和二十九年六月。十月二十九日には、神田地区で今一番繁昌している同業、波木井(はきい)書店主の話を聞く会があるから出ろ、と言われた。同じ誘いが向島市場で文化堂からもあった。

水道橋の駅を降り、神保町方面へ百メートルくらい歩いた右側に、その波木井書店はあった。私は昼下りなのに煌々と電灯に明るい店の前に立ち、間口六間(けん)、奥行は十間もある大きな古本屋を驚異の眼で眺めていた。店内はゆったりと四本もの通路を取り、書

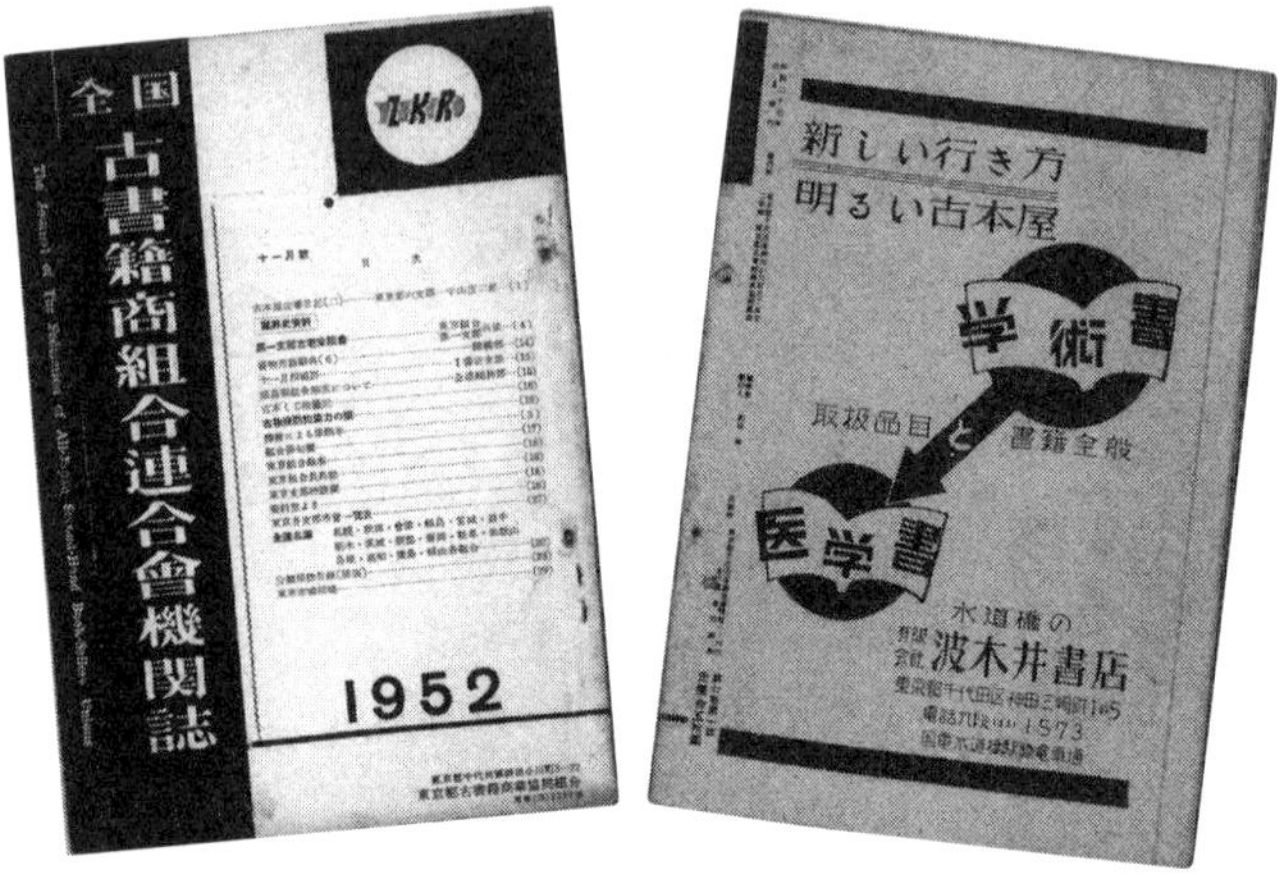

「古書月報」裏表紙の広告

棚は学術書から雑誌にいたるまでよく分類され、一々にハッキリと正札が見える本で埋まり、数十人の客で一杯だった。すると私は、文化堂に呼ばれた。やがて帳場の後ろから、ぞろぞろと会員が入るのを五十歳前後の主人が、一人一人丁寧にお辞儀して迎えた。私は文化堂について二階へ上がった。用意された部屋の真ん中に、長い卓袱台が二つ繋げられ、向かい合わせに人数分の座布団が敷かれてあった。文化堂が、

「見たかよ。これが同じ古本屋なんだぜ」と、例のべらんめえ口調で私たちに言った。床の間には、芥川龍之介の短冊が額装にして飾られ、読みあぐねている私に、文化堂が「……水涕や鼻の先だけ暮れ残る……じゃないかな」と言った。

やがて主人が現われ、時間ぎりぎりに司会

の鶉屋が駈けつけ、会が始まる。その鶉屋から下町とも縁深い波木井の人となりが説明され、よろしく、と波木井に話を向けた。波木井は、

「これはあなた方同様、若い頃下町で商売させてもらったことのある一先輩の言葉として聞いて貰いたいが……」と前置きし、〝実践訓〟のようなものが、ゆっくりと読み上げられた。

一、下町で商売をしていることに、決して劣等感を持つな。
二、常識にとらわれず、常に独創的なアイデアを商売に取り入れよ。
三、お客にはどんなことがあってもさからわない。
四、故買や発禁本を売ったりして、警察で始末書を書かされるようなことをするな。
五、下町でどんなに売れようと、いずれはチンボコの立つ本から足を洗え。
六、ゴミ本からも足を洗うこと。ゴミ本は、どこまでいってもゴミ本に過ぎない。
七、仕入れの三割以上儲けない。
八、店買いはきれいに、市場では一声人より高く買え。
九、客がハッとするような新しいもの、ドキッとするような安いもの、言わば〝切り札〟を棚のところどころにさしておき、来店してはパッと出て行く〝特急〟の客を止めさせる工夫をせよ。

十、古本屋は金を残そうと思うな。資本の蓄積は商品で。

というもので、そのあと一々につき詳論した。次に波木井は「ポケットを二つ作ることですね」と言った。そう言えばその時の波木井の分厚いシャツには、ポケットが左右二つついており、それぞれに別の財布が入っているのを示しながらの言葉だったのである。

「古本屋のいけないところは経理をおろそかにしているところです。古本屋が成功するコツの一つは、日々の収支を明細に記帳し、どんぶり勘定の経営から脱皮すること。仕入れの金と経費の金を別にすることから始め、決して仕入れの金から経費や小遣いを出さない。経費からは仕入れをしない。店の金、奥の金をきちんと別にした生活をする。私はこの原則からこうして二つの財布、つまり店用、経費用とを持っているんです」

この日もう一つ、波木井が私たちに回し見せてくれたのは、一種の〃数表〃であった。古本市場で、あるいは同業などへ行って本を手にした時に、自分の店の売価を想定、幾らまでは買えると分かる、またこの数表を逆に辿ると売価がわかるようにもなっており、もしもの時にはこれを使えばしばらくは家族でもやっていけるだろう、と波木井は言った。

――こうして、波木井書店主の話は強い印象を私たちそれぞれの胸に残し、終わった。

私は早速次の月から、あの経理を明確にした商売を実行したのである。もっとも、あの時の波木井のように財布二つを持ち歩くというのだけは、どうにも繁雑な上、着るものまで制限されるから、長くは続けられるものではなかった。しかし日々の収支の記帳と、あらかじめ仕入れの金、経費の金を別にしておいて生活していく方法が、いつか身についていったのであった。またあの波木井の数表を更に改良、鶉屋が大市などで使っていたのを後年私は見ている。確かに半世紀後の業界の現状（本の不足時代→今は本の超過剰時代）からは、多分にピント外れの波木井の言葉もあるが、当時この書店こそ、神田地区随一の売上げを誇っていた古本屋だったのである。

㈡では、この個性あふるる波木井の経歴から廃業に至る道筋を、私が蒐集した業界資料と、同業お二人の証言でまとめたいと思う。高円寺の飛鳥書房・竹岡昭氏と、氏のご紹介でお話を伺った阿佐ヶ谷の星野書店主である。星野弘氏は、元「波木井書店」に昭和二十四年から三十七年まで勤務、以後独立営業されている人。現在わかる限りの小伝にしたいと思っている。）

二

敗戦二、三年した神田地区――中央線水道橋駅から神保町へ百メートルほど来た電車通り右側に、一誠堂にも比するバカでかい古本屋が誕生した。その店舗二百七十八平方メートル（八十七坪）、売場は間口六間半、奥行七間で、お客が入りやすくその上ひやかしやすいようにと、五尺五寸の店内通路を四本取りゆっくり掘り出し物をして貰えるように設計されている。上はウルシ塗りの箱に収められた「源氏物語」から、小説、雑誌に至るまで、約五万冊と言われる量が分類別に見やすい正札つきで並べられている。店員は常時十二、三名はおり、他に女子二名が奥の賄いなどを受け持っている。客は学生、サラリーマンが主で、平均四、五百名がレジの前に立つと言われた。ここが波木井の店で、店主はまだ四十代半ばを過ぎたばかりだった。

……波木井は明治三十年代末の生まれ、甲府の産である。子沢山の貧家に生まれ小卒で故郷を出奔。飛び込んだ古本屋で修業のあと、大正四年に新宿で独立するが、同時に露店も出していたらしい。このことは本人が「東商新聞」（戦後は東京商工会議所会員）で語っているもので、昭和七年には神田へも進出した。

当時業界人の憧がれの的だったものに〝振り手〟（本を手に売買の仲立ちをする役で、口跡の良さ・本の知識・頭の回転の早さ・体力が要求される）があり、波木井は早くからこれに才を示し、今も伝説に残る永森良茂（現・秦川堂書店の叔父）と共に本部市の看板スターになった。この一事で分かるように、才気煥発、即断即決の先見性があり、例えば現在の東京古書会館の土地を見つけ組合に話を持ち込み、組合が渋ると四、五人の仲間を募ってあの土地を押さえた（その後組合が購入）というのがこの人。その後組合は地境いのことで何かあると波木井が巻尺を持って駆けつけたと伝えられる。

ともあれ、あの戦時下の開店休業状態を経て、戦後一、二年の間に波木井がどうして大きく店を発展させたかを知る手づるとしてはこんな話が残されている。波木井は敗戦を待つようにして（復員後、という説もある）、まず二、三日闇市という闇市を見て歩く。中でも手製のタバコが飛ぶように売れているのに着目、その巻紙を供給してみようと思い立つ。敗戦で潰すしかなくなった『マライ語事典』や『支那語辞典』を見つけて来て、インデアン紙を巻紙の大きさに裁断、闇市に卸し始める。外交員まで使うほどそれがはやり、近県まで手を広げる。その間、隣家を買うなどして建てたのが水道橋の店だった。そこで波木井が、店の専門を何にしようかと考えたのが、医学書のように紙質、高度の印刷を要する本は早急には新本で出来ないだろうということ。波木井は神田の仲間の店を歩き、医書という医書を買いまくってしまう。〝医学書の波木井〟はまたたく間に知られるようになった。

丁度この辺りの昭和二十四年に入店したのが、昨年（二〇〇〇）十一月末に筆者が竹岡昭氏の紹介で、高円寺でお会いした星野弘氏だった。店員はみな若く、星野氏もこの年十五歳、波木井夫人とは遠い親戚にもあたり、その二、三年後には番頭格に登用される。店員は住込みが原則で、週休、給与は成績によった。営業時間は十時～六時だったが、閉店後が大変で、帳簿づけから仕入本の整理、値付等の勉強もある。何しろ間違ったことの嫌いな織田信長的直情型の波木井のこと、何かの落度を見つけるが最後夕食を眼の前に立ったまま二時間も訓話が続くこともある。

とにかく本の不足時代で、その仕入れが波木井の大きな仕事だった。波木井は戦後の業界ではもっとも早く自動車を購入、店員が運転して都内をセドリした。葛飾区堀切の私の店へも何度も来たが、バタバタと棚の本を引き出し、値の合うものを店番台へ積み上げ、「ハイ、これだけ！」と言って計算させる手際のよさだ。

市場では波木井の座る前には見る間に競り買いした本の山が築かれる。アイデアマンの波木井は質屋業界に着目、ここを本の仕入場にしている。そんな波木井の忙しい時、星野氏は代りに本の引取りに行くようになるが、高く買い過ぎたと、本を投げつけられたり、逆にそんなに安く買う奴があるかと、もう一度客の所へ返金に行かせられたと言う。やがて波木井は、神田の市よりも中央線支部の高円寺の市をヒイキにし、長く常連になったと、竹岡氏は言う。波木井はここで、一市(ひといち)の全出品物の半分から六割も買ってしまい、一部の客のヒンシュクを買う。市終了後は五、六人の経営員が手伝って伝票と現品のつけ合せを手伝う。すでに大所に昇りつめていた波木井だったが、終ると若い人たちと喫茶店につき合ったり、ちょっとした手なぐさみにもにこにこと参加した。実際は若い頃から勝負事に眼のなかった波木井の性格だったのである。今でも伝わる一回目の結婚の夫婦別れに、店の中心を示し「右でも左でも好きな方を取れ！」とかみさんに選ばせたというエピソードの持主でもあったのである。

——さて、税金面ではもはや国税庁の直轄になりそうなところまで営業を伸ばし、当時神田地区一、二の売上げを誇ったこのマンモス古本屋が、では何故昭和三十七年で廃業することになったのか？　その最後の日まで経理を担当して過ごすようになっていた星野氏によると、まず、子どもがなかったこと、体調の悪化（二度目の脳出血の発作）などであった、と言う。波木井は目録販売用にと、古典籍等かなりの量の逸品を収蔵していたが、これは東京古典会で処分、店内の本は全品二割引、やがてもう一段三割引にして、まったく市売りはせずわずか一棚を残すだけまで売り尽くしたと言われる。

店は都が買収、一時地下鉄工事資材置場用になっていた。波木井は千葉県に住居を求め悠々自適、一九八五年頃に没した。

山田書店・山田朝一

誠実にして柔軟な発想で大成した人

一

地下鉄・神保町A5出口から左へ、路地をはさんで五軒目に、九階建ての山田ビルがある。一階は一般古書、他に三階までを使用、山田書店は現在神田地区でもっとも盛業を誇る一軒である。店の特徴は二階の版画と美術書。三階（三男孝氏の茜堂）は紙類全般、いまもっとも流行の絵葉書からマッチペーパーに至るまで、小物一枚から購入出来ることであろう。

今年（二〇〇四年）四月二十四日、九十六歳の天寿を全うされた山田朝一氏がこの店の創業者である。反町茂雄（弘文荘）、八木敏夫（八木書店）、小宮山慶一（小宮山書店）、佐藤毅（崇文荘書店）の各氏らと共に、一誠堂で修業された一人で、入店は反町氏より二年早い大正十五年、十七歳の時（以後歴史的記述により敬称略）。朝一は明治四十一年一月十九日、山口県大島郡東和町の生まれ。その町が瀬戸内海の島の一つであったことが、彼の運命を大きく変えた。朝一は小学校六年卒業時、四国松山の商業学校を受けるべく受験勉強に励んでいた。ところが受験の前日大シケのため発動機船が欠航、そのため受験の機を失ってしまうのである。

　これを語っているのは朝一自身で、このあとの言葉として、「もし受かっていたら、私の人生もその後どうなっていたか……」ともある。古本屋になったかどうかも分からないのだ。朝一の同級生には後年民俗学で名をなす宮本常一がいて、勉強もよくし、「少年倶楽部」や「少年少女譚海」などを東京から取り寄せて読んでいたという話にも筆者は注目する。小学校卒業は十三歳だから、朝一はおそらくそれからの四、五年、家業を手伝いながら、もっとも読み書きの発達するこの間、文学青年時代を過ごしていたのではないかと、筆者は推測する。そうでなくては起きない幸運が、朝一の上京直後に起きるからである。

　上京した朝一は、世話する人があってまず積善館という日記帳出版社へ行く。そこで出版社志望を伝えると、「あなたのような若い人は小売店を探した方が……」と言われる。そのまま神保町へ出ると、その辺ではもっとも立派な構えの古本屋が朝一の目に入った。そこが一誠堂で、一瞬気遅れしたが思い切って奥へ進んだ。正面に丸髷のきれいなおかみさんがいたので、早速使って貰いたい旨頼み込む。今は間に合っていると言うのを、「そこのところを何とか……」と朝一は喰い下がり、懐からかねて用意の履歴書

上京当時の山田朝一

を差し出す。つられておかみさんは一通りそれを見て、

「あんた、ずい分きれいな字を書くねえ」

　と言った。「今おとうさんが留守だが、相談しておくから二、三日したら、もう一度来てごらんなさい」

　朝一は二、三日待ったが音沙汰はなく、直接一誠堂へ出向く。この日の帳場には、頭を五分刈りにしたどうやら主人らしい人が座っている。朝一は、

「先日お伺いして、履歴書をお預けしておいた者ですが、何とか採用して頂きたい」

　と頭を下げた。すると主人はあっさり、

「ああ君かね。じゃあ明日から来てもいいよ」

　と言う。

《いとも簡単な返事（笑い）。とたんに欣喜雀躍、大よろこび、保証人は居るかね、はいおります。住み込みだよ、はい結構です、とすぐ決まりました》とは朝一、七十七歳時の談話。

……実は朝一のこの件を、その日筆者も肉声で聞いていた一人だった。昭和五十九年のことで、反町茂雄が主宰し聞き役になり、十二名の同業の来歴を語らせるもので、本人の他に井上周一郎、小梛精以知、群田純一、小林静生、斎藤孝夫、佐藤毅、西塚定一、村口四郎、八木佐吉、八木壮一、八木敏夫、八木正自、八鍬光晴、そして筆者の十四名がそれぞれ、日を違え反町が選び指名して、交互に参加する。例えば朝一の話を聞く日には、筆者の他に佐藤、小梛、八木（敏夫）などが出席、それぞれ自由に朝一に質問したりと、話は進むわけである。

この「聞く会」は最初、あのまるで意をつくした文章を綴るような反町のその回の談話者紹介から始まる。その結びのところで反町は、朝一とは親友だった八木敏夫、西塚定一の性格が積極的だったのに比較し、

《……山田さんは手堅く質実で、万事が地味な生きかたのように見えます。ただし独立後の時代は、第二次大戦、日本の敗戦、上下の混乱、大インフレ、その後の急激な収束、経済の順を追っての恢復、やがては産業の大発展と続く波乱万丈でした。この風波浪時代は本来手堅く、地味な山田さんの生活及び営業にも、激しい上下動を強いて、浮沈の多い、かなりにぎやかな生活だったように思われます。その辺のところを、どうぞ腹蔵なくお話し願いたい》

と二度も〝手堅く、地味〟をくり返し朝一に話を向ける。

すると朝一は、開口一番、

「私は口べたですし、話もつまらぬ話ですが、その点あらかじめ御了承下さって、お聞き願いたいと存じます」

と、私達に前置きするのであった。

確かに雄弁からは遠い朝一の話だったが、トツトツと語る味わい深い話し方には、すでに先の一誠堂入店のイキサツで充分想像されるように、その人柄に言葉以上の何か人を引きつけるものがあったのである。

二

さて、朝一が半生を語っていた(一)の座談だが、いったん「週刊図書新聞」に掲載されたあと反町茂雄編『紙魚の昔がたり・昭和篇』として八木書店から発行されている。朝一にはまた、その十年後八十九歳の時の本誌(「彷書月刊」)上の「聞き書き・古本屋の個人史」〝山田書店・山田朝一さんインタビュー〟(一九九七年十一月~一九九八年九月)がある。現在〝山田朝一資料〟としてはこの二篇に勝るものはなく、利用させては頂くが、とりあえず筆者は履歴書の筆跡の良さで一誠堂に入店出来たらしい朝一にこだわりたい。それは筆跡の良さもだが、一誠堂夫妻を動かしたものは、過不足なく書かれていた文面の方ではなかったかと思うのである。

朝一の文才は、二年後に入店した東大出で六歳年上の反町茂雄の指導もあって花開くこととなる。昭和五年一月には、一誠堂内の店員教育の一環として勉強会が出来、反町と朝一が三村清三郎を訪ねて書いてもらったタイトルで、機関誌「玉屑」が出される。時に朝一は二十二歳、『嵯峨本考』書写完成の回顧」を書く。が、筆者が所蔵する「玉屑」は二、三、四号のみで、右の朝一の文を読むことは出来ない。それでも朝一の文章力は、第二号、

「唐蘭船持渡鳥獣之図」に就きて

を見ても明らかである。これは「元亀以来海外交通の要津として知られたる長崎の地は、殊に寛永以来我国唯一の開港場となり、それより二百幾十年間外国との交渉は全部此の地に於て行はれ、文化の輸入も悉く此の関門に由つて幕末開国に及べり」から始まる文語体五頁の文章である。その後三号に「光悦本謡曲百番」、四号に「愛書家としての加賀松雲公」、五号に「塙保己一と和学講談所」を書く。なお、三号

当時の一誠堂書店『紙魚の昔がたり・昭和篇』（八木書店、昭和62年）より

以降の文は口語文となるが、朝一生涯の逸話となる「西鶴本及関係書文献」が載る第六号は、昭和八年十一月に出される。その頃店に、「山田先生は……」と訪ねて来た人があった。その人は台北大学助教授の滝田貞治で、その時『西鶴の書誌学的研究』を書いており、のち出版されたこの本を見ると、朝一の文章も引用されていたと言われる。

ついでに触れてしまうが、『紙魚の昔がたり』ではそのあと、「今から五十五年も前ですね」という私の言葉も出て来る。それに対し朝一は、「イヤ、あの頃は確かに勉強してました。みんながその気になって、誰ということもなしにやる気になってた」と言っている。

やがて朝一は、昭和十四年十一月に一誠堂を退店、独立というのが『紙魚の昔がたり』の言葉だが、これが「古本屋の個人史」では十三年の退店、となっている。これがどちらかに正せるのかは分からないが、ここへ私蔵の「明治大正詩歌売立目録」というのを提示してみる。

《拝啓今般／某愛書家所蔵の詩歌に関する初版物其他を、左記の通り入札仕り候間、何卒御来会被下度、此段御案内申上候。／但し同業者に限り申候に付、御入用の向は御知合の書房へ御申越下さる様願上候》

以下、

入札日時　昭和十五年一月二十七日（午後二時）

場　所　東京市神田区小川町三丁目　東京図書倶楽部
札　元　東京市神田区神保町二丁目五番地　電話神田（25）二六九五番
山田書房

と、十五年一月と明記した目録が出ており、札元とは客に売却を委託されてのものと思われ、ちょっと十四年十一月退店では間に合いそうもない。なおこの謄写版刷十頁の目録には九十二点二百冊余りの詩歌古書が印刷されており、『一握の砂』二十七円（円以下を略す）、『悲しき玩具』十円、『紫』九十九円、『切火』二十八円、『恋ごろも』十八円と、全品に落札価が誰かによってメモされていて貴重だ。

ともあれ右にもある神保町二丁目に開店した朝一だが、「私が最も力を入れたのは民俗学、郷土資料、国語国文学関係に興味がありましてね。当時民俗学のものがさかんだったことがあります」の『紙魚の昔がたり』での朝一の発言もあった。そんな昭和十五年夏、一誠堂主人が急逝した。朝一が杏雲堂病院へ飛んで行ったことは言うまでもない。

ところで朝一より数年早く一誠堂から独立した仲間に八木敏夫がおり、昭和九年に「日本古書通信」を創刊していた。朝一は一誠堂にいる頃からここの座談会に出席し十四、五年には「ひねり本解題」を書き始めている。

が、やっとこれから順調に伸びようとした三十三歳の朝一にまず徴用が来る。日立製作所の立川工場で働いていたが、昭和十八年、今度は赤紙の召集令状が来て南支から海南島、仏印、シンゴラから昭南島へ着く。ビルマからラングーンに上陸、ここに一年。朝一は本部にいて陣中日記の作成に従事していたが、交替兵が来て年輩兵である朝一らは帰国した。帰国後は反町茂雄の世話で、東京都の嘱託として戦災から文化財を救うための〝日比谷図書館戦時国書買入事業〟の手伝いをする話がきまる。ところがそこへまた二度目の赤紙が来た。幸いこの時は内地勤務（兵長で班長）で、四国後免で対空監視の任務だった。ここで終戦。朝一は郷里の山口県に帰った。

実は二度の召集の間に、朝一は神田の店を手離しており、郷里より外に行き場所はなかったのだ。昭和二十一年になると、朝一は東京に出て古本屋に復帰したいと思うようになった。早速上京、よりどころの一誠堂へ行ってみるとビルは無事、やはり軍隊から帰って店に復帰していた番頭の小梛精以知（おなぎせいいち）とも会い、三、四日泊めて貰う。こうしてまた田舎の生活をしているところへ、東京から八木敏夫の手紙が舞い込む。

「私にとっては渡りに舟でした」とは『紙魚の昔がたり』での朝一の言葉である。

三

八木敏夫の手紙は、すでに上野松坂屋の古書部を成功させていた八木に、銀座松坂屋もやってくれという話が来、それを朝一（ともいち）にやってみないかというものだった。当時デパートはどこも、売る物品がなくて困っていたのである。一誠堂という日本一の古本屋で、最高の古書を現物で扱い売買した十余年の経験と、応召までの店の経営。激しい戦時下での軍隊生活と、兄弟を含め十人もの家族を抱えての戦後の食糧難時代を克服した朝一は三十八歳、一廻り大きくなって東京へ復帰して来た。

預金封鎖などあって資金ぐりに苦労したが、昭和二十一年十一月には銀座松坂屋古書部が四階（三階説もある）九坪ほどで開店した。本は何もなかったが、八木に頼んで上野で重複しているものや雑本を借りた。朝一は早速新聞に「古書買入」「御持参歓迎」の広告をした。二十二年二月には、一週間上野松坂屋で「明治大正文学書大即売展」が開催され、朝一も参加する。他に上野古書部は当然として、一誠堂、弘文荘、時代や、玄誠堂なども加わり、会の名を〝明治古典会〟とした。今をときめく本部市〝明治古典会〟は、これら同人が主になって古書会館に作った専門書市会だったのである。

朝一は銀座という地の利を生かし、水を得た魚となって働く。ここには湘南方面からの客による質のよい買入が多く、後年限定本の雄となる『絵本どんきほうて』が二部も三部もたまる、その上一時は五百万もした珍本『製陶余録』を八千円で売ったことさえあった。京城帝大総長速水滉蔵書、交詢社ビルからは三原繁一郎コレクションをガラスの書架ごと買入れたりした。この他大橋図書館の主事だった竹内善作の〝明治社会主義文献〟や、宮内省図書寮に勤めていた橋井清五郎の西洋の古版本群も買った。

しかし昭和二十四年頃からは、段々に生活物資の生産が殖え、デパートの商品が急速に増加し始め、古書部も六階、八階と移動させられるようになる。とにかく神田へ戻らねばと、朝一は場所探しにも奔走した。神保町の交差点近く、現在の波多野ビルの一部を手に入れることが出来た。この時まだここを買う金がなく、紹介者の稲垣書店がとった方法は前代未聞で、金も払わぬ前に権利を登記してくれ、それを担保に銀行から借りなさい、保証人にもなるというもので、朝一がいかに人に信用されていたかが分かる。こうして二十六年頃には銀座を撤退、神田へ出ることが出来たのである。その後も朝一は、石川巖の〝詩仙洞明治物珍本コレクション〟を買ったりもしたが、世の中が落ち着き客買いも細って来た。そこで工夫したのが八木書店が卸しを始めた影響で、店頭をいわゆる特価本で飾るようになる。

やがてしかし、朝一をもう一度難関が襲う。朝一の店が都営地下鉄の用地として土地収用令に引っかかったのである。その公示価格がまた、とても時価とは遠い安いもので、朝一は人を介して都の局長にまで交渉した。結局また次を探すことになるが、ここでも朝一の人望が役立ち、昭和四十年、今度は銀行の人が〝終の住み家〟（のち住居は別に求める）となる、現在山田ビルが建てられることになる土地を、いち早く知らせてくれた。路地をはさんで角地でもあり、朝一は早速ここを契約した。

私が明治古典会に経営員から入るのは昭和四十年からで、朝一はこの年五十七歳、すでにこの会の重鎮の一人であった。それまでの私は、ほとんど本の勉強のいらない、かつ本の話のほとんどない下町業界しか知らず、ひそかに業界史への、興味だけは持つという変り者だった。私はここで、じかに著名な古本屋さん達と接するのである。また反町茂雄を中心に、八木敏夫―西塚定一―山田朝一―小梛精以知―岩森亀一という固い絆の系譜をそこに見た。そしてこれらの人々には、常に業界史的に人間を見ようとする（そのためには記録を残そうとする）共通の気質があることにも気づいたのだった。

ここで見た朝一の商法は見事なものであった。戦前文学書を基準にしている人と知られていたが、なんと三島、福永、安部公房等々の戦後初版本までもどんどん扱って行くのだ。また版画も買われるし、夢二物に至っては肉筆に至るまで買う。そしてこの頃から有名になっていたのが〝荷風本コレクション〟に励んでいるという噂。この辺りのことを表現している言葉に、小梛精以知の、

「山田さんの頭は柔軟性に富んでいて、直ぐその時代の動向に適応するんですね。屋号が山田書房から、いつの間にか山田書店に変わったのもその一端かも知れませんね」というのが残っている（『紙魚の昔がたり・昭和篇』）。

私はやがて、朝一を訪ねてよく山田ビルに行き、業界の歴史を聞いたり、初期の自費出版本を委託で置いて貰ったりした。

朝一には私などと違って自費出版はないが、〝古通豆本〟として『荷風の珍本』

（No.5）『古本屋四方山話』（No.16）があり、七十七歳での『荷風書誌』（出版ニュース社）がある。「日本古書通信」へはすでに戦前から執筆し、多くの座談会に出席している。組合の「古書月報」にも「最近の動向とその分析＝近代文学書」他六本の文章を寄せている。また私達が出していた季刊誌「古本屋」にも、「買入れ旅行の記」他二篇を寄せてくれた。私がもっとも愛読した朝一の文章は「明治古典会通信」に連載した「夢二物に見る明治古典会史」で、どれほどこの文が私の業界史認識に役立ったか知れなかった。また対外的にも、朝一は「文学散歩」「文明」や、各種「全集月報」「本の本」などに文章を発表している。

村口書房・村口四郎

反町弘文荘と並び称された人

一

戦後の古書業界で、弘文荘・反町茂雄の名に、唯一〝一方の雄〟だったと言える人は、村口四郎以外にはなかったかも知れない。周知の如く反町は、己の業歴、扱った本の明細をキッチリ記録し全五巻にもなる自叙伝まで残した。が村口四郎の方は全くそんなことには無頓着で、まして二代目だった四郎が没して廃業してしまったから、もはや世間的には歴史上の古書店の一つにすぎない。しかし我が古書業界内でなら、四郎の名は古い同業を中心にまだまだ通じる名でなくもない。またこれを一部の古書通、古本屋通の方々なら、反町茂雄の著書などを通し、村口二代の名は見知っていたかも知れない。特に『紙魚の昔がたり』（八木書店、昭和六十二・平成二年・全二冊）には、〝明治大正篇〟に初代半次郎が、〝昭和篇〟に四郎が編著の反町を相手に商売の来歴を語っているので、あるいはその項をお読み頂いているかも知れない。

そこに表われる村口親子の像は、よくも悪くも強烈な印象を我々に見せる。何しろ、初代半次郎たるや、後年自らがカリスマ的人間になって行く、昭和十四年三十八歳の反町をして、

《村口さんは長い間の和本界の巨頭で、しかも巨頭らしい巨頭、獅子の様な感じを与える人でした。落ちついた物腰と、やや魁偉に近い風貌とは力と威厳に満ちて居て、そのため幾分の反感をさへそゝるものがあつたかも知れません。とに角、東西の古典籍業界を通じてあの位の貫禄の人はなく、否、洋本界（引用者注・一般活字本のこと）にも比類のないものです。十年程前、否四、五年前でさへも、殆ど正面切つてものを云ふ人もない位でした》（「大正時代の第一人者」、「古書月報」昭和十五年二月号）と言わしめた業界切っての大物だったのである。

この初代は、下谷御徒町の有名な浮世絵版商吉金（吉田金兵衛）方で修業、吉金は版画の他和本も扱っており、半次郎は主に古典籍を商うようになった。明治三十年頃に独立し、四十年から大正九年まで、大蒐集家の和田維四郎の特別の愛顧を受け、そのお陰で古典籍についての知識と業界に雄飛する蓄財をする。また自らが札元になっての、〝大野洒竹文庫〟他の大口の売立も多く、先の反町の文章にあるように業界一の権威となって行く。そして神保町の〝市電・市バス専修大学前〟に店舗を張り、国史・神道・国文・和漢辞書・絵入本・地誌・仏教書に分類された平均二千点もの和本中心の古書目

録を、年二回出し続ける。
今筆者は、古書目録蒐集の山から見つけた「村口書房古典目録」二十冊ほどを眺めているが、その三冊に一冊位に十頁ほどの割で写真版が巻頭を飾っており、

定家卿真蹟歌切　八葉　壱千円
嵯峨本源氏物語　慶長　四十冊　千五百円
古活字版　源氏物語　天和　五十四冊　六百五十円

などが口絵になっている（値は頁中に）。ふと私は、「昭和十一年十二月号」を見ていて、その号の巻頭一頁分を使っている品に驚く。

一〇三二　夏目漱石原稿「それから」
一帙　製本五冊　全部九五九枚揃（四頁）

とあったからである。写真は紛れもなく〝漱石山房〟用紙の「それから　第一回　一の一」「誰か慌たゞしく門前を駆けて行く足音がした時、代助の頭の中には大きな俎下駄が空からぶら下つてゐた」と書き出されている一枚目の写真は、紛れもなく漱石の字だ。私は指定の頁をめくり値を眺めた。値は〝金壱千八百円〟。無論現代はこれ一点で、隣の行は「西鶴　近代艶隠者　五冊揃一帙」〝金七百五十円〟。ともあれ漱石の〝千八百円〟は、現在一万倍の千八百万どころか、現在の漱石の名声から考えると三千万くらいには評価可能なのではないか。

村口四郎

すると昭和十四年、半次郎が六十四歳で健康を損ない、店に出られない事態が起きる。それで親族からあとつぎとして白羽の矢が立ったのが四郎で、後年自ら、

《私は子供の時から手に負えぬ大のヤンチャ坊主で、なかなか父のいうことをきかず、青年時代には家を飛び出して、自分勝手な生き方をしておりました》

と先出〝昭和篇〟で語っており、丁度やりかけたことがうまく行かずにいたので、それを承知したと言う。ところが半次郎は、

「四郎はすぐ店へは入れない。どこかの店で修業して来い、他人のメシを食って来なくちゃだめだ」と言った。こうして四郎は、父と親しい本郷の井上書店で六カ月修業して帰るのだが、父はほどなく六十五歳で亡くなる。

四郎は反町に〝昭和篇〟で聞かれ、その後のことを語っている。

《店には父の代から引きつづいて、二十年以上も勤めてくれた番頭がいましてね。池の内といいましたが、それが父の仕込みで、万事心得ていて、日常の仕事は、そつなくやってくれていました。私は棚の本なんか、ほとんどさわりません。店の帳場の前にすわって、客の応対をしたり、入札のある日には市場、つまりいまの古書会館、当時は図書倶楽部といいましたが、そこへ出かけたりで、何とかお茶をにごしてました》と。

私は、三男四郎の、まるで兄達(長兄、次兄共に東大出、長兄は司法官、次兄は弁護士)に反発したような気ままな生き方(明大商科を中退)を右の相続直後の模様と重ねる時、ふと若き日の「遠山の金さん」をイメージしてしまうのである。確かにそういう面も後年の村口に見えなくなかったが、実は業界は古本屋としてかつてないスケールの人物を、この四郎に戦後すぐ見出すことになるのである。

二

昭和二十年八月十五日敗戦、その打撃は一時全国民を痴呆状態にまで追い込んだが、古書業界の立直りは早く、すでに秋頃から復活が始まる。本部を始め、他の支部市も再開され始めていた。東京にも焼け残った地区はあったし、地方にはまだまだ無尽蔵に本は蓄積されていた。やがてそれらが、需要と供給の道理で、流通し始めたのだ。

しかし本部を空襲で失った組合の機能は、細々と続いているにすぎなかった。間借り状態の貸席に代る神田の本部会館の再建こそ急務だったが、すぐには無理な話。昭和二十一年、同業が仲立ちして、明治大学裏の空家・三輪邸が当分の間借りられることになったのは何と言っても僥倖だった。七月、そこで評議員(現在の理事)会が開かれ、戦時下昭和十七年以来理事長を務めていた文求堂・田中慶太郎が辞任、松村書店・松村龍一が理事長代理となる。

昭和二十二年三月三十一日、東京都古書籍協同組合の創立総会が三輪邸で行なわれ、発起人総代として何と、昭和十五年初代半次郎から店を継ぎ、まだ七年しか（途中兵役も体験）経っていない、いまだ三十五歳の村口四郎が選ばれるのである。

さてちょっと寄り道するが、かつて私が出していた「古本屋」（昭和六十一〜平成二年）には、反町茂雄が「三代百年古本大国の興亡」なる文章を寄せているが、大書店の興亡がもっとも際立ったのは昭和十五年から二十五年までの、戦争を挟む十年だったと言う。

《古本大国・強国の滅亡、或は衰退は、殆ど全部この十年間に起きました。浅倉屋・文求堂・鹿田は直撃を受け、琳琅閣も強く傷つけられました。強国の内では、名古屋の其中堂（第二代目当主は昭和十七年かに戦病死の由）、京都の細川・東京の北沢・稲垣は、この間に古書業界を離脱し、横尾文行堂・楠林南陽堂・名古屋松本・大阪天牛は、それぞれに店舗全焼の痛打を受けました。わずかに災を免れたのは、村口書房と一誠堂のみ》

と反町は記した。

ここでまた、反町茂雄編『紙魚の昔がたり・昭和篇』から四郎の項を眺めよう。しかし、これまで触れたあとの村口の具体像は何も語られず、とたんに大口の仕入れや有名売立、大コレクターの話に突入してしまう。だから村口の組合行政への関わりは、現在『東京古書組合五十年史』（昭和四十九年）に見るより他はない。これによると、このあと村口は昭和二十二年から二十四年に至る三年間組合理事長に選ばれ、この間業界が遭遇した問題解決に当たったと記録されている。それは、
（一）古物商取締法改正運動
（二）東京古書会館の建設
（三）古書価高騰への批判・対策
（四）全国古書籍商組合連合会の創立
がその主な課題だった。（一）から言うと、二十二年五月の新憲法発布により、従来の諸法規が改正されるのを機に、古物商とは言え明らかに他業界と違う零細品が特徴のわが古書籍商に、特例を設けようというのが主旨であった。戦前から古本屋は、本の買入れには警察から与えられる古物台帳なるものに、売主・品名等を記帳する義務を負っており、もっとも困ったのが売れた時の記帳で、一々「お名前は？」とも聞けず、買主の項には「通行人」「通行人」と連記するより他なかったのである。
（二）の「東京古書会館の建設」は、早くも二十二年二月には村口を実行委員長とした案が組合機関誌に発表され、正式に建築計画に着手された。こうして二十三年八月、バラック建ながら第一次東京古書会館が落成する。
（三）の「古書価高騰への批判・対策」。これは昭和二十二年に入り岩波などから出版が再開されるのだが、用紙難から直後に売切れ。それが数日後には定価の数倍で古本屋

の棚に並んでいたというもので、八十円定価の『古寺巡礼』が二百二十円で売られていたという記事が朝日新聞に出たのが始まりだった。

「高すぎる古本」(五月二十日、毎日)、「古本屋退治」(七月十八日、東京)、「古本不買運動を起こせ」(七月二十七日、読売)、——などの古本屋攻撃がその投書欄に踊った。組合は実行委員会を作り「発行後三カ月以内の古本は定価以内で販売します」の印刷物を配り、店頭に提示させた。この処置のあとは古本屋非難も影をひそめるのだが、翌二十三年になると今度は「古本屋の本の買い値が安すぎる」との投書が朝日新聞に出る。組合はこれに対し、

《古本屋が不当に安く買うという非難は当たらない、多数の業者が競争しているのだから、本の価値に比例した値で買入れるもので、一軒だけでなく他の店にも当たって欲しい》という一文を送り、掲載された。

最後の(四)「全国古書籍商組合連合会の創立」は、戦時中の〝全国古書籍業統制組合〟が、全国的に個々に協同組合化していたのを、〝全連〟として再組織出来ないか、というもの。

昭和二十三年八月、名古屋の松月園において発起組合会議を開き、京都・神戸・名古屋そして東京からは村口理事長他の役員が参加、諸原案が審議された。翌六日、各地方代表の出席を見、今に続く「全連」が成立、理事長を東京組合の村口が兼ねることとな

り、以後この職は東京組合の理事長が兼務する慣例となった。

こうして二十四年一杯で退任する村口につき、反町は〝昭和篇〟の最初に寸評している。

《……機略縦横、稀れに見る手腕家でしたが、ずるいところのない人柄。細事には無頓着ながら、ことの軽重を正しく計る聡明さにも恵まれた人。人をそらさぬ調子の好さは無類でしたから、多くの人から愛されました》

三

まず㈡まで、ほとんど小難かしい組合関係のことでついやしてしまったことをお詫びしたい。また反町茂雄の『紙魚の昔がたり・昭和篇』村口の項の最初にある人物評を写して終ったのだったが、あれは寸評の後半で、前半はこうだったのである。

《修業らしい修業もせず、準備もなく、偶然の事情で、壮年期に急に、この難しい古典籍業界に飛び入って、立派に成功した才人》……と。

私が村口の名を知った最初は、まず支部から選出された某理事の噂話からだった。その人は副理事長までなる左翼系の理論家だったが、本部などでのつき合いの中での村口のきれいな金の遣い方のこと。飲んだからと言って決して主義を曲げるようなことのない資質のこの人がどうして村口という人をほめるのか私には理解出来なかったが、業界にもそんな豪快な人がいるのかと、変に印象に残ったのを覚えている。

三島由紀夫が自決、一時その初版本が市場から払底してしまった頃のこと、私に一通の電話があった。それは村口からのもので、「お宅の三島本の手持ちを都合つくだけ売って下さい」というもので、私は東京古典会の市日に、古書会館へ三、四十冊ほどを詰めた一箱を持って村口を訪ねる。「ご苦労さん、いやお得意さんの息子が初版本で読みたいって言うんだ。それでね……」と、中身も改めずに村口は合計金額を支払ってくれる。

もっとも印象に残った〝村口体験〟は昭和五十七年に起きる。私は『古本屋三十年』を上梓、同業を中心に五、六十冊の本を贈呈した。中に明治堂・三橋猛雄、夏目書房・夏目順氏などと共に村口四郎の名もあった。

すると本をお贈りして十数日したある日の午後、店前に車が止まり、村口の使者という人がうやうやしいまでの動作で主人がこれを、と、包装された小函を置いて行かれる。中は高級万年筆で、

前略　御贈呈頂きました『東京下町古本屋三十年』有難う存じます。丁度親戚にとり込みがあり、早速と思いながらお礼のご挨拶が遅れ恂に申訳なく思います。（略）／何れにしても業界で自叙伝の出版は恐らく初めてのことで、その影響はいろいろの面で大きいものがあると思います。／同封のもの、机上にて御使用頂けれ

ば幸甚です。（……云々）

の村口の書簡が添えられてあるではないか。数日後私は、古書会館前の喫茶店で同業と対話中の村口を見つけ挨拶に行く。

「お礼なんていいんだ、いいんだ。あんたとはそのうち西片町（反町氏のことか）と一緒に一夕話そうかと思ってたんだよ」

と、にこにこしながら村口は言った。

村口の人への気づかいということは、この私の場合だけで分かるが、反町も感嘆する壮年から入って古典籍商として大成してしまう才能はどこから来たのだろうか。私はそれを血筋という風に捉えたい。恐らく、実地に本を知ることでは全く父に及ばなかったとしても、「正面切って物を言える人は皆無」だったという半次郎と違い、二十八歳まで別の世界を見て来た苦労人ということが村口にプラスしたのではなかったか。それを証拠に〝昭和篇〟で村口は、反町に「あなたがお店をつがれてからの大口の仕入れは昭和十六年春の平瀬家などでしょう?」と聞かれ、

「私は大阪の中尾松泉堂の先代・中尾熊太郎の手引で平瀬家へ行きました。結局四、五回行って、全体では一万二千円か、一万五千円位買いました」

と答えている。

この頃の一万五千円と言ったら一般古本屋の感覚からは想像も出来ない大金で、これ

は一年前没した父の遺産が大きかったからかも知れない。しかしその後も村口は、中尾の世話で富岡鉄斎の旧蔵本を含む古活字版中心の大口を買っている。

「あれは、そんなに簡単に話がついたんですか？」

と〝昭和篇〟で反町が聞く。

「簡単に話が出来ちゃった。かなりの量だったのを中尾さんと二人で、全部値入りをして、それで話をしたところ、一発で決まりました。そして三時頃には、もうすでに荷を引きとってしまったんです」

と村口。するとこのあと反町は、

「実は私もそれを見せられていたんです。一万三千円を提示してうまく行かなかった。私は内心腹を立て、紹介の同業に小言を言ったんです」

と言う。

——この話からも、村口の人間的魅力が浮かぶように思える。村口はこのあとも、小川琢治（湯川秀樹の父）蔵書、賀茂の社家などの蔵書を買う話から、それらを客に納める話をするのだが、突如話は、「十九年召集を受け朝鮮へ」の項となる。赤痢で骨と皮ばかりになって除隊、二十年五月に再召集されて玉川の連隊に入ったところで終戦。

戦後も反町の活躍にも負けない村口の古典籍売買史の詳細は〝昭和篇〟をお読み頂く他ないが、

「こうして次々とお話を伺うと、とにかく大きなもの、立派なものを沢山扱われてきましたね」

と反町が言うのに、

「いやあ、とんでもない。むちゃくちゃでしたね。昔なら、ケースの外からでなくては見られなかったようなものが、我々の手にいくらも入ったのですからね」

と述懐するところで『紙魚の昔がたり・昭和篇』の村口四郎の項は終っている。

村口の死は昭和五十九年、ちょうど私が理事を務めていた時で、小林武理事長の下、信濃町・千日谷会堂での葬儀を古書組合が主催して行なっている。

一誠堂・小梛精以知

松本清張が信頼を寄せた男

一

小梛精以知（おなぎせいいち）は明治四十四年、千葉県生まれ、生涯一誠堂書店の番頭を務めた人だ。二十歳で中等学校を卒業、本が好きだったのと学費の安さから、文部省図書館講習所（戦後は図書館短大と称し司書養成機関となる）に入って一年修学する。男女合せて二十三名という小さな教室だったが、太田為三郎、和田万吉、川辺喜三郎、村田良策、九尾彰三郎、井上赳、加藤宗厚、岡田温、今沢慈藩、青山瑞穂などというその道の錚々たる先生方の教えを受けることが出来た。

《私は出来の悪い学生だったので、古本屋の番頭風情に成り下ったが、同期の中には県の図書館長や分類法で名を挙げて永く分類法で図書館界をリードし、その後大学教授に収まった人や、図書館の目録課長（現在）をしている者もいるが、大半は退官して今では本の世界に職を持っている人は数える程しかいない》（「思いつくままに」）と小梛が書いたのは、昭和五十二年一月発行の「明治古典会通信」で、すでに六十七歳の時。が小梛は続けて、「先輩の弥吉光長さんや森銑三さんが健在なのは嬉しい」と書いているから、中々の教室だったようである。

ともあれ、講習所を出て二年後の昭和八年、小梛は神田の一誠堂に入店する。兵役に数度召集されたがすぐ店に復帰、戦後は押しも押されもしない店の顔となった。筆者の開業は昭和二十八年、三十年代はもっとも建場廻りに精を出し、神田向きの本をたくわえては月に一度くらいずつ神田一新会の市に出品するようになる。そこで見る、怖いくらいに張りつめた振り市には、いつも中央に近いところに精悍で恰幅のよい小梛の姿があった。その競り声には、日本一の店と顧客を背負っているという自信が溢れ、国語・国文系統への競り声には他店を寄せつけない権威があった。思えば、小梛の年齢も、この頃古本屋としては一番脂の乗り切った五十歳前後だった。そんな同業と、私は自分が話など交せるようになるなど、考えてもみない頃であった。

私が小梛という人を親しく知るようになるのは、経営員として明治古典会に入ってからである。昭和四十年のことで、古本市場は入札市（まだ回しだったが）に移行しており、私はその開札の仕事から始めた。そこで見る一誠堂の札は「一セ」という独特な文字で、それがすぐにあの小梛のものと分かった。洋数字さえ、一度見たら忘れられなくなる謹直なもので、小梛の文字はやがて色々な場面で見ることになる。終戦直後からの会員である一誠堂を代表して出て来る小梛の立場は自由で、早朝から出て来て私たちの手伝いをしたり、市終了後などは卒先ホーキを持ち出し市場終了後の掃除を始めたりした。年一回の会の研修旅行も小梛が参加、あの松本清張からも小梛宛てに電話がかかって来るという話には、文学青年上がりの私には驚きであった。

そんな旅行の中で、小梛の句作をする姿が見られるようになったのは昭和五十年代に入ってからで、昭和五十五年五月発行の前出「明治古典会通信」には、

颱風の逸れしや灯りハタと点く
春の夜の辿れば虚子や俳系譜
湯豆腐やわが来し方の浮き沈み

等十句を載せ、《掲出の句、いずれも朝日、読売、毎日等の新聞俳壇に出て、一応権威ある選考によって選ばれたという、いささか安心感もあって再登場させて貰ったもの》と添え書きされている。

昭和六十一年、私は下町の同業三人で「古本屋」なる雑誌を出した（十号で終刊）が、反町茂雄や三橋猛雄、出久根達郎他の沢山の同業に文章を書いて貰った。その六十三年四月刊の第六号には〝一誠堂・小梛精以知〟で、「私見・松本清張」を書いてもらうことが出来た。

これによると、小梛が松本清張と出会うのは、この作家が練馬区の石神井に居を構え

た昭和三十一年からと言われる。その後高井戸に移った時も、小梛は書庫造りの専門家を世話したりもした。松本清張がその学風を敬慕追跡した学者は、例えば歴史学における喜田貞吉、内藤湖南、白鳥庫吉、石田幹之助、井上光貞、考古学の後藤守一、藤森栄一、森浩一、斎藤忠等であり、特に自らが独学だったので、山田孝雄、牧野富太郎、鳥居龍蔵等への傾倒ぶりは容易ならぬものがあったと、沢山の古書を納めた眼で小梛は書いた。比べて松本の文士間の交流は少なく、江戸川乱歩への尊敬はつとに知られたが、現役では井上靖だけが別格で、著書のやり取りを欠かさなかったという。

小梛精以知（左）と著者

小梛への松本からの電話は、一日に四、五回もかかる日さえあり、少ない日でも一、二回はかかったという。小梛が千葉を出て一誠堂へ出勤して来るのが午前十時前、その頃に第一回の電話が小梛を待っている。この年のある一日を以って小梛は代弁したい、と、

（1）大祓というもののよい注釈書はないか、あれば至急に届けて欲しい。（2）豊後竹田の大きな川の上に明治時代に出来たコンクリート造りの橋が架っていて、その下を水道が通って非常に珍らしい。フランス技師の設計と思われるが出来たらその写真が欲しい。（3）改造社の『世界

短篇小説全集』という昭和初期のものがまだ数冊足りない、急がないが揃えて欲しい。
（4）後期印象派の画家のもので、図版の鮮明なのがあったら四、五点欲しい。
――とざっと用件を並べ、テキパキと松本の要求に応じた模様が記されて行くのであった。なるほど、古本屋が大作家の信頼を得るとは、こういうことなのだろうと、私は納得したのだった。

二

小椰精以知は最終何年間かは、一誠堂の社員から嘱託ということになったようだが、その期間は分からない。
小椰の句作への精進は続き、昭和六十二年七月、句集『寸楮』を〝木語叢書第八篇〟として、卯辰山文庫から出版する。函付で句集としては珍しいA5判の本である。山田忠雄の〝序〟があり、梶山季之が小椰を小説『せどり男爵数奇譚』第三話「春朧夜嶺上開花」において、さりげなく一点景として登場させていることを書いている。早い話が、一誠堂に行って社長に会わぬ者はあっても、帳場に座る小椰と会話をしない人はいないくらい人懐しい存在だった、とも。また、
《普通の店員は、書店に五年、十年修行して一通り業務を覚え財政の基盤が整うや、独立して一店を構えることが多い。弘文荘然り、小宮山然りである。然るに我が小椰のみ

は独り然らず、十年一日どころか、三十年、四十年同じ番頭の椅子に座って動こうとはしない。よほど居心地が良いか、よほど物臭の孰れかでなければならぬ》

と、愛情こめて記している。その上、業界一の書と言われた小梛の筆跡について、

《君の書も亦其の為人（ひととなり）を反映し、春風駘蕩裡に人を魅了しないでは置かない者を持っている》

と兄の山田孝雄はこれを行成流と評していたが、忠雄も過去五回、小梛に本の背文字を頼んだと、公開している。が、その名筆家の小梛も、〃寸楮〃の文字は松本清張に染筆を拝いでいる。

ところでその小梛に、私はこの昭和六十二年、生涯の恩恵をこうむるのである。

小梛の句集『寸楮』

……この年四月、私が東京古書会館内の日本古書通信社へ行くと、社長の八木福次郎氏から無題無署名の古い毛筆書歌稿の束を見せられたのである。私には、自信を持ってそれが斎藤緑雨の筆になるものと判断出来た。

「斎藤緑雨の筆跡ですね」

私が即座に八木社長に断言出来たのには理由があった。その数年前に私は、斎藤緑雨が伊原

青々園に宛てた五十二通もの書簡葉書を購入していた。明治期の社会や文壇を諧謔と風刺で煙に巻き、あるいは揶揄し辛辣に批評して文壇に悪名の高かった緑雨だったが、その内面は意外に孤独感と人恋しさの思いに満ちていた。そうした内面をしみじみと感じさせる手紙を見るにつけ、いつしか私は、緑雨自らは嫌っていたというその極端な右肩下がりの筆跡さえも、好もしく思うようになっていた。それればかりか、その後も幸徳秋水宛の重要な内容の書簡十一通まで求めたことから、書簡集というものを全く持たずに来ているこの作家の〝未発表書簡集〟を編んでやりたい、と思うまでになってきていたところだったのである。

するると市場で、

「あれ、緑雨だったたって?」

と声をかけてきたのが小梛だった。私は私の判断を改めて強調した。

「しかし、どこにも署名がないからね。どう売ったらいいのかな……」

と小梛。

「市でもいいし、目録に出してもいいでしょう」

「店の目録には、署名のない筆跡物は載せられないんだよ」

と言ったが、ただ、出所はいいんだよ、某文豪宅の捨てるものとした集積の上に、丸まった束として載せられていたのを貰って帰ったんだ、とも小梛はつけ加えた。

その後二週間ほどした市で、私は小梛に、

「例の緑雨、どう売ることにしました？　その時は是非、買わせて頂きたいのです」

と話しかけ、例の緑雨書簡集の構想のことも打ち明けたのである。と小梛は、

「あれ、青木さんに預けましょう。あんたが研究すればいい。あとで店の者に持って来させます」

と言ってくれた。こうしてその後、この歌稿をある金額で分けてもらうことも出来た。結局半年ほどをかけた私の〝調査〟と、一葉研究の権威、野口碩氏のご指導もあって、この歌稿が一葉の没後、緑雨が一葉の完璧な全集（一葉の最初の全集を編集したのが緑雨）を作ろうとする意図から、所属した歌塾を廻って一葉短歌を探索して歩いた、これはその清書稿だったことが分かったのである。私はこの歌稿のお陰で『幻の「一葉歌集」追跡』（日本図書センター、昭和六十三年）を書くことが出来、未刊だった筑摩の『一葉全集（決定判）』第四巻〝和歌編下〟に、この新発見短歌二百八十六首が私の発見として収載されたのだった。私は小梛のあの時の好意なくしてこの出来事はなかったことを思い、未だにあの歌稿を商品とはしていない。

　小梛は翌六十三年一誠堂を退店した。小梛はその頃までに色々の場所に文章を書いている。特に「歴史読本」に書いた「(1)古書業界の仕組み」「(2)古書業界の分布」「(3)古書（店）の値付け」は私も待ちかねるほど愛読していたが、ついに四回目は載

らず、それを聞くと、「店でこれ以上書くなって言われちゃってね」と小梛は私に言った。

「日本古書通信」の座談会へは昭和四十年代から出席しており、昭和五十八年五、六月号には、「古本屋人脈記——一誠堂の巻（上下）」を書いている。また、同誌昭和六十二年七月号から連載した「人脈覚え書」は、小梛の尋常でない博識を披瀝したもので、〝古通豆本〟（正続二冊）にもなった。小梛は私にもその特装本を送ってくれた。

小梛は平成四年四月二日、八十歳で没し、その葬儀に私も千葉の斎場に伺った。松本清張からの弔電も読まれたが、奇しくもその松本もこの年八月二日に亡くなっている。

土屋信明堂・土屋右近
特価本をめぐる断想

一

土屋右近という人の『我が七十年の回顧』（昭和三十一年、発行者・土屋顯）なる背文字を、資料棚にもう何十年見て来たことか。それが急に、最近入手した東京都書店商業組合発行の『東京組合四十年史』（昭和五十七年）をめくっていて、この本を手に取る気になった。土屋はこの新刊書店組合の初代理事長とあり、その肖像ばかりか土屋の肉筆による「組合前史」までがグラビアにしてあるではないか。そこで私は、古本屋生活五十五年の中で、いま一つわからなかった古本屋と新刊屋の関係について学べそうなので、ここで土屋の略伝をこころみることにした。

但しお断わりしておきたいのは、現在の大型書店の進出や、コンビニにまで諸雑誌が並ぶ時代の趨勢に、先の『四十年史』が出た頃までの「町の新刊屋」が、どう変質しているのかまでは書けないということ。従ってここでは、概略昭和の終焉くらいまでの考察となるだろう。

まず、土屋の本の目次だが、

私の生い立ち（小学校から上京まで）／俳人二世無事庵鴬笠宗匠と奇遇、露店古本商を始む／露店古本業開始から、新刊書籍開始／表通に進出、新刊出版物開始より、業界及町会役員に選ばる／関東大震災は、半生の努力を灰燼に帰す／復興に起ち上る、バラック建設、大正の末期／昭和初年時代、区画整理と本建築断行、会社設立／支那事変より太平洋戦争布告、相次ぐ伜の応召／妻の病死、三男の戦死、四男五男の復員、本建築まで

とあり、ここまでが土屋の文、以降編者によって俳句四十句ほどが選ばれて掲載され、続いて数人の追悼文がつく。——土屋が信州の北間長瀬の僻村に生まれたのは明治十三年。小学校を出て高等科に入ったものの貧しさから中退、米屋に奉公。この配達先の旅館の主人が大の読書家、時々の用足しを条件に本を貸して貰えるようになり、読み書きの素養をつける。同時に立身出世の臍（ほぞ）を固める一方、梅泉と号し、発句も始めた。明治三十年十八歳の時、久野という友人と家出し上京、上野駅着。友人の浅草西鳥越の親戚に草鞋をぬぐ。中々に勤め口がなく、三日間で持金（もちがね）は尽き、やっと南葛飾郡の金具工場徒弟募集に二人して住み込む。錫（すず）を地金から金槌で打ち延す仕事で、半年後には職人となったが、土屋が見込まれたのは取引関係の書類作成、手紙書きなどで、以後主人から

重用された。が土屋が二十三歳の夏、主人が秘密に囲っていた愛人問題から主家は崩壊、工場は閉鎖となってしまう。二人は独立自営の道を歩む決心をして鳥越神社近くの裏長屋に三畳一間を借りる。

……土屋には、一人相談する人がいた。工場勤めが落ちついた頃、土屋は月二回の休日、工場から約十丁ほどの亀戸天神の催し物をよく見物に出かけたが、ある時太鼓橋の中程で池を背に短冊に俳句を書いて小銭を乞うている老婆を見つけた。土屋がその見事な筆跡に見とれていると、一人の若い紳士が近寄り、懐中から五十銭銀貨を投げ、短冊二、三枚を選んで去った。俳人でもあろうかと、土屋は後をつけ、天神橋際の別れ道で紳士に声をかけた。紳士は初めけげん視したが、土屋の俳句歴を聞くと名刺をくれ、遊びに来るようにと言う。名刺には「陸軍中尉西倉大吉・俳号二世鶯笠」とあった。早速次の休日、土屋は乗合鉄道馬車に乗って下谷豊住町の西倉宅を訪ねた。そこは付近でも目立つ薬局で、印半纏の職工を夫婦で快く迎えてくれた。西倉は日清戦争に応召、帰還後は薬店を開業していたのである。趣味人としても無事庵鶯笠を襲名しており、土屋は休日毎にそこを訪れ、交際を深くしていた。土

青年期の土屋右近

屋は西倉に、主家解散と独立のことを打ち明けたのだった。

西倉が懇意の古本屋を紹介してくれ、その人の話を聞く。元々本好きの土屋は早速、露店の古本屋開業の決意を固める。

《……即ち私の青年期から其晩年まで五十余年間、書籍業界の突入第一歩である。神ならぬ身の誰か又運命の動きを知る者があろう》

さて、この辺ではっきりさせておくべきは、土屋が業界入りした時代背景のことである。明治十三年生まれで二十三歳ということは、この土屋が古書業界に入った年は明治三十六年である。私はかつてこの連載で「下町の古本屋」の祖たる人々まで辿ったことがあった。がもっとも遠い生まれの人でも明治十六年生まれの白井常次郎だ。また昭和二十八年に開業した私が下町で見た最古参は六十五歳で振り手をつとめていた島田道之助という老人で、明治二十一年生まれ。〝人生五十年〟の時代、下町唯一人の生き残りと言われていた。だから昭和二十九年の土屋の七十五歳での死は、功成り名をとげた大往生だったのである。

例えばここに岩波書店の創業者、岩波茂雄がいる。この人の生年が明治十四年、土屋とは一歳違いで、大正二年古本屋を開業、画期的な正札販売を始め、ほどなく出版業に転じている。一高入学、のちにこの書店の著者とも企画者ともなる阿部次郎、安倍能成他の多くの知友を得、更に帝大哲学科を卒業したあとの書籍人生だった。しかしこんな履歴での業界入りは例外中の例外で、この当時の出版、卸屋、古本屋の創業者のほとんどは、この土屋のように一度は他業界にいたり、行商、露店などの体験者だったのではなかったかと思われる。

二

土屋の『我が七十年の回顧』の価値は、白井、島田という草創期の下町業界人ばかりか、和本から洋装本に移る時期の神田地区を含む業界の、かなり古い証言としても聞けることにあるようである。土屋が露店の古本屋を志すところを少し聞こう。

《広い繁華街、むしろ一枚あれば何処へでも店が開けると思ったのが、あさはかであった。人々が眼をつける場所ほど権利場が一定し、親分が見張っている。従って期待される一流場所の権利金は数百円で、到底おぼつかない。幸い旧市村座横丁、旧衛生試験所煉瓦塀に添った寂しい露店街に諒解を得て露店を出すことにした。友人久野君は古物商(屑物買)の許可証を受けた》

またしても友が一緒で、二人で一戸を構えることから始めることとし、二人は稲荷町に九尺二間（けん）の空家を見つけた。家賃一カ月二円五十銭、敷金七円五十銭とのこと。二人とも無一物、郷里の先輩に打電して二十円を借り家主に交渉して契約し、直ちに引っ越したのは二十三歳、明治三十六年の秋だった。六畳一間の家で、自炊生活は不自由だったが独立したことはうれしく、二人は当時流行の村上浪六『当世五人男』の向島での書生生活そのままだと空（から）いばりした。が、引っ越して二日経って気づいたのは隣の老人の動静で、昼は縁日や盛り場へ物貰いに出かけているとかで、何とここは乞食長屋とも呼ばれていたのだ。しかし、めげる二人ではなかった。

《毎日午前中は、商品仕入れに立場（たてば）廻り（古雑誌の仕切問屋）である。生き本を選り抜き、つぶし相場の二三倍の値段で仕入れるので、案外の掘出物があり、一貫目（約十冊を）十銭から二十銭位で買い、一冊一銭から十銭位で売る。午後は古本市場である。貸席を利用、新古業者を集めて競り振り売をしており、そこには必ず振り手の古参ととぐろを巻いているボス達がいた。市場は両国の薬研堀に「車屋」という貸席の二階で開かれ、市内大小新古を問わず、本の相場を知る唯一の基準だったから、書籍を扱う者は必ず「車屋」を覗く習慣だった。当時振り手としては「磯吉」「板橋」「土井勝」の諸君が権威を誇っていた》

土屋の確かな記憶力が分かる記述だが、右で注意すべきは〝新古業者〟〝市内大小新古を問わず〟の言葉であろう。次いで土屋は、この頃もう一方に新本専門の市場が存在したことまでも記すのである。

《新刊書籍の市会は、外神田仲町の「青柳亭」（会主武田伝右衛門の二号の経営）にあり、成光館河野源の斡旋で、大阪積善館の出張市会が好評だった。現大阪業界の元老額田政吉と北村宇宙が積善館社員として必ず出席し、何時もきざな着流しに角帯で、「アー左様か・オマス・アキマセン・ヨロシ」で人気があった。その他にも「植木屋」（蔵前）というのもあって、赤本書籍業者の常例市会と、東書組合、出版会主催の大市会が随時開催されたが、小規模の駈け出し業者は容易に覗けない所だった》

当時はまだ、出版から小売に至るまで、書籍業界の混沌時代だったのだ。いや、下町地区の本屋などは、少なくも昭和四十年頃まで、新刊と古本屋は両者兼業など珍しくなかったのである。

土屋と久野は、やがて一晩で三十円を売り、十円の利益を出すまでに、露店で成績を上げるようになった。翌年春、久野の方は郷里から嫁を迎えて別居（このあたりで決別）、するとは土屋にも師の西倉から、妻の妹を貰わないかとの話。が、ここで新たなる試練が土屋を襲う。西倉が突然肺患により、三十四歳で急逝してしまうのだ。薬局をやめ、師の妻子は実家へ帰り、逆にまだ尚早と断わっていた実家の妹を貰う話がまとまる。ちなみに、二人の間にはその後十一人の子供が生まれた（五人夭逝）。

露店開業の三年目、露店の場所に近い横町十二番地に間口二間奥行三間の貸店を見つけ、土屋は貸本店を開く。貸本屋は当時の流行で、老若男女唯一の娯楽機関と言ってよく、小資本で女子供でも出来ると喧伝され、一町内に数軒は現われる始末だった。土屋は頑張り、明治四十四年には同町十六番地に移転、ようやく露店、貸本屋を廃し、新刊書店を開く。傍ら書籍雑誌の卸業も開始した。また「大正十一年一月、東京雑誌販売連合会幹事に当選」ともあるが、その具体的叙述はない。

その土屋も、大正十二年の関東大震災では半生の努力が灰燼に帰すほどの損害を受ける。

《大いなる転換期ある毎に人の運命は動く。大震災の跡、全面的焼野原を見て、都会生活を断念して田舎へ引込む者と、石にかじりついても旧場所に復興を図る者とある。我が十六番地の人々は、何れも旧場所にバラックを建てた》

昭和となった年が、土屋五十歳。昭和七年には、小売組合長大塚周吉の下、土屋等十人が発起人となり資本金五万円の〝共同書籍会社〟を神田神保町一ノ六五に設立、小売店への直接売を開始。十二年、東京雑誌組合総会では大野組合長の下副組合長に選ばれる。

昭和十五年、業界の大小三百有余の取次店は日本出版配給会社に統合され、共同書籍会社は土屋の属する東京書籍雑誌小売商業組合と合併、六十二歳の土屋が初代理事長に選ばれたのである。

＊

余白に、土屋（梅泉が俳号）晩年の句を写しておく。

七十年悔いなき過去や梅白し

書初や我が意に充たず古希は過ぎ
夕涼み妻在りし日の浴衣着て
枕頭に薬四五種や夜半の冬

そして昭和二十九年の「辞世」と入る一句。

日は暮れん蝸牛 軈（やがて）何処に入る

三

右までが『我が七十年の回顧』と、東京都書店商業組合を結んでの、土屋の略伝であった。更にここへ、これまた資料棚にデクノボー然と並んでいた大型本『全国出版物卸商業協同組合・三十年の歩み』（昭和五十六年、発行人・八木敏夫）を加え、そしてもう一冊我が古書組合刊の『東京古書組合七十年史』をも参考にしながら、

書店＝新刊本、古本
卸屋＝新刊書籍雑誌・特価本

の関係を、自らの体験からも私なりに分析してみたい、というのがこのあとの文章である。

これを土屋右近の略伝に即して言えば、㈡の末尾で述べたように昭和十五年、まず大小三百余あった取次が統合されて、日本出版配給会社＝日販になる。またそれとは別の

たわけだ。

共同書籍会社が東京書籍雑誌小売商業組合に合併され、土屋はその初代理事長に選ばれ

ここにもう一系統現われた組合が「三十年の歩み」＝全国出版物卸商業協同組合である。この組合こそ、新刊組合とも古書組合とも違って、戦後昭和二十七年に創立された新たなる組織だったのである。そう、この三種目の組合が扱って来た本こそ、いわゆる新刊といわれる本でもなく、かと言ってすでに人に読まれた古本でもない、読書家の一部には知られたいわゆる「特価本」を扱う業者の集まりなのである。

新刊書店に並ぶ本は、多くは日・東販から配本される。無論この他中小の卸屋から取っている書店もあるが、その対極にあるのが古本屋で、古本は客買いと、各書店の客買いが古本市場に持ち込まれて市が立ち、そこから仕入れる。この中間にあるのがこの「特価本」と言えようか？

その卸屋へ仕入れに行くのは多く古本屋であり、それは定価の五掛以下と安いが、買い切りだから新刊書店はほとんど（？）行かない。では特価本とは何か？　確かに、特価本用にと初めから作っている出版社もなくはないが、ほとんどの場合は出版社がマトモに作った本の、事情（倒産、見込み違い、作りすぎなど）あっての流通本（この他に、一流月刊雑誌の月遅れものなどもあり）のことである。

この業界には明治期からの前史があり、『三十年の歩み』中には、

○児童文庫（アルス）＝三十万部を一冊三銭で酒井久三郎が引き取り、その処分に
　七年を要した。
○明治大正文学全集（春陽堂）＝三十万部を河野書店が一冊七銭で引き取った。
○現代大衆文学全集（平凡社）＝十五万部を河野書店が一冊七銭で引き取った。
○世界大思想全集（春秋社）＝十万部を近田澄氏が十一銭で引き取った。（以下略）

などと記されており、恐らく駈け出しの土屋が入り込めなかった〝新本市〟がこれだったのかも知れない。

時代は移り、あとは私自身に起きた最近の出来事で説明しよう。

……一昨年（二〇〇六年）後半、ある編集者（共著者となる）から、『東京下町100年のアーカイブス――明治大正昭和の写真記録』（生活情報センター刊）なる本を作るので一緒にやらないか、ついてはグラビア頁の資料提供とその解説文を受け持て、と言う。その人とは、大冊の『目で見る葛飾区の100年』（二〇〇五年、郷土出版社）も一緒に作っており、私はその話に乗りその仕事に半年ほど熱中、その間には出版社の社長も来宅した。一昨年暮には本も出来、神保町の三省堂以下大書店に平積みにされたのである。そして昨年初めには、印税として三十万～四十万円が貰える約束であった。

が、その矢先、同じ頃出た『100年前の日本――絵葉書に綴られた風景・明治大正昭和』の著者からの電話で、その出版社がつぶれ、社長は行方知れずと知る。その上在

庫は全て特価本屋に流出してしまったらしい、とも。私はすぐにあきらめた。「あれだけ努力したのだから、印税はもらいたかった。しかし永年蒐集した資料が活かされたのだし、この世への置土産と思えば悔いはないな」——と。ただ、一〜二カ月はこの本のことは忘れたかった。

ところがそんなある日、特価本になっているはずの自著について気づいたのである。出版社が健在なら、本はいつでも手に入る。しかし再販されない本というのはもし人の手に渡ってしまったら中々に入手困難だ、ということに！

私はあわてて私の本が特価千円（定価は三千八百円）前後で並んでいるはずの特価本の卸屋へ出かけたのである。意外にも、本は一冊も残っていなかった。私はそっとそこの店員さんに尋ね、すずらん通りのある新刊書店が沢山仕入れて行ったことを聞く。幸いその店では千三百円の特価をうたって並べられており、私は五冊を買って帰り安堵したのだった。

——最後は、土屋の略伝に戻ろう。土屋は戦後に店舗（浅草）を息子に譲り、昭和二十四年には北間長瀬公民館建設に土地と建設費の多くを寄贈したりもしている。帆刈芳之助の「帆刈出版通信」は、昭和二十九年二月四日付で左の文を掲載した。

《前東京書籍小売商業組合理事長、信明堂土屋右近氏は一月二十七日七十五歳を以て長逝した。氏は苦難を克服して小売並びに卸業者として成功し、また多年業界団体の役員として業界共存共栄の為に寄与する所、温厚篤実にして衆望を集めていただけに深くその死を惜しまれている》と。

第二章　下町の古本屋

振り手の名人・島田道之助

市場で見せた古本捌きの名人芸

一

昭和二十九年の私は開業二年目、それまで向島の古本市場しか行っていなかったのが、下町では格上の三ノ輪の市へ行って見かけた老人が、この島田だった。老人はここの振り手をしていた。ここで大多数の一般読者のためには、〝振り手〟について説明しておかなくてはならない。テレビで見かけるオークションで、進行をつとめる人、と言ってはちょっと違う。やっちゃばの競り人が、一番近いかも知れない。しかし古本市場は屋内で、三ノ輪の市は二部屋の仕切りをはずした四十畳ほどの場だった。ちなみに、この町場の市の模様は三島由紀夫の『永すぎた春』に描写されており、本格的な神田の本部市は開高健『ずばり東京』に出て来る。

〝振り手〟は〝荷出し〟役が流して来る本や雑誌を手に取り、隣に机をすえて座る書記役（山帖）に品名を提示、車座になって見つめる客（みな同業）に商品を瞬時に説明、その品に値を叫ぶ声を拾い、適当なところで落札者を決める——その仕事なのだ。市を経営するスタッフの一人でもある。そして言ってしまうと、このスタッフは同業有志で、稀れにはここから大店（おおだな）になって行く者もいるが、概して業界の〝顔〟にはなるが、これに打ち込むと、客側より経済的には恵まれなくなる、というのが当時の実情だった。

三ノ輪市で振り手をつとめる島田道之助

ともあれこの島田老人が振り手として中座に座ると、口跡の良さ、リズム、時々入れる下町風のヨタの面白さもだが、何とも言えない風格までであって、正に名人芸だった。例えば、〝歌と映画の娯楽雑誌〟だった「平凡」「明星」の増刊号を五冊手にすると、

「ええ——これが——錦ちゃん特集が三冊もあるぞ。俺（おい）らは老いぼれ島田道之助、こっちはホレボレするような中村錦之助だ、さあ幾ら？」

という調子。古雑誌でもっとも難物だったのが婦人雑誌と「文藝春秋」的総合雑誌。

「ええ——御婦人物がこんなにあって幾ら？ ええ百両（百円）、百両、ええい面倒だ、文春まで約五十冊、大小に乗っけて百両、八十、七十、バナナの叩き売りじゃねえぞ、みんなもう帰って貰おう。何五十両？　負けた！」

「お次は八巻物の『宮本武蔵』だな。何七巻が抜けてる？　さては質屋で流したナ。七が流れてさあ幾らだ」

そんな、全てに当意即妙に長ける落語の志ん生師匠を小型にしたような風貌の島田老人が振ると、市は笑いに包まれながらよどみなく進行する。が、その島田老でも客がダンマリをきめ込んでしまう本が出てくる。「声がない、声がない、よし笑え、笑ったヤツにこれを上げよう」

——ある日、釣り込まれて笑った私に四、五冊の本が飛んで来た。その一冊は名前くらいよく見かけるようになった、三島由紀夫が戦争中に出版した『花ざかりの森』という本で、その時私は「掘り出し物！」とよろこんだだろうか。否、「こんな本売れないだろうな」というのが正直な感想であった。ついでにこの本の運命を記すと、若き古本屋が店番時に片想いしていた客の文学少女に、ある日「お読みになりますか」と言ってあげてしまったのである。この昭和十九年七丈書院刊の『花ざかりの森』が、〝初版本ブーム〟の輝ける象徴となるのは、それからまだ十年の歳月を必要としたのである。

さて話を戻すが、この昭和二十九年に六十六歳だった島田の亡くなるのは昭和三十五年七月十五日払暁のことで、七十一歳の時。まだまだ「人生五十年」「人生七十古来稀

「古書月報」に描かれた島田道之助

なり」の時代で、誰からも〝天寿を全うされた死〟と言われた。それも、相変らずその五日前の三ノ輪の市で振り手をつとめたというから驚く。が、この市で見かける古本屋の裏側は決してきれいなものばかりではなかった。確かにその振りの技術面については、私も十年ほど〝振り〟を経験したから分かるが、中々に島田老を越える下町人はいなかったと思う。しかし、三ノ輪の市で見たもう一つの島田老の顔は苦しげだった。

何しろ、今の六十六歳ではない、古木のように枯れた肉体だったあの頃の老人ということもある。その上、島田老には戦前から続いているあの人この人に対する義理や交遊関係がその振りの中にあるのが、それから四、五年も三ノ輪へ通うことになる間に、若く正義感にこり固まる私の眼に見えてしまったのである。特に旧本所の出身で、この頃売上げで下町切っての横綱と言われたサトウ書店への島田老の配慮は、誰の眼にも明らかだった。佐藤が、「三百」と言う、私が「三百三十」と追いかける。島田老は私の「三百三十」を聞こえないかのように「三百両、三百両」と復唱、「三百両でヨッちゃんだ」と、芳次郎が名前の佐藤へ、本を放ってしまう。

私は意地になって、車座の全員に聞こえるように、そのあとも「三百三十！」の声を島田へ向け浴びせ続けた。そのくせ私自身、自分がのち南千住で四年間振り手となって事業部を切り回した頃は、その島田老と同じことをしていたのだから、今は慚愧に堪えない話ではある。

ところで、どの記録にも書店名がない島田につき、私は「昭和十六年用組合員名簿」に当たってみたのである。〝本所区四十九名〟中の「業平（なりひら）橋四ノ六ノ三」に島田は載っているが、やはり書店名はなかった。ただ驚くべきは、未だ戦火をくぐる前の下町地区の繁栄である。この外〝荒川区五十八名〟〝下谷区四十六名〟〝浅草区五十五名〟〝深川区三十七名〟〝城東区十七名〟〝向島区二十七名〟〝足立区二十四名〟〝江戸川・葛飾区三十名〟の計三百四十三店もの古本屋が存在、生活していた事実である。

二

その頃、島田老の振りに盾突き、我が身が七十歳となった今では、大人げなかったと反省したところまで話を戻そう。まして島田老ときたらその中座での鮮やかで厳しい姿の反面、そこを下りるといかにも下町人特有の世話好きで親切な、一面弱気にも見えるまっとうさのあふれた好々爺でさえあった。誰からも愛された人らしく、昭和三十三年十月二十三日、下町業界有志によって、「島田道之助翁古稀記念祝賀会」が、千葉県船橋市の三田浜楽園で開かれた。「地元第九支部（三ノ輪市場）の主だった人と、第一、第五、第十の各支部からの出席者でさしもの五、六十畳はある大広間も……」と当時の「古書月報」は報じている。

……島田道之助が古本屋になったのは二十四歳の時で、それ以前の職業は不明だが、業界入りは貸本屋からだった。島田は死の前年、昭和三十四年十月号掲載の「島田道之助翁を囲む座談会」で言っている。

「……荷車でなく箱車でね。あの牛乳屋のやつ、あの箱車に本を積みましてね、軒並み貸して歩くんです。そして三日目位に回収に行くんですが、ひどいのがいましてね。引越す二、三日前に十冊も借りてね、ああよかったなと思って三日たって行くともう空屋なんです。あの頃は引越したら近所の人も知りやしない。そんな具合ですから暫らくたって古本でもやったらいいだろうと勧められましてね。両国にあった車屋の市、そこへ行きましたが、本が判らないでしょう、仕方ないから一冊一銭でつけました。十冊出りゃ十銭。みんな落ちてくるんですよ。帰りには荷車を引いて両国橋が上れない騒ぎ。それを押上へ持って来て夜店へ出す。何でも小さいものは安い、『自然と人生』なんて小さいから五銭か十銭。『群馬県人名辞書』なんてのは大きいでしょ、だからこいつは高いんです。まあ、始めはそんなものでした」

「車屋の市ってのはどの辺だったのです？」と出席者の一人が聞いた。

「丁度今、薬研堀の角にどじょう屋がありましょう、あれと背中合せにあったのが車屋という待合、その二階でした。下町の市では一番古いかも知れません。古い市としては他に御徒町の荒物屋の二階、ね。私が会主になったのはここが初めなんです。ビール箱の上に片足かけ、片足を前に出して振るんです」

「荒物屋の市で島田さんの振りが認められたんでしょうが、それからどこへ?」

「竹林亭へ出入りしました。浅草馬道にあった貸席で、五、六十名集るんです。帰りが遅くなって浅草公園へ行くと縁日で、買って来た本を広げて早速夜店を始める、なんて者もいましたな。かと思うと、みんなの店へ荷車で仕入れた本を届けるんですが、この人は同時にみんなからゴミ本を貰って帰るんです。夜店でそれを売るんですね。まだ明治本なんか売りようがない頃です。『新体詩抄』『みだれ髪』なんかが一銭か二銭。『不如帰』や『自然と人生』は読みものでまあ売れるんです。詩集の方は均一か、市場へ捨てて来ちゃう。常連は浅吉さん、神田の丸文さん、鉄ちゃん、野要さん、横浜の篠田さんなんかですね。昔の市は今のように初めての人が入れない。入って来ようものなら白石さんあたりが、『お前は何だ』と怒鳴るんです。あわてて挨拶すると『何で最初に挨拶しない、出直せ』とやる。その後児童絵本の合本を作って出荷するようになった篠原達八郎さんもその口だった。帽子をかぶったまま市に入って来たんです。『おい、帽子のまま市へ入るやつがあるか。お前は何て名だ?』『名前は何でもけっこうです』『名なしの権兵衛でいいのか』『ええけっこうです』それでゴンちゃんになっちゃった。それで篠原さんが持って来る絵本は〝ゴンちゃん本〟になっちゃった。何しろ呑気な時代だった。大谷徳之助のお父さんがね、妾と一緒に市に来るんです。そこへ伜も来て、本を仕入れてるんですからね。市が終るのを待ってバクチをしたりする業者もザラでしたし、そのまま女郎屋へ行ってしまうのもいる……」

ちなみに、戦後の三ノ輪の市場は、この竹林亭（市場）で島田の世話になった人々の経営だったのである。

「あの頃の下町睦会というのは大した勢力でしたね」

「下町の業者は、下町睦会以外のどの市にも行かないでやっていましたから。会に属する市は毎日どこかで開かれてた。しかしそれだから私達はいけないんです、井の中の蛙大海を知らずで、結局正統的に本は何も覚えなかった」

島田の話はしかし、どこまで進んでも市場のことばかりであった。そして戦後のことでは、四ツ木の市を始めた話となり、「終戦後最初の市ですね」と出席者に聞かれ、

「そうです、本部の市もまだだった。昭和二十年です、西神田倶楽部はやってたでしょう。それが発展しましてね。私は埼玉県から朝五時起きで出て来てました。『吉屋信子全集』なんて貸本用の本を何冊か探してくれれば立派に日当になったもんです。下町はその頃、保証金を取っての貸本主体の店が多かったんです。戦争で本が焼けたのにろくな

本が発行されなかった……」

どうやら、島田もあの下町の大空襲に遭遇、店舗を東京に出すということでは出遅れてしまったものと想像される。出版情勢も旧に復し、下町式貸本の形態もすたれ、島田が生活の手段としてすがったのが、三ノ輪の市場だったのだろう。そう言えば、この五日おきに開催される市では長身のかなり女っぽい島田の娘さんも、帳場でヌキ（買伝票）を書いていたのを思い出す。その後そこで働く若い同業の方と、その娘さんは結婚している。

杉山書店・杉山留治
日記に残された戦時下の古本屋

一

杉山留治は明治三十一年生まれ。その出身はわからないが、杉山死亡時の追悼文で森本信次という下町の同業が書いている（「古書月報」昭和四十五年十二月号）。

《思い出は古く大正の末、私が古書の道に足を踏み入れた頃、浅草竹林亭の市で異様な人物に接した。商人らしからぬ書生々々した俊敏な動作、カラッとした明かるさ、歯切れのよいウィットに富んだ話しぶり。／何とはなしに私はこの青年に心をひかれた。――これが杉山君との最初の出合いであった。彼の台頭はあっという間であった。いつの間にか下町各市会の会主の仲間入りをしていた。下町睦会の幹部にも登用された。本部の片隅のささやかな店から新富町へ居を移し店を人形町へと、飛躍は続けられて、下町業界に押しも押されもせぬ地盤を築いて行った》

森本の言う大正末というと、杉山は二十七、八歳であり、人形町への進出はその五、六年あとの三十二、三歳の頃。実は戦前の「組合月報」（現在の「古書月報」）昭和六年九月号の〝懸賞論文〟欄に、杉山の「組合のなすべき事業」が当選している。文は千二百字ほどのもので、いやしくも本屋を名乗るのだから、古くからの文献と書籍の沿革に関する知識が必要だ。組合は事業としてそれをやってくれてもいいのではないか、――との要旨。私が注目するのはその書き出し、

《私は幼年時代の逆境から漸く小学校の尋常科だけ学ぶを得た人間だ。自分で生活するやうになつて、読書に興味を持ちこの商売にとりつくまでは是でもいつぱしの読書家だつた》

というところ。杉山がこれ以上古本屋以前について語った言葉は見つからない。

杉山より十一歳下の佐藤芳次郎も、先と同じ追悼号にこの辺りのことを書いている。

《杉山氏の店は、粋な場所にあって、近くには明治座もありで、氏の好きな演劇関係の人なども客となり、楽しく営業しておられた。その頃の古本市場は封建制が強く支配しており、私達若者や駆け出しはいつも小さくなっていた。会主の中では杉山氏はもっとも若く、合理的でその豪快な振りと共に若者達に人気があった。そのうちに、旧態にあきたらない私達は、杉山氏を中心に集まるようになった》

こうしてつくられたのが「敬書会」で勉強の会まで開いた。竹林亭を三晩借りて、大きな黒板を用意、講師を招き下町業界の向上のためという意気込みで行なったが、結局

参加者は少なかった。それでも参加者の多くは六国史（「日本書紀」「続日本紀」「日本後紀」「続日本後紀」「日本文徳天皇実録」「日本三代実録」の総称）などという言葉を初めて聞いたりして、後年までの語り草となった。

下町の若い者に囲まれているうちに、杉山の声価は次第に高まり、遂に組合の理事の選挙に出ることになった。その頃組合は五区に分かれていて、選挙は連記制だった。杉山は店が日本橋なので、選挙区は神田と同じ一区だった。杉山は睦会の地盤である四区から出れば問題はないが地域的にそういうわけに行かない。だが、神田はともかく、日本橋、京橋地区が全員杉山を支持し、杉山は理事に当選した。そして日本橋、京橋での人気は、杉山と組んで選挙に当たった神田の有力者達の認識を改めさせ、杉山は理事になると共に、商売でも神田の市場に進出、振り手にも起用された。

杉山はこの昭和六年から八年、九〜十年、十六年、十七〜十八年、十九〜二十年（四十七歳）と、理事を務める。兵役にもかかからず店も焼け残った、このあとの二、三年を含めての五十歳位までが、杉山書店のもっとも充実した月日だったのでは、――と、杉山の資料を渉猟しての私には思える。杉山は晩年（「古書月報」昭和四十年五月号）に、敗戦直前の日記の一部を公表している。

《昭和十九年十二月二日　組合よりの示達による勤労報国隊の最初の日。行先は牛込の大日本印刷会社、朝七時五十分現場到着。第三、第四支部合同なり、第三支部市川円応

氏始め隊員十六名、我が支部十四名計三十名にて結成、午後五時三十分終了》

《**十二月五日**　勤労奉仕完了。幸ひにして天候順調であつた。警報発令一日ありしも無事、参加人員は四日間を通じて第三支部五十四名、第四支部四十九名の実動である。／夜、人形町店員売上を持参す、筋書集と戯曲全集等三百五十円にて売れたる由》

《**十二月十日**　鉄兜触れ鳴る師走の電車かな》

《**十二月十三日**　一の橋の市へ、兎に角行つてみる。集る人少なく、十一時に終る。帰途魚住君の家へ寄る。百科事典のほか、種々売つてもらふ。金額一千円。更に河野氏を訪ね、帝国文庫旧刊揃三十七冊を百六十円にて買ふ》

《**十二月十六日**　霞町で久し振りの平調な売買あり。帰途河野氏訪問、氏が移転するので在庫品を譲り受ける約束する。人形町で「塔影」の揃い、二百円で売れたり》

《**昭和二十年四月十五日**　焦煙はまだ濛々とたち、省線の真下にある焼跡の家の窓から、炎が美しい色を見せて吹き上つてゐるのも虚しい有様である。御茶の水駅を出ると罹災した人々が荷物を抱へたり背負つたりして繁く、かうした風景も毎日の出来事では眼に馴れて振り返る人もない。主婦之友社前を降りると、明治堂さんの店は焼け失せ、倶楽部もまた跡方もない。／三橋氏が自転車を降りて佇んでゐた。声をかけると「到頭やられました」と言ふ。罹災した人々は誰彼なしに案外元気のよいことも、また馴れたる故であらうか》

二

右で私は、杉山が「古書月報」に抄録した日記の一部を引用したのだが、この杉山の日記帳にはなんともやり切れない慚愧に堪えない思い出を持っている。それは杉山の没した昭和四十五年以後のことである。昭和五十年に近い頃のある日、私は本部会館三階の組合事務室から仕切られた小さな一室で、何かの作業にのぞんでいたのだった。ふとお茶の時間か何かで見廻した部屋の片隅に、他の雑多な書類などに混じって、「当用日記」の一束が積んであるのが目につく。

当時個人的には、すでに他人の肉筆日記の蒐集を始めていたが、それは秘密めいた行為だったので、「誰かの日記があるぜ」と、私はその一冊を抜き出して眺めた。私はすぐにそれが、あの杉山留治老の日記と分かった。そう言えば、杉山の日記十数冊が、没後組合に寄贈されたという話を聞いた気もしたが、ああこれだったのか、と思った。私は借りて帰りたかった。いや、通ってでも読み通してみたかった。しかしみなの手前、すぐにそれを縛り直すのが、せいぜいだった。何しろ四十代までの私の表の顔と言ったら、一切の組合の役員を受けず、酒席はつき合わずの金儲けだけの人間と見なされ、下町地区では「守銭奴」の噂もあったと、あとで知った時代だった。だから本部の事務室など、もっとも敷居の高い場所で、ついに日記のことは言い出せず、時を逃がしてしま

下町業者と旅行をしたときの杉山留治（右端）

う。その後生活の安定を見、生き方を変えた私は、逆に組合の資料室整理までする機会を持ったが、一生懸命いくら探しても杉山の日記は出て来なかったのである。

ともあれ、敗戦直後の杉山の活躍は目覚ましく、早くも昭和二十一年に理事となる。店も順調だったらしく、中央区人形町という場所柄扱い覚えた分野の蘊蓄を傾けた「演劇書話」Ⅰ・Ⅱを「古書月報」（昭和二十三年九・十月）に発表したりしている。この間の杉山のことを書いているのが戸沢郁二で、

《私が業界に入ったのは昭和七年、二十五歳の時でした。杉山さんは私より十歳上で、当時の威勢のよかった姿が今でも彷彿と眼前に浮かびます。／風采、弁舌まことに堂々たるもので、特に戦後の全国古物商組

合結成大会が日比谷公会堂で開催された時の、杉山さんの壇上における演説は実に素晴らしいもので、後にも先にも古書業界であれだけの演説の出来る人を見たことはありません。これなら代議士にもなれる人だと思ったほどです》

などと証言している。

が、好事魔多しで、理事を無事退任した昭和二十四年辺りからの杉山の人生はガラリと変る。この頃の事情を、前出佐藤芳次郎は書いている。

《……しかし、世の中は難しいものである。頂点は又、危機でもあった。此処で杉山氏はフトしたことから事業に蹉跌を来たし、人形町の店もやめて……》

と。そのつまずきの内容を佐藤は書いていないが、資料としては二十四年十二月号の「古書月報」裏表紙に、上野松坂屋内として「特価本卸部新設!!」の広告が出て、そこに八木敏夫、山田朝一、杉山留治、八木福次郎の順で名が出ている。

次に見出す資料は、杉山が新樹社という特価本卸の店を本郷で始めた「古書月報」への広告（昭和二十五年七月）、これに続く店舗名と〝謹賀新春〟挨拶（昭和二十六年新年号）がある。杉山はその特価本の問屋に失敗したのだろうか。

……さて、私が杉山を初めて見たのは開業した昭和二十八年頃、下町へ一風呂敷ずつ本や雑誌をかついで出品に来ている老人（と言っても五十七、八歳）としてであった。杉山はこの頃、下町業者が駆け出しの頃にする、建場（たてば）を廻っての荷を、市場に運んでいたのらしい。しかしこの老人への、古い同業の扱いは一種独特で、かつては唯者ではなかった昔の人となりなどが察せられるものであった。しかしそれだけに、上背のある体から時々発する下町育ちの気のきいた言葉遣いのうちには、何か虚勢のようなものが感じられるのを、私は見逃さなかった。

恐らく杉山を、私はそれから十数年見続けるのだ。私は一人ひそかに、我が出自たる下町業界史に興味を持ち始め、この人に聞けば幅広く昔のことなど知ることが出来るのでは、という考えを持ちながら、ついに深く近づくことはなかった。ただただ生活の基盤が出来るまではと、習い性となった必要以上の蓄財に励んでいたのである。私は昔の「古書月報」を眺めるようになり、昭和三十四年十二月号を見ていたら、杉山の「冬の雷」という文章が載っているのを発見した。読み始めて、私はうなった。文章は、

《先日市会にいると、俄に曇り始めた空はやがて雷を伴って降り出した。傍らのT氏が、「どうです、〝冬の雷〟で一句」と言う。私は言下に、今思いついていた駄句を示そうとして、やめた。その句とは「売順を待ついらだちや冬の雷」である。まことに、市会で私は待つという感情に馴らされたことを痛感する。僅少な、それもしがない雑誌類を集めて売りに行くだけの私にとって、いやが応でも味うべき実感である》

と書き出されていたではないか！

昭和四十年頃からは、私も選ばれて会主側に廻っていたが、いつも杉山がやって来る

度に私はこの「冬の雷」の文章を思い出したものだった。杉山は昭和四十五年、七十二歳で亡くなっている。

サトウ書店・佐藤芳次郎
薄利多売、客であふれた古本屋

佐藤芳次郎（一九一〇〜一九八七）は、明治末に本所北割下水に生まれた。高等小学校二年の時に関東大震災に遭遇、一家は無事だったが家は焼け、その時点で学校も中退した。すぐ家業の袋物製造を手伝うが、半年もすると不況が来て、佐藤は動かぬ商品を何とかしようと、露店の仲間に入った。

押上の夜店で、佐藤は森本信次という古本屋と隣り合った。博識で魅力のある人だったので、雨の日など若い衆が沢山その人の家へ集まって来た。そこへは下町市場の名振り手・白井常次郎も加わり、俳句や脚本朗読の会が出来た。改造社から始まる各社の円本が出始めた頃で、古本屋はブームだった。

佐藤は森本から「君は本好きなんだし、古本屋になれよ」と言われた。決心したのは昭和三年、未成年のため父名義で古物許可証を取った。

十年余の露店の苦労が実って、佐藤が厩橋（うまや）に店舗を持ったのは、昭和十四年。が、佐藤が青春を捨てて生活と闘ってきた間に、軍国主義が膨張し次第に戦時色が濃くなった。

日増しに出版物は粗末になり、生活物資さえ自由に買えない時代になった。

書籍の公定価格販売の通達が出され、貸本制度が奨励されるようになって、佐藤は組合からその指導員に選ばれたりした。

昭和十九年には佐藤にも徴用令が来て、倉敷の三菱重工に終戦までいた。二十年三月、厩橋の店は本もろとも東京大空襲で焼失、家族は新潟へ疎開した。この頃、父の稼業を継いでいた弟がニューギニアで戦死した。

敗戦後、佐藤はまず父たちの疎開地へ行ったが、そこに暮らしの道はなかった。東京へ戻ると、佐藤は本郷の同業を訪ねた。するとその同業が「持って行きなよ」と、十冊ほどの大衆文学の本をくれた。久しぶりに手にする本で、再び昔の闘志が湧いた。わずかな縁で露店を一年やったあと、千住新橋梅田側の、小さなマーケットに入る。それも通りから見えない奥の方で、そこに古本屋があると気づく人も少なかった。佐藤はそこで一時世帯を持ったが一年ほどで女性と別れ、以後生涯を独身ですごすことになる。

昭和二十五年、佐藤はやっと千住新橋北詰の袂、坂を下った四、五軒目のところに店舗を見つけることが出来た。この場所が当たった。何しろこれ以北は昔の日光街道、奥州街道の別れ道で、千住新橋は都心に入る人々で溢れ、特に娯楽雑誌が売れに売れた。

——私は十七歳、ここほど客で埋まった古本屋を見たことがなかった。店先には十〜四十円の均一棚があり、私はそこで宇野浩二『文学的散歩』、木枝増一『島崎藤村』、木村毅『小説研究十六講』などを買った。そんな私が古本屋になったのは二十八年二十歳の時で、当該の市場へ行き始めて知ったのは、小柄な佐藤の他を圧する買いっぷりで、私には「何だ、おまえさんも古本屋になったのか」と声をかけてくれた。

一方、昭和二十九年、佐藤には隣が家を売って出ていくという願ってもない幸運が舞い込む。店は間口三間にも広がり、佐藤はこの時点で墨田区吾妻橋の宮崎書店と共に、下町古本屋の両横綱と言われるようになった。すでにテレビ放映は始まっていたが、まだまだ下町の人たちの娯楽の中心は読書だった。佐藤は夜店からの叩き上げの感覚で薄利多売をモットーに繁盛を続けていた。思えば、私の古本商売は佐藤の模倣から始まったのである。

また佐藤は、店の拡張と共に大きく棚揃えを変革させている。戦前期に迫る良書出版がなされるようになった事情も幸いして、佐藤は市に出るいわゆる「筋の通った本」を片っ端から買いまくり、棚の上部を埋めていった。傍ら佐藤は三十、三十一年の二年間推されて下町地区の支部長を務め、業界に報いている。父母も健在で、同居している独身の姉ウメも店番が可能で、子のない行き先を考えて甥の少年（一年ほどで退店したが）を置く等、もっともよい条件に重なってもいたのだ。

佐藤の身辺が大きく変わったのは、昭和五十年千住新橋がついにバイパス式にかけ替えられることとなり、店が整理対象となったからである。佐藤もすでに六十六歳、父母も亡くなって姉と二人暮らしになった。佐藤にはすでに悠々余生を送るだけの恒産があったが、やはり古本屋が天職となった身に廃業は考えられなかった。

佐藤は新店舗を、あの思い出のマーケットを起点に東武梅島駅へ抜ける旧日光街道に求めた。面積は千住新橋際の半分ほどになったが、業界は「ビニール本」などが全盛で店は思いの外売れたと言われる。が、佐藤に急激な老いが目立ち始めた。やがてその前こごみに腰の曲がった姿も市場に現れなくなり、昭和六十二年に佐藤は没した。

千住新橋を背にした佐藤芳次郎（昭和30年頃）

無論私も葬儀に伺ったが、「サトウ書店」はこれで終わりと誰もが噂した。すでに神田の明治古典会しか行かぬ私は、下町業界にうとく、ある時用事でここを通ると、サトウ書店の店番に佐藤の姉ウメが座っているのに驚いた。

……さて、私が今度この文章を書くために、今年（二〇〇一年）五月二十六日にサトウ書店を訪れて、更に驚かされたのである。

そこに店番していたのは、思えば四十数年前一年だけ佐藤の許で店員を務めたと言う、六十代半ばの甥の弘さんだったからだ。弘さんの父は芳次郎、ウメの実兄で、ウメは昨年三月に亡くなり、丁度勤め（横浜で東芝に勤務）が定年になったあとで、ウメを看取ったあと書店を継いでいるとか。

姉ウメが八十二歳から九十二歳まで店を守った話はそれとなく聞いていたが、意外だったのは「平成四、五年頃まではまだ結構この店も売れたんだよ」、と言っていたらしいこと。しかし弘さんが継いだ頃からのサトウ書店は、売り上げも少なく、この数年は月に十日程、外でアルバイトをしている、とか。弘さんには悪いが、私はこの気息奄々（きそくえんえん）のサトウ書店に今の下町古書業界の象徴を見る思いさえした。

紅文堂・戸沢卓治
地方への買出しに辣腕をふるう

昭和二十八年、私は二十歳で古本屋を始めようとしたのだが、世間知らずの上、性格も内気で相談する相手はなかった。

三、四百冊の駄本は持っていたが、間口一間(いっけん)の小さい店とはいえそれで足りる筈もなく、やっと私が思いついた相手が紅文堂・戸沢卓治という人だった。多分古い業界を知っている読者ならまだ記憶に残っているかも知れない、浅草国際劇場前の協立書店・戸沢郁二氏の実兄である。兄弟ともに個性的だったが、浅草で古書を、葛飾区立石駅前で大きな新刊屋を営んでいた弟の方が商売は上だった。ともあれ、私にはこの紅文堂しか頼れる人はなかった。

……思えば、この紅文堂の親父には思い出もあった。私が育った戦時中の堀切地区では唯一軒の古本屋で、何やら難しい本ばかりが棚に並び、店の中央には仏像など骨董品の類も並べられていて、店内はいつも薄暗かった。たまには『少年倶楽部』の古本でもないかと、二、三人の子どもたちで入り込むと、「子どもの本はないぞ!」と親父の怖い声が飛んできた。

紅文堂は間口一間半、奥行二間ほどの店だったが、京成堀切菖蒲園駅のハス向いにあった。駅前はちょっとした広場で、縁日には露店が出た。その中の露店の古本屋の方が、子どもにも分かる面白い本が並んでいた。どういう権利関係だったのか、駅前の一角に小さな掘っ立て小屋が建っていて、渡辺という私の同級生の母親がおでん屋をしていた。色白の大柄な美人で、未亡人であった。昭和十九年夏、私は新潟県へ学童疎開するのだが、町会別の割り振りで、渡辺が同寮生として敗戦まで過ごした。その疎開地へ、渡辺の母親が面会に来たのには不思議な気がした。面会は豊かな寮生の親に限られていたからだ。しかしその母親に、べったりとつきそっていたのが紅文堂の親父だったのである。

戦後、復員した息子（紅文堂の養子）は新刊雑誌や一部を新刊書にして成功、店はやがて新刊本屋に移行して行く。どんな修羅場の果てか知らないが、やがて紅文堂は古女房と養子に店を明け渡し、渡辺他三人の子連れの母親と再婚、京成高砂駅近くに店を探し、開店した。私が頼ったのは、友人の義父となった紅文堂だったのである。

渡辺と約束して、朝自転車で行くと、親父はもう五十代半ばくらいになっていた。三、四年見なかった渡辺の母は急激に太って、私を愛想よく迎えてくれた。渡辺が親父に、よろしくと言って勤めに出たあと、私は本が足りないので、と言った。紅文堂は、

「一週間くらいで四、五百冊集めてやろう」と言ってくれた。

父の自転車修理店から６尺を借りて始めた一間堂

「君は文学青年なんだって？　いいものを見せてやろう」

このあと二階へ上げられて私が、鷗外等の書簡、啄木、光太郎などの葉書、夢二の肉筆のスケッチ帖、明治諸家の初版本を見せられて、しまいに辟易する話は『古本屋三十年』（昭和五十七年自費出版）に詳しく書いたので略すが、どうして紅文堂があんな品々を持っていたのかは未だに分からない。もっとも忘れられないのは、藤村が好きと言った私に、「これが『破戒』の初版本だ、千円にしとこう」と勧めたこと、まだまだこの分野の値が安い頃だったのだろう。あんな極美本なら、『破戒』は現在五十万円以上はするだろうから。

やがて紅文堂から呼ばれて、私がり

ヤカーで受け取りに行ったほこりだらけの五百冊ほどの本は、当時もっとも嫌悪されていた忠君愛国的な修養書や戦中の時局解説的な本ばかりで、あとで思えばツブシ（業者も捨てる本）ばかりだった。それればかりか、次の日は神田の市へ連れてってやろうと、紅文堂が言うので翌朝言われた通りに自転車で行くと、私を待っていたのは見るからに高そうな上物の本を、小川町まで運べという仕事だった。

お陰で私は、もう半世紀も前の、本部の古本市を頭に刻み込むことが出来たのだが、紅文堂が組合のことや、下町の古本市場を紹介してくれることはなかった。

その後も時々、幾月か通った紅文堂で私は色んな発見をした。店の棚は売れ残りのゴミ本ばかりで、売上げは店の前に並べた新刊雑誌によるものらしいこと、紅文堂は月の半分ほどを地方への買い出し旅行に当てていたことなどである。

ある時は帰宅後悪事でもバレたのか、私のいるのも何のその、「この浮気者！」とおばさんに本で殴られてしまった。またある時は、店の奥に壺やら茶碗やらの骨董品を前に、紅文堂を囲んで四、五人の男達が何やらひそひそ話をしており、私の方に向けた紅文堂の顔は眼光鋭く、いつもの柔和さはなかった。要するに紅文堂は、店など大して当てにしていなかったようなのである。

後年（一九八五年）私が、反町茂雄氏が「図書新聞」に連載していた「新・紙魚の昔がたり」（『紙魚の昔がたり・昭和篇』として八木書店刊）の対話者に選ばれ、〝下町古本屋の

生活と盛衰〟のタイトルで主に戦後の下町業界を語った折のこと。開業のいきさつのところで紅文堂・戸沢卓治の名が出たとたん、

「その戸沢卓治さんというのは、よく神田の市場へ来て、古典会などへも、時々ウブい品物を出品し、中に珍しい本もまじっていましたから、私はよく知っていました。買い出しは、関東から東北方面が主で、私の郷里の新潟へも、時々出向いていましたね。うわさはあちこちで聞きましたが、中々辣腕家のようでしたね」

との反町氏の発言があったくらい、実はその道の猛者だったのである。

結局別のルートから、私は下町の古本市場に出入りすることになるが、そこで紅文堂と会うことはなく、紅文堂との縁も切れた。

その後十数年して、高砂を受け持つ支部の班長に聞いたところでは、紅文堂はおでんとお惣菜の店に変ってしまったと言う。

協立書店・戸沢郁二

神田の市でも目立った下町の古本屋

すでに取り上げた戸沢卓治の実弟である。

兄卓治がどちらかと言えば蒲柳（ほりゅう）の質だったのに対し、戸沢郁二は容貌も顎が四角に張って五尺一寸の体軀は頑健そのものに見えた。その上私が見た戦後の戸沢は、太鼓腹に近い体形になっていた。

戸沢は小卒で山形から上京、東京府下立石の染物工場で働く文学青年だった。戸沢が古本屋になった動機は、工場でストライキの指導者にまつり上げられ、他のリーダーと共に警察に検挙、馘首されたからである。その昭和七年、まだ三十四歳の独身だった戸沢のもとへ、郷里で父親が没して財産を整理した母が身を寄せるのだが、資金はそれまでの貯金と母親が出した。立石駅のそばに借りた空店（あきだな）は間口三間あった。戦後隣の一部も買収、堂々たる新刊書店となるその場所も、戸沢が入ったばかりは京成電鉄が道路計画で北に五、六十メートル線路を移動したあとの土ぼこりの立つ道だった。

本をリヤカーに山積みにして、市場から帰る戸沢の姿が見られ、店は見る間に古本屋らしくなっていった。この頃を知っている、当時中学生で無類の本好きだった江東文庫・石尾光之祐は後年書いている。

《私の子供っぽい疑問に、彼は自分の言葉に合点々々するようにしゃべった。／「うん、新興芸術派の中でも彼は一寸毛色の変った存在だよ、ああ——」／店の右棚から正面は政治、経済、社会、芸術と堂々たる本ばかり。左に廻って純文学、中棚は前衛、プロ文学などで、左の入口辺りが大衆物だった。／この店で色々の分野の本があるのを知ったあと、私の古本は新刊より安いものだという信念が壊された。この店では古い本が高かった。それでも私が毎日のように通ったのは、中棚に詰めた春陽堂の「日本小説文庫」や平台の雑誌が安かったからである》

そのあと戸沢は、入口右脇にショウ・ウィンドウまで作り、永井荷風の署名本や、林不忘の「丹下左膳」の原稿（の一部）までもそこへ並べ始めた、と言われる。

昭和十一年、二・二六事件が起き、阿部定事件が報じられた春先、戸沢の店に待望の花嫁が来た。色の白い大変な美人で、彼女が店番していると客が増えた。が、客が話しかけても、純粋の秋田弁を発する彼女との会話は成り立たなかった。すでに大学予科生だった石尾光之祐は、別の文章に書いている。

《翌年（戸沢の妻に）子供が生まれた頃、私はようやく冗談を言うほどに打ちとけて来た。帳場の脇に腰を下して彼女が赤ん坊に授乳するさまを眺める。女性は母親になると人前で乳首をくわえさせることに抵抗がないようである。彼女の雪のように白い豊かに張った乳は、ふっくらまぶしかった。私も両方の乳房を見終るまでは店を出ない》

やがて古本屋にも作りの良い本が減り始め、文庫本まで寸が詰まった。機を見るに敏な戸沢は、町に三軒ある古本屋の内、一番早く保証金を取る貸本を始めた。それとは別に、戸沢は妻の郷里とも連絡を取り、各種東京で不足した食糧品、生活必需品のブローカーも始めた。また商店街にあっては、率先して警防団の班長にもなった。

……二十年敗戦。戦前の証言者石尾は、兵役を終えて帰還はしたが、もう読書よりも女体遍歴にのめり込み、昭和三十、四十年代は広告会社を経営したりで、戸沢の書店とは縁が切れる。

戦後は私が協立書店を記憶しはじめる。まず、浅草六区興行街のはずれ、突き当たりを国際劇場前に左折、曲がった右側二、三軒目（その後の浅草東映の並び）に、私が古本屋を見つけたのは十五、六歳だった昭和二十三、四年の頃のこと。私はそこで鈴木氏亨『菊池寛伝』を買った。戸沢はこの頃の二年間、何と下町の三ノ輪支部から選ばれて組合理事を（昭和三十八、九年にもう一度）をしている。だから私が二十八年に業界入りした頃の戸沢は、すでに、立志伝中の人であった。

私は最初の十二年間を下町だけに生きた。向島市場でも、戸沢を年に何回かは見たが、逸品物か、当時定価に関係なく超高値に売れた紫書房版の好色本や「奇譚クラブ」などを買うだけで、それらがいつ流れて来るか分からぬ振り市が退屈そうに見えた。下町にあって一段上の、「歌舞伎音曲、落語に講談、食い気に色気に、易から仏教、川柳俳句に趣味本あれこれ、絵葉書からブロマイドまで……」と当時の「古書月報」に紹介されている〝三ノ輪の市〟に、私が本格的に出入りするようになるのは十二年の三分の二を過ごした辺りだった。そこで見た戸沢の雄姿たるや怖い程の迫力で、当然買い頭の一、二を争っていた。

昭和四十年、私は谷中の鶉屋書店主に誘われて本部の明治古典会に入るのだが、この都内有数の文科系古本屋が集まる市で見たものは、買い頭五指にも入る戸沢の活躍だった。

ある時私は、頼まれた本を届けるため、約束の日に協立書店を訪ねた。私は初めて、戸沢が場所のよい一階は新刊にし、古本は〝古書部〟として二階に上げ、あれほどの商売をしていたのだと知る。私は戸沢のあくなき企業家ぶりに感嘆した。ただ二階十五坪ほどの棚を見て、私が気になったのはその主力が、あまりに好色本に片寄っているということだった。

一方この頃明治古典会では、反町茂雄が名指しで戸沢を会員に誘ったが、戸沢はこれを断わっている。――思えば、この昭和四十年代と、五十年代半ばくらいが協立書店の最盛期だった。

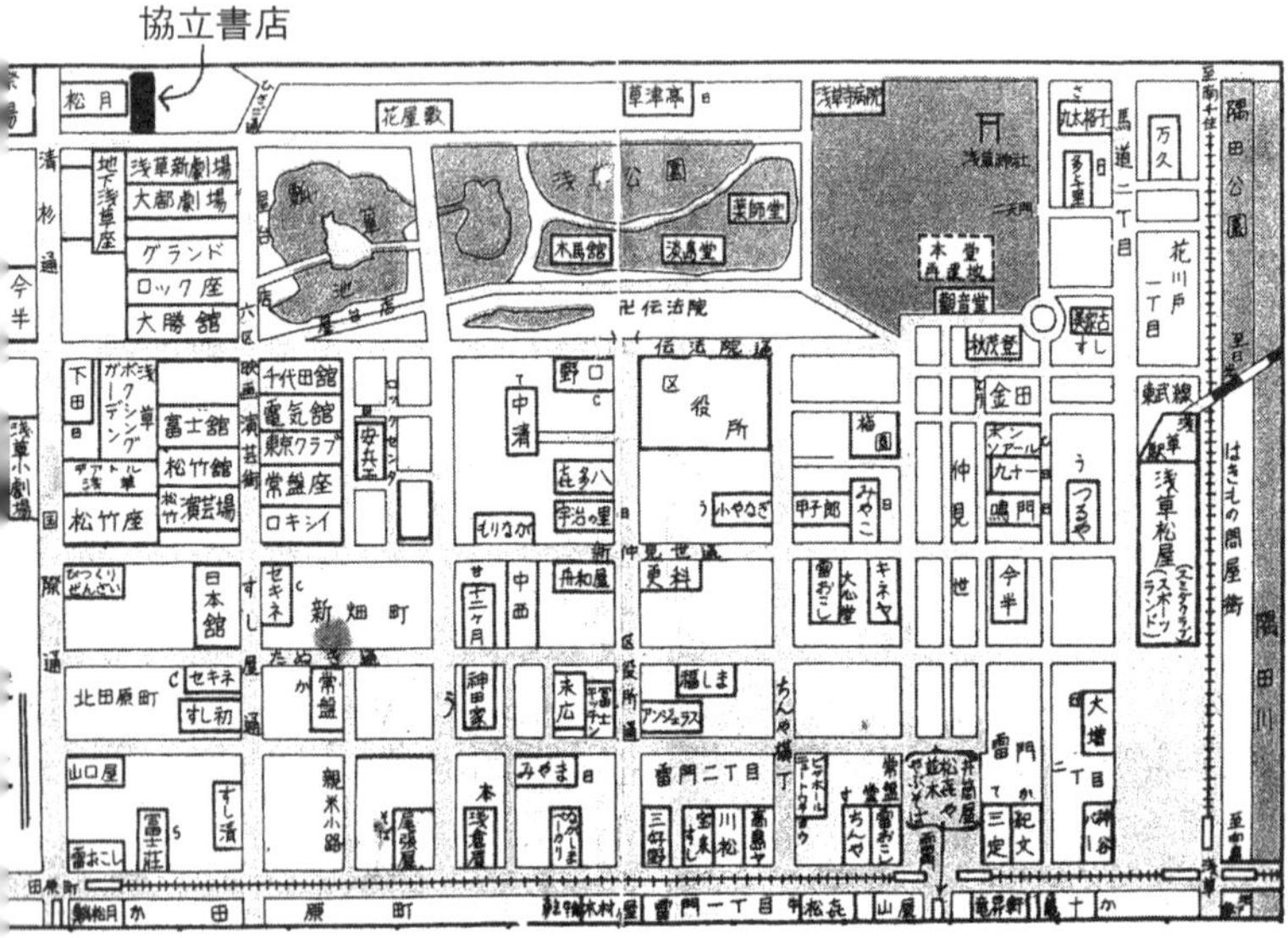

1949年の浅草地区略図で協立書店古書部のあった場所

戸沢は七十歳の頃、現在なら何のことはない発禁本のことで蹉跌が生じ、その筋の取り調べを受ける。その間に体調をくずし、やがて市場に再起不能で病床にあることが伝わる。いつか組合からも脱退、同業に忘れられた頃に戸沢は没した。

鶉屋書店・飯田淳次
下町から古書業界を変えた恩人

一

谷中・鶉(うずら)屋を名乗った飯田淳次は、大正十年本郷湯島に生まれる。父は宮内庁御用達にもなった挽物師だった。小卒と同時に本郷商業に入学したが、四年進級時に肋膜炎の宣告を受け、療養は数年に及び廃学する。その期に飯田は文学に目覚め、短歌や詩を作るようになる。

背は六尺に近くアスパラガスのような体軀だったが、昭和十七年赤紙が来て北支へ出征。師団一の成績で衛生兵に合格したお陰で最前線には立たず、二十一年五月に復員した。

飯田は歩いて十五分ほどの神田地区の露店の古本屋群を見て、己もその商売を思い立つ。家は空襲で焼失したが、もう一カ所に分散させておいた蔵書を元に、七月、日暮里駅前の寺の門前から露店を出発させる。

二十五歳の飯田は未だ文学青年の余韻を残しており、この二、三年の詩誌（西條八十「蠟人形」など）に詩や小曲の掲載されているのを見かける。二十三年には結婚して金町に新世帯を持ち、そこから通うが、ある日、長屋の子どもの様子を見て「麻疹（はしか）だから医者に見せた方がいいよ」と諭して近所で評判になる。……私が谷中の飯田の露店に通ったのは二十五年初めから夏の頃で、都立上野高校の夜学生だった。が、その秋には退学、一方鶉屋はこの暮、すでに卒先推進して来た谷中商業協同組合といったマーケットに店を持つことが出来、ここを終生の店舗とした。

昭和二十八年、私が二十歳で開業すると、夜学時代を覚えていてくれた飯田が古本市場で声をかけてくれた。飯田はすでに三ノ輪の市の経営員だったが、市は老人支配で帳付けが仕事だった。

飯田は近接の、私も所属する向島や池袋市場の若い不満分子を糾合、研究会（私も参加）と称して組合非公認市場を作り四、五年主宰した。その間飯田は三ノ輪市場でも振り手No.1にのし上り、三十六年には地区事業部長となった。

飯田はまた、この頃紅谷書店、高野書店（高野之夫は政治家に転じ現在豊島区長）などと「斧の会」を結成、街の古本屋からの脱皮を計り、その合同目録に『春と修羅』（一万三千円）『藤村四詩集揃』（袋付二冊・六万円）『みだれ髪』（三万三千円）『無名詩集』（二千円）などを含む収儲品を公開販売した。

50歳頃の飯田淳次

三十八年には、市場の責任者も兼ね、行政面でも支部長に就任。折から戦後のバラック建だった神田の古書会館建設時期に当たり、この期、本郷支部より理事に選出されたのが弘文荘・反町茂雄で、飯田も本部での会合に出る事で、二人は運命の出合いをする。

四十年、反町が再建を画った明治古典会に、飯田は新しいメンバーの一人、それも経営主任として抜擢される。飯田は振り手、発声と一人でこなし、反町も会の企画などでことごとにアイデアマンの飯田を頼りにした。

こうして四年、反町は会が軌道に乗るのを見て名誉会長に退くまでの間、飯田を手足のように使い、飯田も粉骨砕身これに応えた。

因みに、反町は没する一年前の八十九歳になって、突如己が自伝の稿を中断、『鶉屋書店飯田淳次の仕事と人』を表しこの時期の飯田の労に報いている。

ついでに言ってしまうと、この再発足時に経営員一名を補充することとなって、飯田によって下町地区から選ばれたのが私で、飯田が反町によって後半生をきめたように私もまた飯田によって運命を転換させるのである。

飯田は間もなく反町の主宰する「文車の会」にも入り勉強、会の海外研修旅行にも行き、また白木屋、池袋西武、日本橋三越展などにも積極的に参加するようになる。

吉本隆明、小川国夫、立川談志、「僕お宅で万引きして捕まったんですよ」と有名になって店に入って来た池田満寿夫など著名顧客にも恵まれ、安藤鶴夫、坂東三津五郎、川口松太郎等の蔵書売立もこなし、着々と一流書店への道を歩み続けた。

六十歳になると飯田は、長屋型式のマーケットの店を老後に備えるように、赤煉瓦造りの瀟洒な建築に建て替え、記念の古書目録も発行した。

一代（一人娘は勤め人に嫁ぐ）で終わるとはいえ、その後も二十年に近い豊かな古本屋の老後が待っている筈だと、飯田も思い、同業の誰もが思った。

しかしその飯田には思わぬ蹉跌が待っていたのである。五十六年、飯田は明治古典会の市場で倒れる。軽い脳梗塞で、二カ月ほどで回復、市場に出て来た。が、翌年の会の新年会に無欠席を誇った飯田の出席がなかった。

実は暮の三十一日、飯田は車で坂を下っていて発作に気づき、必死の意志で車を端に寄せ頭でクラクションを鳴らしているのを助けられたのだ。飯田の七年に亘る療養生活の始まりで、左手両足及び言語障害が元に戻ることはなかった。

戦後、飯田は小太りとなり頑健なまでの体力を誇っていた。後輩の面倒見のよさは私たちばかりか、ようやく市への出入りを始めた神田の二世たちにまで及び、原動力はその押し出しの立派さと健康であった。

しかし飯田は裏側では我が身を削っていたのだ。睡眠時間は三時間と言い、「何だお前、八時間も寝るんじゃ体なまっちまうぞ」と私を叱った。飯田はまだまだ医者だけしか持っていない血圧計を持っていたり、何やら高価そうな健康薬品を愛飲していた。飯田は結局、己の健康を過信し過ぎたのかもしれない。

やがて飯田は己が回復の道のない現実を知って、六十年秋、ずっと共に歩んで来た明治古典会に托し、その全商品、全蔵書を売った。その四年後の平成元年三月三日、飯田は六十八歳の生涯を閉じた。

高齢からほとんど葬儀等には出なくなっていた反町茂雄も、法要の全てに出席した。飯田は「足なへの立たせ給へと祈るのみ倒れしまゝに六十路過ぎゆく」の一首を遺した。

二

暮（二〇〇六年）も押しつまった頃、念願の、私の業界での恩人だった飯田淳次氏の伝記、『ある古本屋の生涯――谷中鶉屋書店と私』を出すことが出来た。当初はこの本、全文を普通文で通すはずだった。

すでにこの伝記は鶉屋の没年には計画し、少しずつ書き始めたのだが、飯田が明治古典会に入会した二年目辺りで挫折、行き悩んでしまった。その上五、六年前には、構想を昭和四十三年からの二十年に、世相、業界、業界人の中の鶉屋像を、私の日記で浮かび上らせることに変化させた。何しろ日記魔のこと、膨大な記述の中から探すだけで大変だった。また当然、普通文のための二十年間の鶉屋書店資料は集まっていたが、それらを今更日記に挟むという不純な作業はしたくなかった。

この機会に、それら使用出来なかった資料の幾つかを、すでにこの欄（「彷書月刊」二〇〇〇年五月号）に小伝を載せたものの〝続〟として紹介しておきたいと思う。

まず昭和四十六（一九七二）年のこと、鶉屋は五十歳で私は三十八歳だった。私は下町の〝東部支部〟で機関誌を担当、もっとも忙しい時期の鶉屋に、「何か先輩の言葉でも頂けませんか？」と原稿を頼んだのである。それが今度の本で序詞として入れ、帯にも使った、

《古本屋一代ときめ初市へ／大森の住人、山王書房・関口銀杏子の句である》

から始まる文章だった。そこには感銘を受けた私だったが、その段落あとの本文の方は、

《指導者としての情熱。誰よりも誰よりも考え抜いた。未来像の把握。遂行への方式。男だったらそこで頑固になれる。それが確信である。一時間ずつ考えて来た十人の会議

だったら、指導者は十一時間考え抜いて対応すべきだ。（略）／三十代よ頑張れ!!／亡霊も、新しい今日的な大将を待望する。君たちの兄貴は、すでに軍帽もハンティングも、美事にかぶり分けてしまったから……》

とあって終わる、一種の英雄待望論だった。

当時の私は読み飛ばしていたが、今これを読むと、私も含め下町に十八程いた三十代の人達へ向けての、鶉屋のやむにやまれぬメッセージではなかったのかと思える。鶉屋は若き日すでに〝十一会〟なる勉強会を組織したり、下町の私ばかりか池袋から中央沿線に至る郊外の多くの青年達を、明治古典会などへ紹介、送り込んでいたのだ。下町や郊外には、親分子分的に関係づけようとする実力者はいた。が、反町茂雄とは比較にならないが、鶉屋は郊外の古本屋としては一時期間違いなく指導者だった。

さて右の「英雄待望論」を書いた六年後、鶉屋は己の詳細な営業ぶりを語った資料を残している。座談会「最近の古書業界――店売と古書即売展」（「日本古書通信」昭和五十二年十一月号）中での言葉で、他の出席者は豊田書房（神田）、杉浦書店（本郷）、千章堂（中央線）、文英堂（早稲田）、八木書店（神田）だった。まず〝店売の現状〟を順に問われ、やがて郊外の代表として鶉屋の番となる。鶉屋は「四十年代までやった古書展はやめたところです」と断わり、続けた。

《四十九年頃になってちょっと考えました。品物の出まわりや自分のやっている仕事のことなどを考え直して、今度は出来るだけ店にいて、対面販売とでも言いますか、お客様となるべく多く顔を合わせようとしたことです。今まで飛びまわって店に居るのが少なかったのですが、出来るだけ店に居ようと考えたんです。特に土曜日は必ず一日店に居て、一週間の間に集めた骨っぽい本を別に陳列したりする、これが今週の新集品ですと言った形で出して置きます。それを結構楽しみにして来てくれる人もいるということで評判がいいんです。土曜は売上げも上ります。売上げは一定の水準は近辺のお客さんに支えられ、一寸売上げが上ったなあと思う時は遠来のお客が何かまとめて買って下さったという時です》

そして〝専門店化〟ということでは、

《うちは詩集、歌集、俳句を中心とした文学書、それと落語関係と趣味本、それから原稿色紙短冊など自筆本が柱》

と言い、並みの本屋ではそこまではやるまいという話も加えている。

《私ら詩集なんか相手にしていますと、出来るだけ完全本を一冊取っておこうと考えるわけです。記憶だけではあやしくなりますからね。また特別な場合ですが、近所の地名を書名とした藤沢清造の『根津権現裏』というのがあります。これは百何頁かが必ず切られている、しかし数少ない献呈本は削除がない、それをコピーして入れて売る……》

と。

次に座談会のもう一つのテーマ、古書展については、こう答えている。
《四十年から四十九年までデパートでやってましたが、今は全然やっていません。古書展はたしかによく売れていますが、しかしその規模が大きくなればなるほど、山の頂点しか出すことが出来ない。目録の関係、ノルマの関係で例えば高額な第一詩集は出せるが、第四、第五詩集は出しにくい。本当はこっちを喜んでもらいたい訳です。いきおい首ばかり売れたのでは、手足ばかり残ってしまう。店が首のない品揃えばかりになってしまう。専門店は尚更です。これからジックリと或る程度の商売をやらしてもらうためにも、手遅れにならないうちにと僕なりに考えて、古書展は休んでおります》
こうしてこの五カ月後には、鶉屋は店を改築して理想の古本屋を追求しようとしたのだが、三年後には病に倒れ閉店しなくてはならなかったのである。

三

鶉屋が東京古書会館で最初に倒れたのは昭和五十六年。

秋山和歩という人（一九三〇年生、東京外語大卒）の、『中年この魅惑の日々』（昭和五十四年、山手書房）はその二年前に出ており、一章設けられた「古本屋のある町」が鶉屋に多くの頁をさいていた。

秋山は旅行会社から日本万国博覧会協会に出向、海外広報課長として万博のＰＲに努め、その後は会社に戻って広報宣伝部次長——と略歴にあった。そして大宮に住む秋山の趣味は読書と「古本屋巡り」。

《目下の私が、贔屓にして足をはこんでいる、古本屋というと、日暮里の鶉屋書店、赤羽の紅谷書店、豊島書房、板橋の木本書店、浦和の弘文堂書店、大森のわかば書店、浅草の地球堂、次いで下北沢の白樺書店、池袋の高野書店、同じく八勝堂書店、銀座の奥村書店などであろうか》——中でも日暮里駅北口から二、三分、谷下の谷中銀座への階段上にある十字路を、南へ上野公園へ抜ける狭い昔からの道へ曲がったすぐのところにある、赤煉瓦の鶉屋へよく足が向いたと言う。

秋山はそこのウィンドウに視線を送りながら入店するが、ほとんどの日は夫人の店番だった。続いて右側の稀覯本や高価な初版本の入っているガラス戸棚を見やって、左へ詩集、俳句関係、美術書、趣味の本、文学評論と伝記類、文庫本と見て行く。また長方形の店内の中央には手頃の大きさのガラスケースが置かれ、もっとも値の張る署名本や原稿などが入っており、秋山がひと通り見終わる頃に、夫人が、「ご精勤ですね」と言ってお茶を出してくれたりする。

こうして秋山は、鶉屋主人と豊島書房を巡っての、『吉野秀雄歌集』署名本に関するほのぼのとしたエピソードを書いたあと、ある日の日記に書きつけたという、夫人をうたった詩を紹介している。

奥さんは少しさびしそう／御主人は大阪の古書市へ仕入に出張
奥さんがいつのまにか身につけた古本屋商売／棚から棚へと見まわす眼の落着き／
戦災にも焼け残った街角／窓の外はいつの間にか通り雨
隣家の幼な子のとぎれがちなハーモニカ／息づいてでもいるような棚の古本たち／
奥さんの胸に今も疼く乙女の日の追憶／胸の中の一冊の書物……

――この秋山以外にも、鶉屋の店を懐しく思い出して書いている記事がある。「季刊銀花」第87号（平成三年九月）のは、美術史家の気谷誠という人。《谷中墓地の裏手の朝倉彫塑館の並びに、赤レンガの洒落た古本屋があった。店の名前はうずら屋。十数年も前の話になろうか、その店で立ち読みをしていて、叱られたことがある》と書き出された「ネールの塔――ある古本屋の思い出によせて」が、その文章だった。

鶉屋の店の棚から、気谷がベルトランの訳詩集『夜のガスパアル』（城左門他訳、昭和七年、昭南書房）を抜き、函についたボタンに手をかけようとした時だ。

「そのボタンを触っちゃいけない！」と大声で怒鳴られてしまう。

外函の地の部分に小さなボタンがついており、鶉屋はそのボタンの残る本は極めて稀なものなのだと懇切に説明する。気谷が慎重に内函を抜いて見返しを見ると、五万幾千円の値が記されてあり、恐る恐る棚に戻した。

このベルトランは『夜のガスパール』一冊を残して死んだフランス・ロマン派の群小詩人の一人で、文章のタイトルとなっている「ネールの塔」は気谷のもっとも愛する詩の一つと言う。そして詩は最近の及川茂訳で引用されているが、ともあれボタンの件で叱られたことが縁となり、気谷は時折鶉屋を訪れては主人と無駄話を交すようになる。生まれて初めて、古本屋でお茶を頂くという光栄にも浴するようになる。一年ほど通っただろうか、何も知らない若造だった気谷に、鶉屋は行くごとに珍しい書物を見せ、貴重な話をしてくれる。気谷は鶉屋から、矢野目源一『恋人へおくる』（昭和八年、第一書房）などを買った。

が、いつの頃からか鶉屋には閉店の貼紙がされ、数年後には別の商店になってしまった。気谷が鶉屋の死を知ったのは、その翌年のこと、私などがやっていた「古本屋」の記事からで、そこには病気や売立市の模様が詳しく書かれてあった。この時の出品目録は、業者間の売立ということで、一般の眼には触れ得ないのであるが、その後なじみの古本屋に無理を言い、一部貰い受けることが出来た。気谷は書いている。

《浅黄色の小さな目録である。『某家蔵書一口売立目録』と題され、それがうずら屋蔵書目録であることは、どこにも明記されていない。裏表紙にうずらのカットが配されているのみである。ページを繰るうちに、あの『夜のガスパール』が出品されているのを見つけ、感慨もひとしおであった》

気谷は末尾、あの矢野目源一訳でヴィヨンの詩を鶉屋の霊前に、と捧げている。

君よ　このひとまはり　またこの年も
そのかみのひとはいづこと
問ひたまふともこの折返しうた
去歳降りし白妙の雪はいづこぞ

目録販売の達人
江東文庫・石尾光之祐

通信販売から始めて、最盛期は下町古書展やデパート展でも活躍した石尾光之祐（一九二一～一九九七）の伝である。

少年時代からの本好きで趣味に合ったのが大衆文学。日大在学中は文学にかぶれ、同人誌もやった。昭和二十年白紙（教育召集）で幹部候補生から種子島に赴任、少尉で敗戦を迎えた。石尾二十五歳。家業（ポンプ製作）に従事したあと、父の紹介で広告会社に入社し四十五歳まですごす。その後独立、広告代理店「イシ・エンタープライズ」を経営したが十年ほどで倒産、五十六歳で古書業界に飛び込む。

「江東文庫」は「日本古書通信」の通販で使用の屋号で、その頃組合にも加入。支部会館から始めて本部市にも出席するようになる。どこで手に入れたのか、その頃私の最初の本『昭和少年懐古』の感想を言ってくれたのを機に知り合う。次の『古本屋三十年』では徹底的な指導を受け、以後石尾は生前私の全ての著書の原稿を見てくれた。

一方石尾は、自家目録も出し、船橋西武や私などの始めた同人制の新宿京王展までこなすようになる。まだ本の世界は活字文化の余韻を残しており、岩波文庫、岩波新書を棚に並べることが古本屋の象徴として通用、岩波の本ならみな定価の五掛にも六掛にも競られ、そこから出た全集は古書価をリードしていた。そういうものと無関係だったのが古書展で、そこでは際立って人気だった大衆文学書、児童読物、娯楽雑誌、婦人雑誌などを石尾は市場で買いまくるようになった。石尾は修理補修の術にもたけていたから、ボロ本でも買ってしまう。何しろ、東京古書会館の専門書市に週に三日も通い、本を現物で読んでいる石尾は、掘り出し物の名人でも知られ、市から市と売ることで口銭にもなった。そして古書展用には起承転結の利いた廉価で完璧に近い目録を作り、顧客に応えた。場売りの棚はいつもガラガラになるほど売れ、戦中の発行物という、すでに酸化の始まった紙質柄、粉々の紙屑が棚に残り、それが石尾の同業への密かな自負でもあった。

昭和六十一年、下町の小林静生（一時八木福次郎氏と「週刊新潮」の「古書案内」欄担当）と私がその石尾を誘って、季刊誌「古本屋」を創刊、五年で十冊を出した。石尾は十本の文章を残したが、平成八年燃焼社刊の『古本屋の自画像』に一文が載せられているし、敗戦の除隊までの青春を描いた自費出版『無邪気な季節』（昭和六十三年・限定三十部本）の著書もある。

……こうして石尾の古本屋生活は二十年近くに及んだが、晩年の五年ほどは不幸が続いた。平成元年、夫人を直腸癌で亡くす。すると、一人息子が妻子を残して蒸発するという出来事が生じる。石尾の、馴染みの中華屋での独酌の場面、虚無の言動が多くなり、次々と古書展の同人を脱会する。そんな石尾に、平成七年肺癌の徴候が現われ、入院手術。見舞った私が連れて行かれたのは病院の喫煙所で、

「煙草はいけないんでしょ」と言うと、

「そう、やめない人は再発するよ、って言われてます」と石尾は紫煙をくゆらしながら、にやっと私を探るように見て続けた。「明古（明治古典会）、けっこう私向きのもの出てるんでしょ？」

石尾光之祐（右）と著者

「いや、石尾さんが休まれてからは『少年倶楽部』一冊出品されて来ませんね」

「まーた、嘘ばかり言って……」と石尾。

その四、五カ月後から、抗癌剤で毛髪の抜けた石尾がまた神田の市に現われるようになった。石尾が最後に買った大物としては、戦前平凡社から発行された『現代大衆文学全集』美本の第二期全二十冊揃で、地下のロッカーには私が運んであげた。

石尾はまた市場に来なくなったが、電話では時々

話した。文学の方の友人が、テレビ局から顔で古い映画のビデオを貰う。それを私が借りて題名を言って「見たい」と返事のあったのをダビング、延べ二、三十本は石尾に送った。「歌ふ狸御殿」「阿片戦争」「将軍と参謀と兵」「愛機南へ飛ぶ」、そして石尾がもっとも喜んでくれた嵐寛寿郎の「鞍馬天狗・黄金地獄」。

平成九年秋、私は石尾の通院にしばらく乗らない車を運転して、お手伝いするようになる。十一月に入って、石尾から私に、

「甘えていいですか？」と電話がある。

明古（いちば）へ連れてって貰えないか、と言うのだ。十五日（金）、車で迎えに行く。石尾は最後の愛蔵品『只野凡児』（麻生豊・漫画）四冊揃他を出品する。十九日は月一回の通院のお供。市には二十九日もお連れする。石尾はしばらく、隅に座って市風景を見つめている。それはまるで、大好きだった古本市場を脳裏に焼きつけてでもいるように私には思われた。

十二月十七日、通院日。石尾は助手席で私に、

「実は、Bさんに頼まれてる目録の原稿、まだ十点ほど足りないんです。続き、ロッカーのガラクタを選んで書き足してくれませんか」と言う。

承知すると、いつものように石尾は煙草に火をつける。この日、都立駒込病院は暮れで大混雑、私はうずくまってしまう石尾を見て窓口に掛け合う。すぐ検査々々となり、

「即時入院」と言われた。「あなたは御家族ですか？」

一日おいて見舞う。「もう目録のことは忘れましょう」と言うと、石尾は微笑した。

二十三日、死の知らせ。斎場が混んで二十八日通夜、翌日告別式。享年七十五。

お通夜で会ったBさんに私は、目録の件を話し、この際現物と合せることも不可能だろうからと、お断わりした。石尾はもうずっと以前から、古書展の場売りは得意でも目録品蒐集が苦手という同業の幾人かとタイアップ、代行していたのだ。Bさんは私に言った。

「これだけは必ず売れる。これは誰々からの注文があるよ、って言うのね。これが青木さん、驚くべきことに百発百中だったんです」

文化堂書店・川野寿一
軍隊、労働運動、そして古本

川野寿一は深川の木場生れである。祖父は人力車夫、父貞吉はその婿に入った人。父は川野が小学校二年の時、不景気のため実家のある葛飾水元へ帰る。寿一は卒業して府立三商を受けたが上り性で試験に失敗、私立は貧しさで入れず、深川の伯母を頼って明川小学校の高等科に通う。〝字に関係のある仕事〟に憧れていたので、報知新聞の活版部へ文選工の見習いとして入る。

報知は二年勤めたが、昼夜の交替制で夜学にも行けない。十八歳の川野は徴兵検査のことが気になる。軍隊に入っても有利と父に言われ、昼は逓信省の料金計算係になって、夜は本郷の日本高等無線学校の予科に入った。成績抜群特待生となり、本科と合せると四年行く学校を二年で卒業。東芝（川崎市）に入ることができたが、兵隊検査が甲種合格、陸軍師団通信隊の無線兵になり、昭和十八年二月中支の九江へ出征。無線兵は機械を馬につけて行軍するのだが、その馬が病死、その結果川野は馬を粗末にしたということで、上官から殴る蹴るの制裁を受け、とうとう気絶してしまった。

「俺だって人間だ。馬が病気になって死んだぐらいで、こんなひどい目に合せる軍隊って所は、天皇陛下のもとに一君万民というが、それは嘘だ。兵隊はドレイで上官は鬼だ、人間より馬を大切にする軍隊なんか真っ平だと俺は思ったねえ。それでね、俺、気がふれたフリをするようになっちゃったんだ」

上官は驚いて川野を漢口の病院へ入れた。その牢屋のような所へ半年も入れられ、南京へ移送される。そこの軍医が川野を診察しながら、小声で「お前、内地へ帰りたいか」と聞く。川野は思わず「はい、帰りたいです」と答えてしまう。さあ大変、嘘がバレたかと観念したら、軍医は耳元で「軍隊へ復帰しろ、みんな内地へ帰りたいんだ」と諭して処罰の対象にしなかった。川野はこんな人もいたのかと、初めてまっとうな軍人に会えた思いがした。やがて南昌で電波探知器の基地を作る仕事に廻され、ここを担当していたのが住友電気通信、――戦後の日本電気だったので復員して入社。「戦後の日電、廻りはみんな共産党ばかり、朱に交われば赤くなるってのは本当で、俺も赤くなっちゃった」

若き日の川野寿一

そうするうち、レッドパージの噂、共同書籍に行った日電での同僚に引っ張られ、川野はまたも労働運動に首を突っ込む。――こうして首になる寸前にやめて、古本屋になったというのが、加太こうじ編『名もなく・すがしく・したたかに』（昭和六十年刊　筑摩書房）。これは十二人の庶民列伝で、川野が語った自伝の古本屋以前の概略である。

……川野が葛飾区金町に開業したのは昭和二十五年、開店早々の店にセドリに来たのが鶉屋書店・飯田淳次だった。当時飯田は日暮里に露店を出し、金町に新世帯を持ったばかり。「実は俺も古本屋なんだ」と飯田が名乗ったことで年齢も一つ違い、詩を書いていたこと、戦争体験という共通性に加え、共に子供が生れたばかりと分かり親しくなった。二人はすでに三十歳に近かったが、当時の業界は徹底した封建的老人支配で、古本市場は二人を小僧っ子扱いした。二人は池袋方面の若手とも手を結び、民主的市場運営、古書研究等をかかげ〝十一(とおいち)会〟を起こす。

それはちょうど、二十歳の私の開業時で、古い仕来たりにとまどっていた私にとっては心強い先輩達となった。十一会は組合で禁止された闇の市場をそれから五年ほど続けて自然消滅した。というのは、メンバーが市場にあっても組合行政の上でも、それぞれ頭角を現わし始めたからである。川野だけについて言っても、このあと川野は一貫した革新的姿勢から、商売そっちのけで組合の組織改革のために情熱を注いだ。下町支部長から始めて本部理事を五期（うち全国古書連合会専務理事＝東京組合副理事長兼務を三期）十年に亘って務めた外、葛飾区民主商工会長を永く歴任した。一説には区議を、という声も周囲に起こったが、笑って受けつけなかったと言われる。

私と川野とのつき合いは、玉の井にあった向島市場の経営員仲間となって以来である。この頃から川野は、終生百キロ前後の肥満体となった。ともあれ私は本の方の師を飯田に求めながら、人生如何に生くべきの相談はいつもこの人にぶつけるようになった。ただ、こと商売にかけては川野はままならず、駅前横丁から二度三度と店を移し、その度に場所を悪くして行き、最後の店舗は住宅地の一郭であった。そしていつの間にか本の知識では立場が逆転し、私が川野の指南役になってしまった。川野は生活苦の打開をいわゆる〝建場廻り〟や、一時流行したスーパーマーケットでの店頭販売に求めたりした。……平成七年二月二十一日、川野は池袋サンシャインでの古書展を終えて帰宅、その夜脳出血で急死した。享年七十二。

通夜、告別式と、沢山の人がこの人の死を悼んだ。焼香さえままならないお年寄が、遺影を見つめて慟哭する姿を私は何人も見た。思えば、川野が晩年もっとも情熱を傾けていたのは、弱者救済、地域に根ざした医療機関設立運動だったのである。式後のお清めの席で私は、「共産党はかけがえのない人を失ったね」と同業の一人に言った。すると間髪を入れず、目の前の未知の人が、「いや、その通りです。あんなに地域の人に愛された方は少ないですから……」と答えた。「青木さん、こちら共産党から立っている区議の……」と、同業。

文化堂書店は、川野が四十五年連れ添ったこの年七十五歳の幸枝夫人が、毎日（その後廃業）店を開いていた。

なお、川野寿一の文献としては先述の加太こうじの本、没後山下恒夫が「思想の科学」平成七年九月号に寄せた「加太こうじと文化堂主人と」などがある。また川野は若き日、近藤東などの「新領土」に詩を寄せている。

さかえ堂・星藤男

スーパーマンとして倒れた男

星藤男と知り合ったのは、開業したての私の店に毎日のように本を見に来ていた、子ども用三輪車を製造販売している隣家の主人からである。

「吾嬬町に、うちから仕入れた三輪車なんかを片側に並べ、半分で古本屋をしている店があるよ」と教えられ、行って見た。木造の旧四ツ木橋を向島側へ下って交差点を右へ数軒曲った所に、その岡本書店はあった。星は姉の嫁ぎ先だったそこで店員をしており、二十七、八の男だった。

私が店主に古本市のことを聞くと、「支部長の所へ連れてってやれよ」と、傍らで三輪車を磨いていた星に言った。星は「あいよ」と気軽に支部長の店に案内してくれ、私は念願の組合加入の手続き方法を教わることが出来た。

するとその一年後、今度は星が私を訪ねて来た。借り店を見つけ独立することになった、ついては岡本の店では主に雑貨品を受け持っていて、本のことは何も覚えなかったから、色々教えて貰えないか、と言う。

経営員旅行での星藤男

星の店は常磐線の金町駅南口から、水戸街道に抜ける車も入れぬ賑やかな商店街にあり、間口七、八尺、奥行も九尺ほどしかなく、奥の二畳ほどが生活の場で、細長い四畳ほどの二階がついているきりだった。それでも岡本から退職金代りに出た二十万円が権利金に消えたということだった。造作が出来る間に、市場、上野での特価本の仕入れ、その値付けと私は出来るだけの手伝いをし、開店の運びとなった。店は初日から私の店を上回る売上げを見、私はたじたじとなった。

星は有項天だったが、姉が急遽田舎から見つけて来たという嫁共々あけっぴろげで、私が行くと小太りの嫁さんは「食事してってって下せえな」と言った。私たちはよく自転車を連ねて仕入れに行き、岡本から受け継いだ日暮里の古紙問屋から出る真っさらな学習参考書などを、星はほとんど原価で分けてくれた。ついでに記すと、この三年後には岡本書店の隣で金物屋の番頭をしてる浦和弘という、私と同年の男を星は連れて来た。私は浦和の古本屋開業（のち、新刊本屋で成功）まで世話することになり、縁あって昭和三十四年に私はその妹と結婚した。

星は好人物だったが、子沢山の極貧の家に生まれ、ただ向上あるのみだった私には物足りなくなった。元々全体でも二坪ほどの棚揃えなのだから、一冊の本、一冊の雑誌に至るまで神経が行き渡っていていいはずなのに、売れて補充するのは客の立て込む入口だけだった。男の子が続けて三人も出来たのに日銭が入るのをいいことに、近所の野球チームに加わったり、よく山登りや釣りにも出かけた。

昭和三十年代後半になると、下町の市場の会主に私も星も登用され、市の仕事の他に行政面にもつかまり、星は機関誌を受け持つ。星は「支部報」に〃雑誌相場特報〃を載せ、あんなもの意味ないのにとみんなに笑われた。私も笑った一人だが、今それを眺め、

「奇譚クラブ」（昔のところ）　十冊一、三〇〇円
「怪奇雑誌」（二十年代小判）　十冊一、五〇〇円
「裏窓」（背丸）　十冊一、二〇〇円
「ユーモアクラブ」　十冊一、一〇〇円

などとあるのを見ると、下町がいかにエロを商売にしていたのかが分かる。また反対に、当時業界からは〃ゴミ市〃とバカにされていた下町の市が、後年の高額品を日常茶飯事に超安値で扱って来たかを、〃特報〃に見る。

「平凡」「明星」各十冊　一〇〇円
「少年画報」他少年物各十冊　一〇〇〜一二〇円

「りぼん」他少女物各十冊　八〇～一〇〇円
少年少女雑誌・付録マンガ百冊縛り　一〇〇円

つい先日の神田一新会の大市では、雑誌「平凡」「明星」は最終赤毛氈敷の優良品この扱いだろう。当時下町の市では、これらが十冊単位で一回の市に百組も二百組も取(?)コーナーに、古典籍などと一緒に陳列されていたし、少年少女雑誌も、今あれば引されていたのだ（今は各一冊が五千～一万円する）。

しかしそんな下町から、昭和四十年代に入るや最初に私が、遅れて星も明治古典会の経営員に選ばれる。下町の先輩鶉屋書店の力によるもので、やがて浅草御蔵前書房、稲垣書店も引かれ、私を含めた三人が経営員から会員になった。一人星は推薦されず、経営員という下積みの仕事を十二年の永きに亘って続ける。古年兵となって、新人に仕来たりを教えるこの仕事は、星にとってはささやかな誇りだったかも知れない。

実生活では、一回だけ星にチャンスがあった。私からは義兄になった浦和弘が、松戸に坪四万円の土地三十坪を見つけ、「俺が買ってもいいが、いるなら譲るよ」と星に言ってきたのだ。が、百二十万円の値に、星の貯金は三十五万円しかなく、浦和が保証人となって信用金庫から残りを借りなくてはならなかった。この直後、星はオートバイ事故で一カ月余り入院する。私は久しぶりに星の店を訪れ、その間の棚埋めなどをしたが、その後長女も生まれ、夫婦は未だ四人の子と共に合計でも六畳あるかないかの所に生活していた。

　この五十の声を聞く頃になって、やっと星の眼の色が変った。すでに、大家の都合で借店を返せという問題も起き、その嫌がらせも続いていた。星は神田、下町と市への出勤日を除く五日間、松戸、柏、国府台、市川と、毎日毎日オートバイでの〝建場廻り〟に精を出すしかなかった。

　昭和五十二年、星は三十坪の土地の借金を返し終え、その後の貯蓄でそこへ小さな二階家を建てて、金町の〝さかえ堂〟を畳んだ。松戸では店売は利かず、星は当時業界ではやった〝スーパーマン〟（各地スーパーでの店頭販売）となって、東奔西走した。

　昭和五十八年五月、星は新潟市のスーパー店頭で倒れる。脳血栓の発作で、手術して自宅療養していたが十月二十日、不帰の客となった。

鈴木書店・(鈴)の娘

駅前の看板娘

おそらく、現在六十代半ばになっているその女性を、私達下町の古本屋仲間は〝(鈴)(まるすず)の娘〟と言っていた。

今はJRの他私鉄、地下鉄、つくばエクスプレスも停車、下町随一と言ってよい繁華を誇る北千住西口駅前通りを都電道路へ、ほぼ中ほどまで来たミドリ百貨店前にその店はあった。無論賑やかさは昭和三十年当時も負けないが、歩道はまだアーケード化されず、その店はある邸宅（弁護士）の庭先に仮設され、間口九尺、奥行六尺あるかないかだった。何しろ凄い人通りで、いつも客で立て混んでいた。店主は私より十くらい上の男で、下町でこの人を意識するようになったのは昭和三十三年頃。鈴木書店が屋号だったが、市場では(鈴)と呼ばれた。

男は三十を出たばかりなのに頭髪は禿げ上り、赤ら顔で体つきもコロリとしていた。いつもトックリシャツに印半てんを着ているだけで、朝から小さなリヤカーを引いた自転車でやって来る。主に娯楽雑誌などを仕入れるのだが、買いっぷりがいい。十冊単位の講談雑誌から始めて「オール讀物」「小説新潮」、映画雑誌から婦人物に至るまでドンドン買う。何かせかせかと吃り、近視らしく振り手が放って来る品の背文字に眼を近づけて眺め、すぐに傍らへ積み上げて行く。落丁を繰って値切る行為など全く見せない豪快さなのだ。そしてお昼で帰ってしまう。

二十歳で古本屋を始めた私はいつも女に飢えていて、この頃時々母に店番させては逆さくらげのある北千住へ、女を連れて出かけた。ある日、素知らぬ振りで通ったはずが市で、

「お前、おとといの晩、女を連れて通ったろ。スミにおけない奴だ」

と㊙に言われてしまった。それから四、五年して私は、同業の世話で今の家内と結婚しすぐ子供も出来た。㊙の仕入っぷりは相変わらずだったが、変ったことと言えば必ずお昼で帰ってしまっていたのが午後にも現われるようになり、噂では若い娘の店番が出来たらしいとのこと。しかしそれにしては、赤ら顔をもっと酒色で染めてやって来たりするようになる。そんなことが重なって、しばらく㊙が顔を見せなくなった。すると市場に一人の娘が現われ、会主が一同に紹介した。

「㊙さんの妹さんだ。時々兄さんの代りに来ると言うんで、よろしくね」

娘は二十くらい、兄と似てずんぐり型で、ふっくらした頬と白い襟足の可愛いい顔立ちだが、少々度の強いメガネをかけていた。私はここで、横綱大関と言わないまでも、

すでに小結くらいにはなっており、希望値の発声さえままならない娘に代って、いつも兄が仕入れる種類の雑誌類を買って上げた。その幾山では、振り手に難くせつけて計千円ほどは値切ってやったりもした。昼休みは、いつも行く食堂へ娘を伴ったが、私が先程から嚙んでいたガムを吐き捨てようとした瞬間に、娘が言ったのである。

「ダメですよ、これに包んで……」

私はそのチリ紙を受け取りながら、何て気のつく娘なんだ、と改めてその表情を窺ったものだ。

市で娘は、すぐ積極的に本が買えるようになった。私が急激に娘と親しく話すようになったのは、車で北千住へ廻るようになってからだ。私が当時、世田谷区下馬に本部のあった〝白樺読書会〟で使用、廃品となる二カ月遅れの全雑誌を取り仕切っていた話は何度も文章化している。ある日仕入れたままの車で㊎の店の前を通ってみたのである。

店番が娘だったので止めると、

「あら、ここで売って貰ってもいいの？」

と言って、娘は軽四輪の貨物部分に首を突っ込んで早くも選び始めた。その間店番は私がしたが、その狭い店内が意外なほど工夫されて、雑誌の他にも売れ筋の小説本から文庫に至るまで精選されて並べられてあるのを見た。折から娘が私の方に運んだ、婦人雑誌とその型紙つき付録を買いたいという客がつく。娘は飛んで来て、胸元に作られた釣り銭袋から釣りを渡した。——これをきっかけに、下町では売れそうもない「文藝春秋」や「中央公論」までも、五冊十冊とここで売ってくれるようになった。ある日寄ると㊙本人が店番しており、こわごわ寄ると、それでも、

「家の方へ寄って、妹に選ばせてくれよ」

と言い、東口の住いを教えた。私は大踏切へ遠回りして（兄妹は入場券の定期で駅を抜けて来ていた）、その長屋の一軒を訪ねた。娘は食事中でちょっとはにかんだが、

「ねえ、先にご飯を一杯だけ食べてってよ」

と言った。もう老人にも見える父母が一緒で、私をもてなしてくれた。雑誌を選ぶと娘は、「ついでに見て行って……」と言ってそこへ並べた本の中に、生田春月の『相寄る魂』の揃いがあったのを今も変に覚えている。私はこれら十数冊を預かり三ノ輪の市で売り、娘にそのまま渡すと、その夜娘は私を千住東宝前の喫茶店に誘い、ケーキを奢ってくれた。私はそこで、兄は独身で二十歳も年の違うこと、高校の夜学では文芸部に入っていたこと、本当は勤めをしたかったことなどを娘から聞く。別れ際に娘は、

「私なんか、嫁に貰ってくれる人なんかいないわ」

と言った。

娘とはその後、私の車で草加までドライブしただけが日記に書かれてあるが、会話は記されていない。最後に会ったのは、千住自動車教習所前の閑散としたボウリング場の

二階見物席で、娘は、

「これでも貰ってくれる人が現われたのよ」

とうれしそうに私に言った。

千住地区思い出の古本屋たち

わが青春の下町

一

私が育った堀切という土地は、埼玉県、千葉県にも接している葛飾区ではもっとも東京下町の旧市街に接していた。ここは荒川を橋一つ渡れば墨田区だし、京成電車の上りに駅一つ乗ればもう千住地区だ。そして私ときたら、貧家の境遇にあっても常に千住、浅草、上野方面に憧がれていた。私は早くも中学生頃から古本屋巡りを始めている。

敗戦後二、三年頃、日光街道を千住大橋の方から来る「大師道停留所」真ん前にその貸本兼業の古本屋はあった。歩道に自転車をとめて入り、私が吉川英治の『燃ゆる富士』を手にしたとたん、「兄ちゃん、それ高い本なんだ。汚れた手でさわっちゃ困るのよ」という声がかかった。確かに私の手指は、家業の自転車修理で汚れ、いくら洗っても指先には常に多少の汚れは残った。私はそんなことを棚に上げ、子供心にもこの侮辱にかっとなり、すぐに店を飛び出していた。

しかしその二年後、夜学の上野高校で文芸部に入った辺りの私は、もう読書は純文学志向に変化していた。そして早目に家を出た日など千住大橋駅から七、八分のこの文祥堂に寄り、入口近くの均一棚から戦前の円本『現代日本文学全集』の端本などを買うようになった。

初め主人と顔を合せるのがいやだったが、青年期の変化からか、プンと怒って飛び出した少年とわかった風はなかった。私が二十歳で古本屋になって知ったのは、主人北島慶三郎は戦前からの業者で、戦後は古書不足から貸本を手がけ、その流行が去ると新刊本も並べ始め、都電の乗り降りも激しく相当な売り上げを誇っている店だったこと。人望も厚く、昭和三十二～五年の四年間も第九支部長を務め、三十六、七年度には理事に選ばれ、第二次貸本ブームの中、当時作られた組合〝貸本部〟を担当した。

文祥堂が〝北島書店〟と変るのはこの頃で、昭和四十年代初めには奥行を広げて全店を新刊屋にしてしまった。が、ここからが下町の業者らしさで、北島はそれからも昭和が終わる頃まで組合費を払い続け、古書組合を脱退しようとはしなかったのである。おかげで、下町の歴史にこだわっていたその当時の私が、業界の昔を聞くのにもっとも多く通ったのが北島の店であった。〝東部支部20周年記念誌〟＝『下町古本屋の生活と歴史』（昭和六十年）へのアンケートには左の北島の回答が載せられている。

《屋号・所在地＝北島書店、足立区千住中居町（千住班）。生年月日＝大正元年９月14

日（72歳）。出身・創業＝足立区千住町、昭和7年4月。家族構成＝妻、長男夫婦及び一男一女と次男。取扱分野＝現在は全店新刊書。経歴・動機＝神保町の巌松堂で修業、読書好きだったこと》

——さて、取りあえず話を「汚れた手でさわっちゃ困るのよ」と北島に注意されたところまで戻したい。北島の店前からは逆T字型に千住の大踏切に向かって、区役所や警察署も並ぶ三、四百メートルの広小路になっている。途中旧街道が交差しており、左へ行くと北千住駅。少し先に見える〝大踏切〟は、その先にある東武線のと並んで、〝開かずの踏切〟の典型だった。案の定、私が踏切手前へ来ると、早くも遮断機が降り始め、私は「ちぇッ」と舌打ちしなくてはならなかった。

ふと私は、電車の通過を待ちながら、左手に向かう幅三メートルほどの路地があるのと、まだそこへ足を踏み入れたことのないのに気づいた。そしてそこを探って来ても踏切が開く恐れもなさそうと判断し、その路地へ自転車を乗り入れてみたのである。すると四、五軒行った所に、まるで夢の中の光景のような、小さく細長い鰻の寝床みたいな古本屋が視界に入った。その上、その薄暗い本棚の異常なまでの整然とした様子に、もう一度驚かされてしまった。

ジロジロと店の中を眺めていると、夏の昼下がりの路地で水撒きをしていた三十代半ばの綺麗なおばさんが頭を下げたのである。私は釣られるように店へ入った。そしてすぐに棚揃えのほとんどが、〝全集〟〝叢書〟であることが整然と見えるのだと分かった。のちに知る店の事情は、戦争で夫が還らず、子供を育てるため半年前、実家の父から譲られた本を元に貸本屋を始めたのだと言う。ともあれ、すでに私が方々の店で端本を見つけ、読んでもいた平凡社の戦前の円本『現代大衆文学全集』が五、六十冊あの茶褐色の函に入って並んでいるのに眼を見張った。私はこの全集がこれほど沢山揃っているのを見たことがなかった。

「こ、これ、どれも貸してくれるんですか」

と、私はおばさんに聞いた。

「ええ、これだと保証金が百五十円と二百円。明日まで十五円で、あと一日ごと八円ずつです」

私はこの日、やっとためた三百円をポケットに入れていた。私は早速吉川英治の「江戸三国志」が全篇載った巻を差し出す。

「ボク、初めからで悪いけど、これ二百円の方なの。この〝続〟の方って、めったにないって、古本屋(なかまたち)も言ってるのよ。それで……」

こうして私は、この全集に病みつきとなり、約一年間というもの、この綺麗なおばさんのいる貸本屋へ通うのである。

……今、私はごく小判の、〝昭和23年2月現在〟『東京古書籍組合・組合員名簿』なるったのを眺めている。「千住仲町二二四＝米山ハルノ」とあるのが、あの時のおばさんだった気がする。開店した私が、下町の市場でこの女性に会うことはなかったが……。

二

北千住駅西口（東口はかなり淋しかった）を出た乗客は、都電通りの日光街道へ向かい、越えて千住金美館を見ながら住宅街へ散る。ちょっと寄り道しようとするなら、駅からすぐ左右に交差している旧道がもっとも賑やかだった。左へ行くと区役所、税務署、産業会館の外、銀行が四つも五つもある、例の北島書店前から伸びる広小路と交差する。そこを突っ切ると旧道は千住大橋まで続くのだが、このオフィス街からちょっと入った路地には千住ミリオン座という洋画専門のモダンな映画館もあった。

北千住駅前の旧道を右に行った辺りがもっとも繁華街で、あらゆる小売店や飲食店が並んでおり、それは右側二十軒目くらいに建つ映画館・千住東宝まで続く。いつか㊙に、一緒に歩いているのを見つかった女と知り合ったのもここだったし、あの「七人の侍」を初めて観たのもここだった。ここからあと十軒ほど土手に向かう辺りで急激にさびれるのだが、その賑やかさの境目辺りの右側にあったのが守田書店だった。守田豊は昭和七年生まれ、豊橋市出身。神田の特価本問屋・魚住書店に六年勤めた。

守田は各地区市場に、オートバイで卸しに回っており、自ら振りの場に座った経験もあって三ノ輪の市ではすぐに振り手に登用された。快活で素朴な人柄は誰からも好かれた。店はこれまた感じのよいかみさんがしっかりと守った。やがて三ノ輪の市は私達向島の市と合併し、木曜市の主任となり、私もその下で働いた。そしてのち支部長に上りつめるが、任期中突如夫人の死に遭い、人が変った。以後守田は市場にも現われず、ほとんど同業との交際も絶つ。自給自足の店を二十年続けたのち、昨年（二〇〇六年）店仕舞いの品を他地区の市場で処分、廃業した。

……ここ数年私が利用している図書館に（千住新橋際に建つ）足立中央図書館がある。駅を降り旧道を行くと七、八分で、守田の店前を通る。二年ほど前に一度だけ会った。まず午前中は開いてない上、開いていても棚を見るのも気の毒なくらい、本は日焼けし、多くはコミックの類や古色蒼然たる雑誌（それも近年の）ばかりだ。〃会った〃と言うのはある日のろのろと台など出している守田と目が合ってしまったのである。「やあ」「やあ」と、声かけ合ったあと、「お達者で」と私が言うと「青木さんはすっかりご活躍で」などと言ってくれた。

この先、荒川土手の手前を左に曲がると、左手広場に建っていたのが千住新橋館。東映系で、中村錦之助、東千代之介の「紅孔雀」がかけられた頃は広場は開場前から長蛇の列であった。その一筋手前のさびれた通りにあったのが興津書店（興津虎雄）で、私は新橋館の帰りに寄ってみることもあったが、ここではかりは買ったことがない。何しろ薄暗い店内に、ボロ本をフスマ紙で改装した本の山で、小難しい報告書や資料の類が多いのである。それも人が入ったとたんにセキばらいをした中年の主人が店番に出て来て、じっと客の手元を見ている。この店の廃業を聞いたのは昭和五十年代だったろうか。

先ほどの図書館へ曲がる道を行き、突き当たった（と言っても日光街道）向う側に見えていた尚友堂とは、縁が出来た。私は業者になる前の昭和二十年代からの出入りだった。この店は千住新橋への勾配途中にあるため、歩道に面した店先は言わば二階で、奥は裏へ向け一階がある造りだ。いつも小太りの神谷玉市老人が座っており、真ん中の立て掛けには目新しい雑誌が並び、店番台をとった正面と左右が本棚。いつも玉石混交だったが、とにかく安い。値付けも、十五円、二十五円、三十五円などと当時でも変な正札がついている。

夏は扇風機もなく、冬は手あぶりくらいで戸はあけたまま老人は防寒帽をかぶって座っている。市へはもう何十年と行かず、仕入れは自給自足だが、天下の日光街道で持込みも多いのだ。よく寄るのでさすがに私が同業と知れ、これと思うと店に並べずに取っておいてくれる。ある時、生写真つきの分厚い遺蹟発掘の報告書を千円で買った。それが資料会で六千円に化けた時には、さすがに良心がとがめて、四千円に売れたのでと、老人に千円を返金した。老人は戦死した息子に代ってこの道に入ったと言い、元は巡査をしていたんですよ、と私に言った。

尚友堂の勾配から千住四丁目の都電終点までは四、五十メートルくらいしかなかった。そこから尾竹橋方面に抜ける商店街は、一時まるで銀座通りの観があった。と言うのは、昭和三十三年の赤線廃止の時まで、ここは柳町の遊廓へ通じる道だったのである。しかしこの道も三、四丁も行くと商店も絶えがちとなって来る。その、もうお化け煙突が巨大に見え始めた辺りに、かなり充実した貸本主体の大衆堂という店を見つけたのは、昭和三十年代末のこと。

私はすでに純文学にこり固まっており、以後大衆堂を覗いてみたことはない。ともかく本を大事に扱っているのが分かる店で、大衆本主体のこの店は、今の業界を背景にするならさかのぼってもっとも覗いてみたかった店であろう。

大衆堂斎藤子之助は戦後すぐ自宅を改造、この商店街のはずれで貸本屋を始めた。自らの蔵書を元に始めたのだが、娯楽に飢えていた客で店はあふれ一財産を築いた、とか。斎藤は晩年、自ら支部に申し入れて、昭和四十二・四十三年度、及び四十四・四十五年度と、二期に亘って、本部理事を務め、恩返しをして業界を去った。

第三章　忘れがたき同業者たち

テレビ局を定年後、文学書の通販

くぬぎ文庫・渡辺九郎

《本とのつき合いは人によってさまざまである。古本屋街を見て歩くのが趣味の人、全集を装飾がわりにならべる人、あるいは「本なんて一年に一冊ぐらいしか読まない。テレビの方が面白い」という人もいるかもしれない。渡辺九郎さん（六十四）はＮＨＫで「朝の訪問」「日本の素顔」などのプロデューサーを務め、九年前に定年退職、古書の通信販売をはじめた。渡辺さんが扱うのはもっぱら文学書。それも、街の古本屋に並んでいるのよりはちょっと専門的な本が多い。若いころから好きだったという文学の知識がいま役立っている》

もうほぼ三十年前の昭和四十九年十一月五日付朝日新聞は、十四面の三分一ほどを費やして、写真入りでこの渡辺を記事にした。なるほど渡辺さんてこんな人だったのかと、私は初めて知ったのだった。

と言って、私は渡辺と親しかったわけではない。私は明治古典会の経営員を九年やったが、さすがに古年兵になると、会の荷受けの時間をさぼり、古書会館の二階へ（開催日が同じ）、古書展を見に上るくらい自由だった。その会場でよく見かける初老の人が渡辺だった。私は好んで、出品者が台の下に新聞紙を敷いて並べてあるゴミ本を漁ったりしたが、ある時そんな中に塚本邦雄の歌集『水銀伝説』（昭和三十六年）を見つけ、手を伸ばしたのに、何ともう一つの手が間髪を入れずそれをつかんだ。すると次の瞬間、その人はにこっと笑って、「どうぞ」と、遠慮する意を私に示したのである。それからの私は、いつも幾冊かの本を抱えて会場の混雑の中を往き来している渡辺と笑顔で挨拶を交すようになった。

くぬぎ文庫・渡辺九郎

実は私が今度この項に渡辺を取り上げるのは、小田原の同業高野書店・高野肇氏からコピー（渡辺九郎・文＝神奈川県古書ニュース一九八四年十二月「高橋光吉さんの思い出」）を頂くことが出来たからである。ちなみにこの文章、《思い出とは言いながら、実は自分のことばかり書くかも知れない、お許しを乞う》の断りから始まるもので、これによると渡辺は元々が古書マニアで、新丸子に三年ほど住んだ時に、よく出かけたのが高橋光吉の甘露書房だったと言う。

初めに行った時、渡辺はこの老人に自分の悪い癖の鼻歌を唄っていて注意される。逆にそれが縁でこの老人と親しくなる。その後勤め先の渋谷の寮に入ったが4DKの一部屋が本で一杯になってしまい、近所の中村書店を呼ぶ。こちらの出した本の値をつけながら、中村書店は「これだけあれば古本屋が出来ますね」と言った。「古本屋は必ずしも店を張る必要はなく、通信販売というやり方もあります」とも。

定年が近づいて、勤め先の外郭団体に再就職することも出来たが、渡辺は中村書店の言葉を思い出した。人に使われずに生活の資を得ることが出来るのなら、古本の通信販売も悪くないと思った。そこで渡辺は、昵懇になった甘露書房に相談した。

「それは呑気です。けど通販は仕入れが大変です。しかし難しいがやり甲斐もあるんじゃないか」そう言われて、食えなくなったら、その時はその時だ、と渡辺の腹はきまった。

渡辺は退職金を使って神奈川区に家を建て、その二部屋を蔵書で埋めた。甘露書房の二世が古書展を始めていたのが幸いして、具体的な方法を教わることが出来た。――話を新聞記事に戻すと、「どんな風にやるんですか」と記者に聞かれ、渡辺は答えている。

「目録を作りましてね。『古書通信』という雑誌に載せます。全国に散らばしてくれる。注文が来たら送る、それだけなんですよ。毎度ありがとうございます、なんて言いますが、口で言うわけじゃない。手紙で書くだけ。それでけっこう、向こうは十年越しに探していた本だとか喜んでくれますし……」

「仕入れは、どうするんですか」

「東京に一週間に必ず一回は古書展を見に行ってます。それから古本市場。地方の同業などを歩きます。それに個人のお客さんが売りたいと言って来ますね」

「月に何冊ぐらいになります?」

「五百冊くらい仕入れるんじゃないですか」

「重くて大変でしょう。送って貰うんですか」

「いや、みんなかついで来る。五、六十冊は持って来ますね。沢山ある時は仕様がないんで、タクシーを使ったりします」

「値段を見分けるのは難しいでしょうね」

「裸本が例えば一万円で、それが発行された当時はパラフィン紙のカバーがついていた筈だと、パラフィンが今まで見たこともないというものが、たまたまパラフィンがついたものが出て来たりすると、十倍もの値がつくことがあります。文学書などは、出た当時と全く同じものでないと承知しない連中がいる。例えば、腰巻きと称する帯がついてないと承知しない。その差が十倍もするわけです」

「どんな人が買うんですか。研究家ですか」

「そういうのを求めるのは好事家です。研究家はそんな高いものは買いません。むしろ私は研究家は応援してます。例えば研究している田山花袋のこういう本が見つからないと言われる、それを千円で売っている店を知っているとすると、先生千二百円でお送りします、と知らせます。本探しは私がやります、先生は一生懸命研究の方を……ってね」

さて、渡辺の晩年である。この新聞記事から更に十年した昭和五十九年に書いたのが、あの甘露書房の追悼文だった。小田原の高野肇氏の記憶によると、それから数年のある日、渡辺はひっそりと業界を去ったと言う。その後の渡辺の消息を知るすべはない……。

新松堂・杉野宏
親子二代で市場の名物男

杉野宏（一九一〇〜一九九二）は、特に神田の東京古書会館にあっては、本名ではともかく、「新松さん」または「新松ちゃん」として、知らぬ人はいない存在だった。それも古い古本屋にとっては父親の代からの愛称だったのである。

《新松さんと言へば其の名も通り、顔も広く知られて居ること、仮にも図書倶楽部（注・現古書会館）に一度でも足を入れた人なら、新松さんを知らぬ人は無からう。倶楽部に履物を脱いだことのない人でも、業界人で新松さんを知らぬとあつては君はもぐりかと反問される気恥しさを忍ばねばならぬ。事ほど左様に名売れの人であつた》

とは、昭和十四年、父正吉が亡くなった時に「古書月報」に載った追悼記事の書き出しである。

……父の正吉は初め京橋の松山堂で修業、一時菊坂に龍松堂を名乗って開業したが明治末には店を畳み、「新松堂」と改めて市場経営にかかわるようになる。以後、東京書林会、第一倶楽部など正吉の関係しない市はないほどであった。

宏はすでに小学生の頃から父に連れられて古書展に出入りしている。初めの記憶は大正の頃で、神田の南明倶楽部二階の「東京書林連合会」展だった。

山本書店の先代、下谷の吉田吉五郎、酒井好古堂などが同人で、父は松山堂の手伝いだった。ここは現在の源喜堂の裏手で、五十稲荷神社の左隣にあり、震災後は南明座という映画館になった処。

その後は日本橋松屋裏の「東美倶楽部」が展覧会場となったが、父は書物管理のため夜の番で泊まることなどあり、宏も一緒だった。宏が本格的に手伝うようになったのは、父が参加させて貰った神宮前の青山会館での古書展からである。約三十人位の会員がいて、地下の四部屋に加えるに畳部屋も使用した盛大なもので、量的な買い頭は青年期の明治堂・三橋猛雄であった。毎回物凄いほどの人気で、まだ元気一杯の三宅雪嶺や徳富蘇峰が夫妻でやって来ていた。

父が没したあとは、宏が新松堂のまま古書展を引き継ぎ、牛込の矢来倶楽部など、各所の古書展にも参加した。東京古書会館は現在までに四度建て替えられたが、宏はその内三度変った建物での古書展を経験している。戦後も「趣味の古書展」「愛書会」「和洋会」「城南展」「紙魚の古書展」などに参加、筆者も二十年余り「趣味の古書展」を一緒にやった。

「新松堂」の値付けはあくまでおとなしいもので、多くの顧客に安さで親しまれていたのを筆者は思い出す。その材料である本の仕入れが、みな市場の会主や経営員の仕事をしながらのもので、それでいて同業までもが新松堂の棚を見るのを楽しみにしていたことを思うと、宏の六十年にも及ぶ本を見る眼力は相当のものだったといえるのではないか。

ということで、宏が生涯に亘って続けた市場関係の仕事にも眼を向けて見たい。

ここで一般読者の方には組合が直営している古本市場の組織について少し説明しなくてはならないだろう。

戦後と区切ってだけ言うが、まず神田には本部市と称して幾つもの専門書市がある。

新松堂・杉野宏

この外、各東西南北に四つの支部市も存在するが、宏の関係したのは本部市の東京古典会、明治古典会、一新会などであった。そして基本的なことで言うと、昔から古本市場の経営は本の知識のある同業者でなくてはできないということ。今は落札者が決まったあとの帖付け、計算事務などは組合職員に任せるようになったが、昔はその仕事さえも同業の誰かがやっていたのだ。

宏は父の代からの、市場の仕事のエキスパートとして知られた。宏の特技は、振り手（市場は永く振り市が主流だった）が早口で本の名を読み上げるそばからそれを写し、瞬時にきまる落札者と落札価を半紙に毛筆で記していく「山帖」書きであった。確かに、声張り上げることで市場の花形は振り手の方だったが、その声に追いつく正確な「山帖」の名人芸なくしては、あの怖いまでにスピード感のあった本部市は成り立たなかったのである。

筆者も支部市では「山帖」を経験したが、十冊単位で競られる「少年」「冒険王」「平凡」「明星」など、きまりきった題がほとんどだった。たまに出品に行く本部市では、森羅万象次々と専門書の題名が読み上げられる。宏はそれを午前一時間、午後一時間毎の数回、悠々と記し続ける。その上、宏の筆跡はほれぼれするほど美しく、正確だった。その能筆は業界で知られ、毎回帯紙書きを宏に頼む複数の古書展業者さえあった。

思えば下町古本屋生活十二年にして、筆者が神田の明治古典会に働きの場を求めたのは昭和四十年。そこですでに経営員だったのが新松堂・杉野宏、杉浦書店・杉浦台紀、忠敬堂・今井哲夫の各氏だったのである。丁度その年から始まったいわゆる〝下見展覧方式〟の大市会用の品物に大型封筒がつけられることになって、その千五百点からの標題などを黙々と会館の隅で書き続けていた宏のことを、今でも思い出すことができる。

その明治古典会で私は、現場の仕事のすべてを、これらの先輩から学ぶのである。間もなく杉浦台紀、今井哲夫氏が、そして私も九年してこの仕事を卒業したが、宏に「卒業」はなく、幾十人の若者がこの人に市場のシキタリ、諸作法などを教えられ、巣立ったことであろう。

こうして平成五年、八十三歳で亡くなる寸前まで、杉野宏はその独特な型（生涯無店舗）の古本屋の道を歩み続けたのである。ご子息が勤め人だったので新松堂は二代で終った。

かく、新松堂二代をもしも詳しく調査、語るとすれば、そのまま明治、大正、昭和、平成初めまで四代の私達古書業界の歴史をひもとくことと同じなのではないだろうか。

大阪一の本好き、人好き、女好き

蒐文洞・尾上政太郎

大阪で〝蒐文洞〟を名乗った尾上政太郎ほど、個性的な古本屋を見出すことは中々に困難であろう。政太郎は明治四十四年、父孫三郎、母ヨネの一人っ子として大阪西区に生まれた。大阪市立西商業学校を出た十八歳の頃父が没すると、政太郎は店を番頭に任せてしまい、自分は古本漁りに精を出し、昭和七年二十二歳の時天王寺に古本屋を開店した。そこは松ヶ鼻町というお屋敷町で、一年後には島の内・周防町畳屋町に移る。

政太郎は店をきめると、そこへ「ホンヤ」のネオンサインを取りつけ、それが夜の心斎橋筋からも見えるのに満足した。店頭にはショウ・ウィンドウを作り、おもちゃ本、芝居番付、画帖などを陳列した。棚には初版本、演劇書、画集などを並べ、本棚上には各種のげてものまで並べた。何しろ、父からのかなりの遺産もあり、店は道楽色の強いものであった。

政太郎は朝起きると、道頓堀の天牛書店へ行く。ここはやがて、織田作之助によって『夫婦善哉』にも書かれたように、二階の貸席は古書市や古書展にも使用されていた。

階下は間口、奥行共日本一の広さで、政太郎は毎朝棚埋めされる新入荷本から、自らの眼目にかなった本を掘り出して来る。そればかりか午後は午後で、大阪市中の同業の店を歩き廻り、掘出し本を見つけて来るのだ。

この周防町筋へ店を出したお陰で、政太郎は大阪の一流古書店、——公立社書店、中央堂書店、カズオ書店、杉本梁江堂、中尾松泉堂、玉樹香文房、石川清和堂、神戸・ロゴス書店という錚々たるメンバーの「即売会」に誘われるようになった。政太郎は以来、高島屋で年一回開催の「東西古書即売展」、「東西稀本くらべ・特蒐展」等にも出店、専門の文学書、演劇書を選び抜いて販売、よい売上げを記録して老舗の人たちを驚かせる。

尾上政太郎（日本古書通信社にて）

またこの間、政太郎は昭和十四年一月、「故・生田源太郎旧蔵明治文学書売立会」をカズオ書店と共に札元となって主催した。会場はあの天牛本店の楼上で、当日は東京から一誠堂、弘文荘・反町茂雄、巌南堂、時代や書店、窪川精治、八木敏夫、山田朝一といった東京の一流どころまで参加。当日の結果は朝日新聞が記事にし、のち「サンデー毎日」誌上にも大きく取り上げられ、政太郎生涯の自慢となった。いや、政太郎は弱冠二十八歳にして、古本屋としての最盛期を迎えてしまったのである。

同時に右の売立を機に、政太郎は生涯の存在証明ともなる「古本屋日記」（現在は全冊関西大学が所蔵）を書き始めた。これは政太郎がその参加した大市会や古書展や業界の主要出来事を記録したものだが、特徴は古老、有名業界人の揮毫、感想などがふんだんに見られ、自らの来歴などほとんど残さなかった人たちの当時の息吹きが、生々しく残されていること。これも元は文学青年で「尾上香詩」名で短歌の実作もしていた政太郎だった故に出来たことだったかも知れない。

ところで、業界も国の辿る道から一人逃れることは出来ず、古本商売にも徐々に影響し、昭和十七年には全商品に商工省からの「公定価」がかぶせられた。業界は急激にしぼみ、十九年には政太郎も軍需工場に徴用されてしまう。その上二十年三月十三日の第一回大阪大空襲では、政太郎が全情熱を傾けて集めた何千何万という本が、店、家財道具もろ共一夜にして灰燼に帰してしまう（それでも政太郎は「古本屋日記」だけは持ち出す）のである。この時の政太郎のショックは大きく、後年自ら「腑抜け状態で何もする気にならなかった」と言っている。

戦後の政太郎については、「一時大丸古書部に店を持ったこともあるが、ゼニ勘定が苦手の性格は直らず、あくせくするよりは、古本の面白さを教えてくれた天牛さんに恩返しするために同書店の番頭になった。以来三十年今も天牛周防町店で本の見立を続け、夕方になると酒の相手を見つけてネオン街を徘徊している」と、昭和五十六年四月十四日付大阪阪読売新聞夕刊の記事にされている。しかしこれだけが政太郎の戦後だったろうか。実は政太郎はもう一度戦後の隆盛も経験している。それはあの解放的風潮の昭和二十年代で、政太郎の三十四〜四十二、三歳という男盛りだった。筆者がある酒席で聞いた大阪の先輩の話だが、政太郎はそのドサクサ時代には遊廓から古書展に通っていたことさえあったと言う。単に女好きは政太郎一人ではないが、ある期間遊廓から御出勤という話は、この業界で聞かない。また別の人の話では、政太郎は明らかに特定の女性を連れ歩いていたとも言われる。その生き方は破天荒で、時には儲けた金を一夜に遣ってしまったという伝説さえあった、とか。

天牛を退職したあとの政太郎の晩年は、何人かの同業を選んで、速筆で書かれた「蒐文洞だより」を出し続けることで知られた。私もその相手で、昭和六十二年七十六歳時の賀状に政太郎は、

「本が好き、人間(ひと)が好き、に生きてます」とあったが、カッコして、「前は女が好き、が入りましたが、もうこれはだめになりました」とあった。

しかし政太郎は、終生己と対極にあった日本一の古典籍商・弘文荘反町茂雄を敬愛した。テレビで特集された反町が、終りに色紙を書かされたのを、「欲しいおますな」と、

私に知らせてきたのはもう晩年のこと。私は仲立ちしてその伝教大師の言葉「一隅を照らす」を反町に書いて貰い政太郎に送った。――平成四年七月四日、私は、よく尾上さんが上京して参加していた「明治古典会七夕市」準備中に、誰彼からの噂として尾上政太郎さんの訃を聞いたのである。

　政太郎には『私の古本屋五十年』『私の古本屋むかし話』（緑の苗豆本）他四冊の著があり、記念文集『紙魚放光』（昭和五十六年）、『続紙魚放光＝尾上蒐文洞追悼集』（平成八年）がある。

友愛書房・萱沼肇
一葉書簡を目のまえで落札していった実力派

昨年（二〇〇三年）十月に出された業界誌「古書月報」の〝連載特集「記憶に残る古本屋」〟に友愛さんが選ばれており、久しぶりにこの先輩のことを思い出した。私の明治古典会入会は昭和四十年、友愛さんはすでに上層部の一人だった。氏が七十二歳で急死されたのは昭和六十三年だから、私は二十三年友愛さんを見ている。そして端的に言えば、嫌いだった。理由は一つ、三十歳を過ぎてやっと古書の面白さに目覚めた私の前に立ちはだかる、氏は巨大な壁の一人だったからである。

その日の市場の中で、あれだけはと狙っていた品物を、氏の眼力とぶつかって、してやられた手痛い思い出は十や二十でないからで、あの時のあの品もそうであった。

一九七〇年代半ばの某年三月十九日は、春というのに朝からの雪であった。私は例の如く電車で明治古典会へ出かけた。荷は少なく、市は閑散としていたが、最終列に珍しく赤毛氈が敷かれ、毛筆書簡が一通、全面に広げられてあった。それは三メートル余もある、馬場孤蝶宛封筒付の樋口一葉書簡だった。市場に、それも大市でもない普段の市にこんなものが現れることは絶無と言ってよく、大変な逸品だった。しかし口惜しいかな、私にはほんの所々しか読めない。同業の手前読んでいるふりだけして、私はその行数を数えていた。百七、八十まで数えることが出来、文章は細字で二百行にも達していた。私は事業部会員の一人に、そっとこの出品者を聞いた。

「今日は雪だろ。どうせ品物も来ないとふんで、まずお茶を飲んでいたんだ。そこへ、Sさんが、例のカウボーイハットで入って来て、ポケットからヒョイと取り出したのがこれさ。止メ札もないいんだってさ——」

まだ昼前だったので私は急遽家へ帰った。私は古い古書目録等の一葉資料を総動員、やっとのことで現在ならいくらという相場を突きとめ神田へ戻った。市は一葉書簡の話題で持ち切りだった。私は仮想敵を自筆本の老舗（しにせ）Y書店ときめて、その動向をそれとなく探った。私がかつて書いた入札価の最高額は、この時点で二百五十万くらいだったが、私は何と、その額から始めて、上札はこの倍以上に書いた。万一上札まで行ってしまったら、どう金を工面すればいいのだ！

　予想通り出品点数は最低で、だれて閑散に終始するのが普通なのに、一葉書簡への期待で、市は異様な緊張の内に進行し、三時を過ぎた頃にはそれ一点が乗る赤毛氈の台まで進んでしまった。その時、向こうの隅でずっとこの場を眺めていた友愛さんが、懇意の若い同業に改メ札を一葉に入札するよう手つきで指示しているのが眼に入った。それでも、〝本命Y書店〟という私の予想はビクともしなかったのである。結果は？　私の五百数十万よりわずかに十数万上で、友愛書房の落札だった。未練たらしく見に行った氏の札は上札で、私はY書店にでなく、氏にとっては一番の専門分野でない札に敗れたのである。その後私は書く方のことでSさんと親しくなるのだが、Sさんの後日談として、友愛さんはSさんに売るのを委託した馬場家に直接乗り込み、もう一通の一葉書簡をも購入してしまったと言う。

……友愛書房・萱沼肇（かやぬまはじめ）は大正五年、山梨県生まれ、昭和三年に上京。牛乳配達をしながら夜間の正則英語学校、専修大学などで苦学した。昭和十五年より敗戦まで兵役。初め兄の友愛家具店を手伝う。兄は賀川豊彦の弟子で氏もその環境から音楽書、キリスト教古書専門店となる。洋書の全盛時代で昭和二十九年、最初の古書目録「キリスト教洋書目録」を出した。徐々に日本書に移行し哲学関係も加える。昭和三十五年、東京古書会館での古書展〝愛書会〟に加入、すぐに頭角を現わし、第百回記念目録を例に取る

木造旧会館の頃の友愛書房・萱沼肇

と、二千六百点中、九百点が友愛書房の出品であった。この頃には扱い分野も幕末の蘭学等和本へまで広がる。昭和四十年代には新宿小田急、池袋西武でのデパート展にも進出する。――一方、明治古典会には昭和三十年から参加、ずっと中心メンバーとして活躍、二期に亘って会長を務めた。また、昭和四十八、九年度には東京都古書籍商業協同組合（全国古書連合会理事長兼務）の理事長も務めた。

私が友愛さんの来歴を親しく聞くことが出来たのは、亡くなる四年前のことで、のち昭和六十二年に反町茂雄編『紙魚の昔がたり・昭和篇』（八木書店刊）として刊行される、その一夕に呼ばれた時である。この時の氏の飾らない話しぶりが忘れられない。

「お客様の手元に、いつでも資金があるとは限らない。去年はそこまで廻らなかったが、今年は余裕がある、なんて場合ね。だから時によっては二度も三度も大市に出すこともある」

「ただ市で買って目録に出したからって、少し難しいものは売れっこないんだ。だから面白い資料が手に入った時なんか、いろいろ骨を折る、時には週刊誌に売り込んで記事にして貰ったりする。そういう熱心さがあるから売れるんだ」と、その逸品を売るまでの秘訣を語っている。

その日私は、早速一葉書簡について質問しており、本にも出ている。氏は、

「あれは、『製陶余録』なんかも買って調子いいもんだから……」

と答えてごまかしてしまうが、その後あの一葉書簡も山梨文学館へ納められていたという話を、私は人から聞いていたのだ。

《戦後派の古書業者中の最有力者の一人。キリスト教古書専門ながら、明治期社会主義、江戸時代の洋学古書にも手を伸ばし、活発な営業ぶりが目立って居ります》とは、反町が前記の本で友愛さんの略歴に添えた寸評である。

山王書房・関口良雄

作家たちに好かれた伝説の男

関口良雄は、大正七年長野県飯田市に九人兄弟（姉妹）の六男として生まれる。米屋だった父が亡くなり昭和八年、良雄は十五歳の時次兄を頼って上京、紙屋を手伝う。やがて長兄の経営する大田区長原町の新聞販売店に移り、新聞配達をしながら錦城中学へ通った。が、体をこわして中退、その回復を待って新聞連盟甲府支局に就職、十年を過ごした。給仕からだったが、関口はこの職場で、生涯の文学趣味と文章力、そして天賦の正確無比で華麗な毛筆書きの才能を伸ばした。

昭和二十年、関口は海軍に召集され、すぐ十二指腸潰瘍をわずらい海軍病院に入院中に敗戦を迎える。二十二年に回復、今度は新聞連盟関東支部へ勤めを再開。が、ここがすぐに解散、関口は文星閣印刷所へ勤め替えした。二十三年、三十歳の関口は、職場で知り合った十八歳の娘と結婚。生涯を連れ添った洋子は健在である。

やがて古本屋を志し、関口が昔新聞配達をして知りつくした土地、大田区大森近辺に売店舗を物色、大田区役所前の臼田坂下に店を見つけて、二十八年四月に開店した。関

上林暁（左）と山王書房・関口良雄

口は以後昭和五十二年八月に結腸癌で他界するまでの二十四年間の古本屋生活を続ける。

その関口の奇行ぶりを一口で言うなら、他人を喜ばせるサービス精神から出たもの、と言うべきか。例えばここに掲げた上林暁と関口の写真。これは再度の脳溢血に倒れ、ほとんどが自宅療養の上林を、関口が友人の車で公園へ連れ出した時のもので、

「さあ、酒にしましょう！」とでも言って関口が持参の徳利をかざしている図だ。すでに禁酒中で中は水かお茶だったろうが、上林への関口の敬愛とそれを受けての心からの信頼がほのぼのと伝わるものだ。関口の死を聞いた上林は、冷たく動かない手指で鬼気迫る筆跡の文章を残している。

《関口君が死んだ。あれほど度々来てくれたのに、入院中は病院まで来てくれたのに、も

う一生来てくれることはないのだ。（略）この病床に、二合入りくらいの愛らしい徳利がある。私は朝夕眺めている。これは関口君にもらったものである》

このように、関口の行跡は有名無名の人々によって続々と書き継がれている。いや、東京南部文学ネットワーク誌「わが町あれこれ」（わが町あれこれ社）では、関口の残した文章を今（二〇〇〇年）も連載している。この創刊号（平成六年）には、城戸昇が妻の従妹の話を紹介している。往年の文学少女だったその娘が、山王書房で漱石の初版本を買ったまではいいが、関口から「しばらくウインドウに飾らせてよ」と言われた。その内娘は、関口がそれを売ってしまうのではないかと不安で、毎日見に行くようになる。最初は「預り物を売るもんかね」と笑っていた関口も、真剣な顔で半月も通われてはたまらず「もういいから持って帰んな」と娘に返したと言う。また同誌四号では、高木護が関口のことを書いている。高木は客となって五、六年間も関口と口を利かなかった。ある日、高木が買った本につき、理不尽にも関口が「あれは古い客に頼まれていたもので、あなたに買われてしまった。困っている」と言う。それを返したことで、二人は俳句の話など近しく口を利くようになり、しまいには「捨てて下さい」と言って、関口の句短冊まで貰う仲になったとか。

平成六年の町田・高原書店『古本屋と読者を結ぶ雑誌』に載せられた大守泰良の「口の滑り」は尾崎一雄が関口をモデルに書いた小説（「小説新潮」・昭和三十八年十二月）の題

である。大守はある縁で新潮社の社長からこの原稿を貰い受け、四、五年後に主人公たる関口に進呈する話だ。平成七年の「毎日グラフ・アミューズ」二月八日号では、海野弘が「東京大田区龍子記念館」で関口の店に毎日のように通った昔を、雑誌「アングル」九月号もこんな古本屋があった、と記した。平成九年には「俳句研究」新年号に出久根達郎が「初市の初夢」で、関口銀杏子の句「古本屋一代ときめ初市へ」を紹介。

そのもっとも関口の奇人らしさを表現しているのは、「日本古書通信」平成十年八・九月号に載った本遊亭鬼太郎の「山王書房と私」であろう。本遊亭が初めて山王書房を訪れた時、もうそこには伝説的文学古書店の面影は失われていたが、そのすすけた棚から熊王徳平の『狐と狸』を買い、夫人に、自分はこの作家と同じ出身と告げて帰ったことから、その夜関口の電話が入る。以後筆者と関口とは関口が入院する前日まで、一日おき三十分を超える長電話を交す間となった。

ある日、太宰治の『晩年』の帯付本十万円に注文をいれたが不首尾に終り、必ず別のを手に入れるからと言われた。やがて関口からの電話、「明日、入札をやりましょう」と言われる。二人は店の裏手の喫茶店へ入り、本が並べられる。『晩年』他十冊の、ほとんど帯付初版本で、『ダス・ゲマイネ』は署名入、『晩年』は何と識語入だった。関口は「売ってもよい値を紙に書いときます。あなたは私の高低一割以内に入札して下さい。私の指し値が十万なら、九万か十一万の値で入札すれば落札出来るわけです」と提言、

「これは真剣勝負です」と有無を言わせなかった。

筆者は他店で見た売値の記憶を総動員、「十八万円」と書いて二ツ折にした紙片を差し出す。「残念ですね。私の指し値は二十二万だから、十九万八千円ならよかった」「二十五万でもいいですから譲って下さい」と哀願する筆者に、関口は、「ダメです。これは真剣勝負だから、あなたはもう斬られて死んでしまったんですよ」と言い、直ちに本を風呂敷に包んでしまった。

この方式は二人の間でずっと続けられたが、ある本につき死の床から示された関口の入札価は「0円」だったと言う。形見の気持だったのだろう。

三茶書房・岩森亀一
小さなお店の大きな足跡

一

平成十六年も押しつまった十二月四日、三茶書房・岩森亀一氏が亡くなられたことを、娘さんのご主人幡野武夫さんの電話で知った。私はご夫妻のお言葉に従い、菩提寺・豪徳寺での通夜、翌日の告別式、代々幡斎場での火葬の立合い、直後の追善の会と出席させて頂いた。三茶さん（業界では誰もがこう呼んでいた）の晩年二十年ほど、氏の親友だった故鶉屋書店飯田淳次さんに接したと同じように、氏を敬愛、兄事して来た私は、今は言いようのない寂寞の中にいる。

……岩森亀一は大正九年一月五日、山梨県の農家に次男として生まれる。十五歳で上京、初め親戚筋がやっていた教育関係書の通信販売の店に就職した。昭和十六年、小資本でも独立可能の古本屋を志し、神田の一誠堂へ入店するが修業中の二年目、応召。敗戦と共に復職し、昭和二十三年二十八歳の時、世田谷区三軒茶屋に三茶書房を創業。と言っても、資本は田舎で都合してくれた七千円だけ。まず三軒茶屋の横丁にあったマーケットの二坪の権利を買い受けての、筆舌につくせぬ苦闘時代があった。昭和三十年、玉川通りに借地ながら三十坪の店を見つけ、移るが、これも著書『古本屋と作家』(こつう豆本、平成五年)によると借金をして、とある。

こうして岩森は、念願の文芸書を中心とした間口五間、二列の通路をゆったりとったこの地区有数の店を造ることが出来た。市では買い頭に近い存在となり、人望も集まって昭和三十五年四十歳で、渋谷、世田谷、目黒区管内の東京組合第五支部長を歴任する。

岩森は地区市場に通う内、同じ文学書を扱う山王書房関口良雄、中村書店中村三千夫、麦書房堀内達夫、江口書店江口了介などと親しくなり、一時期本の知識の交換を目的とした研究会まで作った。そんな三十年代後半には、メンバーのほとんどが神田の第二次〝明治古典会〟(昭和三十四～三十九年、現在あるのは昭和四十年からの第三次)の市場に出入りするようになった。岩森はここで、無二の親友となる鶉屋書店とも出合う。

現在では常に業界をリードするほどの専門市会に成長した明治古典会も、この頃マンネリ化して存亡の危機にあった。すでに和本の世界に於ても最高権威になっていた反町茂雄がこれは何とかせねばと、八木書店などと計り新たな人材として岩森や鶉屋などの若手を登用した。折から、東京オリンピック開催のため、玉川通りの国立競技場への道路拡張がきまり三茶書房もその対象となった。が結果的に岩森はこの災いを福に転化させてしまう。神田三省堂隣の十坪を見つけ、そこを立体的五階建ての店舗にしたのだ。「あんな狭い土地で何が出来る！」の声も多かった中、神田地区ではほとんど成り立たなかった一、二階を使ってのユニークな文学書の店を立ち上げてしまうのである。岩森は鶉屋と共に、時代や書店、巌南堂書店、山田書店の創業者達に混じり、木内書店、文学堂書店、友愛書房など働き盛りの著名書店と共に明治古典会の推進役として働く。

岩森は小柄で、一見村夫子風にしか見えない。木訥、口下手だったが本に向かう姿は俊敏そのもので、これときめた本の入札などパッパと値踏みして躊躇することがなかった。またその風貌に似ず気性の豪快さと度胸のよさは、入札の札書きに表れた。

三　茶
20,000
15,000
10,000

などと書く業者など皆無の時代だった。常に品不足だったその頃、百人中九十九人は〝十円〟から〝九十円〟までどれかの〝ひげ〟をつけるのが常道だったのだ。そして岩森の札書きは、終生変ることがなかったのである。

岩森は逸早く店の包装紙を武井武雄のデザインに仰ぐ等のすぐれた感性の持主だった。限定本、稀覯本、署名本、民芸関係、色紙・短冊、肉筆書簡・原稿類と、岩森が座るその狭い二階の売場は、三茶を愛する顧客にはまるで花一杯の花壇か宝石箱にも見えたに違いない。当然三茶書房の良質の客は増え、客は岩森を鍛えて、芹沢『絵本どんきほうて』七十五部本、富本憲吉『製陶余録』二十部本、各種武井本、志功本、川上澄生本を扱い、文学書も荷風、龍之介、犀星、川端から三島由紀夫に至る署名本が並んでいた。明治大正の詩歌書は岩森がもっとも愛した分野で、白秋、茂吉、大学、中也、達治、西脇まで揃え、夢二は勿論小島烏水にまでも岩森の眼は届いた。

岩森はやがて、その活躍の場である明治古典会にあって、昭和四十八年と六十一年の二度も会長に選ばれ、その重責を果たした。

一方しかし、その岩森を郊外の頃からの旧友、中村書店、山王書房、鶉屋書店、麦書房などの早すぎる死や病いの知らせが襲う。山王書房は昭和四十四年、岩森の娘の結婚に媒酌人を依頼するほど親交のあった友。山王書房が昭和五十二年結腸癌で亡くなると、岩森は翌年三茶書房発行で遺著『昔日の客』、その三年後『銀杏子句集』を出し報いている。平成元年、八年間の闘病の果て鶉屋書店が没すると、岩森はその葬儀委員長を務めている。岩

明治古典会大市会での岩森亀一と著者

森はまた、この四年前の鶉屋書店全在庫売立ての時には、卒先売立ての準備につくし、自ら谷崎の『春琴抄』限定三部本を四百万円で落札、語り草となった。

すでに、岩森は創業以来己を支え続けてくれた愛妻縫子を、昭和五十四年に癌で失っており、鶉屋書店のその葬儀でのつくし様も誰の目にも明らかだった。

二

続いて、三茶書房に関係した文人達について触れたい。

少年の頃に「蜘蛛の糸」「小僧の神様」を暗記するほど読んでいたという岩森は、店を文学書を中心とした棚揃えから始めた。当時三軒茶屋付近には、いわゆる文化人が多く住んでおり、客の中には詩人三好達治もいた。本の処分をしたいと言われて代田の家へ出向いたのが最初で、いつも自転車の荷台一杯の筋のよい本を売ってくれる。数年後のある日、「これは恩師朔太郎の識語署名入だが、今まとまった金がいるので……」と『月に吠える』を取り出す。是非欲しいと思った岩森はいさぎよく相場が分からぬことを話し、いくら位なら？　と逆に聞き三好から提示された値でこれを購入した。

こうして親しくなってからの三好は、急な金策には三茶書房へ前借りに来るまでになる。それには必ず、何月何日の来宅を請い、用立てた分を本で清算してくれた。この関係は昭和三十九年、三好が六十四歳で没するまで続いた。昭和三十年に世田谷三丁目に家を新築して越して来た中野重治もまた、三茶書房の客となった。
《……私は、経堂の古本屋へも行ったが、新しく出来た三茶の方へぶらぶらと行くことによって、何彼と便利でもあり、主人とも知合いになった。便利というのは古本整理のことで、一年に三度くらい私は本や雑誌を売った。（中略）その頃になって三茶は三宿へ移ったが、大したことはない。すぐそばに金物屋があって、厨刀、鋸、鉋なんか買おうとして、銭の足りぬときは三茶で借りることもできた》などと、中野は「三茶書房・創業二十五周年記念古書目録」（昭和四十六年）へ寄せた「三軒茶屋・三宿の頃」という文章に書いている。また無名時代の佐藤愛子は三日にあげず三茶書房の雑本漁りに通っており、田畑麦彦と再婚した時には大量の蔵書を岩森に買って貰ったと、功成り名遂げた平成二年、日経新聞の「私の履歴書」に書いている。

ところで、右の古書目録には中野の外にも五人の人達が文章を寄せており、武井武雄と書物蒐集家で知られた峯村幸造の名もある。岩森は峯村によって武井を知り、神田の出店は看板の文字から包装紙のデザインまで依頼することが出来たし、この目録の表紙自体が武井の装画だった。武井の寄稿した文章がまた素晴らしい。旧家の一人息子で、画をやりたいと武井が父に言う。父はその地区で一番信頼のおける久保田俊彦という郡視学に相談する。久保田の答は「自分の一番やりたいという道を歩かせるのが最も安全だ」というもので、やっと美校志望を許してくれたと言う。久保田が誰だったかは、武井のタイトル「島木赤彦のこと」で分かるが、同時につき合い始めて分かった岩森の日頃の姿勢に対する、これは武井のハナムケだったのでは？　と今では思えるものだ。

昭和四十九年五月、岩森は山王書房・関口良雄に同行、下曽我の尾崎一雄邸を訪問する。すでに二十年来出入りの関口が、日頃三茶書房を吹聴してくれてあり、すぐに古書の話になった。……と間もなく、奇縁と言うべきか、珍らしい〃蜜蜂が降る〃という現象が外で起きたことを家人が知らせた。そしてのちに、《ここに出て来る「二人の客」とは山王書房主関口良雄、三茶書房岩森亀一の御両人である》と入る名作「蜜蜂が降る」が尾崎によって書かれる。このあと二人は再び書斎に戻り、尾崎から『月に吠える』無削除版署名入、『轉身の頌』白秋宛署名入、『暢気眼鏡』夫人の着物生地で製作の異装本、『晩年』〃オマエヲ　チラト　見タノガ不幸ノハジメ〃との尾崎宛識語の入る署名入本などを見せて貰った。尾崎はこの時から上京すると三茶書房を訪ね、「三十周年記念古書目録」には「神保町の休憩所」と題し原稿を寄せた。

やがて昭和五十六年六月がやって来る。岩森が葛巻義敏との出合いから蒐集を始めたライフワーク、「芥川龍之介資料」を、新築成った三省堂書店ビルで公開するというニュースが新聞各紙の大きな記事となった。これは共に苦労して書店の発展につくし、二年前に先立った愛妻への供養と、自らが還暦を迎えた節目ということでの岩森の決断でもあった。

葛巻は芥川龍之介の甥で、堀辰雄らの「驢馬」の同人だった。文学での大成はなかったが、晩年所蔵の龍之介資料を使って、岩波書店と計り『芥川龍之介未定稿集』をまとめる仕事をしていた。岩波からの援助はわずかで、葛巻が昭和三十年頃近くの岩森の店に四、五冊の古本を売りに来たのが始まりだった。やがて気心が知れると、岩森に「手放したくはないのだが……」と、山本書店の限定本『堀辰雄詩集』や『ルーベンスの偽画』（いずれも堀辰雄から葛巻への献呈署名入）などを持参、岩森は相場無視の値を提示してこれを購入した。

やがて蔵書も売りつくし、葛巻は芥川の署名のある書き出しの反故原稿や断簡類を持ち込む。まだこういうものに市場性のなかった頃で、岩森もとまどう外なかったが、しかしあの「蜘蛛の糸」の作者苦心の筆跡と思えば、家蔵にしてでもよいから蒐集（あつめ）ておこうと覚悟した。すると葛巻は「これは岩波から私の本が出るまで世間には出さないように」と約束させ「羅生門」の下書き原稿まで持って来るようになった。それは決して安い値ではなく、岩森はその金の捻出にさえ困るようになった。

その後の経過は「國文學――解釈と教材の研究」（昭和六十年五月〝芥川龍之介とは何であったか〟）や『芥川龍之介事典』（明治書院、昭和六十年）等々に詳しく紹介されているし、その時々の新聞各紙に報道されているから、今は調べるに不自由はないであろう。

三

私が三茶さんを知ったのは昭和四十年三十二歳で、鶉屋書店の紹介で明治古典会へ経営員として入れて頂いた時からである。ほとんど定価以下の本しか扱わない下町業界しか知らなかった私にとっては、その一回一回の専門書市の光景たるや、まるでカルチャー・ショックの連続と言ってよかった。

市が早く終り鶉屋が、神田の主力書店へ〝見学〟と称して連れて行ってくれた中に、貴重本の花園とも見えた三茶書房の二階コーナーもあった。鶉屋と三茶さんはすぐに鏡花本についての話を始めたが、失礼する時に三茶さんは私に、「またいらっしゃい」と言ってくれた。しかしそれからも、古書の世界へ中々に移行出来なかった私は、その才能まで見すかされるようで、その後十数年も二階コーナーへ上がれなかった。私にとって三茶さんは、ただ畏敬すべき人として過ぎ、私の五十歳が目の前というところまで進んだ。

昭和五十六年六月十一日からの、改築新装なった三省堂ビルで「芥川龍之介資料コレクション展」を見た。それは一種の衝撃と言ってよい強い感銘を私に与えた。がこの年は二カ月後に、もう一度別の衝撃に私は襲われなければならなかったのである。突然鶉屋が脳梗塞に倒れてしまったのだ。私はすでに古本屋になってからの自叙伝を書き始めていたが、翌年十月これが出来上り、本を最初に見て貰うべく鶉屋の療養先、稲取を訪ねた。

次の日私は、その鶉屋の近況報告も兼ね三茶さんのお店へ『東京下町古本屋三十年』を謹呈のため訪ねる。三茶さんはその自費出版本を函から抜いてパラパラと頁を繰り、も一度函へ納めた。と思うとその交差点前の、神保町一と言ってよい目立つショウ・ウィンドウを開き、勿体ないほどの空間をとって飾ってくれるではないか。「青木さん、明日この本を署名して十冊届けて下さい」

三茶さんのご援助や、古本屋の書いた自伝など全くなかった（『一古書肆の思い出』が刊行され始めるのはこの四年後）ことや、まだまだ活字離れ以前だったこと等で、初版千部は半年もしないうちに売り切れてしまう。

このこと以来、三茶さんは私に、人ごとでなく目をかけてくれるようになった。三茶さんからも、芥川龍之介資料が故郷の山梨県へ納まる経過や、いろんな事情で木山捷平関連の本などの出版も始められたことや、次々と亡くなられる郊外の仲間達のこと、古書業界の未来のことについての話など、虚飾ない言葉で話して下さるようになった。長い間あれほど上るのが怖かったお店の二階が私にはもっとも楽しい時間の場となり、三茶さんもにこにこと私を迎えてくれた。三茶さんはまた、「お昼、まだでしょう」と私をよく源喜堂書店裏の神田〝更科そば〟へ連れて行ってくれたりした。

……時は流れ、世も人も移るのである。三茶さんの口から私に、心身の不調が告げられるようになった。それでも平成九年、私の『青春さまよい日記』(東京堂出版)の時には、世田谷の三宿の店の休店日に一日朝から呼んで下さる。この本の限定本を三十冊、二人で作ろうという三茶さんのアイデアだった。裏口からすぐ二階への階段になっているのだが、七十七歳の三茶さんがするすると上るのに、私は即座には上がれなかった。階段とは言うものの、そこは垂直と言っていい角度のものだったからだ。

二階には十畳ほどの部屋に廊下が巡らせてあり、お勝手もついている。床の間には、「命日が近いので……」と奥様の写真と犀星自筆の〝七夕の○○○○機織女〟(途中を失念)の句短冊が飾られていた。

三茶さんと私は、それから終日、積み上げられた本の各冊に、用意の別紙識語紙や木版画を貼る作業を重ねた。昼には三茶さん手ずからのひやむぎが振るまわれた。そこで初めて、私はトイレを教えて貰ったのだが、そこはあの階段を上った二、三十センチの狭い踊り場が入口で、階段のすぐ下は暗い奈落だった。

私は三茶さんがそこで寝起きし、十年来下の店に伊吹ふみ子という老婦人(三茶書房刊でこの前年『古本屋日記・老残随想』を出す)と曜日をきめて交互に店番し、つい先頃までは車で神田へ通っておられたという事実に、今更のように深い感慨を覚えた。言うまでもなく、三宿の店を建て替えることは勿論、マンションの一つや二つ、明日にも購入出来ない三茶さんではないだろう。私は三茶さんの昼食がいつも〝更科そば〟のもり一つだったことなどが頭に浮かび、そのストイックなまでに財など貪ろうとしない世代の典型を見る思いがした。それでいてその部屋の壁という壁には、八一、牧水、達治、鱒二などの軸物や色紙が無造作に己一人のため飾ってあるという豊かさだった。私はその中に上林暁の〝常に不遇でありたい／そして常に開運の願ひを持ちたい〟とある色紙様の文字を見つけ、「あれ？」と見入った。三茶さんはにやりとし、

「いつかの、青木さんから貰った……」

と言った。それは前に、無名の人の本の口絵にあった文字を、拡大コピーして三茶さんに差上げたものだったのだ。三茶さんは続けた。

「分かりませんか、この井伏の〝さよならだけが人生だ〟もコピーですよ」

夕方作業が終ると、三茶さんは「誰も上げたことはないんですが」と言って、三階に作られたまるで修行僧がこもる草庵のような読書室まで見せてくれた。三茶さんは別れに、言ってくれた。

「今日の限定本作り、青木さんのいい思い出になってくれればいいのですが……」

第四章　作家たちの古本屋

十邑堂書店・矢崎鎮四郎

二葉亭四迷とならぶ嵯峨の屋おむろ

矢崎鎮四郎（しんしろう）・嵯峨の屋おむろ（一八六三〜一九四七）は、二十七歳の時の作品「初恋」が代表作の、明治浪漫主義の先駆、近代小説の夜明けとも評された作家で、その仕事は筑摩書房の『明治文学全集』（第十七巻）に二葉亭四迷と二人一巻で載せられている。四迷の名声に比べると、おむろの名は今の人に忘れられているが、文学史的評価は結構高いのではないか。二人は外国語学校露語科の同窓で親しく、初め経済学者を志すも、四迷に小説の才を認められ坪内逍遙を紹介される。嵯峨の屋おむろは〝春のや〟の弟分という意味で逍遙がつけた名。

おむろがもっとも活躍したのは明治二十年から三十年代末までで、明治三十九年には四十四歳で陸軍士官学校ロシア語教官となった。かたわら四迷が亡くなると追悼文、その評伝を書いたりロシア文学の翻訳なども手がけた。大正十二年、仕官学校を退官。そして十三年、『明治文学全集』のおむろの年譜は、

（六十二歳）六月、豊多摩郡大久保町大字西大久保二七二番地より同代々幡町大字

嵯峨の屋おむろ

代々木五一番地に移った。七月、代々木に十邑堂書店を経営、子女の教育につとめる。

とある。

「私が古本屋漁りを盛んにしてゐた大正十四年の二月頃のある暮れ方、近所の代々木初台の通りから甲州街道に出て右側を歩いてゐると一軒の新しい古本屋を発見した。私は汚い硝子戸を開けて入り、書棚を眺め廻すと、和本に交つて明治時代の小説、随筆類が沢山並んでゐるのが眼についた。私は心の中で、随分貧乏たらしい古本屋だと思つて、ざつと見ると戸外に出てしまつた。」

昭和九年に『嵯峨酒屋御室の古本屋』（「書物評論」昭和九年十月号）というこんな文章を残したのは、詩人・倉橋弥一である。その数日後、詩人は新聞で「嵯峨酒屋は今は代々木で古本屋をやつてゐる筈だ」という内田魯庵の記事を読む。さては先日の店がそうだったのかと、切抜を持って再び行って見た。十邑堂と書いた看板の下に矢崎鎮四郎とある門札を見、中を覗くと娘が店番している。娘に切抜を渡したものの、何かバツが悪くなって詩人は逃げ帰ってしまった。又しばらくして、詩人は思い立って十邑堂を尋

ねた。おむろらしい老人が、丁度古雑誌を売りに来た女に、

「お素人の方はびっくりなさるような安い値なんですよ」と言っているところ。

倉橋は棚から尾崎紅葉の『十千万堂日録』を買った。するとおむろが柔和な眼を向けて、

「あなたでしょ、先日内田の切抜を置いてって下さったのは。隠れていたのが、化けの皮をはがされてしまいました」と言って笑った。

詩人はその後もこの老人に親しみの念を抱き、よく散歩のついでに寄るようになった。そして昭和になって何年かのち、しばらく振りに行って見ると、「いつ何処へ嵯峨酒屋は廃業して転居してしまつたのか、私の知らぬ間に十邑堂はなくなつてゐた」とその文章は結ばれていた。

実はこの詩人の記憶の頃（昭和四年）の私達の古書組合機関誌に、

「**古本ぐるみ譲店**　処・甲州街道初台停留所を去る一丁、間口二間半・奥行二間・座敷下六畳三畳・二階六畳二間、居抜にて売りたし、代々木新町五一・十邑堂書店」という広告が出ていたのを、私は発見するのだ。またその後も「東京古書籍商組合年表」なる稿本を見ていたら、

「昭和五年四月八日評議員会にて、明治文壇に有名な嵯峨の屋おむろ・矢崎鎮四郎氏、組合員として古書をひさがれしが老齢のため廃業さるの報告あり」

の文があるのを見つけた。

さてこの度、この文章を書くため私は、少年の頃によく読んだ改造社の円本『現代日本文学全集』に当たってみたのである。何とこの全集でも、二人で一冊にされた相手は二葉亭四迷だった。さすがに頁数は四迷の五対一くらいしか割り当てられていないが、発行は昭和三年で、多くの文学者が成金になるほどの収入があったと言われ、このあと春陽堂の『明治大正文学全集』の印税も含めれば、おむろはもう古本屋などやめたくなったのかも知れない。

おむろは昭和二十二年、八十五歳まで生き、千葉県市原郡牛久で没した。

江戸川乱歩の古本屋時代

三人書房・平井太郎

私小説好きで、いまさら探偵小説を楽しんでいるような時間もない私だが、江戸川乱歩だけは時々再読することがある。過日の古書展で、『文壇大家花形の自叙伝』（「現代」昭和十一年十月号付録）七千円を買う気になったのも、菊池寛、徳田秋声、林芙美子、尾崎士郎、甲賀三郎等の二十七名中に江戸川乱歩の文章があったからである。

タイトルは「活字と僕と」で、初めて見る乱歩の文章だった。全体は、「探偵小説好きの由来」「活字の魅力」「野心に燃える」「処女作二銭銅貨」という見出しの許に進む。

……まず、子供の頃新聞小説を母に読んで貰う思い出から書き始めるが、思えばそれが菊池幽芳訳の探偵小説「秘中の秘」だったという。母は又黒岩涙香の探偵小説の愛読者でもあった。やがて「少年世界」「少年」「日本少年」が乱歩を喜ばせる。次いで「冒険世界」「武俠世界」「探検世界」へと進む。それからは活字の魅力が乱歩を虜にし、『噫無情』『巌窟王』『幽霊塔』を耽読する。同時に謄写版から、手製の手押し印刷機にこる。名古屋の中学を卒業して上京、つてを求めて湯島天神前の活版所の小僧をしながら乱歩は早稲田大学に通った。

卒業後は貿易商に一年ほど勤め、次に三重県鳥羽港の造船所の書記になる。そこでは二、三千人いた職工に読ませる雑誌の編集が仕事だった。このあとはしばし乱歩の文章で辿ろう。

《僕が文学といふものを、やゝ理解し始めたのもこの頃であつた。学校にゐる間にも、西洋の暗号の研究をしたり、ポオやドイルの探偵小説は愛読してゐたが、そして又、泉鏡花や広津柳浪の小説には少年時代から心酔してゐたが、当時の文壇の小説には殆ど無縁であつた。それが、谷崎潤一郎の作品に初めて接して感嘆したのが、鳥羽へ行く少し前、ドストエフスキーの『罪と罰』『カラマゾフの兄弟』を読んで、この世が一変したやうに感じたのが、鳥羽在勤中であつた。二十三四歳の頃である。

鳥羽にゐたのが一年程、僕が会社を止すと、雑誌も間もなくやめになつてしまつたが、それから上京して、二人の弟と一緒に、本郷の団子坂で『三人書房』といふ古本屋を開業した》

ところでこの文章でもそうだが、乱歩は、今も古書価の高い昭和七年刊の平凡社版全集の第七巻巻末には、二十四、五歳から三十歳までに十数種職業を替え、その一例として、大正八年団子坂に資本金千円の古本屋を始めたとも書いている。私は自分が古本屋だからか乱歩の古本屋体験について、いつもこの簡単な記述を不満としていたが、十一年前に講談社から少部数出された『貼雑年譜』にはこの時のことが、店の間取りを含め詳しく書かれているのを最近に知り、これには満足した。（次頁参照）

営業期間は二十五、六歳の満一年八カ月で、祖母の遺産をこれに当て、乱歩が年少の弟二人のために計画したものとある。乱歩は「年譜」に書きつけている。

《私ノ趣味バカリデナク、二人ノ弟ノ趣味モ同様ダッタノデ、コノ古本屋ハ主トシテ芸術書（主ニ小説）ヲ取扱フコトニシ、看板ヤ名刺ニモソレヲ記シタ。店ノ飾リツケ一切、棚ヲ大工ニ頼ンダ外ハ、私ガ設計シ製作シタ、正面ノ屋根上ノ大看板モ、私ガペンキヲ買ツテ来テ自カラ描イタ。（略）店ハ普通ノ古本屋トハ全ク異リ、土間ノ応接室ノヤウニシテテーブル、椅子ヲ置キソノテーブルノ上デ、当時ノ流行歌謡（沈鐘ノ類ナド）ノ蓄音器ヲカケ、来客ノ社交場ノ如クシツラヘタ。十字屋デ夢二装幀ノ楽譜類ヲ仕入レテ来テ、シヨウウインドウニ飾リ、販売スルヤウナコトモ試シタ》

そういう個性的な営業から、付近のインテリ青年などを引き寄せることになり、自然の成り行きで書店内には一グループが出来てしまう。そんなある日、石川三四郎の息子という人物が、特徴ある看板を見たと言って、友達の慶応の学生達を連れて入って来た。石川千秋と名乗り、文学青年だった。乱歩は彼らと話し合う内、当時全盛だった浅草オペラの田谷力三後援会を作り、会員を中心として三人書房から歌劇雑誌を発行しようという議まで熟した。この計画はしかし、「観劇会」を開き、田谷には特別の独唱をさせ、

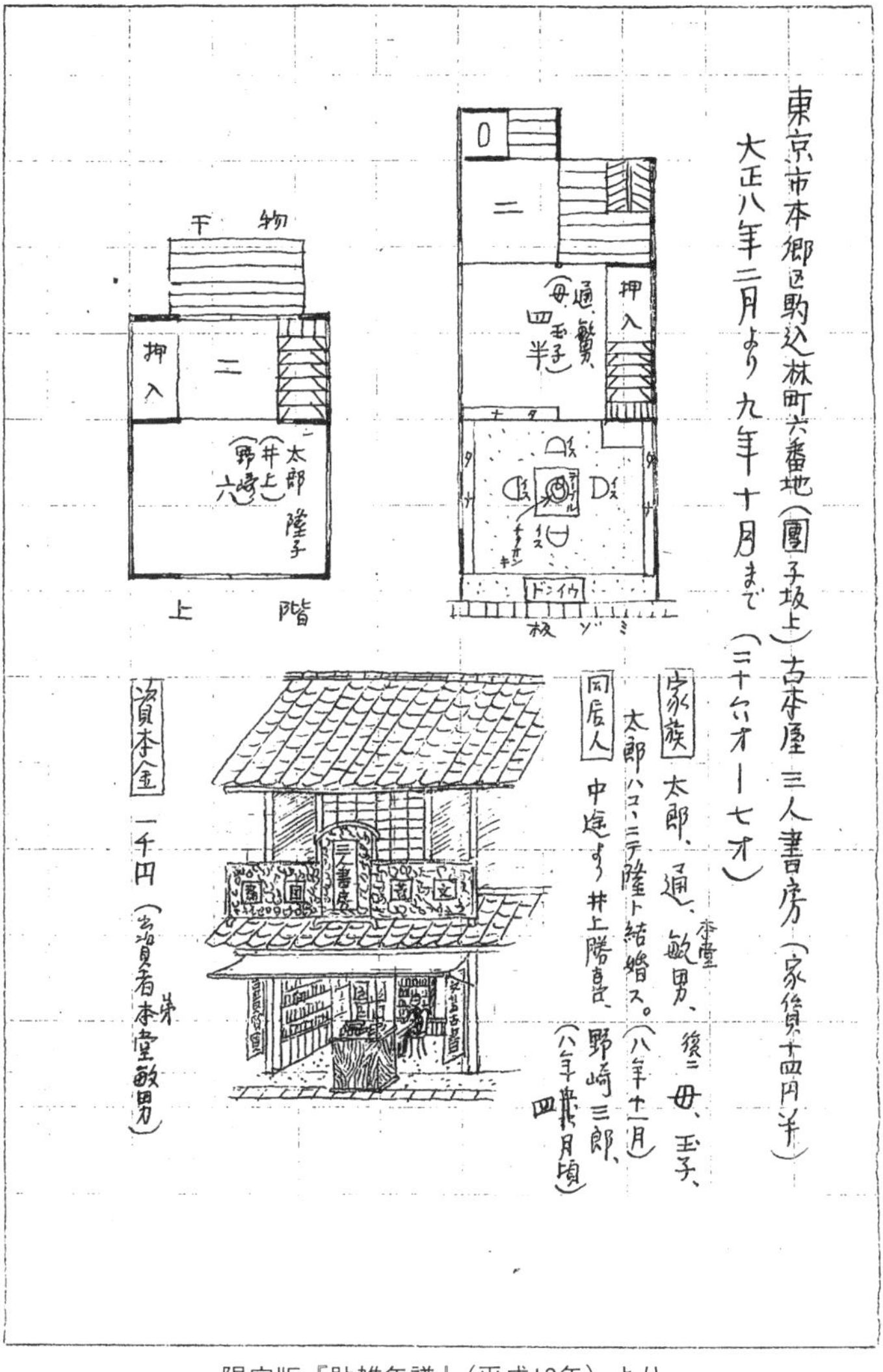
東京市本郷区駒込林町六番地（團子坂上）古本屋 三人書房（家賃十四円半）
大正八年二月より九年十月まで（二十六才ー七才）
家族 太郎、通、敏男、後ニ母、玉子、
太郎ハコヽニテ隆ト結婚ス。（八年十一月）
同居人 中途より 井上勝喜、野崎三郎、
資本金 一千円
干物
押入
二
太郎
隆子
（井上）
（野崎）
六
上階
押入
二
通
敏男
（母 玉子）
四半
ナタ
三人書房

限定版『貼雑年譜』（平成13年）より

石川千秋が金メダルを田谷に贈呈して終った。

乱歩は古本屋を弟たちに任せ、二階を利用して「東京パック」の編集を引き受ける。乱歩はこの雑誌に漫画まで描いており、『貼雑年譜』にはその一枚が貼りつけられているが中々のものである。が、乱歩が〝抜苦子〟の名で書いた「時局パックリ」が当局の注意を惹き、三人書房二階へ特高の刑事が訪ねて来る始末。乱歩は発行元の月給不払いのため三号で手を引くが、「東京パック」そのものはその話を持って来た下田某が続けたと言われる。

その後乱歩は、村山隆子二十六歳と結婚、一時東京市社会局吏員となる。しかし、傍らまたまた〝智的小説刊行会〟や〝レコード音楽会〟などを計画、実行している。また大正九年五月には、後年の傑作『二銭銅貨』や『一枚の切符』の筋を考え、その梗概をノートに記している。

その後九年十月、乱歩は大阪の父の世話で「大阪時事新報」の記者となる話がきまる。一方、二人の弟達に任せた三人書房は不振を極めていた。そこで店を処分することになり新聞広告をすると、その権利が六百円で売れた。乱歩は言う。

《資本金千円ガ六百円ニ減ツタト考ヘレバ、古本屋営業モ結局非常ナ損トイフコトモナカツタワケデ、私ノ責任ハ軽クナツタノデアル。譲リ受ケタ人ハパン屋ヲ開業シタ》と。

しかし別のところにはこうも記していた。

《年少ノ二人ノ手伝ヒヲシテヤツテ、ソノ代リ「勉強」中ノ生活費用ヲ得ヨウトシタノデアル。併シ生活費ヲ貰フドコロカ、結果トシテハ、私ガ二人ノ弟ノ事業ヲツブシテシマツタヤウナ形トナツタノデアル》

乱歩のその後を、先の「活字と僕と」で進めるとこうなる。

「時事新報」をやめたのは、東京の「工人倶楽部」へ呼ばれたからであった。そこでは甲賀三郎の春田能為もその倶楽部の幹事の一人で、二人はお互に探偵小説好きなどとは夢にも知らず、顔を合せていたのであった。そこでの乱歩の仕事は、名目は書記長というのだが、楽しみは「工人」という雑誌を編輯することであった。それから大正十二年三月二十九歳の夏探偵小説の処女作『二銭銅貨』を書くまで乱歩は、在学中の自治雑誌は別としても、造船所の雑誌、「東京パック」「大阪時事新報」「工人」と、ひどく現実的な勤人生活を転々しながらも、不思議に活字との縁が絶えないのであった。

――続けてこの年四十歳の乱歩は次のような惑いの言葉をこの文章に残している。

《そして、僕はたうとう、小説家となることによつて、活字そのものと結婚してしまつたのであるが、しかし振返つて見ると、少年時代の純粋な情熱に比べて、僕は何といふ低俗なジヤーナリストに成下つてしまつてゐたことであらう。半分は生活の為であつたからといふ弁解は許されない。それは恐らく、貧窮といふものが、僕に碌でもない商才を与え、浮世の妥協を教へ込んだからであらう。さういふものが、作家となつてからの僕にも、純粋な気持を持ち続けさせなかつた。イヤ、作家としての出発そのものが、今の大衆小説家の多くのものがさうであつたやうに、既に純粋ではなかつたのである。

誰の心にも二人の人間が住んでゐるやうに、僕の心にもハツキリと二人の別人が住んでゐる。その一人はいつまでも少年で、いつまでも純粋で、たゞ遥かなる夢をのみ追つてゐる瞑想家で、そして夢幻の国への美しい懸け橋として活字の非現実性を恋するものは彼である。もう一人は世渡りといふものを心得て、商才があつて、如才がなくて、功利の故に自から低くする人間界の弱者で、そして、活字の非現実性を傷けそれを生活に結びつけやうとするものは彼である》——と。

実は、私は乱歩の作品を時々私小説とさえ思うことがある。

壺中庵・平井通
乱歩の弟は好事家に知られた通販業

平井通(とおる)は明治三十三年生まれ、江戸川乱歩の弟で六歳下、二歳上のもう一人の兄金次は、通の生まれる前年に亡くなっている。そのあと二人には弟敏男が生まれている。

大正八年二月、乱歩（太郎）、通、敏男は、母方の本堂家を相続した敏男に遺された千円を元手にして駒込林町の団子坂に古本屋・三人書房を開業する。元もと乱歩には古本屋で大成する意志はなく、二人の弟の手助けをして生活費を貰い、自分は文学の勉強でもしようと思っていた。が、結果として私が二人の弟の事業をつぶしてしまったと、乱歩はかの『貼雑年譜』に記している言葉だ。二人の弟は前年十一月に上京、直に人の世話で通は酒井文昇堂、敏男は南神保町の進誠堂に見習いに入ったが、一月半ばに二人ともそこを飛び出してしまった。こうして始めた三人書房は結局不振で、大正九年十月、その権利を新聞広告を出して六百円で売り廃業した。乱歩はこの二年後、「二銭銅貨」を書いて世に出る。

通はその後下阪、関西大学を出て大阪市の電気局に就職する。通は二十六歳の時最初の結婚をした。選んだ妻は理想とは程遠かったが、なるべくと思っていたほどには薄い毛の持ち主だった。……幼年期、通は近所の部屋を覗き、若い奥さんが着物の前をはだけ、ハサミで恥毛の手入れをしているのを見てショックを受ける。その後〝お医者様ごっこ〟で幼女の美しい陰部を見、また父の事業について朝鮮に渡るが、そこでの一年ほどの間に、幾人もの無毛の女性たちに邂逅、まだ十四歳の子供ということで見せてくれた体験が、その後、通のこの種の女性への探求心を決定してしまう。だから通は、本当は無毛の女性と結婚したかったのである。

この少毛の妻は、そのことに劣等感を持ち、「お嫁に行けないのでは」とさえ思っていたので、かゆい所に手の届くような愛情を通に示した。それでも通の無毛女性に寄せる憧れは薄れず、むしろ日一日と深まる。妻はそれでも愚痴一つこぼさず、通に、

「ほかにあなたを満足させるような人がいたら、私はこんなに愛されているのですから、どうぞ遊びにいってらっしゃい」

と言った。

晩年の平井通

昭和十年頃、通は肺結核にかかり、二年近くの

闘病生活を妻の田舎で養い、小康を得て上京、兄乱歩の援助で巣鴨に古本屋を開く。ところがこの頃、生活の疲れが一度に出た妻があっという間に他界してしまう。その妻の死というポカっと開いた人生のミゾを埋めることになるのが、あの習癖だった。通は連日吉原へ出かけ、「平井さんは、吉原から古本屋へご出勤ですか」と言われるほどだった。通はそこで、白い裸身に、一点の影もない女性を見つけ、その女しか見向きもしないようになる。

一方、通は血筋だろうか、すでに各種風俗雑誌に多くの随筆や考証物の文章を書き続けていた。そんな関係で知り合った近世風俗研究の中野栄三の世話で、二回目の結婚をする。がその料理屋に勤めていた女には、一年ほどで逃げられてしまう。この頃には、通の名前は好事家の間に知れ渡り、相変わらず吉原通いが続いた。開戦間近かの昭和十六年、通はとうとう店の本を金に換え、古本屋をやめて東宝本社の株式課へ入った。戦争中はずっとここに籍を置くが、無毛女性の探求は続ける。敗戦後は後楽園球場の株式課に移り、株式統計を取る仕事は真面目そのものだったと言われる。その間に、通は三度目の妻を迎え、後楽園を退く時の退職金で川崎市に、ささやかな家を建てた。

——以上は手元にある通の関係資料、そして生前の通に取材し、「われは〝無毛教〟の教祖」と題して綴られた「週刊大衆」昭和三十五年一月十六日号によって、その半生を辿ってみたのだが、記事の末尾には、

《平井氏が実際にその眼で眺め、かつ関心を抱いた無毛女性の数は、四、五十名は下らず、思い出すとマブタに一人々々その裸身が浮かぶと言う。今は奥さんと二人、川崎市の郊外に住んで、奥さんは会社勤め、本人はマッチ箱のように小さな〝豆本〟を作ってひっそりと暮らしている》

とあり、ひとたび話題が無毛女性に及ぶと、六十歳の瞳を輝やかせて、

「山陰、北陸方面には大勢の無毛女性がいます。金とヒマを作って日本海沿岸を歩き、一人でも多くの彼女達と逢いたい。そして無毛教という新興宗教でも起こしたくなります」

と、通は記者に語っている。

さて、この頃、通が製作にはげんでいたという豆本の世界にかかわるのが、若き日の池田満寿夫で、乱歩の名作短篇『屋根裏の散歩者』に、通の求めでエッチングと挿画を描く。通はこの二百部本を七百円で販売した。この時池田と暮らしていたのが詩人・富岡多恵子で、のち作家に転じた彼女は昭和四十九年『壺中庵異聞』として通の生涯を作品化した。

作品中には、その一周忌の会に出席した日本古書通信社の八木福次郎氏らしき人が通の古本屋としての思い出を語る場面がある。

「……私のやっております雑誌に毎号古書や豆本の広告を出されるようになって、毎月

二回か三回はお会いするようになりました。椅子を勧めても中々座らないし、お茶を勧めても中々飲まないといった風で……最後は、亡くなられる前まで原稿を頂いた——」

通は晩年十年ほど「日本古書通信」を利用して錦絵を中心に通信販売をしていたのだ。池田が有名になると前記『屋根裏の散歩者』を八千円（現在の相場は二、三十万円?）で売ったりなどしていたが、昭和四十六年七月二日急性肺炎で七十一歳で没した。

『不滅の道を歩む』・西村独境
信仰と古本屋

『不滅の道を歩む』は著者西村独境、発行は〃一人社〃で、大正十四年刊。四六判三百二十四頁函付で、紛れもなく古本屋の書いた本なのである。

〃はしがき〃に、貧しさの中で「他力の信心によつてうるほされ」ている生活者の記録とあり、「江部鴨村（青木注・評論家で仏教学者）氏の種々なる御教示」を謝す、との言葉もある。どうやら一見しただけでは、宗教者が表した仏教書と思われそうである。目次は〃大慈の中に〃〃凡愛より聖愛へ〃〃迷信より正信へ〃と続く。しかしパラパラと本文に眼をやった私は、こんな文句を見つけた。

《……この場末の町のあまり賑やかでない店頭に坐つて、客の来ないひまひまに、ひとり帳場机に凭りかかつてゐると、過去への追想が淡い哀れみと懐しさを籠めて私の心を誘つて行く。／私が書斎にあつた数百冊の自分の本を荷ひ出して、労働者の多いO町の狭い通りに、貧しい古本店を開いてから、間もなく現在のこのS町に移転して来て、新たに営業を始め、そして今日に至るまで、その間の年月はまだ一昔には達しないが、然

『不滅の道を歩む』・西村独境

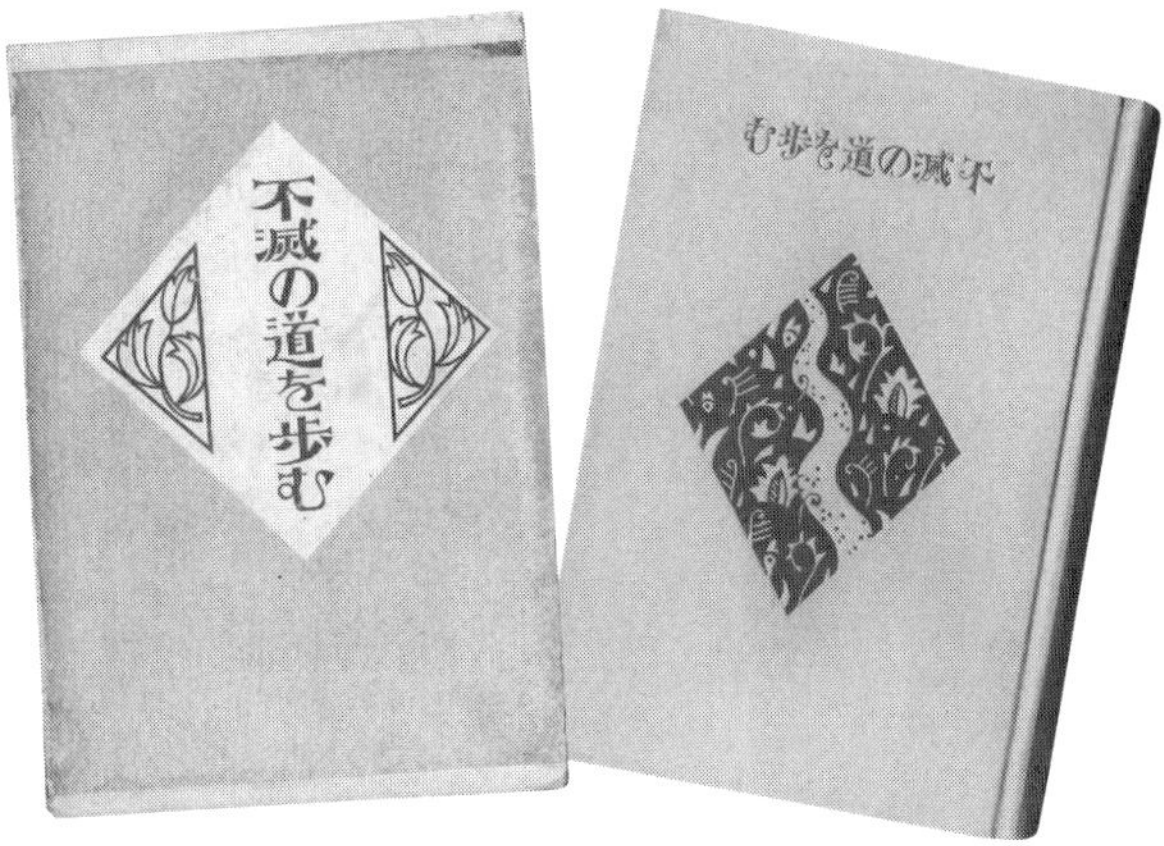

『不滅の道を歩む』（大正14年・一人社）

かも六年有余のその間に於いては私は種々の出来事や様々の人達に逢つたり別れたりして来たのである。（中略）わけてもあの未曾有の大震災の言絶の光景にふれなどしながら、私一個の貧しい小さな生活劇は、その明け暮れに幾度幕を開閉したであらう》

残念ながら、開業地がO町、S町としか示されないが、〝左の不自由な冷たい手〟をかばいながら、病弱な四十男が古本屋をしながらこの本の文章を書いて来たのであろう。本が少し進むと、「いたましい盗人」という少年の万引を扱った章があって、心引かれる。

晩春のある日の夕方、西村が散歩から帰ると、妻が一人の少年の顔を覗き込むようにして何か言っていた。妻は西村に、

「この子ったら、今これを盗って逃げようとしたのよ。丁度私が往来に水をまこうと外へ

出た時、ふと店を見ると、あそこの棚の本を抜いて、黙って行ってしまおうとするの。それで本を取り戻したんですが……」

「君はどこに住んでるの？」と西村は穏やかな声で訊ねた。少年は黙ったままだ。その十二、三と思われる少年の眼には、何者かに反抗しているような冷たい光が映っていた。西村は親兄弟の有無などを聞き、「僕はね、君がそれを話したからって、君の学校へなど通知するようなことはしないからね、きっとしない！」

少年は西村の顔を見上げた。その茶っぽい両眼には、いつの間にか涙が一杯溜まっているではないか。少年はやがて兄と妹のいる三人兄弟の真ん中であること、夜学の中学に通っていることなどを話した。西村はやがて、「君ばかりが悪いのじゃない。君の家庭も、この社会というものも悪いのだ。しかしだからと言って君は甘えてはならない、こんなことをしてはいけない」と言おうとしたが、言葉にはせず、妻からその英語独習書を取って、少年の懐に押し入れてやった。

「いいからお帰り。もう決してこんなことをしないようにね」少年が躊躇しているのを妻も少年に、

「折角上げたんだから貰ってらっしゃい」と言った。「暗くなるわ、早くお帰り」

少年は古本屋を出ると、ドブ板に沿ってうなだれながら、街裏の方へ去って行った。

——こうして本は、店番に疲れ妻が代ってくれたのを機に、二階の窓際に寄って街の

往来を見下しながら人生を考える場面や、この町に下宿して私立大学へ通っている傍ら雑誌など買って行く青年から、宗教論をいどまれ何時間も対話をしてしまうことが描かれる。

圧巻は、「私は姪の静子と二人で、ある小川べりの細い路を西の方へ歩いて行った」で始まる「姪の転信」の章である。西村はある日の午後、俥に乗って近くの郊外にある姉の家に出かける。姉一家の晩餐のあと、西村は姪に誘われて散歩に出たのだった。姪は二十四になるが、元々病身で、二年ほど前から胸の病いにかかり結婚も出来ずにいるのだった。姪は父親との理解がうまく行かず、時折は西村の店にこぼしにやって来たりしていた。

「うちのお父さんが叔父さんのように、やさしく分かって下さるようでしたら、どんなにいいでしょう」

今日も姪は女学校時代からのキリスト教信仰について、その悩みをうったえたが、途中で横を向いて二つ三つ咳をした。

「もう帰ろう」と、西村は気づかって言ったが、姪は動こうとせず、生身の自分と信仰の矛盾をうったえ続けた。

「そのまま全てをお任せするんだね」

「このままの汚れた心で神にお任せするなんて、私には出来ません」と姪は着物の内懐に片手を浅く入れながら伏目がちに言った。

西村はふと、そのなやましげな美しい姪の風情に、肩に手をかけ抱きしめてしまいたい欲望を感じ、はっと我に返った。それは叔父としての愛憐の情を通り越した、男としての本能からだったのである。すると店番をしている妻の寂しげな顔まで浮かび、西村は姪をうながし、姉の家へ戻って行ったのである。

その後西村独境については、何らの資料も見出さなかったが、過日私は思わぬ雑誌反故にその名を見つけたのである。古い「婦人界」という雑誌が倉庫にあり、中の表紙のない大正十年九月号をめくっていたら、〝懸賞小説一等当選・長篇「煙の下」〟というのが載っており、その「連載十四回・西村独境」とあった。

貸本屋＝平和堂・富田木歩
脂粉と紙魚に囲まれた幻の俳人

一

昔、石川桂郎『俳人風狂列伝』、吉屋信子『底のぬけた柄杓――憂愁の俳人たち』などを愛読したことがあった。中でもっとも印象に残った俳人は、吉屋の筆になる富田木歩の生涯だった。木歩の歩んだ苦難には比ぶべきもなかったが、ある宿命を背負ったことでは私も同じだったし、木歩が一時貸本屋をしていたという経歴にも、一時貸本を兼業していた身にはなおさらだったのである。私はいつか、この連載の中に木歩のことを入れたいものと思うようになった。

昨年（二〇〇七年）の秋、東京古書会館の古書展で『小説・富田木歩』なる本を見つけたのである。わずか百五十頁の仮綴じ本で、カバーもなく何とも貧しげな本だった。それも縦横に書き入れのある汚れ本で、やめようと思い値札を見ると二百円。ついでにと奥付を見ると、あの『決定版・富田木歩全集』と同じ発行所で、奥付上半分には著者加藤謙治の略歴として、昭和五年生れ、俳誌「雲海」同人というのがのっていた。私は買うために抱えていた七、八冊ほどの本にそれを加えた。帰宅後その本を、ポツポツ集めて来た数多くない木歩文献の棚に持って行った。そこで私は、もう一度書き入れの文字を眺めた。

「何ということか！」と私はその沢山の書き入れが、著者の訂正と加筆文だったことに驚く。私が立ったまま、木歩の〝貸本屋時代〟の頁を探すと、飛び飛びながら、十頁にもわたって、貸本屋という言葉が刻まれていたではないか。私は木歩と、平和堂という貸本屋について書いてみる時が来たと思った。

……さて、私が所蔵する木歩文献だが、俳句事典の類を除くと次の通りである。

○『東京文学散歩』・第一巻　隅田川（野田宇太郎）昭和三十三年・小山書店
○「鬼気の俳人・木歩」（山本健吉）「文藝春秋」昭和三十七年／七月号所収
○『底のぬけた柄杓―憂愁の俳人たち』（吉屋信子）昭和三十九年・新潮社
○『決定版・富田木歩全集』昭和三十九年・世界文庫
○『小説・富田木歩』（加藤謙治）昭和四十一年・世界文庫
○『鬼気の人―俳人富田木歩の生涯』（花田春兆）昭和五十年・こずえ刊
○『小説木歩』（上田都史）昭和五十三年・永田書房
○『大正俳壇史』（村山古郷）昭和五十五年・角川書店

○『松倉米吉　富田木歩　鶴彬』（小沢信男）平成十四年・ＥＤＩ
——木歩、明治三十年四月十四日、本所区向島小梅町に生れる。父丑之助は鰻屋を営んでいたが家運は次第に傾き、木歩誕生時にはすっかり零落する。木歩は二歳の時両脚を病み、就学も出来なかった。何とか暮していた一家は明治四十年夏の隅田川大洪水で全てを失う。二人の姉が苦界に身を売り、父はその金で鰻屋を再開するが、次の明治四十三年の大洪水で、ついに再起不能となった。

富田木歩と母

歩行困難の木歩は、ひとり「いろは歌留多」やメンコで文字を覚え、十歳の頃には少年雑誌などを読むようになっていた。大正二年、十七歳で近所の座ったまま出来る、友禅型紙刻師に徒弟奉公に上ったが、兄弟子に苛められてすぐにやめた。この頃の木歩の孤独な魂を引きつけたのが、古雑誌で覚えた俳句だった。

やがて俳句雑誌『ホトトギス』を知り、木歩は本格的に俳句を学ぶ。大正四年には貧家に「小梅吟社」を作り、近所の友人と句作を重ねるようになる。

すでに「背負はれて名月拝す垣の外」（大正二年）、「炬燵あけて猫寝たり女房干魚裂く」（大正三年）の句を残している十八歳の木歩は、のち有名となることわりの言葉、「哀れ我が歩みたさの一心にて作りし木の足も、今は半ばあきらめて、其の残り木も兄の家の裏垣の枸杞茂る中に淋しくて立てかけてありぬ」と置く、

枸杞茂る中よ木歩の残り居る

の句を作っている。吟波と号した名を、やがて木歩とするのは、この句からと言われる。木歩は大正五年、生活を駄菓子店を開き、かたわら人形の屑削りの工賃で支え、「石楠」の会員となって臼田亜浪に師事して毎月二百句の句稿「一人三昧」を送って添削をうけたり「ホトトギス」にも投句した。河田虹濤を識り、河田の「洪水社」同人ともなる。十二月一日、亜浪が吟波庵の「洪水」例会に出席した。大正六年二月には俳誌「洪水」を創刊するが二号で休刊。虹濤に背信行為があったためと言う。が、二号で識った新しい友、新井声風とは以後生涯にわたる親交を結ぶ。

富田家の悲運は重なる。大正七年二月、働きに出ていた口のきけない弟利助が肺患で死に、妹まき子も一家のために芸妓に出ていたが同じ肺患で家に戻り、七月に亡くなるのだ。

医師の来て垣覗く子や黐の花
かそけくも咽喉鳴る妹よ鳳仙花

床ずれに白粉ぬりし牽牛花
死装束縫ひ寄る灯下秋めきぬ

の四句は、妹の死までを見つめた木歩の句だが、すでにこの時木歩までがこの病に感染してしまっていたのだ。それでも木歩は、

犬猫と同じ姿や冬座敷

と自嘲しながらも、ますます俳諧の道に邁進して行く。弟妹の死後は駄菓子店を閉め、帽子の裏皮つなぎの内職を始める。

晩秋に木歩は喀血した。幸い俳友の亀井一仏が主治医になってくれ、約半月後に病いは収まるが、生涯喀血はくり返されることとなる。

二

木歩が貸本屋をした記録へ進むが、私はすでに九点の文献を挙げた。が、結論を言ってしまうと、その原資料、ネタ元となるものは『決定版・富田木歩全集』を措いてはない。何しろ木歩を世に知らしめた新井声風が、生涯をかけて集め、編集した千二百頁もの厚冊本だからだ。(序) は岡本癖三酔から始まる十五氏が筆を執っている。(一)「目で見る木歩の生涯」は写真集で、〝大正九年十二月、東京府下向島寺島村字玉の井六五〇番地の貸本屋平和堂（木歩宅）の二階の物干しにて声風の撮りしもの〟とある二十四

歳の木歩照影以下、句碑、墓地、初出誌、句集（各版）、縁者、刊行雑誌、生家跡、旧居跡、関連雑誌、愛読書、最期の場所等、六十頁五十七図がつく。（二）は「木歩句集」、（三）は「木歩文集」。（四）は「回想の木歩」で四十一文献が載る。（五）は「俳人としての木歩」で七文献。（六）は富田木歩伝、（七）は「木歩とその作品を語る座談会」。（八）は「年譜」、（九）は「木歩著作年表」、（十）は「文献一覧」、（十一）は西村陽吉以下二十六名の「木歩文献抄」。（十二）は「序文（集）」「木歩文献抄」執筆者紹介。最後に声風の「刊行者の言葉」。この全集の充実、周到さは目を見張るものがある。ここから木歩の貸本屋文献を探すと、まず「年譜」がある。大正十年、

《夏、貸本屋「平和堂」を姉富子の旦那白井波吉（芸妓屋「新松葉」の主人）の援助に依り開店。声風講談物その他の書籍を贈る》

とあり、開業地玉の井については、

《その後の玉の井は、娼家の密集に依り急激に発展し、新開地の盛り場となり、俄かに殷賑を極めたり》

とある。また慶大生だった声風は贈った本について、講談本は三田の古本屋・清水書店で購入、蔵書から小説本を加えて開店祝いにしたと「回想の木歩」で記している。その文章で、木歩は店の入り口左の三畳に机を置き、いつもつくねんと店番し、〃平和堂主人〃〃黄表紙堂主人〃などと署名した便りをせっせと俳友に送っていた、ともある。

客は白粉を塗った娼家の娘達が多く、かなりまごついていた様子を記し、大正十一年作の木歩の次の句をおく。

　なりはひの紙魚と契りてはかなさよ

声風は大正十一年一月の俳誌「曲水」にも「平和堂主人」を載せている。

《今日此頃主人は大概火桶を抱いて、俳三昧に耽りながら店番をしておる。「清水の次郎長はありやせんか」と訊く銘酒屋の親仁や、「悲しくて涕の出る様な本ないの」と相談をかける私娼窟の女が、時々句作の邪魔をする。併し、人の好い主人は愛想よくあしらつて、直ぐ又俳三昧に入る。かなり小面倒な仕事だが嫌な顔一つせず「あの足が凍切つてちぎれさうな寒さに、縁側で人形のヘチ取りをしてゐた仲の郷時代のことを想へば、今の境遇は幸せでさ」と如何にも幸福さう》

などと。また声風は、この時木歩を世話していた木歩の姉の言葉も紹介している。

《こんなところでせう、それは面白いことが沢山ありますよ。おとゝいも近所の若い女の子が朝早く来て、いきなり一ちやん（注・木歩の本名）をつかまへて、『髪の具合どふ。よく出来てて』などと云ふんでせう。一ちやんの返事が又振るつてるのよ。妙に堅くなつて『えゝ結構です』つて》

他に、店番中の木歩に入門、のち俳人・伊庭心猿と名乗るようになる、宇田川芥子という十四歳の眼で見た貸本店のことを記した文献『私と俳句』があるが、ここは木歩自身が残している文章「貸本屋のはなし」（『曲水』大正十一年一月号）を写そう。

《私は貸本屋の番頭さんになつてからもう半年になる。其間に何時かお客の心も呑み込みチットは貸本屋の通も云へるやうになつた。こんな事は俳文の材料にもなる代物ではないが、お正月の雑談に二三書いて見る。

新米の貸本屋が一番難物とする処は、保証金を預る事と見料を値切られる事だ。保証金を預る事は「御馴染ノ御客様ニテモ保証金ハ御預リ申升」云々と立派に貸本屋の憲法にあるのだが、大体が信用物なので中々「金色夜叉ですか、ヘイ五拾銭御預りします」は出ないのだ。が見料の方は、士族の商法で「厭なら止しやがれ」と言ふ気があるから「少し御覧下さつたら御相談しますから」とばかりで撃退して了ふ事を直きに覚えた。

何の商売でもさうだが、貸本屋へ来る客も好かれる者と好かれない者とある。前記の見料を値切る客も好かれない方の一人だが、二三冊の本を読むともう百年の知己にでもなつた気で、あちこちと本を引づり出して通を並べる客。此方で出して遣つた本は一向気に入らず、下らないものを持つて行く客などは好かれない。保証金を余計に置いてゆく客。何の通も云はず、六カ敷い鏡花物でも涙香浪六等の物でも同じやうに読む客。本の選択を貸本屋まかせのおとなしい客等は好かれる》

私はしかし、この文章の末尾に至って、先入観からは意外な木歩を見つけ、ほっとする。客の中に、久米正雄の『蛍草』や菊池寛の『真珠夫人』なんかないのかと、言って来た時の「話せるな」と喜ぶ木歩の心の内だ。そういう芸術物を好む客に会うことは、地獄で仏に会った喜びなのだとさえ木歩は書いている。確かに右の二篇は、どちらかと言えば通俗小説に傾斜し始めた二人の作品だ。しかし大正十年と言えば久米は三十歳、寛は三十三歳の青年作家なのだ。そう、木歩も未だ二十六歳の新文学に目覚めた多感な青年だったのである。

三

大正十二年の、「木歩年譜」はまず、

《一月二十六日、本所区向島須崎町十六番地に移転。貸本屋平和堂を営む》

から始まる。

新井声風の後年の文章「俳人としての木歩」中には、その移転の事情も書かれている。木歩は一月に、また別に姉の富子が浅草公園で「花勝」という小料理屋を始めたので、自分はもと住んだところからは約一丁目ばかり離れた、花柳界の中の露地にささやかな家を見つけ、貸本屋を続けることになったのである。するとそこへは昔の仲間や、俳友が続々立ち寄ったり遊びに来たりする。それに近くの「新松葉」に芸名光子で出ている末の妹が、時々来て小まめに木歩の世話をやく、その上小おんなを一人雇ったりで、木歩にやっと誰にも気兼ねしないで済む愉しい時代がやって来たのだった。

声風はこの文章で、木歩のこの時代の俳句を一句、

女親しう夜半を訪ひよる蒸し暑し

と置き、こんな風に解説する。

《隣が芸者屋——今の言葉で言う置屋だったのです。本を借りに来るのは近所の芸者が多かったんです。それで、木歩の幼な馴染みの、木歩が愛称で『小鈴』と呼んだ、本名をすゞ子という、もと仲の郷の裏長屋時代、木歩の隣にいて、女工をしていたけれど、『新松葉』に、やっぱり家が貧乏だから半玉に身を売って、水商売になった。この小鈴がすぐ近くの『新松葉』にいるんで、よく木歩を訪ねて来るんです。中々の花形の売れっ子芸者で、その上お酒がすごく強いんです。それで、ごく親しいもんだから、お座敷の帰りに、『夜半』だから、もう——二時過ぎに酔った機嫌で、『女親しう』と言うから、馴れ馴れしく木歩の家へ寄って、あがり込むわけなんですね。それがその、女の友達とか況んや愛人なんていう者のない全く初心な木歩一人でいるところに、不意に訪ねてくるんで、木歩もいかにも蒸し暑く感じたという句です。なかなかそのこみ入った感情を、『蒸し暑き』っていう季語で、さらりと言い現わしたのは、実に巧い表現で、ほんとうに敬服します》

こうして「決定版全集」の資料から辿って来、木歩にやっと一時の小さな幸せが訪れたことに、ほっとしたものを感じるのは筆者だけであろうか。

このあと三月は、木歩は「草味十句集」というものを作る。これは俳壇の多くが何派、かに派というものにこり固まっていては駄目だと言うので、党派を越えてみんな短を捨て長を取るという遠大な考えをもって木歩が始めた俳句の道だった。——ちなみに〝十句集〟とは、当時結社の首領などがこれと思う俳人の十句を選び、一冊にまとめる回覧本のことである。木歩が選んだのは大場白水郎、増田龍雨、福島小蕾、伊藤鷗二、川越苔雨、西村濤骨、浅井意外、松岡白芽、小松砂丘、黒田阿雪、原田種茅、そして声風など全国のあらゆる派の俳人三十余人で「十句集」の中の白眉となった。

またその七月には、木歩がかねて一度は催してみたいと思っていた隅田川の舟遊びを実行する。月のよい晩で、声風は無論のこと種茅、一仏、弟子の不一、従兄の松ちゃん、妹の静子、例の芸者小鈴とその朋輩なども参加し、千住の先まで舟をこぎ出して楽しんだ。これがあとにも先にも、木歩が思い立ったただ一度の行楽であった。

当時貸本屋の傍らくり広げられた木歩の家の模様は、声風が戦後『俳句研究』（昭和三十八年三月号）の座談会「木歩とその作品を語る」で、楠本憲吉、三谷昭を相手に次のように語っている。

《この須崎町時代に種茅君なんか、もう毎日のように出かけて行って、そして木歩の『新松葉』の妹や芸者などもみんな集まってきて、トランプやったり、お花をやったりしてね。種茅君なんか『平和堂倶楽部』なんて言ってましたよ。木歩は一生のうち一番この時代が楽しかったんじゃないですかね。私もすぐ川向こうの金龍山瓦町にいたものですから、竹屋の渡しを渡って、一日おきぐらいに訪ねました》

しかし、私達は知っているのだ。そのささやかな幸せの中にあった木歩が、この二カ月後には突如帝都に襲いかかった関東大震災の犠牲になってしまうことを！

九月一日昼時のことで、木造家屋の密集地たる下町は丁度火を使う食事時間という間の悪さと重なって方々で火災が発生した。やがて折からの烈風にあおられ、人々は逃げまどい、水のある隅田川沿いへと逃げた。その中には近所の人々に助け出された木歩もいた。そこへ、対岸から馳けつけて八方探しあぐねた声風が奇跡的に辿りつく。周囲の火焰はいよいよ堤の群衆に覆いかかり、もう十年も水泳をしていない声風は木歩を背負っては対岸に渡れない。ついに声風は木歩に別れを告げ、己は川に入ったのである。

――さて、この文の結末だけは、約四十年後に晩年の声風を浅草電気館の支配人室に取材した、吉屋信子の著書（『底のぬけた柄杓』）に触れて述べてみたい。

《わたしが川に飛び込まずにぐずぐずついていたら木歩と共に死んだでしょう。もしそうだったら富田木歩というすぐれた俳人の存在を今日まで伝えることが出来たでしょうか》

と、声風は吉屋に粛然として言ったと言う。

《私は心からうなずいた》

とは吉屋の言葉だが、筆者がそこに感じるのは声風の木歩への生涯をかけた贖罪の思いではなかったかということである。

大地堂・渡辺順三
プロレタリア短歌に名を残す

渡辺順三（一八九四〜一九七二年）は歌人で、富山市生まれ。十四歳で上京、家具屋の小僧、印刷屋、印刷会社外交、雑誌編集、それに古本屋をした人でもあった。

大正三年、渡辺は「国民文学」に入り窪田空穂に師事、のち口語歌に転じる。新短歌協会、新興歌人連盟、プロレタリア歌人同盟を経て「短歌評論」によった。昭和八年、三十九歳の渡辺はナウカ社の「文学評論」の編集責任者となっていたが、やがて満洲事変後の反動的世相の中、十一年八月号を最後に当局によって雑誌はつぶされた。

渡辺は失職、最初に始めた仕事は回覧雑誌「世田谷読書会」。昭和二十年代末、筆者は同じ世田谷区の「白樺読書会」から、使用済みの雑誌を大量に引き取り、店売にしたり市場に出品したりしていたので知っているが、これは幾種類もの新刊雑誌を、会費を取って会員の希望をうまく組み合わせて配達し、利鞘を稼ぐという貸雑誌屋である。が、渡辺は『文学評論』時代の客を主にしたので、その会員の地域が広範囲すぎた。近いところは自身が廻るとしても、遠いところは自転車に乗れる協力者が必要になった。やっと協力者を得て会は始動したが、会員の多くに左翼的知識人がいて、表面は読書会を名乗っているが何か組織でも作るのでは、とその筋から疑われ始めた。また不馴れから客側の不満も多く、渡辺が行ってみると、すでに文章を読んで知っていた小田切秀雄だったりした。

こうして、骨の折れる割には利益が上らないで悩んでいると、友人の徳永直が、「それなら小さな古本屋の店でも出したらどうだ」といってくれた。

渡辺順三（昭和34年頃）『烈風のなかを』より

一方この頃渡辺は、小林多喜二と一緒に非合法活動を行ない出獄して来たばかりの手塚英孝と知り合い、手塚が郷里から取り寄せた金のうち、六百円を借りることが出来た。渡辺は方々見て歩き、結局下北沢に敷金百円、家賃二十五円の二階付店舗を借りる。残りは五百円、造作は詩人で大工も出来る友人に頼んだ。本棚はお寺の墓標をもらって来てけずったのを使い、渡辺がニスを塗った。店名は〝大地堂〟にきめ、徳永直など友人から不用本をもらったり、自分の蔵書を並べたが、棚は半分しか埋まらない。そこで渡辺は、宮本百合子、窪川稲子、島木健作などが協力して書いてくれた色紙を額に入れ、釣り下げて半分をふさいだ。実兄のしていた古本屋（本郷・島崎書院）を手伝った経験のある島木健作からは、「古本屋といふものは何軒あつても、いい本さへあれば確実に売れるものです」という言葉も入る激励の手紙も来た。

ともあれ、開店一日目から意外なほど売れ、二、三日で棚の本は隙間だらけになってしまう。そこへ、大井で文学青年の一成堂という古本屋が噂を聞いたからとやって来た。「なかなかよく売れるよ。上成績だ」と渡辺がいうと、一成堂は、「そりゃあ商売人が買いに来るんですよ。どれどれ」と本の値を覗いて、「これなら僕でも買えますよ」といった。

古本市場には、さっそく一成堂が連れてってくれ、比較的安い同業を教えそこから買って来るのも教えた。一成堂はその行為をセドリというのだと渡辺にいった。また店には、知り合いの本多秋五、岩上順一なども本を売りに来てくれた。当時はみな生活が苦しく、荒正人夫人が乳母車に本を乗せて売りに来たこともあった。こうして大地堂は風変わりな内容の本があることで一部の評判になった。

その後商売の傍ら、渡辺は「短歌時代」「日本短歌」の編集を頼まれたが、中河与一ら体制派の批判から、昭和十六年四月、その仕事から去った。それどころかこの年十二月八日、渡辺は遂に特高に治安維持法で検挙されてしまう。

渡辺が留守中の大地堂は、妻と息子で守ったが、十七年春には息子は海軍に志願、訓練期を終えて前線へ出て行った。翌十八年三月に、渡辺は保釈された。店に帰って渡辺の見たものは、みすぼらしいまで空いた棚だった。渡辺は庶民金庫から借金して、方々歩いて本を集める努力をした。が、十九年に入ると本の需給関係が全くがらりと変わる。日本の敗色も濃くなり強制疎開や自ら疎開する人々が急増、大地堂も大量の本を買う機会が多くなる。渡辺は夫婦で荷車を引いてそれを市へ運んで売るのだが、もう二束三文にしか売れなかった。

昭和二十年に入ると連日の大空襲だった。大地堂の土間の真ん中に四尺四方くらいの壕を掘って、警報が出ると鍋釜や食器、なけなしの食糧などを入れて蓋をし土をかける。解除になるとまたそれを掘り返すという毎日となる。ある日渡辺の店に詩人の中村恭次郎が訪ねて来て、「こんなところにぐずぐずしていたら、あんた殺されちゃうよ」といった。

「行くところも、金もないさ」と渡辺がいうと、七月末になって中村は埼玉の熊谷在の吹上に納屋を見つけて紹介してくれた。渡辺は夫婦でそこへ疎開し、村人になじもうと一生懸命働く。

敗戦の年の十一月七日、渡辺は上京、共立講堂での「自由解放運動犠牲者追悼会」に出席。二十一年二月、渡辺が中心になった「人民短歌」（のち「新日本歌人」）が発行され、渡辺の戦後の活躍が始まるのだった……。

筆者は、「日本古書通信」昭和十四年一月五日号掲載の渡辺の原稿「文筆生活と古本屋」を所蔵しているが、そこには、「古本屋を始めたについて『本が沢山読めてい丶でせう』といふ友人もあるが、しかし『本屋をやれば本が読める』といふやうな単純な考へから本屋を始めた訳ではない」とあった。

本を包む／手つきも少し馴れてきた／平気でお世辞も言えるこのごろ

高松堂・都崎友雄

疾風怒濤の詩人ドン・ザッキー

一

私的なことから入るが、二月刊（二〇〇一年）の私のコレクター面の総決算『近代作家自筆原稿集』（東京堂出版）は、当初千五百部刷って定価六千円で刊行という話だったのである。それが千部、八千円と決まったのは、売れ行きへの営業部の危惧からだった。それが思いがけない反響で、二カ月で重版となった。現在その姉妹篇たる「近代詩人歌人自筆原稿集」が企画に上り、書くのに半年以上かかるから、出版は来春になろう。今、私が迷っている一つに、今度の七十名からなる詩人歌人の一人としてこのドン・ザッキーを入れるかどうかがある。

……昭和六十二（一九八七）年、奇しくも『ダダイスト新吉の詩』の詩人が亡くなった三日後、同じ一九〇一年生まれのこの詩人を、私は電車を二時間半乗り継いで武蔵五日市の老人ホームに訪ねた。詩人はすでに古本屋の私を覚えていなかった。しかしながら記憶が詩人時代に遡ると明確となり、私が高橋新吉の死を告げると、「ダダイスト新吉でしょ？　あれは僕等の命名だったんですよ」と言った。

実は古本屋で、のち貸本業界役員としてしか知らなかったこの人が、ドン・ザッキーとして『詩人辞典』は当然として『日本近代文学大事典』にも載り、金子光晴、岡本潤、林芙美子、高見順などの本にも書かれている詩人と知ったのは、明治古典会で一冊の古い日記帳を求めた、この訪問の二カ月前のことだった。その高木洞麓という少年の記す大正十四年時、少年は十七歳で神田すずらん通りの冨山房の店員であった。傍ら「日本詩人」などに投稿・掲載されることが多くなり八月、詩作が知れて馘首される。故郷は貧しく帰るところではない。少年は有名詩人への弟子入りを画策、手紙を出し続ける。数少ない返信の中に、すでにこの五月、詩集『白痴の夢』（すぐ発禁処分）で、詩壇に衝撃を与え、詩誌「世界詩人」を主宰、〝ドン創造主義〟を提唱していた戦闘的ダダイストからのものであった。

少年は高円寺のこの詩人宅に転がり込む。少年はすぐ、原稿集め、広告取りを命ぜられた。詩人宅は貧しく、少年は逆に己の蓄えさえもつぎ込んでしまった。詩人ドンは何者をも恐れぬ闘士で、十一月築地小劇場を借り切って講演会を開く。少年は受付に座って、経費の半分にも足りぬ入場券収入を数え、悲しみにくれる。慰めは、原稿取りに出歩く中での詩人たち、金子光晴、松本淳三、林芙美子、高群逸枝、赤松月船、中西悟堂、村松正俊、伊福部隆輝、橋爪健などとの出合いであった。

この年十二月、ドンは「世界詩人」第三号を発行、その印刷費を取りに来た借金取りを、留守にしているドンに代わって追い返すところで、日記は終わりに近づく。そして大晦日、〃やさしい奥さん〃の工面した金を持って少年は外出。「ようやく門松を買いに行く。もうどこにも売ってない。人の家の門松の枝を折って帰り、それを飾り、午前四時眠る」と少年は書いた。老人ホームで私は、この日記によく出てくる名から、

「金子、遠地などという人も知ってますか?」と聞いた。

「光晴も親しくしてました。輝武が特に仲良しでした」

詩集『白痴の夢』(1925年)

「では、その頃お宅にいた高木洞麓という人は?」

「若い人ですよ。その頃よく若い人が来ましてね。高見(順)君も来たんですよ」

私は少年の日記から、時々〃都崎〃ともあるこの詩人を〃都崎〃で事典に当ったがなかった。続いてもしやの気持ちで引いた〃ドン・ザッキー〃には、

一項を設けて名が出ていた。しかし、「都崎さんのことをこんなに調べてるんですよ」と見せたノートへはチグハグな返事しかなく、詩人はすでに病にある身だということを、私はつくづく知らされたのである。

このあと四年して、私は詩人の死を知ることになるのだが、古本屋生活の中のその四年間で、私は詩人についてたくさんのことを学んだ。

まず、面会簿に記入して来た私の住所に、詩人の長女の方からの葉書が舞い込み、私はその六人の兄弟姉妹とも近づきになった。またある日の明治古典会には、残っている筈などないと言われた『白痴の夢』が出品され、幸い八万円位で落札できた。この前後を文章にしたことで伊藤信吉先生からは『世界詩人』創刊号のコピーを頂く。その上、古本屋から出版社となり、この頃再び古書業界に戻られた麦書房・堀内達夫氏も声をかけてくれ、二号のコピーを送って下さる。すると茨城大の佐々木靖章氏からは、三号を詩歌文学館で見つけたという話を聞く。こうして私が仲立ちして、『世界詩人』総目次が、佐々木氏の解説付きで「日本古書通信」の頁を飾ったのである。

詩人の子息たちはみな出世されており、長男親弥氏は飯田橋で印刷会社を経営していた。私は乞われて『白痴の夢』を譲り、親弥氏は少部数それを復刻した。

さて、最初のドンを「詩稿集」に入れるか入れないかの件である。実は、これはもう嘘のような話だが、『白痴の夢』のほとんどの詩稿がボロボロの保存状態ながら、この世に七十六年の時をへだてて存在しているのだ。『建築文化』の編集長を定年でやめ、今は川越の方におられる次男覚明氏が保存されているのである。そしてコピーでなら、私もそれを頂いている。今度の本に私の思いいれの文章は書きたいけれど、しかし原則「私の自筆本コレクション」で、と謳って作る本に、ドン・ザッキーは入れることはできないのではないだろうか。

続けて、都崎(ツザキ)友雄（ド・ザキともじって詩人名にしたと言われる）の半世紀に近い古本屋としての生涯を紹介したい。

二

都崎友雄の父は、台湾営林署の高等官だったと言われる。

都崎は五高の受験に失敗、早大に入った（結局中退）。都崎は古本屋になってからは、終生早稲田派の人脈を利用している。多くの詩人がそうであったように、都崎の性格はかなり個性的で、

「生活破綻者の一面がありましたね。しかし、人間の尊厳というような根本的なところでは教えられることも多かった」とは、長男親弥氏の言葉である。また氏の証言によると、都崎が詩の筆を折ったのは父の死の外に、弾圧や生活苦もあったと言う。そのあと知り合いに〝中外教育映画社〟というのがあり、疑似転向的に脚本・監督もした作品

「新青年」をもって農村を上映して歩いた。

結局食うために古本屋になるのだが、この戦前のことを、本郷ペリカン書房さんに紹介して貰うと、筆者は渋谷にあったゲーテ記念館の粉川忠氏に尋ねたことがあった。氏は都崎の開いた古本屋を目白の金井書店へ通ううちに見つけ、寄るようになった、とか。

「本棚はコの字型の外、中棚が二列。床は土で、デコボコなんです。本はろくなものがない。二、三度行くと話をするようになった。都崎さんは四十歳、私は五歳下です。いつも酒臭く、赤い顔をしてました。子どもが三人いて、私はよく菓子の類を持って訪ねました。都崎さんも、時々私に向いた本を持って王子まで運んでくれましたよ。早稲田系の人が知り合いだとかで、本間久雄先生の印のある本などがありました。まん前が細川家の邸なんです。こう、出て来て正面に見えるのが都崎さんの、古く傾きかけた店なんですね。ある時執事がやって来て、横柄に『ここを言い値で買ってやろう』と言う。都崎さんはガンとはねつけて、以後何度言って来ても聞かなかった。戦後は細川家もそこを売ってしまう、都崎さんも高田老松町に移った。戦後の活躍は、洋書の松村書店からよく聞いてました。一度お世話にもなりましたよ。ゲーテに関するロシア語の文献を大分手に入れたんですが、これが私に読めない。それを言うと、息子がロシア語科に学んでいるからと、わざわざ息子さんを寄こしてくれたんです」

昭和二十二年五月、東京古書組合から、いわゆる戦後の「古書月報」が創刊される。

この時、理事兼編集主任として組合に関わるのが都崎だった。《新しい日本の出発は、この五月三日の新憲法の実施に始まる。吾々は此処に「主権在民」という人権尊重と自由を基調として、平和日本が保障されることとなった》で始まる「巻頭言」は、あとの頁で「組合機関誌の在り方と編集方針」を署名入で書いている都崎の筆になるものに違いない。都崎はこうして水を得た魚のように編集に邁進、昭和二十七年十二月号まで、足かけ六年に亘りこの任務を果たした。自らも、「政治の貧困」「今年の業界はどうなるか」から始まり、やがて「石井満先生訪問記」「少雨荘斎藤昌三先生書斎探訪記」、そして戦後唯一の詩「世界法学者の死」などをここに発表した。その編集後記には、「体を悪くしたのと、子供達の病気で思うように動けず、発行日が遅れて全く申訳ない」などと珍しく嘆く場面もあった。

では肝心の商売の方はどうなっていたのか? 昭和六十一年、私は所用で反町茂雄邸を訪ねたついでに、反町氏と都崎が同じ一九〇一年生まれということを話し、都崎について尋ねた。

「昭和二十四年の、戦後最大の明治文学書コレクション・入江文庫売立の時、私はこの札元の一人だったのですが、何人かの印象深い買い手の一人が都崎さんでした。確か、本間久雄さんや吉田精一さんがお客様だったと聞いております。あの時の記録はみな残してありますよ。必要ならいつでもお見せ致しますが、おおまかな記録は〝明治古典会会報〟の第八号に書いてありますから見て下さい」と、即座に答える反町氏。

私は帰ると早速、蒐集していた業界資料からその号を調べた。売主の人となりから始まる反町氏の解説は「私は戦前戦後、和本は言うに及ばず洋本や洋書も、多くの大口物の入札を扱いましたが、中でもこの文庫はもっとも印象深いものの一つです」とあり、続いて主な品物と落札価、買主が記録されていた。そこで都崎は、「明星（大揃百冊）」七万三千八百円、「尾崎紅葉著作（初版七十七冊）」七千八百九十円、「小栗風葉（初版五十五冊）」二千五百円等、全出来高二百万円中の十万余円を買っている。また同じ年の「日本古書通信」四月十五日号には、

「浅草公園」芥川龍之介原稿四十五枚　六千五百円
「肉塊」谷崎潤一郎発禁原稿一冊分　四千円
「つゆのあとさき」荷風原稿百十五枚　一万八千円
「山羊の歌」中原中也百五部限　二千五百円
「ランボー詩集」中也署名本　千三百円

等々を並べた販売目録を出している。その十月十五日号では、末尾に、

基本図書目録愈々完成しました。明治絶版書目録、肉筆類目録、各国洋書目録、政治経済、社会科学目録、東西美術書目録。いずれも実費〒25円要。

とあり、この頃最高の商売をしている。誘われて、上野松坂屋の古書即売展に参加も

している。また二十八年からの東京古書会館での〝ぐろりあ〟展の創立にもかかわり、「会名は都崎さんがつけた」と、筆者は夏目書房・夏目順氏から聞いたことがある。

その後都崎は、五十五歳頃に〝日本文化振興会〟なるものを設立、二冊目の著書『新貸本開業の手引き』（昭和二十九年）を著し、貸本業界育成の事業へと転出、生涯を終える。

三

さて、(二)までの文章からは四年経った昨年（二〇〇五年）の秋、川越の都崎覚明氏夫人から電話があり、敏子夫人の話で私は、覚明氏がすでに二年前に亡くなられていたことを知った。

「覚明の遺した、義父（都崎友雄＝ドン・ザッキー）の遺品らしいものがあるのです」

「多分それは、十年も前に伺って見せて貰いました反故原稿のことでしょう。覚明さんからはコピーが送られて来てます。でも伺ってみてもいいですよ」

――こう約束したのだが、次の日、自身も体調がよくないので、その内箱に詰めて送っておきます、と変更の電話があった。

やがて送られて来たのはダンボール一箱で、主だった中味は雑多な原稿の反故がほとんどだった。都崎は八十歳頃まで一人住まいをしており、私が詩人ドン・ザッキーと知って尋ね当てた先は老人ホームで、アパートの蔵書一切は整理されたあとだった。どうして書き反故の類だけ残されたのかは不明だが、これを次男の覚明氏が保存していたのである。すでにこれらがコピーされて送られて来ていたことはふれたが、ある速記原稿を除き、脈絡のつかない詩の断簡や、ついにまとめられなかった「石川啄木伝」の大部な原稿の束であった。

この他は、ほとんどが古書目録の類で、珍品は自らが名付け親だったと言われる、ワラ半紙にガリ版刷りの、東京古書会館の名門古書展「ぐろりあ展」の初期目録か。というわけで、私にとってもっとも貴重な資料と言えるものは、シミと埃で汚れた「東京都読書普及商業協同組合の初代理事長・都崎友雄氏に聞く」と題された一問一答形式の速記原稿で、都崎の訂正も入っている二百字詰三十一枚くらい。

ところで、私が㈠㈡に書かせて貰った都崎の小伝は、詩人ドン・ザッキーの時代と戦後古書業界理事として、またデパート展や目録販売等で活躍した昭和二十年代を記し、突如『新貸本開業の手引』（昭和二十九年）を書き、貸本業界育成のために転出、生涯を送った人だ、というところで終っていた。本稿では、その後私が営業の傍ら見つけた資料と共に、都崎の五十四歳からの人生を追ってみるものである。

……古本屋には神田地区等の専門古書店と街の古本屋があって、戦後特に下町では保証金を取っての貸本も行なわれていた。そこへ昭和二十七年、神戸のネオ書房が会員制保証金なしという画期的な貸本店を始めた。それも新刊書籍雑誌を発行直後に何冊も用意、惜しげもなく安く貸本に提供した。初めは兄弟・縁者が出店して阪神から東上、昭和二十八年にはついにそのチェーン店が東京にも進出する。その時立ち上がったのが他ならぬ都崎だった。前出小冊子の発行と、それを頒布しながらの支部巡りをした。前記「一問一答」(仮題)では、この辺りのことを質問者が聞く。

《都崎さんは大正末に古本屋を開業されて以来、古書店としても一家を成していらっしゃったのに、なお貸本業者の団結と育成に努められたその情熱はどこから来てるのでしょうか》

《……私は幼少から本が好きで、古書業界の発展のために全国を馳け廻ったり、機関紙を作ったりしましたが、出版業者、古本業者、それに貸本業者は日本の文化向上発展ということでひとつだと思うんです。性格の違いはいろいろありますが、貸本業は大衆文化の一番基底をなすものと考えたわけです。(略)その当時、ふた股だとか裏切りだとか非難されていました。(略)どうしてのぼせてそんなことをしたかと言われると、私の性格にもよるんだと言えるでしょう。古本屋も好きでしたから、古書組合もよく理解してくれましたし、新刊組合や出版界の先輩も手伝ってくれました。再販問題なども貸本業界のためにうまく行った関係から、やはり私はやってよかったと思います》

と都崎は答えている。

さて顧みれば、詩人で食える筈もなく、やっと辿りついた職業だった都崎の古本屋だった。戦後は逸早く組合の業界の民主化をかかげた「古書月報」の編集者となったが、世の中も落ちつくに従い、業界も昔の弱肉強食の世界に戻り、もう都崎に活躍の場はなくなる。そんな時に都崎が目にしたのが新しい行き方の貸本業界だったのだ。またも詩人時代の魂がゆり動かされ、都崎は己の古書店としての大成よりも、そこに働きの場所を求めたのではなかったかと、今の私には見えるのである。

いつか私が、戦後の雑誌創刊号の蒐集の中から見つけた雑誌に、東京都読書普及商業組合名で出された「街の図書館」（昭和三十年十一月刊）なるものが、今ここに在るので、その目次の一部を写そう。

貸本屋への希望（金森徳次郎）、読書普及組合に望む（堀切善次郎）、組合の創立を祝す（寺本広作）、祝辞（大谷瑩潤）、業界の発展を祈る（四宮久吉）、組合の結成を祝す（石井満）、組合の発展を期待す（国井秀作）、祝辞（高橋重一）、理事長挨拶（都崎友雄）、創立までの経過（田中利弥）、組合の運動方針（中山庄二郎）。

以下、「良書普及と読書指導」「全国貸本業者よ団結せよ」「貸本屋と子ども」「貸本屋はデフレの申し子ではない」（宮本雅弘）と続く。この内、田中利弥、中山庄二郎は貸本業界史上著名、最後の宮本雅弘こそ、ネオ書房の創立者で、何と都崎はここで、理事長に納まっているのだ。

四

では、どういう経過があって都崎はこの位置を得たのか？　先の「一問一答」に都崎はこう答えている。

《お聞き及びでしょうが、そもそも読書組合が出来ましたきっかけは、関西の方からネオ書房さん一族が大挙して押しかけるということで、横浜の古本屋がまず視察に行ったりしたのですが、そのうち、蒲田、大森にも進出された。それで大森におりました中山庄二郎さんと会いまして私は、各業者がそれぞれ自分の経営が可愛いばかりに色々セクト的になりやすい。また田中利弥さんにも会って「組合をつくろうじゃないか」という話をしたのです。で古書組合の貸本部と別に、読書普及の意味の組合を作ろうじゃないかと神田の松本亭で準備会を開き、ネオ書房チェーンの宮本雅弘さんにも入って頂き、協同組合というものにまで発展して行くのであります》

それから都崎は、堀切善次郎などの協力を得て、古物商とは別に貸本屋同士の売買市場を立ち上げた経験談に至る。ここで言ってないが、恐らく古書組合の理事、編集長を五年に亘って歴任した時の人脈をフルに活用したのであろう。例えば堀切善次郎は元東京市長で、戦前内務大臣を歴任している。㈢で記した目次面の他の人々、金森徳次郎は国会図書館館長である。続いて寺本広作は参議院議員・文部政務次官、大谷瑩潤も参議院議員、四宮久吉は東京都議会議長、石井満は日本出版協会長だった。更に国井秀作は全国中小企業税制改革協議会会長、高橋重一は東京商工会議所会員、そしてこのあとが都崎の挨拶となる。

「現在全国一万五千店、都内千五百軒以上の貸本業者、全国では実に千五百万人以上の利用者があり……」と、都崎は特有の大風呂敷な数字を挙げて話し始めるのであった。

その上都崎は、このあと創立総会の議長を務め、各区の理事を決める。「街の図書館」の末尾には貸本用図書の出版社、出版案内が載せられているが、この、当時の業界一般からは馬鹿にされた大衆作家、作品、漫画本が、今や業界で宝物扱いされているのが現実である。

こうして昭和三十年、この組合の理事長に就任した都崎だが、ではそのよりどころであるべき実際の己れの店舗・文京区高田老松町の店はどうなったのであろう。「古書月報」(昭和二十七年一月号)巻末につく「組合員名簿」には目録発行店にのみ◎印がついており、都崎の店にもあった。ところが、組合が昭和三十年四月一日現在として出した「組合員名簿」には右の店は消えてしまっている。

この度、次男覚明氏未亡人から送られて来た反故の中に、チラシ広告でも作った時のものかその都崎の肉筆原稿が見つかったのである。日付こそ入ってないが、この辺りに入れていい資料と思える。中央にある「懸賞募集に応募しましょう」の設問と下部の所在地略図を除く宣伝部分と所在地名を写そう。

本の道五〇年（新刊・古書・貸本・出版）の高松堂！

かつて松坂屋、東横デパート、古書会館にて展示即売、全国学校・図書館御用。ダーウィン、アインシュタイン、漱石、荷風、芥川等肉筆稀覯本類、世界の学術図書類の売買、又『川柳大辞典』『日本婚姻史』その他の出版歴をもつ当店へ。本についての御相談は何によらずお願いします。

×××

巡る古書籍　ひろがる文化！　家庭の日常必読書、育児料理編物洋裁習字、娯楽、学術、文芸、美術、雑誌各種、一万数千点在庫

営業時間　二時半↓七時

電話利用はこの時間内何時でも可

そして所在地名。

高松堂書店（江戸川文庫）

営業所　新宿区西五軒町四一

倉庫　文京区関口三丁目一八の二

関台荘・電話（九四一）三二四〇

どうやらこれが昭和三十年以降の都崎の店だったのだ。そして先ほど略した地図を眺

めると、〝東販〟〝江戸川小学校〟〝石切橋バス停〟が近い。また店舗図によると、高松堂の隣に一軒おいて、書店の半分位のスペースをとって「江戸川文庫」とあり、多分これが都崎が傍ら経営した貸本店なのであろう。

都崎はその後三十五年生きるが、老人ホームでの十年はともかく、二十五年の盛衰はもう調べようもない。「一問一答」にはこんな質問もあった。

《『東京組合五十年史』には、業界がその後の都崎さんについて、あまりよく書かれていない面があるのですが……》

都崎は答えている。

《まあ、私がアイデアマンにすぎないとか、ふた股かけているとか、古書業界の裏切者とかね。ただ、本当の意味で大衆や民族のためになるよう、全組合員のためになるとかを考えすぎたでしょうかね……》

「一問一答」の末尾にはこんな質問も出た。

《貸本業界の組織化に成功し、業界発展のために指導なさったのに、その後間もなく業界を去ってしまったのは何故だったのですか?》

都崎は答えている。

《私はその後体を悪くして、手術したりもして、やりたいこともあったのですが、やめることになってしまいました。業界には若い人が沢山おられましたし、皆さんと一緒に口火を切ったということ、業界が市民権を得るために参加できたということで、私の役割らしいものは十分果たせたと、今は思ってます》

島書房・島赤三――埴原一亟「翌檜」による芥川賞候補作に描かれた古本屋生活

埴原一亟（一九〇七～七九）はその作品が三度芥川賞候補となったことで知られる。埴原は山梨県生まれ、早大露文科の中退。その候補三作品の載る『埴原一亟創作集』（昭和四十三年・文芸復興社）は古書展で五百～千円位で見かけるが、昭和六年に出ている『蒼白きインテリ』（弘文社函付本）の古書価は二万円より上と思われる。この本には宮地嘉六の序が付き、「デパート文学の先駆」と評価している。しかし、古書業界史に興味を持つ私から見ると、昭和十年代のある種の古本屋像をキッチリ描いている作品が、三作も収められている前者の方を貴重と思う。

晩年同人となっていた「文芸復興」の主宰者落合茂によると、埴原のやっていた古本屋は〃一千社〃と言い、一亟の一、妻千枝子の千を取っての命名だったらしい。その開業の頃を描いているのが十六年発表の「生活の出発」で、開業地の明記はないが、落合が訪ねたことのあるのは東長崎駅前通りだったと言う。

デパート勤めを、その職場で見つけた妻と共に四年でやめ、退職手当と積立金を元に雑文書きなどしていた島赤三が、とうとう生活に窮し、始めたのが古本屋だった。ろくに看板も上げられないほど資本がとぼしく、これでは仕様がないと高利貸から金を借りて店の充実を計るのだが、高利貸の奸智に引っかかり、苦しめられるという話である。無論古本屋の生活も書かれてはいるが、埴原の狙いは高利貸のカラクリにウェートが注がれている。実はこのあと店を失い、屑屋の問屋である最下層の人たちの出入りする建場社会を、そこの番頭の眼を通して描いたのが「塵埃」で、すでに十五年三月「早稲田文学」に発表されている。この作品は同年、中野重治が「日本評論」で大きくスペースをさき、「下手な議論やくどくど説明していない点で感心した」が、「どんな社会関係のアンサンブルとして屑屋を考えているか明瞭でない」のが欠点、と評した。

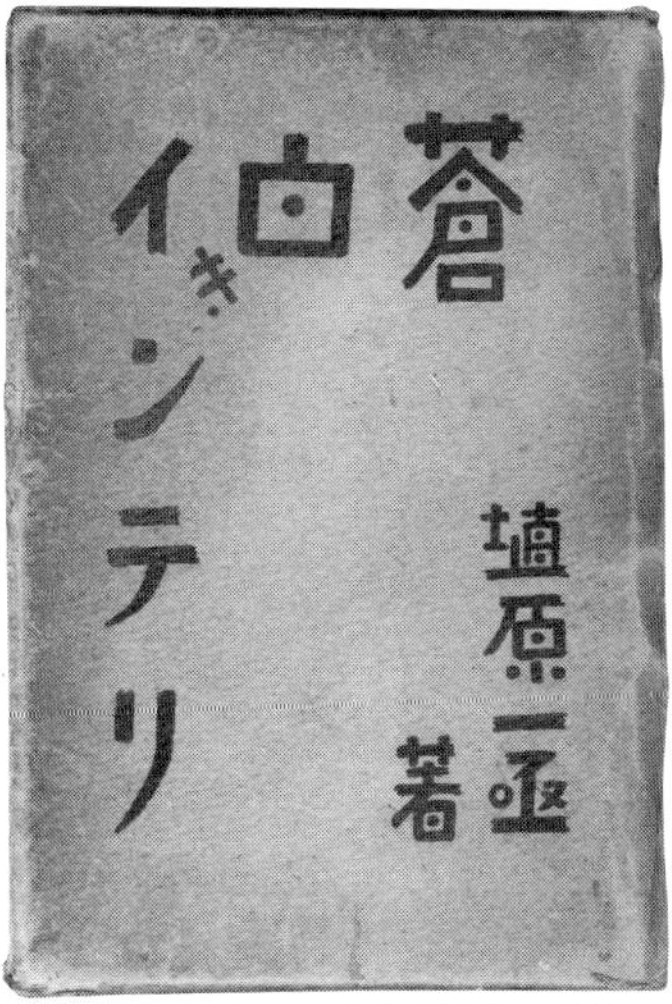

『蒼白きインテリ』（昭和6年）

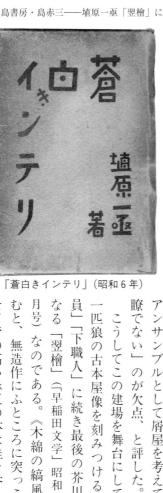

　こうしてこの建場を舞台にして活躍する、一匹狼の古本屋像を刻みつけるのが、「店員」「下職人」に続き最後の芥川賞候補となる「翌檜」（「早稲田文学」昭和十七年十二月号）なのである。《木綿の縞風呂敷を畳むと、無造作にふところに突っこんだ、痩せて背の高い赤三の体は蛙を呑んだ蛇のよ

うに腹の上がぼこんと膨んだ。その膨んだあたりを気にするように二、三回たたいて、露地長屋の奥から表の通りに出た》が書出し。

島赤三にとって、この建場廻りに出発する朝の、今日の順路を考える時が一番楽しい時なのだ。赤三にはもう五年も前に拾い上げ大儲けした思い出が浮かび、一瞬ロマンチストの微笑さえ浮かべている。……あの日赤三は紙の堆積の中から「台湾鉱石物調査資料」なる報告書を見つけた。五十銭で買ったそれを、赤三が神田の専門書店に持ち込むと、住友へ向けられそうと、二百円で買ってくれたのである。この資料を手に入れた住友では台湾ですばらしい鉱脈を発見、同社の重役が上京の折には、その専門書店を訪れて礼を言って行ったという話を赤三は一年後に聞く。その後の赤三は、台湾の住友の鉱山は俺が発見したんだと、酔うと妻にも友人にも繰り返し話した。

しかしそれも赤三が夕刻、足を曳きずって帰る時には、たいがい寂しい幻滅と化すのだった。そして赤三が本当に己の志を托すのは、深夜コツコツと原稿用紙に向かう創作行為だったのである。「翌檜」は、この二つを夢想する男を表徴しての題名だったことは言うまでもない。こうして小説は、赤三が板橋の貧民街、池袋から長崎町、千川と馴染みの仕切場を歩き廻る一日がじっくりと描かれるのである。

まず半日はあぶれ同様だった。午後しょっぱなに出かけたのが、朝鮮人の経営する百坪もある建場で、赤三は主人に、

「向うの座敷にあるよ」と言われ、見に行く。

そう言えば、ここでは一度、芥川龍之介の葉書一枚を掘り出したことがあった。何でもある人が返事を催促した手紙に応えたもので、「あなたの宛名は龍之助と書いて来た、私はそんな手紙には返事しないことにしているのだ」という、その文面が面白く、赤三は初めてこの作家の体温をじかに感じた。しかしその葉書も、いつか金に困って五円で売ってしまったが、この建場にはいつも期待を持って入って来るようになっている赤三なのだ。しかし結局、そう大したものはなく、日当になる位の本を見つけ、朝鮮人の主人とカケヒキの末にそれを買うことが出来た。

ところが押しつまったこの年の暮れのある日、赤三は大谷口近くの建場で、売値三百円と見たことのある『鹿の巻筆』という幕府の禁版書を見つけ、三円で生け捕ることが書かれる。赤三は早速、和本専門の古典書房を訪ね、その獲物を評価して貰った。買値百八十円を提示された赤三は、何故かふっと寂しくなって、

「二、三日あたためて置きましょう」と帰って来てしまう。

帰途、赤三はその本の包みを懐にしたまま、いつか引き寄せられるように建場のある町の、いつも屑屋たちがタムロする屋台に近づく。

「島さんの旦那だ」と皆が席を譲ってくれたが、仲間内でインテリを気どっている男が「まあ一杯」と言った。赤三は男の汚い口元を見て杯をためらっていると、

「どうせ、お前さんだって屑屋と同じじゃねえか。杯が受けられねえって法があるかよ」とぎょろっと鋭く座った眼でにらまれてしまう。後悔したが、赤三は、

「これで呑んでくれ」と言って財布の小銭をみんな叩くと、手は懐の包みを固く握り、風の吹きまくる街へ出て行くのだった。

女古本屋・西川清子
小山清をまどわせた女

古本市場への女性の進出は今でも多くないが、戦後昭和二十八～五十年位までの経験で言うと、その間下町古本市場に参加していた女性の数は延べ五、六人でしかなかった。戦前はもっと少なかった。昔の「古書月報」は下町古本屋の石川光太郎という古老が長く編集していたが、〝壁新聞〟という主に下町業界の見聞をゴシップ記事にしていた。昭和七年、こんな例が載せられている。

「紅一点、大網女史の人気は素晴らしい。此の間も、市終えて女史が帰らうとすると、側から『背負へますか』『重いでせう』とシンセツな男達が集まつて来る。ある人駄句つて曰く、〝背負へますかなどと狼二人寄り〟」

……西川清子（当時二十六歳）は昭和十三年浅草区日本堤で開業した。彼女はある鋸（のこぎり）屋の軒下を床店に借り、浅草区千束にあった貧しい洋服職人の父母のもとから通った。実は、彼女には左翼運動で刑務所で未決生活を送ったという過去があり勤めもままならず、それが古本屋になった動機の一つだったようだ。近くの古本市場にも出入りし、そこで知り合うのが元新聞記者で、別の仕事も兼ねているので妻名義で古本屋をしていた武藤という年配者だった。

一方、この西川清子という女古本屋の像を、半永久的に文学に刻みつけることになる小山清だが、この年二十八歳で、生地龍泉寺町で新聞配達をしていた。独身で販売所の三畳間に下宿し、古本屋通いを唯一の道楽としていた。その近所に出来たのが武藤書店である。小山はある日、武藤夫人から年齢を聞かれ、次に立ち寄った時に聞かされたのが西川清子の身の上話で、やがて夫婦は彼女を呼んで、店の二階で小山に会わせる。夫婦は小山に古本屋を始めたら、とまで言った。小山は彼女についてのちに書いている。

「大抵いつも紺の上衣に対のスカートをつけ、そのうえに白い上張を羽織っていた。髪は無造作な束髪。彼女の顔つきは女学生のようにも見えることがあった。彼女はよくムキな生真面目な表情をした。笑うと、金歯を塡めているのが見えた。それは彼女をいかにも世慣れた、さばけた女に見せた。彼女はまた、どうかするとすぐ顔を赤くした。しっかりものには似げないようだが、そんなすぐ羞恥で染まるような素朴さが、彼女にあった。彼女は小娘のようにも見え、また相当のかみさんのようにも見えた」と。また彼女が化粧をしないのは、非合法運動に携わっていた頃の名残だったのではと言い、その後も小山は特高が彼女の廻りをうろつくのを見た、とも。

こうして小山は、女の店を訪れるようになり、朝刊の余りを配って上げたりもした。

女古本屋の日常だが、店を開ける前に建場廻りをし、その集めた品は一旦家へ持ち帰り、後で（補修をしてか）父親が店までかついで来てくれたりする。店には直接屑屋が古雑誌の類を持込むこともある。その彼女に興味を持った、建場廻り専門のSという同業が顔を見せたりしており、小山が問うと、彼女は、

「Sさんはいやだわ。あの人、間借りしているところへ遊びに来いなんて言うんですもの」と言った。また行くと、

「今日はいい成績だったわ。それに買いもあったから、それを足すと十四、五円になりますわ」と言ったりした。

また彼女は、この位の店なら僅かな資本で出来、平均でも五円の売り上げがあることを話し、小山にもやってみたらどうか、と勧めた。……かと思うと、いい職業があれば明日にでもこの店をやめてしまう、と言ったりする。そういう彼女の気性は小山にも移って、小山は勧められた本屋のことばかりか、女への気持ちにも憶してしまう。

こうして小山は、西川清子が突如行方不明となり、やがて戻ったもののすっかり棚揃えが荒涼となって店を閉じるまでの二年近くを、つかず離れず見続ける。かくて、『麦と兵隊』がベストセラーになった頃の戦時下の下町古本屋の店先、〝〇〇倶楽部〟の貸席での古本市場の点景を含め、この女古本屋との破局までの愛憎がこれ以上ない繊細な感受性で描かれるのである。——小山はその後、買い馴染んだ廓の女を別とすれば、思

「離合」「彼女」が収載されている小山清『小さな町』（昭和29）

い出される女としてはこの女古本屋のことしかなかったと言う。すると、「離合」の続篇「彼女」を書く寸前の昭和二十年代終り頃に、彼女が突然小山の家を尋ねて来る。そして小山に言うのである。

「あたし、誰だか分かりますか？　あたし、あんたには無届欠勤をしてそのまま退職をしてしまった形だから、一寸ご挨拶に来たのよ」

——さて、筆者は初めから女古本屋を西川清子で通したが、小山の小説「離合」での名は〝木下清子〟である。また二人を見合いさせた武藤書店も〝杉本〟である。では何故、筆者が本名にまで辿りつけたのか？　まず杉本が武藤であることのヒントは、続篇「彼女」で〝Mさん〟になっていることにあった。小山の新聞店勤務は昭和十二〜十七年、この年度の「組合員名簿」に当ったところ、「下谷区龍泉寺町三三八・武藤正子」というのが出ている。小山が勤めたY新聞、つまり読売新聞販売所の所在地は、小山の別の作品「安い頭」に「下谷区龍泉寺町三一七」ときちんと書かれている。名簿によると当時下谷区にあった古本屋数は四十六名、うち龍泉寺町の本屋は七軒だが、「近所で」

夫人名義の古本屋と言えば、前記〝武藤正子〟しかなかったからだ。

次に、木下清子＝実在した女古本屋・西川清子説の証明。ある時小山は、女の店先で女と会話中、店の鴨居のところに貼ってある紙による女の表札を見るようにして、ずっと言ってみたかったことを口にしたのである。「貴女の名前僕と同じですね」

それへ、彼女は返すのである、「すっかり同しの人がいましたわ。木下清子って」と。

小山が「A区S町」と小説で示した女古本屋が住む地名、即ち「浅草区千束町」から女名の古本屋を名簿に当ると、「千束―一一七・西川清子」が見つかったのである。

貸本屋・鎌倉文庫
川端康成、高見順……

一

もう二十年も昔になるが、古本市場・明治古典会に鎌倉の久米正雄邸から払い出された、書簡や書き反故など膨大な紙資料が出品された。全体では多分、大き目のダンボール箱で四、五十もあったろうか。芥川龍之介書簡他の貴重資料は別売され、こちらはゴミっぽいものだったが、この時私はもっとも沢山買った一人だった。私のもとには未だにその残骸があり、過日はそこにワラ半紙に謄写刷りの貸本屋〝鎌倉文庫〟終焉時の文書一枚、久米宛の従業員書簡、及び文庫会員書簡各一通が見つかったのである。すでに古書業界史の一環ともなる貸本の歴史、強いては敗戦前後の文壇史の一齣として語り継がれる資料と言えるものだ。

まず鎌倉文庫のアウトラインを記すが、鎌倉在住の文士達が昭和二十年五月一日、蔵書を供出し合って貸本屋を始める。雑誌は次々と休刊、新聞もペラ一枚となって作家達は発表の場を失ったためだ。商店街も疎開や廃業やらで、店舗は八幡通りの間口二間半、奥行き二間半の玩具店（家賃九十円）がすぐ見つかる。

店番も作家達が主になってした。貸本屋は大当り。が三カ月半で敗戦、鎌倉文庫グループに軍需で儲けた紙屋から話が来て、出版社も兼ねる（やがてこちらが本業）。二十年九月十四日、東京駅前丸ビル六階・休業中の中央公論社を仮事務所に出発、間もなく日本橋白木屋二階に間借り、昭和二十二年四月には茅場町に新築の社屋が完成する。――こうしてその四年間で、「人間」を筆頭に数多くの雑誌を創刊、『現代文学選』から始まる幾十冊の単行本を出版するなど、文壇ジャーナリズムの天下を取ったと言ってよいほどの活躍を見せたが、二十四年九月を以ってあえなく倒産した。

さて本稿のテーマである〝貸本部〟だが、一時は白木屋内にも設け〝東京貸本部〟となって二軒が傘下にあった。廃業が決まったのは二十一年八月で、今度出現した十月二十日付の〝挨拶状〟が配られるまでを、私なりに辿ろうとするものである。

ところで、鎌倉文庫開店の日をキチンと日記に記しているのは、作家高見順（『高見順日記』第四巻、昭和二十年）だ。

《五月一日

倉橋君（注・詩人倉橋弥一）来る。ともに店へ行く。

開店。――遮二無二（しゃにむに）、開店という感じだ。

「よくまあ予定通り開けましたな」

といわれ、

「全く――」と私自身いうのだった。これで私もひとまずほっとした。ひきうけておいて、開けなかったら面目丸潰れだ。――しかしこれからが大変だ。小泉君という熱心な働き手を偶然探し得て、これが何よりもうれしい。私と山村君と二人で交代で店の事務をやる積りでいたが、山村君は身体の調子が悪いし私も総轄的な仕事をやらなくてはならないので、事務にかかりっ切りというわけに行かない。事務を専門に小泉君に当って貰えるのには、たすかる》

と書き、この日〝総動員〟の形で手伝ってくれた文士仲間として高見は、久米正雄夫妻、川端康成夫人、中山義秀・真杉静枝夫妻、小島政二郎夫妻、横山隆一、清水崑、大仏次郎、林房雄、永井龍男の名を記録、当日の店の模様も詳述している。

《百名あまりの申込があった。現金千余円。――派手なようで、これは預かりの金だ。計算してみたら一日百名では、やって行けない。というのは、たった八円、一月で二百四十円。これでは維持できない。一日二百名でも苦しい。「持ち逃げ」がないと、金が入らぬ。そして、あまり「持ち逃げ」が多すぎると、本がなくなってまたやって行けない。

「持ち逃げ」を防ぐため、それに貸本に出すには惜しいような新本ばかりなので、保証

金をやや高くした。(高いどころか、現在の物価では、安いという説もあるが。)》

右の高見の文で、私のように貸本屋を経験した身から見た新語は「持ち逃げ」である。無論これは万引のことではなく、保証金は没収されてもいいから返しては来ない客、という意味と思われる。また「貸本に出すには惜しいような新本」という言葉があるが、これはこの年度に近い本を言っているのではなく、恐らく、発行されたばかりに見えるキレイさを言ったものと思われる。ともあれ、この時棚に並んだ本達のリストだけでも見たかったと思うのは、私ばかりではないであろう!

五月二日、高見は午後一時に出勤する。高見はまず、昨日の「一日百名ではやって行けない」の言葉が大間違いだったことを知る。一人で二、三冊も借りて行く人もあって、一日で二百冊も出て、

《文士の計算なんてあやしいものだ》

と記している。またこの二日目の繁昌は、初日の様子が朝日新聞神奈川版に載ったからだろう、とも高見は書く。いや高見がいつになって知ったかは分からないが、歴史的には、すでに四月二十八日付の朝日二面「青鉛筆」に、

《川端康成氏が旦那、高見順氏が番頭、二番番頭に中山義秀氏、それに久米正雄氏が顧問というと堅くなるが……》

と鎌倉文庫のことが紹介されていたのである。その欄にはまた、フクちゃんの横山隆

一が看板を書き、店内には里見弴の〝読書訓〟が貼り出されていた、ともあった。

二

もう少し『高見順日記』で文庫の歩みを読んで行こう。

昭和二十年五月五日、高見は終日閉店まで働く。この日、林房雄の次男が自転車で供出本を運んで来た。八幡様での照国の相撲を見に行き戻ると、店前に置いて行った自転車が盗まれていたとか。翌日高見が「新太陽」に頼まれた原稿は、貸本屋開業のいきさつを徹夜して三十七枚にまとめて脱稿。五月八日、高見は客によく聞かれる小説は横光利一の『旅愁』で、またこの時点で店に沢山あふれている本は火野葦平の著書、と記している。

五月八日、店は連日大繁昌、大変な混みようでこの日の高見はすっかり商人の目になり、万引をどう防ぐかを論じている。

《例の若い女は、まだ書棚の前を去らない。疑えば、機会をねらっているように見える。／私はいかにもさもしく、なさけなく思えて来た。そしてこう考えた。「盗んでまで本を読みたいというのなら、盗ませればいい」》

五月十四日、

《私が事を運び、「番頭」役として店の責任を持つといった以上、交替制では悪いのだが、実はこんなに忙しく、こんなに疲れるとは思わなかったのだ。自分は、まあ責任者として顔を出している程度で済むと思った。その程度なら午後だけだから、朝晩勉強ができると思った。そして、店で生活費の一部を稼ぐことができ、本を出してくれる人たちにも利益ができ、一挙両得、――ざわついた町に明るさと落ちつきを与え得、書物の入手難で困っている人々に喜びも与え得、これまた一挙両得、そんな風に考えていたが、いざやりだしたら、大変な仕事だ》

そして高見はこの日も、娘の立ち読みに腹を立て、断固としてやめないその娘にやがて哀れを感じ、いっそ本をくれてやろうかとまで思いつめる。十六日、そんな文庫に警察署特高課からの呼び出しが来たり検閲が来ることになったりする。

高見は日記に、作家四人の経営者の中では、とかく不協力の中山義秀への不満を記し、十六日、

《そんな彼に、同じ世話役というところから平等に手当を払わねばならぬということも腹が立った》

とまで書く。六月二日、

《店へ行く。夜、川端さんと久米家へ行き、配当金を封筒に入れる》

読書料は六〇%配当（四〇%は店へ）、不還本（最初高見が言った「持ち逃げ」本）は手数料として二〇%差引の計算だった。上位五名の配当金を転載してみよう。

久米正雄　九一一・四四円
大仏次郎　六五九・二〇
高見順　　四七二・三五
林房雄　　二二四・四五
小島政二郎　三九九・八〇

で、推進役高見、久米、川端、中山は別の手当も支給したのだろう。そんななか六月二十二日には、二楽荘に「文庫同人」――里見弴、長田秀雄、大仏次郎、吉屋信子、小林秀雄、島木健作も参加。久米が挨拶し、まずこの五十日間の貸本屋の営業状況を報告、次いで高見が「せっかく集まったのだから、鎌倉文庫という出版は出来なくても回覧雑誌でもいいからやりたい」と発言、小林秀雄がその責任者に選ばれる。

そんな七月一日、高見は国木田虎雄と会うため浅草へ出た。廃墟の仲見世を眺め、木馬館と金龍館の地下でビールを飲み、隅田川に出て文学を語り、帰宅。七月十八日、夏目伸六が来訪、満洲文藝春秋社が大衆雑誌を出すので是非、と言われ、高見は〝徹夜薬ヒロポン〟を飲んで二十枚の下書きを作った。

七月二十二日、高見は真杉静江から中野重治の応召の話を聞き、どきっとする。「中野重治が？　四十二、三だぜ」――高見は三十八歳だったのである。八月九日、

《前日と今日の新聞が一緒に来た。前日の新聞をまず見た。「新型爆弾」については一

面のトップに掲げているがなるほど簡単である》

そして日記には、より詳しい二日目の新聞記事が貼られている。

高見が夕方貸本店に行くと、久米正雄夫婦、川端康成がいて、「戦争はもうおしまいです」と言う。表を閉じ、三人が帳場の計算をしている所へ中年の客が入って来て、今日の御前会議で休戦の申し入れをする、明日発表があると確信的語調で言って去ったのだそうだ。

「あの話しぶりでは満更でたらめではなさそうだ」と川端。「浴衣がけでしたが軍人さんみたいでしたよ」と久米夫人。「休戦、ふーん。戦争はおしまいですか」と高見。「おしまいですね」と川端。

八月十一日上京。高見はこの日、時局講演会の世話役だった。焼跡を見て歩き、新橋から鎌倉へ帰った。「今日はまた、大変な繁昌です」と川端が言った。「人心が安定したのでしょうか——」と高見。「みんな知らん顔をして、知っているのかもしれませんね」と川端。対ソ戦に関する会話、原子爆弾に関する会話を、外で高見は遂にひとつも聞かなかったのである。

八月十四日、高見は店を妻に代行させ、新田潤とビールを飲みに上京する。二人は新田の顔で銀座のエビスビアホールで飲むことが出来た。駅へ向かう途中、西日本新聞社へ寄ると、一人が「十一時発表だ」と言う。「発表！　ふーん」と高見。

《みな、ふーんというだけであった。溜息をつくだけであった》と高見は日記に記している。

三

こうして戦後も、鎌倉文庫は繁昌した。間もなく鎌倉文庫は出版を本業とするのだが、日本橋・白木屋に出版部を設けた時期には、ここに貸本の東京支部を作っている。ここではその終焉時の印刷物他の資料を提示して行きたい。

とりあえず最初は、こんな手紙を写してみたい。

《拝啓　朝夕は涼風膚寒く○○（不明）の秋と成りました。扨て御多忙の御事と存じます。

扨私事文庫在職中は何かと一方ならぬ○（不明）を○○（不明）相成り誠に有難く厚く御礼申上ます。

此度突然此方の方へ来る事に成り御挨拶に伺ひましたが、相憎御不在の為失礼致しました。愛鷹の麓、本当の田舎で御座ひます。今後も宜敷く御願申上げます。

奥様御子息様にも宜敷く御鶴声願ひます。

先づは右御挨拶迄　　　　敬白

五日　　静岡県駿東郡浮島村　船津　㊃製茶工場内　渡辺喜久夫

久米正雄先生》

とある。がこの手紙、残念ながら封筒を欠いており、戦後一、二年の発信と思われる。文面にはほのぼのとしたものさえ感じられ、文庫の職場が楽しい働き場所だったと察せられるものだ。

そして次の手紙である。こちらも封筒がない上、紙片には差出名さえ見えないが、鎌倉文庫資料としての資格は充分であろう。

《謹啓　私は鎌倉文庫の「四七八」の持主ですが、現在東宝書店の穂積重遠氏の『独英観劇日記』を拝借して居るのですが、此の本は未だ途中迄しか読んで居なかつた為疎開と共に当地へ持参して行きました。勿論小包が利用出来て読み終つたら直ちに鎌倉に送る心算でしたが、いざ読み終つて送らうと思つた時、東京及京浜地区は小包は受付けなくなつて居りましたので非常に困りました。

確か期限は九月上旬あたりでしたが、時局下益々小包を送れず、又乗車制限の為鎌倉へ帰るのは困難と成り、非常に心配して居ります。もしも帰る時は必ず持参して行きますが、きつと期限より後れてしまふかと思ひます。是非、この様な情況故、御許し下さい。

本は責任を持つて安置して居ります。

誠に失礼致しました。》

内容は読んで字の如くだが、これも差出し時期は戦後で、「確か期限は九月上旬あた

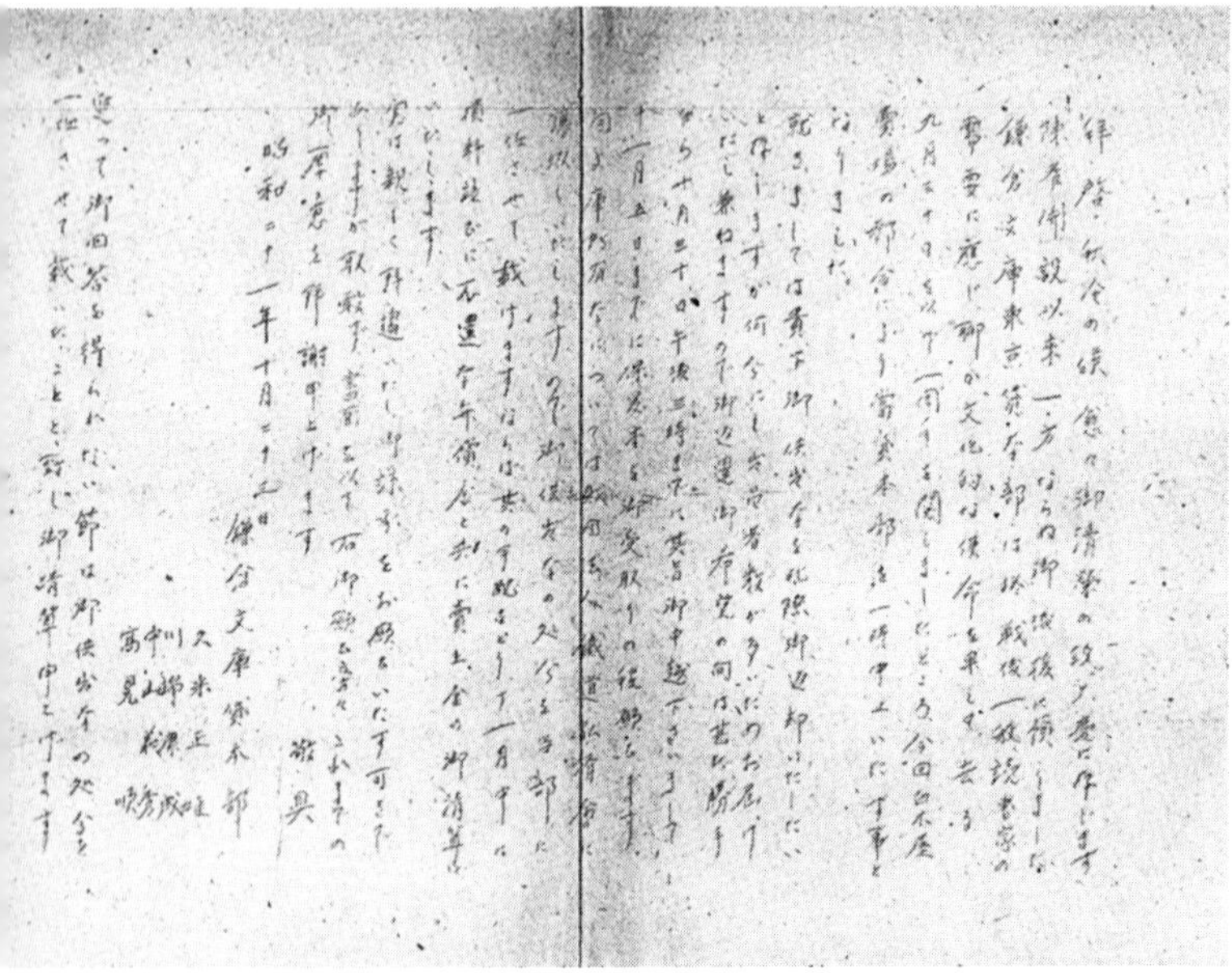

貸本部終了にともなう残務処理のための印刷物

りでしたが……」とあり、二十年の末あたりの書簡だろうか。ともあれこの時期の本一冊の貴重さ、人々の几帳面さが分かろうというものである。

次が、この度私の見つけた新発見のプリントである。

> 拝啓　秋冷の候、愈々御清栄の段大慶に存じます。
> 陳者開設以来一方ならぬ御後援に預かりました鎌倉文庫東京貸本部は終戦後一般読書家の需要に応じ聊か文化的な使命を果して去る九月三十日を以て一周年を閲しましたところ、今回白木屋売場の都合に

より当貸本部を一時中止いたす事となりました。

就きましては貴下御供出本を此際御返却いたしたいと存じますが、何分にも出品者数が多いためお届けいたし兼ねますので、御返還御希望の向は甚だ勝手乍ら十月三十日午後三時までに、其旨御申越下さいまして十一月五日までに保蔵本を御受取りの程願ひます。

尚文庫所有本については財団法人鉄道弘済会に譲渡致しますので、御供出本の処分を当部に一任させて戴けますならば其の手配をとり十一月中に損料並びに不還本弁償金と共に売上金の御精算をいたします。

実は親しく拝趨いたし御諒承をお願ひいたす可きでありますが、取敢ず書面を以て右御願ひ旁々これまでの御厚意を拝謝申上げます。

敬具

昭和二十一年十月二十三日

鎌倉文庫貸本部
久米正雄
川端康成
中山義秀
高見　順

追つて御回答を得られない節は御供出本の処分を一任させて戴いたことと致し御精

算申上げます。

これまた文意は右の通りなのだが、要するに白木屋百貨店の一部を使っての貸本部をやめることになり、棚に残る多数の本をどうすべきかの残務整理のために作った文書なのである。

そしてこれが、久米正雄、川端康成、中山義秀、高見順の連名で出されている事実は歴史的に重い。しかし実際は平和時の到来で、これら作家達はもうこのような文章を書くヒマもない忙しい文筆生活だったろう。だから挨拶文は事務方の作文とも取れないこともない。が、少なくとも若く実行力のあった高見くらいは、この文章を書いたか、最悪推敲くらいには当たったであろうことを筆者としては信じたいのである。

第五章　多芸多才な人々

岩波書店・岩波茂雄

画期的だった古本の正札販売

岩波茂雄（一八八一〜一九四六）は、周知の如く岩波書店創業者で出版人であった。が、出発は紛れもなく古本屋で、終生そのことを隠すどころか、己を語る度に出自が古本屋だったことをむしろ強調しているようにさえ見えた。その上古本屋開業時の書店名を出版社名とし、現在につながっている。

岩波は長野県生まれ。明治三十三年日本中学を出て、三十四年一高に入学。三十八年東京帝大哲学選科に入学、翌年結婚し四十一年卒業。四十二年神田高等学校教頭となるが、大正二年辞し、夏に古本屋を開業。

ところで岩波が学校を去った動機だが、戦後の談話で、

「……当時理想に走っていた僕は学校の経営方針にあき足らず、私塾でもやろうかと思ったが、さらにつきつめて考えてみれば、信仰もなき自分は人の子を賊（そこな）うごときことよりほかできない教育界より去ることにした」（「回顧三十年」、「日本読書新聞」昭和二十一年三月〜五月）

と言っている。

また一説には、私立学校経営の立場から教育的よりも事業的に傾く新入生吸収策を試みる学校側に反発、岩波は、教育者という仮面を被って金儲けはしない、するなら看板を掲げて堂々とやる、という気持を、退職を引き留めた同僚に語っているともいう。

そんな岩波にとっては、都合のよい偶然がその大正二年に起きた。二月二十日、神田に大火があり、この時焼けた古本屋の尚文堂が、自分の店の隣に貸店を新築、その神保町の交差点に近い絶好の場所に出来た店の話を、ちょうど学校に出入りしていた男が岩波に持って来たのだ。一家は七月二十二日にそこへ移り、二十九日学校での告別の会を済ますと、その足で岩波は古本市へ出かけた。こうして八月五日、三十二歳で岩波は古本屋を開業した。

岩波茂雄

ただここで言っておかなくてはならないのは、岩波の出発が当時多くの古本屋達が辿ったような徒手空拳のものではなかったという事実である。資金として郷里の田畑を売った八千五百円が当てられたというから、出は富裕層だった。

この時郷里に二人いた伯父の音吉の方は岩波

に同情的だったが、源吉というのは酒を飲んだ真っ赤な顔で、「ご先祖の田畑を売るとは何たる罰当りだ。シンゲエ（茂雄）を殺す」と刀を振り廻して見物の山が出来たと、安倍能成は『岩波茂雄伝』で書いている。――ちなみに、岩波が出版社として大成する端緒となった、漱石の『こころ』の出版を取り持ったのは、この安倍だった。

ところで、岩波は古本屋を始めるに当たって、当時誰にも出来なかった古い習俗を破るやり方、つまり正札販売を取り入れ「古本をお客からは高く買い、売る時は安く売ろう」という信念を持ったということを、いろんなところで話したり文章にもしている。ここでは昭和九年四月、「日本古書通信」誌が、創刊第六号で岩波書店出版部会議室に取材、岩波の談話を「岩波茂雄談」として載せているので、中の幾つかの言葉を写して見よう。

《今では何でもないことですが、二十余年前、柳原の古着屋と神保町の古本屋とは掛引きがきついとせられてゐたので、この時の正札販売は破天荒のことでした。「正札販売厳行仕候」と「正札高価の節は御注意被下度候」とこの二つの文句を総ての柱に交互に貼つて少しも掛引をしなかつたのです》

《開店当時は店先で客と喧嘩ばかりしてゐました。お客は古本を負けぬ法があるものかと言ふし、当方では、あなた方のために犠牲となつて正札販売をしてゐるのだ、と言つて一歩も譲らなかつた》

だから、岩波の教員上りの古本屋は三カ月も続けばいい方とまで、噂された。が案に相違して、この方式は根を張り始め、毎日本郷、早稲田と買い出しに歩くようになり、場所の良さもあって、よく売れるようになった。しかしそれが、

《二三年後から出版に手を出すやうになつて、古本の方に手が届かなくなり、何時とはなしに自然消滅した形になつたのですが、然し古本屋の思ひ出は私にとつて最も懐しいものです》

と岩波は語っている。

そのあと、これからの古本屋はどうあるべきかを尋ねられて、

《市が社交倶楽部の様な呑気なもので、烈しい競売場とは思はれない》

と語り、後段では、

《同業者間に相場を発表するのが何故いけないのでせう。秘密主義や隠険主義は商取引に禁物です》

などと、当時の業界を批判している。古書業界は七十年後の今、やっとこの岩波の批判に応えるようになったところ、と言ったら言いすぎだろうか?

実は、筆者が今度岩波茂雄資料を読み、知らないで来た一事があった。内村鑑三が与えた影響のことである。岩波が中学を終えた明治三十三年夏を小諸の知人宅ですごしていた時のこと、上田で鑑三の講演があると聞き、行って聴衆の一人となった。以来岩波

は鑑三と文通を重ね、日曜講演にも参加する。そして通わなくなってからも「聖書之研究」は取り続け、店にはこの雑誌を何をおいても目につく所に置いた。稀には鑑三も岩波の店を訪れている。結局信仰にまでは至らなかった岩波だが、

「かけ引きを商売の生命とする時代において商売を営むに頑鈍愚直を押し通し、(略) 古本の正札販売を厳行したり、出版をするようになってからはできる限り低廉の定価を付し、組合の実行に先立ち定価販売を断行し (略) 所信に生きて来たことは、先生の感化、特にその独立の精神に負うところ少くないであろうと考えられる」(「内村鑑三先生」昭和九年五月、『出版人の遺文・岩波茂雄』栗田書店、昭和四十三年)

とまで、岩波は書いているのである。

詩仙洞・石川巖

書誌学者にして書物蒐集家

一

《石川巖（いしかわいわお） 明治一一・六・五～昭和二二・四・三〇（1878～1947）書誌研究家。山形県生れ。号詩仙堂（ママ）主人、質々迂人。哲学館（現・東洋大学）に学び、東大史料編纂所に明治四〇年から大正六年まで勤務した。狂的な書物蒐集家で、そのため古物商さえはじめた。性狷介、始終不遇で、その憂さを古書愛着でまぎらわしたらしい。西鶴ものや好色もの、明治初期の風俗書や戯作書、明治大正期の文学書の蒐集に奔走し、ために産を乱しても顧みなかった。（中略）著書に『明治初期戯作年表』（昭二・二従吾所好社）『藤村書誌』（昭一五・二大観堂書店）があり、編著に『書物往来叢書』一～三輯（従吾所好社）『新選絵入西鶴全集』（従吾所好社）などがある。また、北村透谷の『楚囚之詩』の復刻（昭五・八従吾所好社）などもある。（槙林滉二）》

以上が、日本近代文学館編『日本近代文学大事典』に載る石川の項（雑誌発行の経緯のみ略）である。本稿では、前半はその書誌研究家の面を、後半では右文学事典に「狂的な書物蒐集家で、古物商さえはじめた」とある部分の、古本屋としてのより具体的な石川の肖像が描けたら、と望んでいる。

さて、筆者が現在机上に積み上げている石川の資料の内、評伝らしきものは四種である。一は斎藤昌三著『三十六人の好色家』（創芸社、昭和三十一年）中の「石川耽奇郎」、二は岡野他家夫が「日本古書通信」（昭和三十六年二月十五日号）に載せた「書国奇人伝＝「書痴詩仙洞主人」」、三は佐藤昇一著『書痴石川巖』（みちのく豆本120、平成三年）、そして八木福次郎著『古本屋の手帖』（東京堂出版、平成六年）である。

石川の生まれは山形県と共通だが、なぜか学歴は、斎藤が〝日大〟、岡野は〝学歴なし〟を取っている。佐藤本によると石川の〝自筆履歴書〟なるものが発見されて、〝哲学館大学国語漢文科卒〟とある。東大で編集・校正などで働いたあと、石川は初め江戸文学に深い関心を寄せる。特に西鶴本の蒐集に熱中、毒書会と称して当時好色本として禁止されていたその西鶴本をガリ版で発行、同好者に配布し続けるが、当局からはしばしば没収や罰金を課せられた。それにもひるまず石川は、今度は珍書保存会の名で予約非売の名目で『好色一代女』六冊、『好色一代男』二冊、『吉原常々草』『当世女客気』と、謄写版で複製した。そして決定版的『新選絵入西鶴全集』を活版で出し始めるが、これも発禁となる。

大正十二年の大震災を、石川は壮年期の四十五歳で無事に潜り抜ける。大正十三年の五月、自身経営の従吾所好社から、発行人石川巖、編集人神代種亮の名で出すのが、有名な「書物往来」だった。創刊号は、定価五十銭が朱インクで三十五銭と修正されているのが印象的だ。また表紙ウラの広告頁には〝書物往来御披露〟として、

《今般下名両人相謀り敢て微力をも揣らず、汎く書物を中心とせる小冊子を月刊致す事に相成本号を以て江湖に見え申候。／本誌の編輯、経営、其他総て両人連帯して責任を負ひ申候。随つて小規模の段は不悪思召被下度、偏に博雅諸彦の眷顧を奉希候。／永井荷風様、芥川龍之介様、菊池寛様、引続いて玉稿又は高話を賜り候事、何よりの仕合に御座候。其他御声援被成下候大家の名篇は追て次々に掲載可仕、御心待下され度候。敬白

大正十三年甲子年龍歌節神代種亮

石川　巖》

との印刷紙が貼りつけてある。表紙ともわずか五十頁の雑誌だが、今に至る書物雑誌の見本を見る如く面白く出来ている。荷風、龍之介の文もあるが、

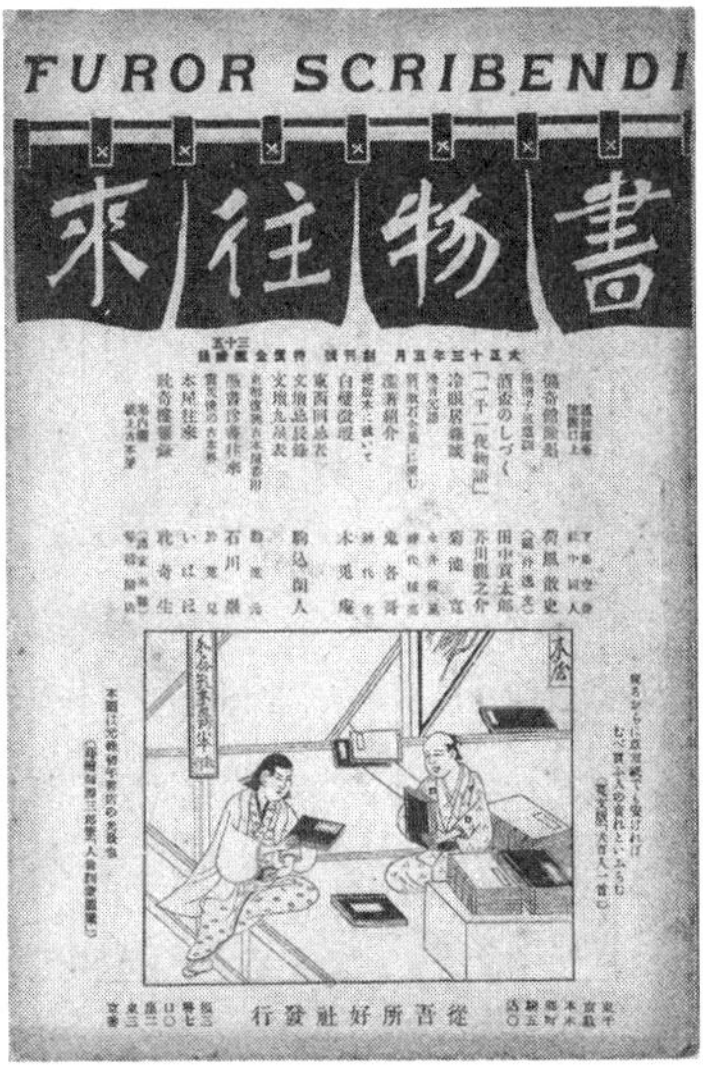

「書物往来」創刊号（大正13年5月）

菊池寛の談話がふるっている。「僕は本の形には何んにも愛着が無い。中身さえ読めばよいと云ふ主義だ。読む一方だ。装幀だとか挿絵だとか云ふものにも、そんなに興味はない。自分の著書のことでもさうである」

「御代栄誉迺寿（みよのさかえほまれのことぶき）」では、七十八歳の内藤鳴雪から、二十六歳の川端康成までの、調べも調べたり全文壇人の生誕地出身校が出ていて壮観である。一頁を使って「東都復興古本書林番付」が作成され、浅草・浅倉屋、神田・一誠堂が和本、洋装本の両大関である。神代も石川も文を載せ、すでに「紙上古本屋」（現在の目録販売）も探求書欄も設けられている。荷風は寺門静軒の『痴談』他を求め、龍之介は『好色尾長鳥』などを求め、石川自身は『小説神髄』の初版を求めて、この頃からますます明治本にのめり込むきざしを見せている。ともあれこの雑誌は歴史的に、書物蒐集家の目標と指針を示し、古書即売展の促進役をにない、ひいては出版界を革新したあの円本への呼び水ともなったと言われるものだ。

しかしそもそもが狷介不羈（ふき）、唯我独尊的性格の石川と、「校正の神様」と異名を取る神代の個性がぶつからぬはずはなく、大正十三年十一月の五号をもってケンカ別れしてしまう。次の六号には、編集人に神代の名はあるものの、実態は神代は抜け、代わって通人の斎藤昌三が入ったようで、斎藤は「初版ふらんす物語について」を書いている。大正十五年、石川は「書物往来」を「東京新誌」と改題したが一年で廃刊した。ちなみにその後斎藤は昭和八年「詩と詩文」を創刊したが、これは文字通りの一号雑誌となった。

さて「東京新誌」をやめた石川だが、吉野作造博士のもと、ここでは神代とともに『明治文化全集』の編集に協力している。が、その全集が終了すると、石川はいよいよ好きな明治本集めに狂奔、結局書店歩きや古書展覧会での蒐集では満足出来ず、古書籍商の鑑札まで受け、古本市へと漕ぎ出すのである。

二

石川巖が古書業界人でもあったということについては、斎藤昌三がその没後二年、「石川巌翁の追憶」（「愛書通信」昭和二十四年三月号）という文章を、

《西鶴研究は兎も角として、明治、大正の文学書詩歌書の蒐集熱と愛書熱を高めさせた者の一人に石川巌老の存在は偉大なものであった。この功績に就いては、古書界の八木（ママ）敏夫君や玄誠堂の芥川徳郎君などで、入札会の利潤の一部を割いて追慕碑を建てようという話もあったが、今のところはどうやら立消えの様子》

と書き始め、事実古本屋たちは直接間接に石川君の恩恵をこうむっていたのだ、といっている。

それが、すでにちょっと触れた七年後の著書『三十六人の好色家』では、同じ石川に

ついて斎藤は、《元来金儲けの出来る男ではなし、古本屋仲間でもいささかもて余し者にされたらしかった》としている。
一方、岡野他家夫は「書痴詩仙洞主人」で、戦前東京市内のあちこちの貸席や会館などで催された古書即売展の会場での、長身痩軀、半白髪、和服着流しの老人を見かけない人はいなかった。また若い古本屋をつかまえてはいろいろと書物の説明をしているその人は、古本屋と言うには学者とも見え、といってまた普通の客とは見うけられなかった、と石川を表現している。そして結論としていう。
《彼の職業は矢張り古書籍商と一応は言わねばなるまい。店舗を持って書籍を売買してはいなかったが、古物商の鑑札を受けて、古本業者の仲間に顔を出し、多少の商売は営んでいた。／しかし彼は、書物通として同業者から相当に尊敬されていたし、自分でも、ただの書賈としては任じていなかった。商人といえず、学者・著述家といえず、趣味道楽家といえないとしたら、否むしろ書淫・書痴・書狂の称呼が彼には一番ぴったりするようである》
ところがここに、石川の店舗そのものを見ていると言う人が現存されているのである。日本古書通信社の八木福次郎氏で、昭和十年頃のこと、氏は石川の原稿を取りによく元町の家を訪ねたと言う。その家は、お茶の水駅から順天堂医院の横の道を本郷通りへ出て左側の裏通りにあった。一見しもた家のような家で、入ったところの土間にパラパラっと本が並べてあり、小さな〝詩仙洞〟の看板もあった、と言う。その上、この少しあとらしい頃の、石川の店のことを、杉浦明平が立原道造とからめて書いていると、その『本・そして本――読んで書いて五十年』のことを教えて下さる。

その文章を簡単に紹介する。一高生の頃いつものように神保町を一廻りして順天堂の南を曲ったところに忽然と古本屋らしき店が目に入った。店にはパラフィン紙に包まれた詩集、歌集が並べられ、高い値がつけられている。奥には気むずかしげな老人がいて、あれこれ引き出している杉浦に、「そんなにひねりまわしちゃいかん」と声がかかった。杉浦は三円の赤彦の『切火』を買ってそこを出る。杉浦が友人の立原にこの話をすると、すでに知っていて、「あのおじいさんは石川巌さんと言って、古本業界では偉い人らしい。しかし本は高いし、いばっているんで、入りにくい店だよ」と言われてしまう。その後一年ほどで、石川の店は閉じられてしまった。

石川は、小売もしていたのだ。では、古本市場での石川は、同業にどんな印象を残しているのだろうか？　私は戦前の「古書月報」をさぐり、古老の回顧録を読み漁った。例の古典社の『古本年鑑』一九三三～三七年版の〝全国古本商名簿〟に連続載せられ、専門は〝明治文学〟とあった。石川はこの間に大塚窪町から本郷元町へ移転しており、八木氏の話と合う。ところで、石川は意外な本で語られていたのである。実は私もその語り手十二人の一人になっている、反町茂雄編『紙魚の昔がたり・昭和篇』（八木書店、昭和六十二年）の山田朝一談「永井荷風を中心に」中にあった。戦後山田は神田に復帰したものの、扱い品は長く延べ勘定の効く特価本を主にして来た。それでも山田は内心、やがては戦前のように古書を扱いたいと思い、奥正面の棚にそれを置くことから始め、運よくあるチャンスから古書に転ずることが出来た。それこそ石川の蒐集した〝明治物コレクション〟で、それは石川死亡時のものをまとめて買った戦後探偵雑誌「宝石」の発行者として知られたI（岩谷書店主・満か）から仕入れたものだったと言う。対談者の反町が訊いたのが始まりだった。

「……時々、市場にもその姿を見かけましたが、晩年には、それこそ蓬頭垢面で、しわだらけの和服の着流しに、兵児帯をぐるぐる巻きつけた、ウラぶれた風体で、お気の毒に感じました。しかしその反面、石川さんの古書売買は、自分の大好きな珍本を割安に手に入れる方便なんだ、珍しい善い本は、手元に蔵（しま）いこんで、いらぬ物ばかりを目録で売るなどと陰口をする人もありました。ところが亡くなられた後に、遺本として、いくらかの本が市で売られましたが、その量は少なく、質もロクなものはなかった」と反町、これに山田は答える。

「イヤ、いい物の大部分は、亡くなるまで手元にとってあった。没後には、玄誠堂さんの世話で、Iさんに行ったんですよ。立派なコレクションでした……」

　昭和二十二年春、今は練馬区南町の仮寓にこもり、石川は死を待つ身であった。日に日に衰弱する病床に、石川は信頼する玄誠堂・芥川徳郎を呼び、「愛書院詩仙洞巌居士」の戒名を口授、四月三十日に没した。本を集めることでの貧窮のため、石川の家庭生活は不幸のうちに終わってしまったが、お骨は九州の実の娘のところへ引き取られたといわれる。

玄誠堂・芥川徳郎

詩歌の分野で知られる

《芥川徳郎（一八八五〜一九六九）歌人。三重県亀山町生まれ。創作社友を経て大正四年『潮音』創刊に参画。四年、（略）脱退プロレタリア短歌運動に参加して話題をまいた。五年八月から六年七月まで「現代生活」を刊行。プロレタリア歌人同盟解散後は、渡辺順三、井沢信平らと「短歌クラブ」（昭七・一）というパンフレットを出し、八年四月の「短歌評論」発足を準備した。戦後は（略）積極的な活動は少ない。歌集に『茅花（つばな）』がある。

「遁げ場なくわれを追ひつむるこの朝の剣の如きレールの光」

（来嶋靖生）》

以上、『日本近代文学大事典』（講談社）にも歌人としての業績（一部筆者中略）の載る、古書業者の伝である。

……徳郎が故郷に背いて国を出たのは数え二十一歳の初秋であった。父を失うと共に産をも失った徳郎は、一人の母を残して知多半島の入海の酒造る町に、しばし身を寄せたと言われる。翌年上京、労働と歌作りの生活が始まる。そのことを、徳郎は後に語っている。

「私が本屋になりましたのは偶然の機縁からです。大正七年頃、印刷関係に勤めていまして、知り合いになった杉山という方が、芝白金台町に新刊雑誌の小売店を出して居られました。杉山氏は後に錦町で工業書の出版修教社を経営された方で、その方から店を譲るから内職のつもりでやらないかと言う。全く思いがけなくそのささやかな店を、玄誠堂という店名ぐるみ受け継いだわけです」

こうして徳郎は早朝近くだけを配達、勤めに出かけ、夕刻帰宅して店番という生活を続けた。ではどうして古本屋になったかというと、杉山がすでにその店に、古書取り扱いの許可まで受けてあったからで、その看板から結構買い入れもあり、その処分方法では神田の一心堂書店の世話になった。

徳郎は傍ら、詩歌を中心にした文学書の蒐集に志すようになる。やがて新刊店は郷里から実弟夫婦を呼んで任せ、徳郎は昭和三年、青山五丁目へ古書の専門店を開業する。ここは買い物が多く、それだけで商売になったが、間もなく時代や書店などの古書展「青展」に誘われ、同人となる。しかし徳郎は出品よりここでの掘り出し物探しに夢中になり、それが原因でしまいに同人は買ってはいけないことにまでなった。

徳郎が本格的に蒐集品を売るべく、販売目録「玄誠堂古書報・歌集詩集俳書古書目」

歌集『茅花』

を創刊したのは昭和六年である。青山で第三号まで出し、七年十一月に道玄坂へ店舗を移すのだが、これにはキッカケがあった。

徳郎が友人と土岐善麿等からも寄稿を受けていた雑誌が、反戦思想の故を以って当局から発売禁止となり、雑誌も止め、心機一転店を移したのだった。

以後、〝道玄坂の玄誠堂〟で世に知られることになったが、古本市は「一の橋」や「霞町」へ出かけ、また本郷の「いかり会」では、木内、窪川、明治堂、時代や書店、古本屋となっていた石川巖などと掘り出し物を競った。徳郎はここで、「国民之友」の中の訳詩集「於母影」、その単行本の『藻塩草』を入手する。この外、山田美妙の書入本、大和田建樹の『いさり火』などを掘り出した。何しろ徳郎は、明治文学、更に広く明治文化研究及び蒐集の勃興期にスタートを切り、それが実を結ぶ頃に己の働き盛りとぶつかる好運に遭遇したのだ。

玄誠堂の最盛期は、昭和十五年というのが衆目の認めるところである。まず五月に、ずっと年二回刊のペースで出し続けた「古書目」第十七輯が出た。続いて二カ月後に、徳郎は「明治大正新体書展観入札目録」を、そのまた五カ月後には「明治大正文芸雑誌展観目録」を出した。この後者に平素謙遜を以って知られた徳郎が自ら「稀有の集積」と誇り、「恐らく今後再びこのような催しは到底出来まい」と序しているところから見て、満を持しての発行だった。この一年の目録から優品を少しだけ挙げよう。

『新体詞選』署名本、『片袖』三冊揃、『独絃哀歌』と『春鳥集』の外装付未裁本、『小百合集』、『高麗の夜嵐』、『ゆく春』特装本、『小野のわかれ』、『夢見草』、『銀』、『あこがれ』、『一握の砂』、『悲しき玩具』。また『新著百種』、『小説百家選』、『明治文庫』の全揃。雑誌類としては「国民之友」を初め主要雑誌百点の大半が全揃で、町会倶楽部に展観され、一部は公開入札もされた。

時に、徳郎は五十四歳。徳郎の時期を見る判断は正しく、以後業界は戦時の影響を受け、国と運命を共にして行くのである。そんな中、組合は協同組合に改組され、徳郎は第五支部の最初の支部長として、業界にも報いている。十九年、古書にも公定価がかぶせられ、徳郎の商売も成り立たなくなり、信州に疎開した。

戦後は二十二年に上京、早くも二月に催された上野松坂屋の古書展に参加する。主催した同人名は「明治古典会」、徳郎は推されて会長となったが、このまま二十三年から出発する古書会館での市会名ともなった。このあとすぐ会では、戦後公開入札された最高の蒐集「入江文庫」の売立が行なわれ、徳郎は「日本古書通信」（昭和二十四年二月十五日号）に「入江文庫中の稀本について」を書いた。

このあと徳郎は十から二十頁の「玄誠堂古書目」を昭和三十五年頃まで出し続け、もっとも有名な戦後の仕事としては、生前藤村とも知遇のあった関連で、初期「馬籠・藤村記念館」への、商売っけ度外視の、蒐集品の納入と協力がある。

徳郎は昭和三十一年十二月のラジオ放送（文化放送『社会探訪＝巷の人』）に二十分間出演。放送後、局の人から写真を撮られ、乞われて作ったという一首が残っている。

運命のごと古書（ふみ）売りつついつしかと
　つもりし老いを写されにけり

古本屋としての徳郎の資料としては、「日本古書通信」に戦前から九回座談会に出たり何度も執筆している。また「組合月報」には二度文章を執筆、その月報には徳郎死亡時、反町茂雄が追悼文「玄誠堂さんの足あと」を記している。

「愛書探訪」・伊藤敬次郎
文人古本屋の生涯

一

日本愛書会発行になる「愛書探訪」は、現在私のもとに七冊ある。謄写版刷りＡ５判のもので二段組、表紙にはタイトル上半分に毎号、荷風『野心』、露伴『露団々』、藤村『一葉舟』等々の表紙絵が鉄筆で描かれている。

さて七冊とはいうものの、在号は昭和三十年第四号からで、五、六、七号までがこの年出される。頁数もこの四冊の平均わずかに二十二頁しかない。しかし誌面作りは、今に続く書物雑誌の形式を踏襲しており、読物の頁も充実している。例えば四号のみ見ても、

蒐集漫談（花池町人）
古本道楽（水曜荘主人）
「風流豆本」ばなし（岩佐東一郎）

他の文章が六本載り、頁後半になってやっと複数の書店が参加しての古書販売目録となる。書店数は七名で、私の知っている名は日暮里・峯尾文泉堂、文京区・秦川堂書店など。そして最も多く頁を使っているのが、印刷兼発行人の〝伊藤敬次郎〟(書店名ナシ)で、注文先は発行所と同じ「東京都北区岸町一ノ三」、末に振替番号もついている。私は伊藤の名を「古書月報」昭和二十七年一月号に厚冊で併載の「東京組合組合員名簿」に探した。

しかし、北区の業者名が並ぶ王子班、赤羽班、滝野川班に伊藤の名はなかった。それでも伊藤の目録は五、六、七号にも載り、七号には、〝愛書家の指南車＝古書展の虎の巻・斎藤昌三先生序〟として、《……(私)も一度は手をつけて見たいと考えていた一つだ。これほど繊細なものはかつてなかっただけに、非常に特色があり、伊藤君ほどの趣味と物好きと時間がない限りは、こんな調査は誰にも出来るというものではなかろう……》などとあり、「文学書及限定本相場帖」の広告もあった。

では、伊藤敬次郎とはどんな人物なのか? 〝あとがき〟があるのは六号で、五号に載せた、戦後の古書売立史上一、二を争う有名な岡田真・蔵書のことが書かれている。即ち、五号に発表の「岡田真文庫落札目録秘帖」は、業界で問題になって、その資料提供者に迷惑をかけてしまった、秘帖第二陣は掲載中止にする、とある。ということは、伊藤はこの時点では一部業者とは密接な関係を持ちながら、組合に加入してはいなかったものと思われる。好事家、蒐集家、蔵書家の行きついた果ての、この書物誌発行だったのだろうか。

だが、この年八月に七号まで出た「愛書探訪」は突然中絶した。そして雑誌は三十四年四月になって、薄冊八頁の〝号外〟が出され復活する。実はそこに載る、「号外発行について」によって、おぼろげながら伊藤の人となりが浮かぶのである。まず、全国の日本愛書会々員諸賢、益々御健勝、慶賀の至りとお欣び申上げますと断わり、《私が三十年七月、脳動脈硬化症並びに眩暈症という長い名の病気で仕事中倒れてから足かけ四年、「愛書探訪」が中断されて皆様に大変御迷惑をおかけしたことを深くおわび》する、とあり、《私は子供のときから本が好きで、青年時代に長谷川零余子等と本郷菊坂で研文学会を創めたり、文士たらんとして巌谷小波先生の木曜会に入ったり、終に出版屋になりましたが七転び八起きで今日に至りました。あとの余生を書痴の驥尾に附して「愛探」を小さいながらも楽しい我が家として、好きな本を愛撫していましょう》と続けている。

そのあと八号は十六頁にまで回復、斎藤昌三、水曜荘主人、植原路郎が文章を寄せ、伊藤自身も三本の文章を書いている。「夢二君と私」では《私が小波の『小波身上噺』を発行したのが大正二年》とあり、伊藤がその発行所・宝学館書店をやっていたのか、と分かる。また夢二にはこの本の本文カットを描かせるため結城素明と夢二に会いに行った話をしており、原画も大事にしていたが関東大震災で失ってしまったという。伊藤はこの号あとがきに、《……「愛書探訪」が、私の病気のため潰れたと心配された方も沢山あるかと思います。中には私が死んだろうと思っている方もあるかも知れません》と書き始め、最後は、

社長兼小使をしている夏帽子

の句を載せている。ただ目録への参加店はなくなってしまったのか、〃伊藤敬次郎〃での出品の他は、峯尾文泉堂一店が加わっているだけだった。

そして在号中最後の第九号。この号巻頭に載せられている伊藤の文「荷風先生を追慕する」は、興味ある資料であろう。伊藤は荷風とは会ったことはないが、もし会えたらいくつか話し合って見たいことがあった、とある。その随一は、『濹東綺譚』で取上げられている古本屋のことだという。伊藤はその古本屋の場面を引用、この《……吉原大門際にあった古本屋・今昔堂の親父さんとは、私は不思議な因縁で馬が合うというのか、ごく懇意な仲となった。変り者で、ヒネリ屋で、私と気性がよく似ていた。そんな市井の古本屋まで荷風先生の足はのがさなかったのである。そのおとっつあんが亡くなって、店の本をそっくり買ったことがあったが、今座右にある我楽多入れの文庫は、その今昔堂・萩村さんの手沢品である》などと証言しているからだ。

私は〃裏〃を取りたく、〃今昔堂・萩村〃を、唯一書棚に残る昭和十六年刊の業界名

簿に当ったが、この名は見当らなかった。

さて、右まで書いて私は例の如く今や業界の生き字引的存在と言ってよい、日本古書通信社の八木福次郎氏に〝伊藤敬次郎〟についてお尋ねしたのである。

「あ、それは竹酔さんのことですよ。あんた、『竹酔自叙伝』というのがありますが見ますか?」と言われてしまった。

二

伊藤敬次郎＝竹酔と分かったので、その『竹酔自叙伝』を見せていただきに、私が今年(二〇〇二年)七月から来年七月の明治古典会七夕大市会まで一年、会長職で出勤している千代田区中小企業センターを抜け出し、神保町の日本古書通信社へ赴いたのは、まだまだ残暑厳しい九月六日のことであった。

早速八木福次郎氏から示された本は、めおと函入の、和とじ百部限定本で、伊藤が、「愛書探訪」を出していた日本愛書会刊となっている。発行は昭和三十六年で、四年間の闘病生活のあと、伊藤は自叙伝まで書けるほどに健康を回復したものらしい。ただこの日八木氏は、私の「伊藤敬次郎とは何者?」の質問電話から、しばらくぶりで眺めた『竹酔自叙伝』がことの外面白く、ご自分でも少しメモを取ってみたと言われる。とな

『竹酔自叙伝』中の伊藤敬次郎と、その著者『変態広告史』

ると、その本をお借りすることは失礼だから、私は表紙及び肖像、後ろの伊藤の出版書目をコピーさせていただくにとどめ、内容をパラパラとめくるだけでお返しした。

もっとも私は、八木氏からこの本のことをお聞きしてすぐ、その古書通信社から発行されている「日本古書通信総目次」から〝伊藤敬次郎〟を引くことを忘れなかったのである。と、一項目だけこの名があり、早速その号を探しあてた。伊藤の文章「古本太平記」は、昭和三十九年十一月十五日号に載っていた。私はこちらの文献から、この稿を書くことにしたのである。

《私は満八十歳になりました。出版から古本屋を兼業したのが昭和六年七月で、先輩の皆さんの驥尾に付して今日に至りましたが、高血圧のために二度も入院、今は人事つくして

天命をまつ、と云った心境で、第一線を退いています。今まで見聞きした思い出噺を綴って、江湖諸賢の閲覧に供する次第です》

と、十五篇の挿話を紹介しているが、末尾には、「順序不同はおゆるし下さい」と断っている。

そこでもっとも古い話を探すと、最後に持って来ている「紅葉館」がそうであった。伊藤敬次郎は巌谷小波の紹介で、明治三十六年に没した尾崎紅葉ゆかりの芝公園・紅葉館での第三回紅葉祭に参加する。伊藤が出かけて一座を見渡すと、そこにはもう森鷗外、坪内逍遙、川上眉山、広津柳浪、石橋思案、江見水蔭、幸田露伴、依田学海、泉鏡花の諸大家が集まっている。小波、水蔭の挨拶のあと、余興として堀野文禄堂の謡曲、伊井蓉峰一座の紅葉作「夏小袖」が演じられた。

《お歴々の間にはさまって、書生羽織を着た青年がチョコナンと座ったのだから正に異彩を放ったに違いない。（略）無礼講となって、此の大文豪たちと酒を酌み交したのは竹酔一代のほまれであった》

と、伊藤は書いていた。

何しろ伊藤は未だ二十二歳、出版の方は早くもこの三年後には始めている。小型の『通の話』（明治四十年）というのを、最近、月の輪書林さんの好意で見せて貰ったが、これは露伴「釣魚通」から始まる名家二十四人の趣味にまつわる聞き書き集である。こうして昭和五、六年までに、伊藤は二十数冊の発行を手がけているが、中で私は『巴里上海歓楽郷案内』『日本歓楽郷案内』（共に酒井潔著）を売ったことがあり、同じ昭和六年刊の『浮世オンパレード』（酒井潔）はとうとう売らずに私の書棚に残ってしまっている。この全篇絵本のようなもっとも刺激的な本が残った理由は、惜しくも一枚がはぎとられていて、売るに売れなかったからなのだが、今度伊藤の書目を見て、もしや、と思うことがあった。というのは、書目中にこの本についてのみ、刊行年の下に〝発禁〟とあったからで、一枚の〝落丁〟はよくある当該箇所を〝切断〟して売った本だったのかも知れないということ。

また、合せて考えられるのは、伊藤の古本屋兼業がこの直後から始まっている事実で、この事故処理などの苦境を、古書業者になることで乗り越えようとしたのではないか、ということである。

さて、古本屋になった伊藤の最初の挿話は「外骨怒鳴り込む」である。昭和一桁のある日、丸の内蚕糸会館でのこと。水谷、吉田、窪川等の書店と一緒に、「古本祭」を兼ねて伊藤は古書展を開いた。会場には祭壇を設け、靖国神社の神官まで迎えて玉串を捧げた。「これこそ商品に〝祭〟を冠した嚆矢だったろう」と伊藤は言うが、その厳粛な式場へかの宮武外骨が「此の中に高い屋の総本山がいる！」と怒鳴り込んだというのだ。《店主一同、マアマアでやっと納めたが、その頃外骨と木内（書店？）との間に勘定のことでイザコザがあって、(外骨が) 地獄へ取りに来いと捨てゼリフを言って出て行ったことがあった。そんなことで面当てに怒鳴り込んだのだという一幕》

また戦前もっとも賑やかさを誇った古書展は、徳富蘇峰の私邸を青山会館として、城南書林会が古書展を始めたことからであった。その〝青展〟の人気は、大阪京都方面から泊まりがけで駆けつける常連まで出来たといわれる。ここでの「五山版事件」というのも伊藤は記録している。ある時、早朝からワンサと詰めかけた業界の猛者連中が、まだ開かぬ窓から覗くと、河野書店の棚に〝五山版〟の和本が出品されていた。開場と同じにドッと詰めかけたが、その五山版は幻のように雲がくれしてしまった。あとでそれが、深沢良太郎というそこの同人が袖の下へ隠してしまい、某氏に闇売りしたのだと判明する。以来、珍本には公正な抽せんが行なわれるようになった、と伊藤は書いている。

ところで伊藤が没したのは、「古通」にこの「古本太平記」を書いた四カ月後の昭和四十年三月八日で、八木福次郎氏はその葬式に出かけたと、先日話して下さった。

書物展望社・斎藤昌三
デパート古書展の功労者

一

現在〝書物研究家〟というのが昌三の人物事典での扱いであり、古本屋とは終生持ちつ持たれつの間となっていたようである。昭和三十年、六十八歳の昌三は、反町茂雄主宰の〝文車の会〟での談話「紙魚生活の五十年」(「日本古書通信」掲載)で、古書業界との結びつきについて、

《長いこと、展覧会やら、店へ訪問するやらで、自然とお互いの気心もわかり、親しくなって結局親類のようなつき合いになったわけですが、関西では高尾、鹿田、荒木、杉本、神戸の朝倉、東京では一番ばかづき合いしたのは水谷、細川、大観堂、窪川、木内、一誠堂の弟の十字屋、風変りの男は下谷の吉田、それから浅倉屋の番頭の辰公――姓も知らないのです――それと銀座の山崎老人、藤原、辰巳屋、静岡で成功しておる赤春堂、こういった人とは非常に懇意にしておりました》

と言っている。その一部の古本屋とは、一緒に買い出し旅行まで行くこともあった。ある時小西という蔵書家のトラック一杯の本を、一緒の業者荒木伊兵衛と評価、お互い買い値を別に密封、いよいよ小西に金を払う時に記入した紙片を開ける。するとその数字はたった六円の違いでしかなかった。そのあとを昌三は楽しそうに語っている。《荒木君もびっくりして、先生、あなたは商売人になれると言ってくれました》

昌三の生地は神奈川県座間市、明治二十年生。具体的にどの時代を生きたかを文学者で示すと、谷崎潤一郎が一歳上で、七十四歳で没した昌三より五年長く生きている。昌三六十九歳の時の著作で、私の愛読書でもある『三十六人の好色家』(創芸社、昭和三十一年)中の己の略伝「少雨叟桃哉」によると、この時点で昌三には八十九歳の生母と二人の倅、四人の孫がいる、とある。なお昌三の風貌については、紀田順一郎が「蔵書一代・斎藤昌三」(「大衆文学研究」昭和四十年)で、《体重四十二キロの骨皮スジエモン。上山草人、本因坊秀哉、ガンジーにそっくり。とりわけ昔アチャコの相棒だったエンタツに似ている》と書いており、確かに『書国巡礼記』などにある写真の昌三は横山エンタツにそっくりである。

昌三の父は小さな百貨店経営をしていたが、不作続きの年に近隣農家へ貸しつけた肥料代が戻らず廃業して横浜に出て来た。昌三はそこで貿易会社に勤務するも、大正初期に上京し米国向け雑貨店の支配人となる。この間趣味誌「おいら」「いもづる」を出し、

書物小屋の斎藤昌三（昭和８年12月３日撮影、『書国巡礼記』より）

大正五年『明治文芸側面鈔』を五冊出す。これが昌三二十歳から三十歳頃の〝横浜時代〟である。一方昌三は、小島烏水やあれこれ蒐集家の加山道之助、曾我部一紅などと知り合う。昌三の『明治文芸側面鈔』は業界でも稀本で、私の所有は第一・二輯だけ。第一の〝発刊について〟で、昌三は、《故に今回是等の全集を少数の会員組織として、真摯なる研究者のみに提供すべく、十余年来蒐集の結果を敢へて刊行する次第である》

と記している。これが三十歳の昌三の言葉と見ると、すでに昌三の古書蒐集は十代から始まっていたことになる。

こうして大正大震災を境に、昌三は勤めをやめ、石川巖や梅原北明などと接近し、文筆によって生活するようになった。特に円本の皮切りとなった『現代日本文学全集』を応援し、その別巻「現代日本文学大年表」を作成、昭和六年に刊行する。それとともに吉野作造の『明治文化全集』にも参加、いくつかの書物雑誌を出し、やがてそれが「書物展望」として結実、書物展望社を経営した。昭和七年には、昌三は古書業界への最大の貢献を果たすことになる。

そもそもはあの改造社の円本だった。改造社がその資料展を銀座松屋で開くことになり、昌三が庄司浅水と出していた「愛書趣味」が代って、これを企画した。すると意外にも、デパートにインテリ層の客が集まることが分かり、その後デパート側から昌三に古書展開催の仲介を申し入れて来たのである。

すでに書物展望社となっていた昌三の元へ、まっ先に話を持って来たのは白木屋であった。昌三は早速書物展望社でこれを主催することを思い立つ。昌三は東京、名古屋、大阪、京都、神戸の代表的古書店に呼びかけ、〝東西連合古書展〟というのを組織しようとする。が、顔合せをしようとしてつまずく。それは誰彼からの「〇〇達とはやれない」「〇〇書店は入れるな」の昌三への抗議だった。昌三は彼等に、「これは展望社の催しだ。僕等に任せてくれ」と説得、一誠堂の酒井宇吉も口をきいてくれて開催にこぎつけた。その四回目かに、今度は展望社の岩本が業者と衝突、喧嘩別れになりそうになり、昌三がこれを収める。それを機会に「ここまで手引きすればいいだろう」と、昌三は手を引くことになる。――こうして、以後続く業界のデパート展の隆盛に、昌三がつくしたことを業界は永く忘れなかった。

その昌三が亡くなるのは、初期のテレビ放送に出演する等、戦後も多彩に活躍したあとの昭和三十六年十一月二十六日のことだった。昭和三十九年六月には、その蔵書の全て（一部だったという説もある）が東京古書会館の明治古典会で売り立てられた。そこには限定本、初版本の他、著者による書き入れ本等の奇書も多く、特陳としては、荷風の発禁本『ふらんす物語』があった。『東京古書組合五十年史』（昭和四十九年）中の〝明治古典会史〟には、

《会場には翁の写真を飾り、出席者全員しばし黙禱の後入札が開始された。翁は生前、石川巖、宮武外骨と同じで、自分も古本屋みたいな者だから、一度（本を）市へ出したり、行ってみたいと常に口にしていた》

と書かれている。

二

斎藤昌三を巡る人々に関しては、自書『少雨叟交遊録』に詳しい。ここには夢二、魯庵、逍遙、潤一郎、柳田国男、熊楠、荷風、白秋、藤田嗣治のほか、外骨、北明、石川巖、神代種亮、木村毅等の個性あふれる伝説的書痴達が出て来る。その中にあって、書物の世界に人望と盛名を持ち続け、かつ長命を保った昌三の巧みな処世術が浮かび上が

る本だ。

ここでは、右〝交遊録〟に唯一女性として名の出ている花園歌子のことを中心に述べる。——昭和二年改造社を後援して、〝円本資料展〟とも称すべき明治文芸展を、昌三が銀座松屋で催した際、友人木村毅を訪ねて来たのが歌子で、彼女は明治の稀本『鬼啾啾』を持参してくれたと言う。芸者をしながら洋装していた変り者で、すでに銀座でも洋装姿の歌子は評判になっていたらしい。

思い出したのは、私が昔買っておいた、昌三が「昭和三人女」の題簽のもと、自装して一冊に綴じられた原稿のことである。人に贈るためだったらしく、その人宛の、《君のもの好き、かかる拙稿を保存さるゝは嬉しいけれど、粋人のよまよいごと、砕ける瓦にも等しく、水溜りの埋め草にも役立たぬものを、去りとは拙者の恥を後の世まで遺さむとの思召しにや、はてさて罪な主人やな……》の毛筆の序がつき、〝聖戦第二年の九月識　於書物展望社〟とある。原稿は「その後の新公」「本牧名物お浜の横顔」「花園歌子」の三篇、そして最後の歌子の項には別紙に彼女の洋舞の姿態写真が挿入されているもので、

《昭和の変り種の女二人をかいたら、今一人かいて「三人女」にしてくれといふことだ》と書き始め、二百字十枚の評伝になっている。……歌子の本名は直、〝花園歌子〟の名は震災後舞踊芸者としての出現以来と言う。幼にして骨董商のNという老夫婦に養

われ、やがて明治薬専に入学。しかし卒業ホヤホヤの女薬剤師では一家の生計を立てることが困難、一時金龍館華やかなりし浅草でレビューガール、芳町で初めてお座敷に出て、やがて新橋へ移り名を上げる。すでに浅草時代にアナーキスト黒瀬春吉という男の掌中の珠となっていた歌子は、その影響から理論好きの女性となった。古い伝統の花街で、徹頭徹尾洋装で通したのは、前後歌子たった一人であった。その上並行して、歌子はいつしか女性文献の蒐集家として古本屋仲間で知られるようになる。歌子はまた著書『朱唇裂帛』、通叢書の『芸妓通』を出し、請われれば新聞雑誌へも寄稿、歌も詠んだ。

昌三の筆は、歌子の新橋〝湖月〟での出版記念会、花街から足を洗って舞踊会に進出、いっそ本場のソヴィエトを見学しようと出発したが北京で黒瀬の客死に遭って、一切が水泡に帰した。そして昭和六年の歌子の二度目の渡支あたりまでを書いて終わる。

ここらで、別の関連資料を挟もう。昭和六年六月、歌子が芸者をやめ菜っ葉服のプロレタリア舞踊を始め、傍ら白木屋での展覧会用に作成した「女から人間へ――女性文化研究資料一覧」があるからで、巻頭には吉野作造の序もある。歌子は後書きに「私は展覧会の途中から満洲巡業の旅に出る」と書いている。実はこの前後については大先輩、明治堂三橋猛雄の証言が残されている。これは三橋が「日本古書通信」に昭和五十七年二月から十一月号まで連載した、「明治前期の女性観・婦人論」の第一回にあるもので、三橋は稲村徹元の文章からこの年歌子の現存を知り手紙を出したところ、病い篤い歌子から代筆の返事が戻ったところから始められている。三橋は父の手伝いを始めた若い頃、客として彼女を知っており、昭和六年初めには、父の隠居所跡に歌子が借間していたのだ。その初夏のある夜、歌子から三橋に校正を手伝って欲しいと使いが来る。部屋には髪ぼうぼうの男が寝ており、頭を氷で冷やしている。それが後に夫となる正岡容で、三橋は自分が正岡の急病の代役だったのだと、気づく。そして三橋は最終回を、二月末に歌子の訃を聞いたことに触れて終えた。

再び昌三資料に戻るが、「書物展望」六年十一月号の目次には「満洲訪書断片……花園歌子」と出ており、《せめては天津だけでも行つて来たかつたが、胃潰瘍を患つて本を買ふ金まで無くしてしまつたのでそれさへ果さず、やつとトラック一杯の粗本を買ひ集めただけで空しく帰京した》などと歌子は書いている。

以上が昌三及び、昌三とも知遇だった三橋猛雄が記録した歌子像である。すると思い浮かぶのは、『書痴の散歩』中にある「少雨叟主人について」という柳田泉の文である。《一体少雨叟主人ほど生真面目な人物は少ない。然しその割りにいろ〳〵な艶聞をつねに醸してゐる。これは一つは性的崇拝の研究家としての立場から来る誤解が多い事と思ふ。先年或る方面で、哄々？　と伝へられてゐたH女史との誤聞など、全くはたが勝手に助平心からでつち上げたもので》……とある。これはH……〝花園〟のことだったのだろうか。

だが、画家宮本匡四郎が昭和六十三年に出したコンノ書房の豆本『書痴・斎藤昌三翁』中には、どうやら昌三の真の相手、〃H〃は別の女性だったことが分かる。ここには永井荷風の愛人の一人だったと伝えられる広瀬千香女史との恋のイザコザが書かれているのだが、昌三と戦後もっとも親しかった水曜荘酒井徳男が宮本に話したもの。千香女は小柄なまれに見る美女で、水曜荘が知ったのは六十歳前後というのに三十七、八しか見えなかったそうだ。ある日気やすさから、水曜荘が展望社のドアをノックもせずに開けると、そこには千香女が昌三の膝にちゃっかり抱かれており、「あら、いらっしゃい」と悪びれず声をかけたと言う。

三

私が斎藤昌三の著書を意識したのは、昭和四十年に明古に働きに出た辺りからである。昌三本と、あとでそれと気づく数々の書物展望社本がもっとも珍重され、値の高かった頃だ。その後四十年、読むには著作集も出、また昌三の本を蒐める世代が去って値も前ほどはしなくなっている。結局私も、今では玉石混交三十冊ほどの昌三本を所蔵している。

……私が昔もっとも欲しかった一冊と言えば、昌三の最初の本『明治文芸側面鈔』の第一輯(未鳴の名で出した奥付非売品)だった。周知の如く、この第一輯の巻頭を飾るのが島崎藤村の「旧主人」で、私はこれを藤村資料として欲しかったのである。しかしこの〝側面鈔〟は四冊がすぐ発禁（第五輯は諸種〝禁止本書目〟になし）になり、二輯以降などは百部くらいしか出ていないと言われる。それでも私は、いつか一、二輯を手に入れることが出来た。「発刊について」で昌三は書いている。《通刊一百篇。作家に等級もあり、謂はゞ玉石同架の観はあるが、所謂時代の継ツ子なるが故に美醜は問ふ所ではない。要するに是等特殊品の全集として後日幾分の資料ともなれば望外である》。

昌三はこの〝全集〟を、当初何巻まで出そうとしていたのだろうか？　ともあれ、この発売禁止の先駆的基礎文献の編集者だったのと、震災でその資料をみな失った旨の序のある『近代文芸筆禍史』（崇文館、大正十三年）を出したことで、昌三の仕事は円本『現代日本文学全集』別巻「現代日本文学大年表」へとつながるのだ。この年表が私に役立ったことは言うまでもないが、私にもっとも役立ってくれた本は〝変態十二史付録〟第三巻の『変態蒐集誌』（昭和三年）である。ここに紹介された人々の内では、池田文痴庵に惹かれた。この人、紙類蒐集の権化とも言える人で、驚かされたのは〝ラブレター蒐集〟。何と「一筆しめし参らせ候」から「あたしの愛する宝石よ」に至るまで千数百種も蒐めたとか。その頃私も、すでに人様の性生活まで覗ける肉筆日記の蒐集にいそしんでいたのだ。

『紙魚供養』（昭和十三年）の装幀はふるっていて、私の所持本の表紙は毛筆による太田正雄（木下杢太郎）からの昌三宛封筒が貼り込まれている。文中「明治大正の文献は諸全集によつて大半は整理を見たが、今後に関心を持たる、ものは、結局雑誌文献の調査と研究であらう」（「古雑誌の狂騰」、「文献」昭和三年）の昌三の言葉は、八十年後の状況が全く変っていないことを示していてさすがである。またこの本には、昭和十一年までの全著書の序文が収められていて貴重だ。そして『書斎随歩』（昭和十九年）。この年月に限定本まであることは異常だが、「私家版『墨（ママ）東綺譚』のこと」では、

《世上に出た少部数につき「荷風に関係のある某女がその残部から数部を持出して売ったとか」等々と発表してあるが、これは穏やかな文字ではない。／この間の事実は当時僕も何かにかいた如く、所謂某女が該書の校正を手伝つたので、その礼に五部の寄贈を受けたもの》

と言う。この某女があの千香女だったのだ。また末尾追補として、折から本社の事業もこの昭和十八年末を以って戦時下出版事情に応じ廃業となった、と記している。

しかし強運の人である昌三は、敗戦を挟んで昭和二十一年には『当世豆本の話』を出して再出発する。これは新書判を横開きにし表紙には銅版のタイトルがつく贅沢な造本で、百九十冊限定函付。会員のみ頒布し、内藤政勝これを刊す、とある。幸い私のところには昌三・政勝コンビによる大型豪華本『日本好色燐票史』（昭和二十二年）もあるが、資料として私が愛読、重宝して使った本はこのあとの二冊『少雨叟交遊録』と『三十六

人の好色家』だった。後者はおくとして前者を、私は初め小島烏水の肉筆葉書がついていることで仕入れたのだが、やがてその資料性に気づくのである。ただしこの本、本文は和紙にガリ版文字のためいかにも読みにくいのが難。これは三百部本だがこの本には函付の〝八十部会員版〟もある。

　ところで今度改めて「斎藤昌三資料」に目を通して言うのだが、この『交遊録』中の〝横浜時代〟の友人曾我部一紅の人物像ほど哀切極まるものはない。その曾我部とはどんな人だったのか？「万朝報」華やかなりし頃の創立者の一人で、昌三が知り合った頃は記者世界では長老であった。黒岩周六（涙香）とは妻君を交換した逸話も残る仲で、その関係もあって、「万朝報」の横浜支局長として権力もふるっていた。富士山通として知られ、富士登山九十七回に及ぶ。一方、今日（こんにち）の古書展の創案者としても明記される存在で、東京の古書展にも通い詰め、いつも帳場に座り込んで古本屋相手に古本談義に時を忘れたという人。大蔵書家として知られたが、「震災で火焔の裡に愛書と共に焼死して了つた」と昌三の『交遊録』にはあった。しかし、先の文車の会の談話で昌三は、曾我部のその時の様子を、

「自分の集めた本や、多年集めた錦絵、それがあの時の突風で捲き上げられて行くのを追いかけながら、火の中へ飛び込んで行方不明になった。そういう悲惨な最後をとげた人です」と語っているのだ……。

そして余白で、昌三が昭和二十二年に〃芋小屋山房〃名で出した〃稀覯文献研究会報告〃全四冊の第二冊『女礼讃』について触れておく。これは東武鉄道の中心人物の一人でもあった俳人不喚洞・宇佐美英が、昭和十四年に自死、昌三に遺した原稿と言われる。詳述出来ないのが残念だが、女人への憧れと性を説いて崇高の念をもよおさせる名文である。いかにも昌三らしいのはこの本の三十部限定本で、真紅のカバー（腰巻を象徴したと言われている）を取ったまっ白い表紙中央に、実物大の女性の陰毛をしつらえるという、前代未聞の装幀をしている。

愛本堂・横井弘三
『グスコー・ブドリの伝記』の装画家

一九九五年十月のこと、長野市の北沢晃子さんという方から、大形の茶封筒が届く。《謹啓　突然にお手紙を差し上げます失礼、おゆるし下さいませ。只今御著書『古本屋控え帳』を入手、ワクワクしっ放しで読み了えたところでございます》と書き始めてあり、反町茂雄氏の本はご健在の頃より読んでいたが、ここに来てあなたの本を見つけ、特に横井について書かれている箇所には感激した、横井は晩年私の勤め先近くに住んでおり、県庁前のポストに、飄々と浴衣姿で投函している姿を見たことがある、《当時での横井弘三さんに対する画業の評価は高低があり過ぎて（人間性についても）、釈然としないまま今日まで来てしまいました》ついては、あなたが一部引用した横井の文の全文を教えてくれないか、というものだった。

そして封筒には自らも協力されたという郷土誌「信濃路」（昭和五十一年）特集〃ふるさとに描く・横井弘三をめぐる人々〃が、二十頁にわたりコピーされて入っていた。すでに横井が物故して十一年が経った時のもので、画家で長野県社会教育主事だった子息の一郎氏が「父の生き方」という文章を書いていたりするが、私がこのコピーで初めて知ったことは、私も二、三度扱ったあの宮沢賢治の童話集『グスコー・ブドリの伝記』(羽田書店、昭和十六年)の絵が横井のものだったことである。
……そもそも私が、横井が愛本堂という露店の古本屋を五、六年やっていた人だと知ったのは、五十歳を過ぎ、出自たる古本屋の歴史に興味を持ち、戦前の「古書月報」を見に古書会館へ通っていた時のことで、昭和十一年二月号に出ていた、横井の文「古本に感謝する心」を見たからである。
《雪が降つて来た。我々古本露店商人としては休みの日である。その日〳〵の瞬間的な生活に追ひかけられる自分等は皆様と語り合ふヒマも無い。正月号の月報が来た。ふとそれを開いて行く。／世の中を逆に渡つて行くと感じられる私も、組合の編輯氏から正月号へ原稿と云はれたのに、この幾年きれぬ私の貧乏と思想――この世はママにならぬ……アキラメ――このアキラメは遂に世間との物質的欲望から、益々離れしめて来たがため、原稿もスマナイと思ひつゝウッチヤリパナシになつてしまつた。勿論、年賀状なぞ、百枚位来てるのだが、悲しい事には露天師の私には、それをハタス生活余剰が無いのでウッチヤリパナシだ。何と失礼な奴だとふと己をセメてみたが仕方がない。／私はこんな感じを持続して今日まで来てるのだ。(以下略)》
そして、前号の「古本屋・画家・絵画」のもと、私の絵を論じてくれた方があったことはありがたかった……と進めている。

ここで横井が古書組合員でもあったことと、一月号の同業鈴木清の文、「横井弘三氏著、博文館刊『油絵の手ほどき』は私の云ひたいことを多分に書いてくれてゐます。兄等も古本屋であるかぎり、古本屋の生んだ異才横井氏の著書を序文だけでも読んでみて下さい。(略) この本には嘘がなく、本当に氏の息ぶきを間近に感ずることが出来るでせう。(後略)」に触発されての横井の投稿と分かるのである。

私はその後、横井の『大愚』以下、ほぼ全著書を集め、横井の絵の載る「子供之友」や「コドモノクニ」までも探すようになった。また、飯沢匡に『脱俗の画家―横井弘三の生涯』(筑摩書房、一九七六年) があるのを知り求めた。言うまでもなく横井の露店の古本屋ぶりはその著『露店研究』(出版タイムス社、昭和六年) に詳しいのだが、飯沢の本に載る絵入りパンフには、横井の求めた理想の形が見えるのである。本棚をすえつけた手押しの車に、子らを連れた奥様風の女性が寄り、本を選び、かたわら子供が絵本を持ってバンザイをしているほほえましい図 (次頁に引用) を囲んで、

売本―貸本
買本―交換　車図書館

私は今度、生活の創造として小さい車上の図書館を実行ゐたします。既成の図書

横井弘三の描く、車図書館

館は貸付ばかりでしたが、これからの図書館は売本、買本、交換までやりたいものです。どふか皆さんこのお伽の国から生れてきた、車図書館のお客様になつて下さい。勉強して売本、買本、貸付、交換をゐたして歩きまはります。又、御用の節はおハガキ下さい。勉強します。

次に、私の絵を知れる方に申上げます。

と印刷し、このあとは自らの半折墨絵、色紙絵、最大は十号の油絵を提供、本と交換する条件が示され、末尾には〝東京市外・下大崎二〇二　愛本堂（横井弘三）〟とある。

ともあれ大正四年、第二回二科展に初入選、同時に樗牛賞を取って、日本のアンリ・ルソーともてはやされながら美術界に反逆し、疎外され、完全に忘れ去られた横井のこれが一時の職業だったのである。昭和十二年には「露店生活史」（『露店研究』とは別）の稿（未刊）を完結、再び画家として生きようとする。

そのあと横井は生まれ故郷の長野県に帰り（生まれは飯田市・終焉は長野市）、貧しいながら善意の人々に支えられて生き抜き、昭和四十年七十八歳で没した。「父の信州での二十年間に波瀾はない」が横井一郎氏の言葉だが、飯沢の取材では晩年の破天荒な横井の奇人ぶりが描かれている。横井は有夫の〝道女〟という女流俳人に求愛、肖像画を描きに通いつめ、道女が授乳をしていて、張った乳から乳汁が飛ぶと、手に受けてなめてしまったり、時には、

「私に小水をくれ、飲んじゃうから」

と、道女に迫ったと言う。

竹岡書店・竹岡新吉

東京郊外、中央線沿線の草分け

竹岡新吉は明治三十一年京都生まれ、京都一中を出て上京、慶応義塾予科に学ぶ（——以後二十八歳までのことは後述）。昭和二年二十九歳で高円寺に古本屋を開業。大震災後、中野以西の中央沿線は、吉祥寺にかけて、官吏、軍人、芸術家、大学教授らが住み始め、知識人の町に変貌した。しかし当時の高円寺駅は、まだ木造の駅舎がポツンと建つのみで、駅付近も閑散としていた。同業も都丸書店、市川書店等四、五軒しかなく、今は賑やかな商店街として阿佐ヶ谷に向かう細い街路に面した新吉の店も、売上げは知れたものだった。

新吉はすでに妻帯、一女をもうけていたが、開業年には長男昭（あきら）が生まれた。次女を挟み、正（ただし）、茂（しげる）、洋（ひろし）も生まれる。筆者が昭氏に聞いた話だが、新吉は小売りの利かない打開策として、気の合う仲間と古本市の経営に精を出すようになる。だから店を守るのは妻で、新吉は店を空けていることがほとんどだった。昭の記憶に残るこの頃の新吉像は、別に本以外の道楽はなく、と言って大変な働き者というのでもない穏和な父だったと言

後列右より４人目の振り手の後ろに立つのが竹岡新吉

われる。

敗戦直後の昭和二十一年、新吉は東京古書組合第三支部（現在の中央線支部）長に選ばれ、足かけ六年間務める。支部の市場は中野、野方、荻窪、武蔵野、杉並五警察管内百二十七名の業者により、昭和亭での一・六の月六回が開催されるようになる。そして昭和二十二年の高円寺氷川神社での「第三支部愛書家の集い」は、二十五年の中央線古書展の出発へとつながる。何しろ食うことが大変で、古書は溢れたが、正当な価値判断未だしの、「大日本古文書」の大揃が古紙としてつぶされる反面、今すぐ必要な「石鹸の作り方」的理工書は探してくると三千円にもなった時代だ。

一方、新吉は戦前すでに支部市の外に、神田地区の同人市にも出入りしており、戦後は本部会館の「一般書市」（現・中央市会）の会主となって、振り手も務めた。ここに掲げる写真はその頃（昭和二十六～二十八年）の一風景で、振り手（日本書房主）の後ろに立つのが新吉である。また左へ四人目の青年が次男正、その左がダダイズムの詩人ドン・ザッキー（古本屋の高松堂都崎友雄）である。そしてこの写真の正もだが、新吉にとって心強かったのは、長男昭以下、次々と古本屋の手伝いを始めた四人の息子たちの存在で、やがてそれぞれが独立、「竹岡兄弟」の名は中央沿線のみか全業界に轟くようになる。ちなみに、現在竹岡書店を継ぐのは正（病没）の息子正明で、茂、洋兄弟は竹陽書房を名乗っている。昭は飛鳥書房を興し、一時期出版を手掛けたが、今はこの書店名で古書専門に戻っている。——こうして、息子たちの成長を見届ける途中の昭和三十五年、竹岡新吉は六十二歳で没した。

……こうして、業界間にも、我が子たちにも己の古本屋としての相貌しか見せようとしなかった新吉だが、成長した子どもたちはやがて母から意外な父の若き日の別の活躍面を知らされることになるのだ。自らは雑誌はおろか、書いたもの一枚残さなかった父だが、そうと知って気をつけていると、古本に混じって父の資料が見つかる。例えば今あるもっとも古いものでは、「プレリュード」（第一巻第一号　大正八年七月）という雑誌。活版五十二頁の文芸誌で、二十一歳の新吉は他の同人と編集を担当、奥付の印刷人にもなっている。新吉は創作「青いシグナル」を寄せており、聾唖に生まれた仙吉と汽車に片脚を轢かれたお松との悲しい運命を描いた作品。またここには、後年詩人として大成する二十歳の蔵原伸二郎が詩五篇を、十九歳の石坂洋次郎が短歌二首を載せている。同名異人でないことは、両名共この年代慶応に在学していることで確かだ。そして末尾「六号余線」には、「竹岡君は一日に十枚の下駄を彫り刻むほどの猛烈な版画家でもある」とも紹介されている。新吉はこの頃同人誌にこっていたらしく、「年四回発行、但し臨時号を出すこともあり」と奥付にある。別の三十二頁、定価二十銭の「架空」大正九年第二号では、

とある日に／場末の町に女待つ／男哀れの秋の末かな

雪笹の／遠間にすべる音冴えて／冬真実の寂しさを知る

など、三行分けの短歌十五首を載せている。この雑誌末尾にある同人名簿には、蔵原の他後年作家となる加宮貴一の名も見えている。

このあと竹岡新吉の名を見出す資料としては、大正末から昭和初年にかけての「少年少女譚海」や、「少年少女美談」誌上における児童読物作家としてであった。もう二十年も前だが、筆者はちょうど同時期の二、三十冊を市に売るため目次を見ていて気づき、昭氏に新吉分の頁をコピーして差し上げたことがあった。作品名は「奴のお初」「滑稽物語海賊退治」「鳴らぬ鐘」「美世の腕前」「三本足の鳥」「西郷と少女」「銀鞭は鳴る」「仇討奇譚双生児の仇討」、連載としても「小次郎と愛犬」「礫は乱れ飛ぶ」など。昭氏が母に聞いた話としては、新吉は別のペンネームでも作品を書いていたとも言う。

一方、その後も筆者は雑誌「芸術市場」（昭和二年九月・田園紅恋号）という、斎藤昌三、小生夢坊、北村兼子、正岡容ら豪華執筆陣の中に新吉の名を発見した。その作品は、「盆踊雑記」といって、千葉の漁村での盆踊りの晩の見聞記で、大正末のおおらかな夜這いの風習を記録したもの。しかし峰岸義一の編集後記には、「…… 〝発禁又発禁〟のため原稿料は株券を以て」とあり、この外の、どうしても原稿料をという人の原稿は返却しました、ともあった。

昭氏の話では、新吉は上京時かなりの財産の贈与を受けており、このあたりでそれも尽き、食うために始めたのが古本屋の道だったろうということだった。

キヌタ文庫・永島冨士雄
駅前の露店から住宅街の店へ

永島冨士雄（一九〇一〜一九八八）は、千葉県木更津に父信吉・母けいの長男として生まれる。この頃まで、父は軍人として各地の軍港を転々としていた。

大正七年、木更津中学校を卒業して上京した永島は、主に浅草を放浪、いつかオペラ雑誌「歌舞」を手伝うようになる。ここには三歳下の正岡容がいて、二代目編集長になり、やがて正岡が去って永島は三代目を引き継ぐ。が、社長と対立して退社、永島は大正十二年八月三十一日、取り巻きのペラゴロや女性ペラゴリーナの盛大な送別会を受け、酔って下宿へ帰ったのが未明の三時。翌昼前、ガーンと大地震で目覚め、いきなり窓を開くと、目の前の十二階は泰然と建っていた（その夜火が入り、崩壊を恐れ工兵隊が爆破）と、永島は言う。

このあと二十二歳の青春を持て余していた永島に声をかけてくれたのが「東京オペラ座」を作った小生夢坊で、文芸部長として名古屋の御園座を振り出しに、岐阜・紀州路から岡山、広島へと公演、朝鮮へも渡った。永島はそこで健康を損ね、一座が九州に戻ったところで劇団生活に見切りをつける。

大正十五年、永島は中外商業新報（のちの日経）の校正部に就職。しかし一方では、会田毅などと、尾形亀之助、草野心平、尾崎喜八も寄稿することになる詩誌「曼陀羅」「地下鉄」などを出した。昭和三年、第一詩集『十月詩集』を、五年、プロレタリア詩集『都会の氾濫』を出版。

昭和八年、永島は府下砧村の農家の娘と見合結婚する。妻の実家では住宅地を抜ける街道に家を建ててくれ、妻は助産婦の看板を掲げた。永島はやがて「成城」として知られる住宅地を歩き、小田急で新聞社に通った。傍ら今度は「永島不二男」名で、主に「文藝春秋・話」や実話雑誌に読物を書き始め、他方『南海の熱血児』など児童読物も四冊出した。

やがて、敗戦。永島は家の玄関を開放、砧をカタカナにした屋号「キヌタ文庫」で貸本を始めたのをきっかけに、古本屋が永年の夢の一つだった後半生へのふん切りもつき、昭和二十一年成城駅前へ露店を出す。売価はみな出たらめにつけ、その自前の百冊ほどの本を軍の払い下げの布の上に並べたのだが、本はまたたく間に売れてしまった。駅の南側に二人、北の永島側にも二人と、同業の仲間も出来た。永島はある時、思い立つように小田急の土地へ掘っ立て小屋を建て、小さな店にした。すると、にわかに本の買入れが多くなった。

成城学園の一部に爆弾が落ちたものの、住宅街は無傷だったから、古書は無尽蔵だった。竹の子生活者や新円切替やで、毎日キヌタ文庫には本が持ち込まれた。何しろ、永島がちょっと思い浮かべるだけでも、野上弥生子、市河三喜、西條八十、成瀬無極、柳田国男、桜井忠温、中河与一、武者小路実篤、里見弴、横溝正史、菱山修三、河竹繁俊、鶴見祐輔などの邸宅が数えられる街だった。

が、さすがによい本だけを抜いて行ってしまう、主に神田からやって来るセドリ屋の横行が目に余るようになった。永島も、やっと本が分かるようになって来たのである。永島は自分でも市場を経営しようと、警察の許可を取ると「成城古本市場」を始めた。ここはしかし、市経営の素人の悲しさで、すぐにつぶれた。

永島（右）が成城駅前に建てた掘っ建て小屋のキヌタ文庫

　昭和二十五年、東京都の露店廃止方針で、都内全域の露天商は決定的打撃を受ける。永島の掘っ立て小屋も撤退を余儀なくされ、露店仲間は全て脱落した。永島は更に駅付近の床店を二、三転々としたあと、駅からは五、六分歩く、住宅地の中の我が家を屋号はキヌタ文庫のまま、店舗に改造することにした。即座に小売の効く場所ではなかったので、永島は得意の才で買入広告のビラを作り、我が子に貼らせにやった。これが当たって、永島は本を、当時神田地区に次ぐ有力市場だった霞町市場に出品した。永島はこの頃のことを、のちに組合機関誌に「成城の町に生きて」として書いている。

《霞町にはウブ荷を運んだ。共産党くずれの松本君とはウマが合った。市場の先輩たちは商才にはタケていたが頭が固く、松本君の発言は入れられなかった。私は新米で口をつぐみ、皆の顔色を見ながら、昼間から酒を飲んだが椚川さんからは商売のからくりと、金の有難さを教えられた。そろばんが弾けず、ヌキをやってはヘマばかり》

と。この内、「松本君」とは、のち組合理事となりたくましい実行力で業界の民主化につくしたことで知られる、人人書房・松本敬之助のこと。「椚川さん」とは、港区六本木の誠志堂書店・椚川節。そして「そろばん」「ヌキ」は会主のやる計算事務のこと。

こうして、本当のプロの洗礼を受けながら、永島は八十七歳までの、戦後四十年にわたる古本屋生活を営むのである。相変わらず店買い＝市場売りがキヌタ文庫の生命線だったが、市売りは競り売りの荷順や、その日の客の顔ぶれなど不安定要素に左右され易い。永島はすでに「城南古書展」に加入していたが、昭和三十三年長男・斐夫が大学を卒業して店を手伝い始めたのを機に、古書展の名門「書窓展」にも加わることになった。

一方、商店街とはとても言えない静かな街道の店も、気がつけば成城の町になくてはならない古本屋になって行った。永島はいつか店を斐夫に任せ、地域誌「砧」の編集長におさまっていた。以後二十三年、病没までに二百七十六号を独力編集した。

現在、斐夫が受け継いだキヌタ文庫は、店の奥に大型の美術書に囲まれて、客がゆったりと腰かけて本を眺め憩う、広々とした空間がもうけられた明るい店に変貌している。

永島の文献としては右までの他に、著書『私の武蔵野—成城の風土と文学』（昭和四十五年・キヌタ文庫）があり、また筆者の『古本屋奇人伝』（平成五年・東京堂出版）には、五人中の一人として詳述してある。

十字屋書店・酒井嘉七

時代を画した「書物春秋」

一

一誠堂の社史『古書肆100年』(二〇〇四年刊)に、〝酒井家・家系図〟なる頁がある。酒井家は酒井嘉四郎・スワの間に男子が七人生まれ、一誠堂主になるのは四男の宇吉で、その末の弟が七男の嘉七である。昭和十九年四十四歳没とあり、逆算すると一九〇一年の生まれ。

十字屋書店というのは五男助治が始めたのだが、大正七年二十九歳で亡くなり嘉七がこれを継いだものと、家系図には付記されている。文学通の読者なら、文圃堂が全三巻で出した『宮沢賢治全集』(昭和九~十年)を二度目に全六巻・別巻一として出した(昭和十四~十九年)発行元が、この十字屋だったと言えば、あの高村光太郎筆の個性的な全集の背文字と共に思い出されるかも知れない。

また、反町茂雄の『一古書肆の思い出』を読んだ人なら、東大の学生時代に出来た

〃馴染みの古本屋〃として、

《神田では神保町の中ほどの十字屋酒井嘉七さん。この人は新潟県長岡市出身、同郷で同年輩。若い同士ですから自然に親しくなる。一寸くせのある人でしたが、正直な、いたって親切な人でした》

という風に紹介されているのを思い出してくれるだろう。反町はいつか出版業を志しており、卒業の前年秋には、つてを求めて出版社廻りを始め、三月、どこか実務の見習いに半年か一年勤めたいと考える。

《十字屋さんの意見では、古本屋へはいると、出版の動向の一端がわかると同時に、永い生命を持つ本と、すぐ読み捨てられる書物との差別がハッキリ判って、大いに参考になるだろうとの事。その方面なら世話をしてあげる、との親切な提案。古本のことなら嫌いではない、渡りに舟とすぐに一任しました》

が反町の、月給に望みさえなければ見習い入店など容易だろうとの甘い予想は外れる。やっと内定したある店で

「書物春秋」付録

は、持ち込まれた寝具の豪華さにその店に断わられてしまうという伝説さえ生まれた。結局、

《十字屋さんは大奮闘、とうとう自分の兄さんの酒井宇吉さんを口説き落として、私をそこへ押し込んでくれました》

となる。

こうして酒井嘉七は、のちに古書業界の巨人となる人物を業界に送り込むという橋渡し役を果したのである。しかし同年生まれであった嘉七は敗戦直前に死し、一方の反町は戦後四十六年間の古本屋人生を送るのである。

――ところで、どの社会もそうだが、兄弟が同じ商売に飛び込むというのは、中々に難かしい場面が生じたりするものである。一般論で言えば、成功した兄の商売を見て弟もその業界へ入るなどザラだろうし、兄が人手として弟を呼び寄せる例も多いだろう。嘉七の場合は兄は業界で常に〝日本一〟を謳われるようになる人なのだ。

先の、大正八年に亡兄の十字屋書店を継いだ時の嘉七はまだ十八歳で、兄宇吉は十四歳上の、一誠堂を名乗ってすでに六年目の働き盛りだった。筆者の記憶に残る嘉七の文献上の最初の登場は、先の反町と懇意になった古本屋の一人としてである。反町の東大在学は二十三～二十六歳、大正十三～昭和二年の頃である。そして嘉七が私蔵の資料の上に現われるのは、昭和五年十月に結成される「書物春秋会」同人としてであった。そ

の中心は機関誌の発行で、
《「書物春秋」は根強いコマーシャリズムの殻を破り棄てゝ、本屋の真意義に生きやうとする青年古本屋の社会に呼かくる第一声である。我々はこれに依て我々自身及社会一般の書物趣味を涵養し、更に書誌学的研究に迄進みたい》
など四項目の巻頭言と共に、創刊号が出されるのは昭和五年のこと。同人は次の十八だった。

同　人

東條書店　東條英治
東京市神田区南神保町一〇
稲垣書店　稲垣近義
東京市神田区通神保町五
光　明　堂　鹿島元吉
東京市神田区通神保町二
東　陽　堂　高林末吉
東京市神田区通神保町一
大　雲　堂　大雲英二

東京市神田区通神保町五
原広書店　原　廣
東京市神田区猿楽町二の八
十字屋　酒井嘉七
東京市神田区通神保町三
浅倉屋　吉田直吉
東京市浅草区北仲町五
明治堂　三橋猛雄
東京市神田区小川町三八
松村書店　松村龍一
東京市神田区通神保町三

ここに嘉七の名もあった。右の内、三橋、松村は若主人、吉田直吉は十一世久兵衛となる人。年齢は二十七、八歳から三十六、七歳まで、業界のサラブレッド達だった。雑誌はA５判、本文四十六頁、別に図版一枚が入り前半は山崎麓、斎藤昌三ら書物関係の名士の随筆五篇、後半が古書販売目録である。第一号の編集は三橋猛雄が当たり、《事あれば飲み事なければ飲み、飲んで騒いで騒いで飲んで、その極る所を知らない一の猛者、晨に夕に古今の典籍を渉覧し書誌学上の薀蓄をひたすらに積まんとする業界の聖者。春秋会はこの両極のメンバーを含包する。共に何かしないではゐられない血気の輩がこの「書物春秋」にその仕事を見出したのだ。月一回の座談会と雑誌の発行、(略)将来如何なる転回を試み何処に伸びんとするかはしばらく語らず、たゞ我等の一団にその余力あるをこゝに宣言する》

と始まる編集後記を書き、それぞれが順に責任編集に当たる、とも書いた。

二

この業界始まって以来と思える画期的出来事にもっとも早く反応したのが、一誠堂入店三年目の反町茂雄で『一古書肆の思い出』に記している。

《私は十月初めに、店の前の街頭で、今出たばかりという創刊号を、メンバーの一人の十字屋の酒井嘉七さんから、ニコニコした笑顔と共に与えられました。夜就寝前にごくザッと通読した時に、若い旦那方の御奮発に心を動かされました。よい試みだ、新しい行き方だと》

いても立ってもいられないほど強い刺激を受けて反町は、一誠堂の店員に呼びかけ執筆をうながし、自らも十一月には書物研究誌「玉屑」を刊行、独立までに六冊を出すことになる。

一方翌十二月には、早くも嘉七に番が来て、「書物春秋」三号を編集する。《「書物春秋」発刊以来、多方面の各位からの激励の言葉は有難かつた。凡てに謝意を申上げる筈であつたが、多忙の為に失礼致しました。何分忌憚のない御意見と批評をお待ち致します。それを私共は凡ての糧として成長いたし度いと考へて居ります。兎に角この赤ん坊も第一年の歳を取らせて戴きます》

云々と始まる「編集後記」も嘉七のものである。昭和六年十二月号では、奥付上の〃慶事〃欄に松村龍一が婚約者と結婚式を挙げた報告のあと、続けて、《又この春には、矢張り同人の酒井嘉七君が難波ハナ子氏と結婚され、琴瑟相和され斯業に協力精進されて居る。この二つの慶事は我が春秋会の今年中の最も大いなる収穫である》

と編集の大雲英二が記している。嘉七はこの年三十歳であった。

春秋会同人は、その後協同で何回もの古書展を行なったりし、昭和十年まで活動し、雑誌も読物頁には石川巖、森潤三郎、本間久雄、西脇順三郎、三村清三郎、舟橋聖一、神原泰、森銑三、庄司浅水、矢野目源一等々の文章を載せ、二十五号まで出して終刊とした。その「編集後記」には、二十四号より一年間が過ぎてしまったことを詫び、その間会を挙げて新宿三越二回、銀座伊東屋と古書展が行なわれて寸暇もなきほどに多忙だったことを報告、

《創刊当時は平均年齢二十七歳強、四人の独身者もゐた同人も、今は悉く妻帯して合計二十人の子女を擁し古本界に対する活躍も愈々旺盛ならんとしてをります。私共の将来に御期待を願つておきます》

と編集の吉田直吉は書いている。

そのあとの古書業界における嘉七の消息としては、「日本古書通信」誌上の座談会に出席している記録があるばかりだ。が、それもほとんどに発言はなく、わずかに昭和十年九月号の「明治文学書座談会」に斎藤昌三、窪川精治、芥川徳郎などと出て、「私は震災前に明治物、漱石の初版物を高く買つて笑はれてゐたが、笑はれても買つたものです。大震災が無かつても、あの時分は明治文学勃興熱が旺んになるんぢやなかつたでせうか」と述べているだけである。

――ところでここからは、嘉七個人にまつわる何とも奇妙な資料の発見の話となる。

昨年（二〇〇六年）秋、ある日の神田古書会館での古書展の棚に、一冊の古雑誌を私が見つけ手に取ったのが始まりだった。

探偵春秋　昭和12年6月号　二千円

――但し二頁分落丁あり

で、多分これが無傷なら、どの号でも五、六千円はつけられる、昨今のこの種の雑誌の人気だ。

発行元は、どの単行本が出ても高価になる、当時「傑作探偵叢書」も出していた春秋社。〃二巻六号〃とあり、発行二年目の雑誌だった。目次は全百四十六頁の九十四頁までが特集〃新進作家短篇集〃に使用されている。あとは雑文や三段組みの記事が七、八本あって、終りに、

蔵の中から……………………江戸川乱歩
作家論と名著解説（八）……………井上良夫
新泉録…………………………………木々高太郎

を置く。さて最初の特集に戻すと、

新進作家短編集
京鹿子娘道成寺……酒井嘉七　（三）
人間分析
霊魂始末書）…………前田　魏　（三四）
死……………下斗健作　（五七）
壷と女…………蘭郁二郎　（八一）

とあった。「酒井嘉七、酒井嘉七、酒井嘉七……」私は「まさか！」と思った。「どうせ同名異人だろう」と思い返した。その時は蘭郁二郎の小説でも読めばいいや、と私はこの「探偵春秋」を買って帰ることにした。

ともかく、酒井嘉七はこの号の巻頭を飾っているのだ。その上何とこの作品は二段組

で二十頁もある中篇の長さだった。巻頭まず、ゴチック活字で、〝序〟がついていた。

《筆者が、最近、入手した古書に「娘道成寺殺人事件」なるものがある。／記された事件の内容は、絢爛たる歌舞伎の舞台に『京鹿子娘道成寺』の所作事を演じつゝある名代役者が、蛇体に変じるため、造りもの、鐘にはいつたまゝ、無人の内部で、何者かのために殺害され、第一人称にて記された人物が、情況、及び物的証拠によつて犯人を推理する——といふのである》

と始まっており、私にはここまで読んで少なくも〝序〟の筆が古本屋の手になるものではないのかと思えた。古本屋としての私が、昔、人様の肉筆日記の類を紹介し始めた頃もこんな風だったからである。

嘉七は〝序〟を続けている。

《書の体裁は、五六十枚の美濃紙を半折し、右端を唄本のやうに綴り合はせたもので、表紙から内容に至るまで、全部毛筆にて手記されてゐる。／表紙の中央には、清元の唄本でもあるかのやうに、太筆で「娘道成寺殺人事件」と記されてあり、左隅には、作者、口述者、又は筆記者の姓名でもあらうか「嵯峨かづ女」なる文字が、遠慮がちに小さく記されてゐる》

そして末尾、

《大正又は昭和の好事家が、彼のものせる作品をかくの如き「古書」の形態を装い、誰

か同好者に入手されんことを、密かに望んだのではないか》
と、嘉七は〝序〟を結んでいた。

三

（さて、この酒井嘉七の項を先へ進めることで、少しお断わりしておかなくてはならない。すでに「はじめに」で触れてあるが、本書は八年間に亘っての雑誌への連載文であった。ところが右の㈡までを載せたところで、酒井嘉七が古本屋生活の中で見つけたのではと私が判断した小説が、実は同姓同名の作家によるものとのある方の指摘を受けてしまう。つまり私が戦前期の探偵小説家・酒井嘉七氏（明治三十五年〜昭和二十二年）と、古本屋・酒井嘉七さん（以下敬称略）が同名異人だったことを知らず、後者を「探偵春秋」所載の「京鹿子娘道成寺」の作者としてしまったのである。無論筆者の不明は重々のことではあったが、そのご遺族からの資料提供によって記した、訂正文を面白いと言って下さる読者もあって、このあとに再掲載させて頂くものである。）

そもそもは江戸川乱歩、甲賀三郎、大下宇陀児くらいしか読んでいず、戦前の探偵小説界にうとかった上、お二人には同名ということ以外に偶然の一致が重なり過ぎていた。まず活動期、歿年（古本屋嘉七＝昭和十九年、四十四歳没、作家嘉七＝昭和二十二年、四十二歳歿）がほぼ近かったこと、小説を普通文で始めず、いかにも古本屋が古本市場で発見した資料とも取れるゴチック体の解説をつけた作品だったこと、また本名の嘉七郎を作家名嘉七にして登場したこと等である。

無論これらは言いわけにしかならない。いやその執筆時に、棚の隅にあった『日本推理小説辞典』（昭和六十年、中島河太郎編、東京堂出版）さえ引いていれば、容易に作家・酒井嘉七のことは分かったはずだったのに……。

> 生年、生地不詳。外国貿易会社に勤務し、昭和九年、「亜米利加発第一信」で懸賞入選した。旅客機内で宝石強盗事件が起ったが、着陸したとき犯人の姿が見えぬという「空から消えた男」（昭和十二年、探偵春秋）以下の航空ミステリーと、「ながうた勧進帳」（昭和十一年、月刊探偵）以下芸能に取材したものの十数篇がある。短篇集として『探偵法十三号』（昭和二十二年、かもめ書房）があり、二十二年死去した。遺稿として『完全犯罪人の手記』（昭和二十七年、黄色の部屋）がある。

何ということか、これでは作家に申し訳なかったと同時に、十字屋書店・酒井嘉七にも失礼してしまっている。ともあれ神保町には十字屋書店は健在で、編集部からは掲載誌をお送りしたとも聞き、私は四十四歳で亡くなった古本屋の一面を世に知って貰えたことを喜んでいたのだから、あきれた話だった。

……明治古典会七夕大市会の終った辺りの七月十四日、京都府居住の名古屋学院大学経済学部にお勤めで六十七歳の、酒井凌三さんという方から電話があった。お話は私の不始末のことだった。私は出来ればこれまでに集まった資料のコピーをお送り頂けないかとお願いした。四、五日してそれが届いた。

それによると今年（二〇〇七年）六月から七月十一日まで、神戸文学館での「探偵小説発祥の地」展に、凌三氏の実姉が訪れたことがこの件の契機となったと言われる。すでに島崎博の「幻影城」昭和五十二年八月号に「京鹿子娘道成寺」以下三篇の「酒井嘉七特集」がされていたことも、家族はこの時初めて知ったのだという。

《家族にとっては亡き母親が語っていたことばでしか知り得なかった若い日の父親が、われわれの眼前に現れたことになりました》

と酒井嘉七の次男凌三氏は書いて来ていた。「幻影城」にはまた、同時代の作家・九鬼紫郎の「追憶記」もついていた。

それによると嘉七にはアメリカの女流作家ミニョン・グッド・エアヴァートの長篇を翻訳した本『霧中殺人事件』が昭和十年に日本公論社から出版されていたと言う。これは職業が外国の貿易会社々員だったから当然として、異色なのは嘉七が日本舞踊や長唄も巧みにこなしたという趣味の持主だったことで、これが「京鹿子――」他の芸能物を書かせたのだろう。九鬼は戦前「探偵」の編集部におり、個人的にも嘉七の遺稿を預かったり、未亡人が手紙で古本屋をやりたいと言って来た時には、すぐ手持ちの本を送ったとも言う。

話を凌三氏の姉が文学展へ出かけたところへ戻すと、そこで出合った人が〝神戸探偵小説愛好会〟の野村恒彦氏。その後野村氏から姉に送られて来たのが、先の「幻影城」他の諸資料だった。その野村氏作成の「酒井嘉七作品目録」から、これまで文中にあった作品を除いて左に示してみよう。

寝言の寄せ書	昭9／8「ぷろふいる」
探偵法十三号	昭10／2「ぷろふいる」
郵便機三百六十五号	昭10／3「ぷろふいる」
実験推理学報告書	昭10／9「ぷろふいる」
撮影所殺人事件	昭10／11「ぷろふいる」
空飛ぶ悪魔	昭11／1「新青年」
呪はれた航空路	昭11／4「ぷろふいる」
雲の中の秘密	昭11／8「ぷろふいる」
ある自殺事件の顚末	昭11／9「探偵文学」
両面競牡丹	昭11／12「ぷろふいる」
諸家の感想	昭12／1「探偵春秋」
遅すぎた解読	昭12／4「探偵春秋」
お問合せ	昭12／6「シュピオ」

――で、そのあと、ネットで検索、私の文章を見つけたものと言われる。その上凌三氏は、生活のため始めた母親の古本屋（すぐに廃業）について、神戸地区のキリスト教会の援助があったので、書店名を「十字屋」にしたという事実までも、書いて下さって来ていた。十字屋と十字屋、これもまた何かの因縁だろうが、以上のような次第で、両酒井家にこの度のことを心からお詫びしたい。

山水洞・角田忠蔵
売れ残った芥川の反古原稿の行方

一

古本屋・山水洞が、ある豪華本の編者角田忠蔵と同一人物と確認出来たところくらいまでをまず書いて見よう。

そもそもは平成十四年の夏に、ある同業の方から芥川龍之介の原稿書き反故(ほご)二百枚ほどの一括を分けて頂いたことに始まる。私は一見して、この品の元々の出所と由緒までも分かり、持ち帰ったあとは何やら小さく運命的なものさえこの品物に感じた。そして同時に私は、明治古典会に出入りし始めた昭和四十年代初め頃の、ある出来事を思い出さないわけにには行かなかったのである。何しろ今度の品には「芥川龍之介」と署名のある紙片は一枚もないのに拘わらず、私が原稿が全て龍之介の自筆と疑わなかったのは、あの思い出の品と全く同類のものだったからである。が、もしこれを将来商品とするためには、何らかの資料を添えなくては、同業にも、顧客にも、本物の筆跡としては通ら

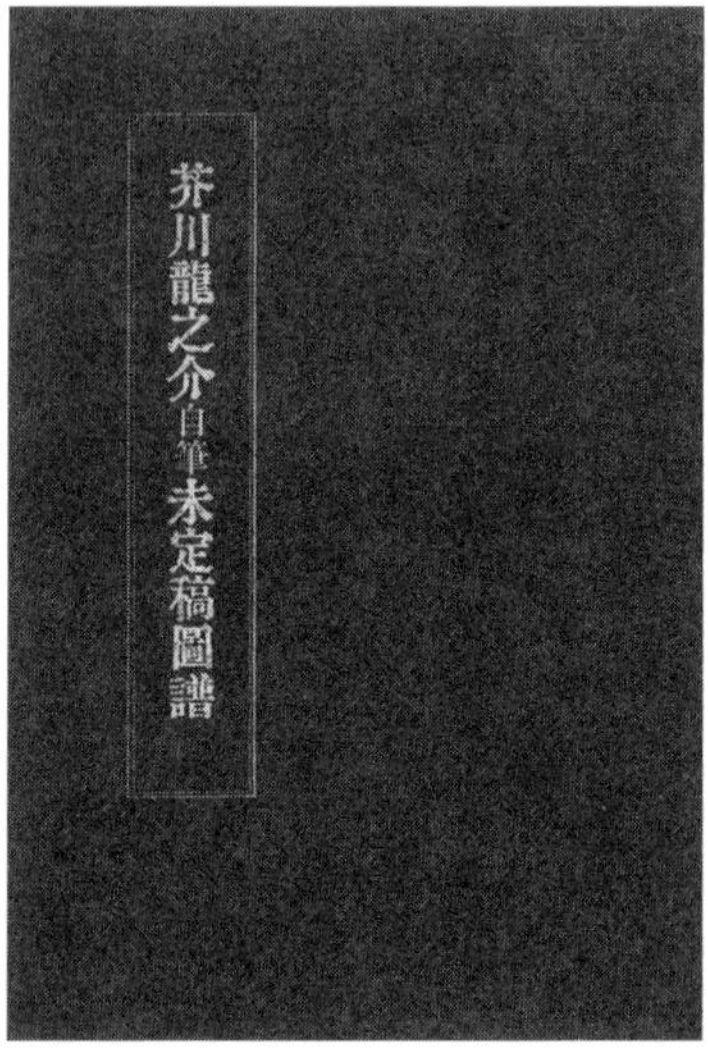

角田忠蔵編『芥川龍之介自筆未定稿圖譜』（昭和46年）

ないであろう、と思った。

山水洞について、私は大したことを知っているものではないが、どっちかと言えば思い出したくない同業の一人ではあった。持って廻った言い方でなく、はっきり言えば、たった一回、ある品の入札で私が負けた相手、——それだけのことで、その他には小さな思い出が二、三あるきりなのである。無論山水洞の頭の中に、明古の青木なにがしの記憶など、生涯なかった（私が物を書き始めたのは昭和五十年代末から）であろう。ともあれ、あの出来事から話さないと今度入手した資料の明解ないわれは説明出来ないのだ！　それには、山水洞の発行になるものとしか知らない、あの見たくもない、**芥川龍之介自筆未定稿図譜**（昭和四十六年・三百八十部限定）を見ることから始めなくてはならない。ではどうしてその本なのか？　どうして私がその本を見たくないのか？　……私が明治古典会にかかわるのは昭和四十年、経営員としてである。その暮れの大市会に、地方から参加していたのが山水洞という変わった書店名の小柄な老人だった。そして出品物の一々には、一度見たら忘れられなくなる、にょろっとした独特な筆跡で必要以上の説明がしてあるもので、どうやら文学書と自筆本が主流の店らしかった。とは言っても、その出品はみな何か一流品というには遠く、色紙、短冊の類や、もう忘れられた明治期文人の書簡やらが多く、何か経済的に豊かな業者とは思えないところがあった。

そうした中、昭和四十二年の大市会が訪れる。その市で見かけたのが龍之介の原稿の書き反故百数十枚で、ここには署名のあるものも二、三見え、まだまだ筆跡物に経験の薄かった私にもその全てが本物と分かった。ところで先を進めるため、もう少しこの「書き反故」の明細につき説明しておいた方がよいのではないか。それは龍之介が、たまたま書き残した、あるいは捨て忘れた原稿の端ぎれ、書き損じ、下書き、のたぐいの反故一束、――だったのである。ただ当時の私は藤村一辺倒だったのだが、少年時代誰よりも愛読した作家の秘密までが覗けそうなこの資料には魂を奪われた。しかしこの年の市で隣に並べられていた「保吉の手帳」完全稿四百字二十八枚の人気に隠れ、この反故類には全くと言ってよいほど、業者からは関心が向けられなかった。それでも私は、絶対買えそうな十万円を基本に、万々一それ以上の入札があってもと、やらずの十二万円までの札書きをし、入札した。仕事のかたわら時々その品を見に行ったが、入札者は他に一枚だけで、私はその落札を疑わず、自信満々で会の仕事に専念していた。

と、二日目の市日の朝、その品が読み上げられ、私は思わぬ伏兵に龍之介を攫われてしまったことを知った。

「……十二万とび九百九十円で山水洞さん！」

私は未練たらしく一階の落札品置き場に下りた。わずか千円違いということは分かるが、山水洞の札が三枚札のどれかを見たかったのである。札は意外にも四枚札の下から二枚目で、上札は何と十八万まで書かれており、山水洞はどういう自信があってこれを求める気になったのだろうかと思った。それとも、手数料一割が貰える、これは誰か研究者からの注文品だったのだろうか？

それから四年した秋、私は同業のB書店から一枚の〝出版案内〟を貰った。それがあの『芥川龍之介自筆未定稿図譜』のもので、

「今浦和にいる山水洞が出版した本なんだ。頼まれちゃってさ」とB書店は言った。

「それにね、この内の九十二部は特製本で何でもここに印刷された原稿の実物一枚がつくんだそうだ。君向きじゃないのかな。定価は並製が三万八千五百円、その原稿つき特製は……」

私はパンフに印刷された内容写真と、
序文　中村真一郎
編者　角田忠蔵

校閲　関口左木夫

とある文字、大門出版なる発行所を見て、「やられた！」と思った。「山水洞はこの角田という学者の注文を取り、学者が編集を終わると出版社を世話し、最後は共同で今は全部が本物となった芥川龍之介の反故原稿を売ろうとしている」

私は四年前の、己れの値踏みの不明を棚に上げて、この本だけはもう一生、買うまい、見まいと思った。

その後、相変らず明古の大市などでは山水洞を見かけた。そのうちに山水洞が見えない年があったりし、いつか大市会にも現われなくなってしまった。しかし、何年に一度、時には続けて市場に〝図譜〟を見かけることがあったが、私は意地にもその本を帙から出して見ることはなかった。

ともあれ、今度私は仕方なくこの本を購入し、眺めたのである。そして山水洞が編者角田忠蔵自身であるとの確信を持ったのだが、何故か山水洞はこの本で己が古本屋だということを必死に隠している。私は書斎の一郭を占めている業界資料を探して、その辺りを含め、山水洞がどんな古本屋だったのかを調べて見ようと思った。

二

何の因果でか、私の書斎の一郭十棚ほどは戦前物を中心に、膨大な他店の古書目録で埋まってしまっている。これは自分が同業の歴史執筆を志したためで、歳から考えその仕事も未完成のまま終わろうとしているが、余滴としては『下町の古本屋』『古本屋奇人伝』『自筆本蒐集狂の回想』などで使用している。いや確か、『自筆本〜』では若き日の山水洞（戦前は〝書房〟をつけたりしている）の目録を一冊、資料として使った覚えがある。古本屋がその年齢を目録などに公表することなどないが、角田忠蔵の生年は例の『芥川龍之介自筆未定稿図譜』で一九〇二年生まれと明記されている。その目録は昭和十四年の「山水洞待賈古書目」と題された、その第三号で、「永井荷風特輯号」となっている。まず〝A〟が直筆特輯で、「紫陽花」原稿一冊、「アンリイ・ド・レニュエ訳稿」一軸、「自筆俳句入俳画一軸」、「浅草十佳選」自筆色変り色紙十枚、他の五点が詳細に活字化され、それへの最低価格つきで顧客から入札を公募している。

山水洞の営業所は渋谷区公会堂通十（省線・市電エビス駅前）にあり、年齢もまだ三十七歳であった。ここで山水洞が古書目に〝待賈（たいか）〟と使っていることから私が思ったのは、一九〇一年生まれの弘文荘がこの時山水洞の頭にあったのではないかということ。そう言えば、大市などでの山水洞の態度たるや、その小柄で瘦身な老人ながら、何やら人を寄せつけぬ狷介さが見え、反町茂雄とも一脈相通ずるものがあった。……と、小半日の探索で私は「山水洞待賈古書目」を、あの三号の他に一、二、五、七号と四冊も見つけたのである。またそればかりか、ついでにと思って探した倉庫の方の、東京古典会、明古、各デパート展の目録類の集積の中からは戦後の「書目・山水洞」を二冊発見することが出来た。

ところで、昭和十四年五月刊の山水洞の目録第一号だが、見開き一頁に亘って〝浮世夢之介〟名（角田の名は一切見えない）で、「濹東綺譚の私家版について」という文章が載っている。

「荷風ファンのみならず一般愛書家間に異状なセンセイションを起した濹東綺譚の私家版は、僅か十部内外が極く内部の人々に頒たれたのみで、一般市場には殆んど姿を見せず愛書家の待望久しきにも入手は勿論一瞥すら難しい有様である」と書き出され、この本にまつわるエピソードと、この私家版が詳細に紹介される。次頁は中に挿入された荷風自身の撮影になる写真十一枚の、当時はほとんどの人が見られなかった被写地が克明に解説されている。そう言えば本号は〝明治文学特輯〟であった。そして三頁目には大きく〝入札書〟の見出しで、右の(1)『濹東綺譚』私家版＝底値二十五円から始まり、〝全部初版極美本ぞろい〟と断わり、

(2)独絃哀歌　初版署名雅印入　蒲原有明　二十六円
(3)草わかば　初版極美　蒲原有明　十二円
(4)破戒　初版極美　島崎藤村　十六円
(5)一葉舟　初版袋付極美　島崎藤村　十三円

⑹山上軍艦　限定署名入カバー付　火野葦平　十円
⑺虞美人草　初版元帙入極美　夏目漱石　九円
⑻鶉籠　初版カバー付極美　夏目漱石　六円
⑼新篇浮雲　第一輯・初版　坪内雄蔵・四迷　三円
⑽瀧口入道　初版極美　高山樗牛　三円

と印刷され、下段には入札をうながす〝しくみ〟が、

「今回新入手ノ内、上記十点ニ限リ入札ニ致シマス。コレハ値ノ上下ニヨラズ品ガ少ク需要ノ多キヲ主トシ、出来得ルダケ御得意様ニ公平ニ差上ゲタイト云フ小房ノ微意ニ外ナリマセン。(略)下札(げさつ)御希望ノ方ハ封書ニ『入札』ト朱書シ、締切ノ五月参拾壱日(同日付スタンプ有効)迄ニ御郵送下サイ。(御通知ハ勝手乍ラ落札者ニノミ申シ上ゲマス)」

と記されている。

こうして第一号は、このあと〝初版本〟〝署名本〟〝限定版〟〝書誌学〟などと、項目別に約三百点の好事家垂涎の品が並ぶのである。続いて第二号では、一号で〝明治文学特輯〟とあった箇所に、

典籍推裏佳山水存

の言葉がはめられてあり、山水洞の名がここから取ったものかと分かるのである。一号と違う分野では〝番付・一枚物・粉本〟〝錦絵〟〝和本〟が加えられ、終わりには〝山

水洞漫語〃として、

「先月号の『濹東綺譚』の私家版についての記事は好評続々、又『入札会』は愛書家に異状なセンセイションを捲起し、机上は飛電飛信の山。お陰様にて頗る好成績。ここに入札者各位の御愛顧を謝し、益々ベストをつくしてその意に添はんことを期す。／次号は『荷風特輯号』と題し、荷風ファンの待望に報いんとす。内容は？？？」

と書いた。

そして第三号のことはすでに記してある通りで、四号欠の次の五号はこの十四年十二月に発行され、〃年末サービス号〃と謳われている。内容は〃国文学〃〃歴史〃〃美術〃〃演劇〃〃宗教〃〃哲学・心理学〃、最後は〃均一本〃で、二十銭、三十銭、五十銭と分けられている。

昭和十五年一月に出された第七号は圧巻である。頁数は表紙共色違い用紙十四頁だが、何と『地獄の花』から始まる。

永井荷風著書初版本・署名本　二十一種

他合計で六十点の詳略な説明がほどこされた目録だった。表紙は和紙を使用、またまた〃入札特輯〃を謳ってあるものだったが、その表紙を一枚めくったところに、私は山水洞の思わぬ自筆の文字を見つけたのである。

反町茂雄様　　　　山水洞

と。かつて私は反町邸から車一台分くらいの不用本の払い下げを受けたことがあり、多分その中の一点だったのだろうが山水洞は、やはり戦前から一歳違いの弘文荘を意識する人だったのである。

三

もし国があのまま、昭和十四年くらいのまあまあな平和色で進んだなら、山水洞はあるいは窪川書店、玄誠堂書店などと共に文学書を扱って、ユニークな古書店として名を残したかも知れない。が、世界の情勢は坂を転がるように戦争へ突入して行く。次第に古書蒐集などへ手を出す階層も減って行き、その上商工省からは、古本にさえ公定価を定めて統制の網をかぶせるようになった。山水洞はやむなく東京での生活を切り上げ、福島県へ帰郷しなくてはならなかった。

私が明治古典会に入るのが昭和四十年、初めての大市での仕事は、壁に名札を貼ってある各店に、発声を終えた荷を運ぶ役で、山水洞の名もその時から知った。そしてその二年後に、私はあの苦い思い出を経験するのである。

ところでこのところのある日、日本古書通信社を訪ね、八木福次郎社長に山水洞について尋ねた。

「あの人は気位が高いと言うか、商売的に反町さんを意識していました。また戦後は、福島県でたった一人の古本屋というのに、全連に福島組合を自分が理事長を名乗って申し出たりもしましてね……」

山水洞は「日本古書通信」の古書目録欄を、戦後の復刊間もなくから利用していたと言われる。私の、古い「古通」探索が始まった。「古通」の復刊は昭和二十二年六月十五日号からである。翌二十三年八月十五日号から、山水洞は目録（一頁百二十点の）を出している。何しろこの時代、古本の九十九％は戦前本だから、品揃えは溜息の出るほどに良質である。その上、自筆本の中には、

「お律と子等」　芥川龍之介自筆原稿　和装帙入全百五十枚　一万五千円

という品まであって、私は「あれっ！」と思った。その上この時の目録中には、

芥川龍之介初版本・献呈本及び限定版　並びに作品掲載誌大揃　一万八千円

が出ており、その詳細は、

献呈本『羅生門』『傀儡師』、限定版『地獄変』『おもかげ』「句集」「印譜」初版本二十五冊、重版、文庫八冊。掲載雑誌切抜作品約数十点ヲ大形切抜帖三冊ニ収ム。別ニ全集未載逸文ヲ掲載セル稀覯雑誌四冊（内容「産屋」「浅春集」「秋夜読書記」「新今様」）。

という豪華さだった。こうして「古通」掲載目録を辿ると、何と昭和三十八年十月号では、すでに龍之介の巻頭一枚目原稿「酒虫」「頴唐」「レオナルドダヴィンチの手記」

を、額入で各一万四千円で出品している。また昭和四十年三月号の目録には、「芥川龍之介自筆、生前最後（自殺十七日前）の書簡」四万八千円、などというのを山水洞は載せているのだ。

　そして四十一年八月号では、「山水洞、再び東京へ」と題し、「かつて三十数年前の山水洞創業地の東京の舞台で再び踊ろうというわけです」と、渋谷区恵比寿三丁目の「静山荘二号」の事務所を記している。この時の自家目録が、前にちょっと触れた、明治大正昭和の文豪、文化人、画家の「自筆物特輯」だった。その第一集表紙には、「荷風日記」昭和十九年十一月五日（日）の記事、

　　永田氏某友梁瀬氏の依頼なりとて私版腕くらべ其他を出して署名を請ふ。恵比寿駅前古本商山水洞にて去頃二百円にて購ひし由なり。濹東綺譚も同値のよし。

を大きく印刷している。こうしてあの昭和四十二年暮の大市会となるのだ。思えば、下町の、まだ神田へ働きに出て二年目の古本屋が挑戦しても、すでに幾多の龍之介物を扱い、そこから生じる山水洞の直感に勝てるはずはなかったのである。

　山水洞の老練さは、翌四十三年四月号の「古通」掲載の目録にあらわれ始める。まず、十二万九千円原価のあの原稿反故が、「芥川龍之介自筆未発表原稿」と題し、五十八万円で売り出される。しかし売れず、九月号では細分化されて〝第一回分売目録〟として、合計では二百万にも分売されているが、成績ははかばかしくなかったようである。そこ

で山水洞がもう一人の角田忠蔵になってこれらを二年ほどかけて編集、作成したのが、『芥川龍之介自筆未定稿図譜』だったのである。昭和四十五年十月号の「古通」には、表紙二（表紙の裏）の全部を使った広告が出る。

　三八〇限定（内九二部は原稿付特製）。定価三八、五〇〇円　但し特製本は内容、枚数
　により価格が異なるので、詳細は案内書を参照されたい。

が見出しで最高三十万円を提示、刊行の言葉、収載作品の目次が詳しく印刷されている。

こうしてこの出版後も、山水洞は明古の大市会等に参加、個人目録を出し、「古通」に販売目録を掲載し続けた。その「古通」への古書目録掲載が終わるのは、昭和四十年代末のことであった。

昭和五十年は一九七五年、一九〇二年生まれの山水洞はすでに七十四歳、この年「日本古書通信」一月号の〝謹賀新年〟欄に、山水洞は、「名家自筆物専門四十二年の老舗／山水洞／角田忠蔵／住所（浦和市太田窪に変わっている）」ときて、末尾には、「学究として著述に専念の七十四叟」と小さく加えられていた。〝謹賀新年〟欄の最後は昭和五十三年掲載の七十七歳時のもので、「日本学術会議第十期会員／専門別第一部史学専攻茶道史／日本古文書学会員／角田忠蔵（山水洞）」の文字を並べている。現在、角田のことは『芥川龍之介事典』（明治書院、

昭和六十年）中に、『芥川龍之介未定稿図譜』の編集者として紹介されているが、その約千二百字の中に、古書業者としての経歴はどこにも見出すことは出来ない。

四

ここで山水洞について、もう少し探索させて頂く。こういう時代だから売れるか売れないかは別だが、例えばその品が今テレビで人気の「なんでも鑑定団」に現われたとしたら、最低値でも五千万、——いや一億の値さえつこうという品の、山水洞が売り出したそもそもの出現から、売れて（？）業界からも世の表面からも消えてしまったある品の経過を、山水洞の記録の中に、私は示しておいてあげたいのである。

今度私は、山水洞の生涯を、主として山水洞が「日本古書通信」に載せた「山水洞古書目」と、その十冊ほどの自家目録によって辿ったのであるが、彼はその復刊早々（一年目）の昭和二十三年八月十五日号から「古通」を利用している。そう、あの龍之介の「お律と子等と」の原稿百五十枚を一万五千円で掲載した目録中に、その品はあった。

（A）竹久夢二自筆「十二ヶ月大屛風」六曲一双。夢二が会津東山温泉に来遊の折、土地の素封家の懇請によって執筆した大作で、従来門外不出として土蔵の奥深く秘蔵された極めてウブイもので、図柄は年中行事を正月羽根付・二月初午・三月雛人形と云ふやうに十二ヶ月に分け彩色入で描き、中には俳句で賛を書き加へたのも有り、実に夢二一代の名作として後世に残るべきものでせう。この新春に際し是の如き名品を江湖に提供し得るは小洞の秘に誇りとする所です。

と解説し、「尚御購入御希望の方は御照会次第詳細御返事申上げます。写真御希望の場合は実費百円にて御頒ち申上ぐ」と追記、続いて夢二ものがもう三点、乞照会として、

(B) 乙女　絹地彩色尺三　布装一幅
(C) 春愁　絹地彩色尺三　紙装一幅
(D) 秋風　絹地彩色尺二　紙装一幅

と掲載されていた。その後「古通」昭和二十九年十月号で、山水洞は(A)の品について初めて、十五万円という値を公表する。この間に問い合せがあって「(B)乙女」だけ売れたのか、(C)(D)につき七千五百円、三千五百円の値をつけている。書画骨董の安価な時代だったのか、それでも(A)(C)(D)は売れなかったようだ。

昭和三十六年になった。山水洞は「古通」一月号に(A)を百万円で売りに出している。(C)(D)はこの七年間のどの年かで売れたものか、もう掲載はなかった。すると山水洞は、翌々年の昭和三十八年の「古通」目録に、今度は〝金二百万円〟に値上げして、この「(A)竹久夢二『風俗十二ヶ月』大屏風」を提示する。そしてこれ以後、この品が「古通」誌上に掲載されることはなかった。

それにしても、山水洞は何故これほどの品を写真版にして「古通」に載せようとしな

かったのだろうか？　未だこの時点に立つと、どの店も写真版で商品を見せている例などなく、技術的にも雑誌に写真版が用いられにくい年代だったのではないか。また、図で示して品をさらしたくない、との山水洞の思惑もあったのかも知れない。いやここまでお読みいただいた方の中には、元々山水洞が実体のない幻の品を活字だけで示していたのではないのかと、私の推理を咎める向きもあるかも知れない。しかし、私は確かにある大市の入口に飾られたあの見事な――等身大の袂の長い娘達が羽根突きをしている場面から始まる、四季折々の構図で迫る「風俗十二ヶ月」の屏風を見ているのである！

　だが、目録という目録の図版にそれが見つからないのだ。どこか記念館に納められているのではと、各館の目録、及び収蔵品で構成されたと思われる美術全集の類もみな眺めた。それでも見つからず、いつか自分が見たということまで、幻だったかと思えてきてしまう。明治古典会が図版入りの目録を作って、展観、下見させての大市会を始めるのは昭和四十年、しかしいくら四十年代の全ての図版に当たってもこの品はなかった。もうこの上は無駄を承知で、シラミ潰しに活字部分を追ってみようと思った。私は全頁を、まるで文章の校正でもするように行を追った。四十年、四十一年、四十二年……と。するとこの年、〝明治大正前後の短冊・色紙・書画幅等〟の項に、それは隠れるように載っていたではないか。たった一行、

　夢二画「風俗十二ヶ月」六曲十二面　　彩色俳句讃屏風　一双

と。幻ではなかったのである。

では、これは売れたのか？　当時業界切っての夢二通と言えば、現在書籍以外にも現代版画などなどを扱って個性的な書店になっている、神保町・山田書店の創業者山田朝一氏を措いてなかったが、今（二〇〇四年）はご高齢のためお会いできなかった。当時業界用に明治古典会が発行していた『落札価格年報』昭和四十三年度版に、この品の出来値が記録されているのを、私はやっと見つけた。ちなみにこの年五十万以上の品は、「風俗画報」五一八冊揃―百三十二万円、「明星」一〇一冊―五十八万、「創刊号コレクション」七六三六冊―九十万円、「芥川龍之介書簡集」二十六通―七十四万円、「痴人の愛」原稿二帖―百七十五万円で、何と山水洞の屏風はこの市での最高価格だった。

そして私は小半日かけて、第三者の絶対的証言さえも見つけることが出来た。証言者は外ならぬあの山田朝一氏で、

「この大市会には、夢二ものが多数出品された。中でも、夢二自筆屏風・風俗十二ヶ月六曲一双は見事なもので、落札価は二百二十万円だったが、今なら二千五百万はするだろう」（「夢二本に見る明治古典会史」「明治古典会通信」昭和五十五年六月号）とこの時点で書かれていたのである。

注文ハガキに見る多彩な顧客

岡本有文堂・岡本源一郎

昭和六十二年の「全国古書連合会名簿」に、京都市上京区上ノ下立売紙屋川東入堀川町の所在地で店名が載り、翌年の日本古書通信社刊『全国古本屋地図』には、山陰本線二条駅を中心に書かれた地図と共に、《千本通まで戻り……更に西に行くと岡本有文堂。和本、刷物、明治資料を主に目録、即売会に力を入れている。ここから西大路通へ出て北へ、平野神社の西方に立命館大学があるが……》と紹介されているのがこの書店である。

そして平成三年版の「全連名簿」にも載っていたこの書店が、次の平成十二年版に名がない。多分、このどこかの年に、岡本源一郎が没したか、もしくは廃業となったのであろう。

もう三年ほど前、私はそう高価ではなかったが、この書店宛の諸名家差出しの葉書百枚余りの束を、何人かと競って古本市場で買ったのである。これらは、言わば顧客の注文書であり、今回はこれらを紹介することで、この書店の営業ぶり、知るはずのない生

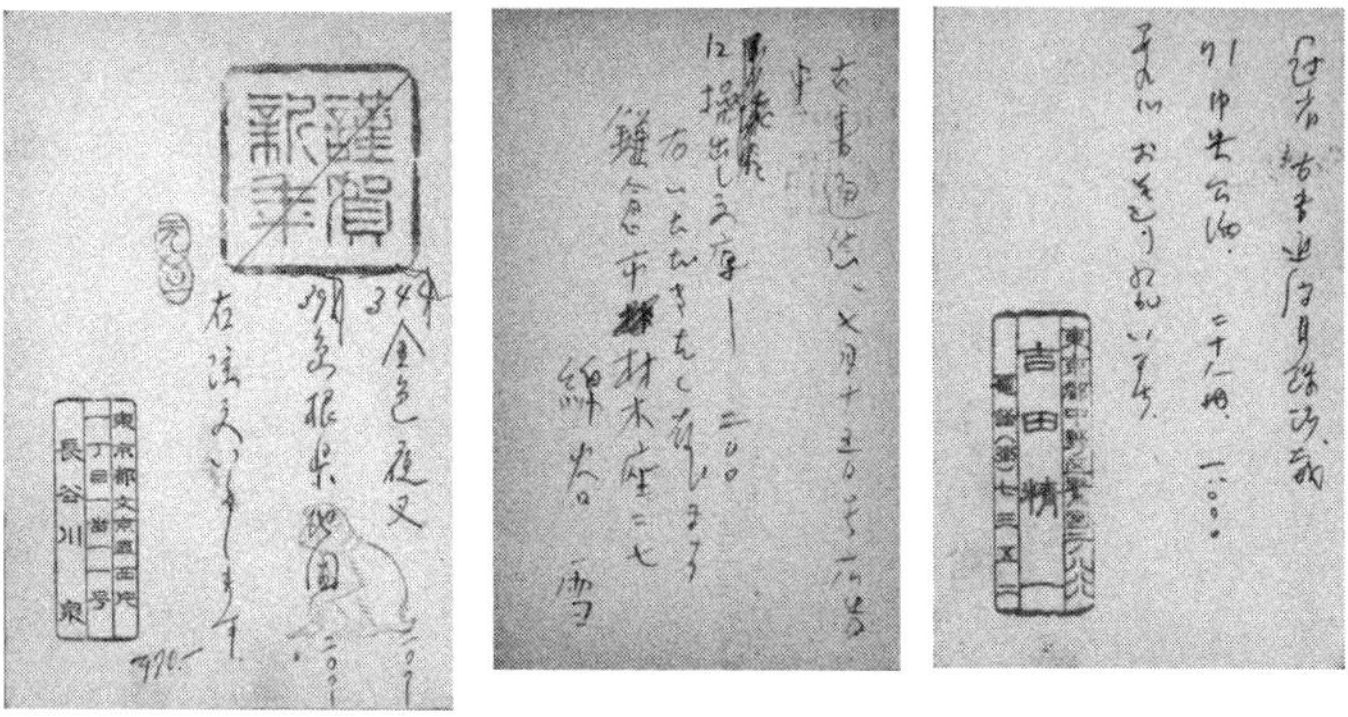

諸家の注文葉書

涯がわずかでも浮かぶならと願っているが、どうなるであろうか？

とりあえず諸家の文面を読んで分かったのは「古書春秋」という自家目録を出すのを主力としていたこと、また一時期「日本古書通信」の目録頁にも出品していたこと、などであった。私はその例を昭和四十年度の「古通」に見つけることが出来た。

この年岡本有文堂は一、四、六、七、八、十、十二月号と出品している。岡本の特徴はその安価なことで、一頁百十点のうち千円以上のつけ値は平均四、五点で、あとは二、三百円が大勢なのである。品揃えは和本から趣味、文学などで、中でも今なら何十万にもなる、

「婦人グラフ」二十二冊　八百円

にドキリとさせられ、

女の手紙（社長及奥様宛）四十二通　三百円

などというのに微笑まされてしまう。

葉書は戦中の昭和十七、八年からあり、仮りに岡本

の年齢をこの頃三十歳とすると、平成四年では八十歳になっていたと思われる。その昭和十八年、〝香草舎〟の暁烏敏は《目録にしるしをつけてお送り致しました。御送本願ひます。送料共計算、御請求下さい。すぐ御送り致します》

木村毅は『茶道美談』『舞師匠坂口きみ伝』を注文、川上三太郎は『〝上方〟二十七冊』『思軒全集』『古今滑稽俳句集』『永代塵功記』を頼んでいる。市河三喜は東京帝国大学・日本英文学会方で『虫の生活』を注文、国文学の武田祐吉は『日本書紀・丹鴨叢書本』を、国語学の橋本進吉の葉書は、

《拝啓　今度貴店に注文致し候「狂言抄」に対し「無言抄」一冊を御送付相成候が、右は目録の如く狂言に関する書物かと思ひ注文致候もの故、無言抄は見込違ひに付、御返却致したく別便に御送り申上候故、御査収下され度候。代金の儀は右の本を除き振替にて、御送り申上候。これ亦御査収下され度候。右御諒承願上候》とある。画家小倉遊亀は『四柱推命秘伝』『家相方位建築宝典』を注文、近藤浩一路は『墨色早指南』『黒色小筌』『白隠禅師』『草書淵海』を頼んでいる。

戦後はいち早く斎藤昌三が『蝦夷今昔物語』『吾輩は猫である』『三四郎』『墨東綺譚(ママ)』などを注文している。この葉書集の中、もっとも多い注文主は作家藤森成吉で、十二通もある。その一枚だけで『西廂記』『光琳研究』『名古屋文学史』『名作物語・諧謔文学』『印度仏蹟巡礼記』『画聖竹田先生百年祭誌』『頼山陽先生』『アマンジャン』『正法眼蔵

の哲学私観』とあり、著書『渡辺崋山の人と芸術』などの資料蒐めだったのだろうか。

次に多い注文者は宮尾しげをで、《目録拝受、ヤケ出され、今左記に移りました。八頁の『幕末巷写史料抄』といふものの中に、風刺画の件が入ってゐたら見たいと思ひます。如何ですか。小生著『小咄〇〇（不明）目見得』十二冊が出たら欲しいです。ありませぬか》と書いて来たのが始まり。やがて生活も落ちつき、宮尾は岡本にテレビ出演を知らせたり、木版刷の年賀状まで寄こした。が、年賀状と言えば、これも十枚ほど残されている石田茂作という人の〝謹しみて昭和三十九年を迎う〟の印刷文が面白い。

《今年はたつの歳である。たつがよし、たたざるがよし。／ビルがたつ、工場がたつ、煙がたつ、ほこりがたつ、家がたつ、倉がたつ、門松がたつ、かげろうがたつ、湯気がたつ、茶柱がたつ、波がたつ、しぶきがたつ、年がたつ、日がたつ、秋風がたつ、腹がたつ、気がたつ、とげがたつ、這う児がたつ、箸をたつ、棒をたつ、線香をたつ、旗をたつ、碑をたつ、銅像をたつ、塔をたつ、博物館をたつ、戸をたつ、箒をたつ、交りをたつ、音信をたつ、茶をたつ、塩をたつ、酒をたつ、女をたつ、食をたつ、望みをたつ、生命をたつ。／思うようにならぬが人生》

石田の注文は、その余りの達筆でよく読めないが、岡本は書かれた目録番号で判断出来たようだ。私にはわずかに『足利紫山短冊』『西国順礼細見之図』などが辛うじて読めた。ただ、差出場所が〝奈良国立博物館〟という印が押されたものがあり、もしやと

「人名辞典」に当たると、石田は《仏教考古学者》とあり、館長を歴任の著名人と分かった。

この他、前田晃、丹羽文雄、長谷川幸延、杉森久英、吉田精一、長谷川泉、小門勝二、綿谷雪、西谷啓治、新村出、長沢規矩也、三井高陽、大塚金之助、三島海雲などの注文葉書があった。

ともあれ、どうしてこんな葉書集が、古本市場に流れて来たのだろうか。これこそ不思議ではないか。

雨亭文庫・坂本一敏
愛書家たちの交流のカナメ

一

恒例二〇〇七年春の中央市大市会で私は、例の如く主に自筆本（原稿・手紙の類）コーナーを漁っていた。隅の方に「坂本一敏宛書簡集」という一箱が置かれている。中は、差出人毎にキレイに茶封筒に仕分けされており、メンバーは今井田勲、岩佐東一郎、岡本文弥、木村喜久弥、小村定吉（さだよし）、斎藤昌三、酒井徳男、斎藤夜居、志茂太郎、高橋圭介、竹久彦一、塚本邦雄、内藤政勝、秦秀雄、平田文也、堀田両平、八幡城太郎だった。それぞれ、一時代前の書痴達だが、商品としての魅力はなさそう。まして量的には、半分以上があの詩人としては評価の低い『春宮美学』の小村定吉だった。何と書簡・葉書合わせると二百通もあろうか。それでも私は、その二、三通の手紙を眺めた。と……そこには、晩年八十代と推定される詩人の老いの思いが、坂本に向け余さず発信されていたのである。私は五万円台から九万円台の三枚札を入札して帰った。

翌日（大市の結果は当日見られない）古書会館へ行くと、他の十数点と共に、書簡集も五万六千円で落札していた。ともかく、この項を始めるにあたり、ここは坂本一敏の略歴をその二冊目の著書『古書の楽しみ』（昭和五十八年、国鉄厚生事業協会）から写してみよう。

明治四十五年六月佐賀県生まれ。旧制福岡高等学校文科を経て東京大学経済学科に学び、昭和十三年卒業。

日本カーボン株式会社に勤務、昭和五十二年同社専務取締役を辞任。翌五十三年に新日本カーボン株式会社社長を辞任して現在、日本カーボン株式会社顧問。その他、愛書家サロン同人、日本書票協会理事、季刊『銀花』相談役、日本書物装幀芸術協会理事、千葉県古書籍協同組合員、東京民芸協会会員、等。

主な著書に『蒐書散書』『蔵書票』『紙の宝石』『坂本一敏蔵書票集』『坂本書票集』『梅庵雅状集』などがある。

そして今では考えられないことだが、長生郡の現住所まで明記されているのは、時代が平和だった名残りであろう。右にある如く、坂本の最初の市販本は『蒐書散書』（昭和五十三年、季節社）である。また所属団体名中にあるように、坂本は昭和五十年代から六十年代初めにかけて東京古書組合↓千葉組合に属したレッキとした古書籍商でもあった。無論私などの眼からはそれは殿様商売にしか見えなかったが、心からの読書人、蒐集家としては本物だった。坂本はその『蒐書散書』を、

《私は幼年のころ父から買ってもらった絵本をミカン箱に一杯詰めて愛蔵していた。そして近所の悪童どもを家の二階に集めては、それらの絵本を配って学校ゴッコをしていた。これが後年かなりの蔵書を収蔵するに至った起源であったかも知れない》

と書き始めている。坂本が、私など教科書以外書物の影すら見なかった家庭からは想像出来ない豊かな家に育ったことや、後年の本をひとり占めしない性格までがこの引用の言葉に表れている。そして今度の書簡集にも残された、中等学校の国語科担当・秦秀雄（のち北大路魯山人の星岡茶寮支配人）からの、文学から古美術に至る読書指導の影響が、坂本の老年期まで尾を引いたと思われる。

旧制高に進むと、坂本は秋山六郎兵衛の感化を受ける。東大時代は朝日新聞に「濹東綺譚」が連載された頃で、その日の夕刊を読んでは本郷から三日とあけず寺島町界隈を探索に出かけた。またこの頃、一週間に一度や二度、本郷、神田、早稲田の古本屋廻りをしており、父の住む大阪に戻れば日本橋を東に入ったところにあった天牛書店に立寄るのを忘れなかった。

戦後の坂本は京都に住み、事業で東奔していた。がその激務がたたって肺の疾患に冒

され、三年間病床生活を余儀なくされる。絶対安静期間のあと、幸い一日数時間の読書が許されることになった。と言って重い本は無理、親類の女性が書見台に武井武雄や前川千帆、川上澄生の豆本を選んでくれ、その楽しさを知る。後年の豆本趣味はこの時の影響だ。次に坂本が美書善本探求の刺激を受けるのは「日本古書通信」の読者として、昭和三十年一、二、三月号に掲載された「明治大正詩書人気番附」「明治大正歌書番附」「日本限定本人気番附」を見た時。その頃から坂本は、単なる読書家の域から愛書家、書痴、書狂へとのめり込んで行き、またすでに孤独な足で歩いて集めるという主義から一転、広く愛書家の人々との交遊も盛んになるのだ。

話は前後するが、何と言っても坂本は文学書に没頭していて、夢二本や白秋の初版本は随分と愛蔵し、漱石の初版本も数百円で入手していた。若山牧水も『海の声』『独り歌へる』の特製本を除いては無難に蒐まった。与謝野晶子の『みだれ髪』初版は二冊持っていた。一冊は青山の骨董屋から五百円で買っている。『恋衣』初版も同値で譲って貰った。その他『一握の砂』『悲しき玩具』『紫』『銀』『小扇』『歌日記』『沙羅の木』『パンの笛』『一路』『相聞』等々の歌書の初版本、『若菜集』をはじめとする藤村四詩集のカバー付、『孔雀船』『珊瑚集』『春と修羅』『食後の唄』『道程』『暮笛集』『抒情小曲集』『聖三稜玻璃』『三人の処女』等々の詩集の初版本。

殊にめったに現われない朔太郎の『月に吠える』無削除本は表紙の背が欠けていたが、

神戸駅前の古本屋で五百円で買っていたのだ。

二

坂本一敏は結局、昭和五十三年の『蒐書散書』(二年後の定本版あり)、五十八年の『古書の楽しみ』以外にも〝蔵書票集〟など十一冊の著編書と、小村定吉『夢十一夜』、城市郎『活字のエロ事師たち』等十四冊の版元ともなっている。

私が坂本を知ったのは『古書の楽しみ』が出た頃で、すでに六十八歳、私は四十七歳だった。古書通信社で紹介された坂本は、長身のダンディさにあふれた紳士だった。勿論坂本の著書二冊は読んでいたが、お金持の古書道楽の本だな、と思った。すると昭和六十年、坂本は自刊した『活字のエロ事師たち』全十冊を私に送本してくれたのである。私はこの種の本も嫌いでなく、早速その旨の礼状を出した。その頃からか、私は明治古典会の大市など廻し入札に八木福次郎氏と並んで座っている坂本と会った。

坂本が、平均二十頁ほどの小冊子「雨亭通信」を出し始めたのも昭和六十年のことで、丁度現在の私(七十四歳)位になってからである。それから六十三年にかけて十号を出して終刊するのだが、私にも発行される度に送ってくれた。

《書物に関する私刊の小冊子をいつの日か出したいと十数年前から心に留めていましたが、このたび漸く陽の目をみることになりました。会社を辞めて数年、どうやら老後の

『定本・蒐書散書』（昭和55年）

自分の時間を持つことができたからです。私が東京に住んでいました時、大阪の尾上蒐文洞君と一緒に「東西通信」なるものを出そうか、などと話合ったこともありましたが、東京を離れて当地に引込んでからは、その計画も立ち消えとなりました。そして私個人の刊出を思い立った次第です》

という「発刊のことば」で始まり、八木福次郎、尾上政太郎、城市郎、浪速書林・梶原正弘が文を寄せた。

一号では、昭和四十年頃から坂本とつきあい始めたという梶原の「雨亭主人の古本人生」が貴重だ。梶原は駆け出しの頃、大阪での師匠格だった尾上政太郎と大市会に上京、尾上と親友だった碑文谷の坂本宅を訪ね、泊めて貰ったりする。いつも酒をご馳走になりながら本の話に花が咲くのが常だった。その上稀本珍本まで頒けてくれ、翌日の大市会まで運転手付の自家用車で送ってくれたりする。ある夜、すでに酩酊気味の山王書房主が先客にいて、談論風発、深夜になるまで万葉の歌を高らかに朗詠したと言う。そんな順風満帆に見え、昭和五十三年時には、子会社二社もの社長まで兼ねていた坂本が、ある日身に覚えのない疑いで退職を迫られた事態についても梶原はこの文章で触れてい

る。末尾、梶原は、
《しかしながら坂本さんは、今さばさばと温顔笑みをたたえておっしゃる「会社をやめてホントーによかった。お蔭で古本屋になれたのだからね」とまったく嬉しそうに》
と結んでいる。また「雨亭通信」には、本文のあと坂本の〝古書販売目録〟がつく。裏表紙には、「雨亭」が元東大寺管長・清水公照師から名付けて貰ったのだと、坂本は書いている。
二号には稲村徹元、さとう実、内田市五郎、長谷川卓也が文を寄せ、三号にはやま・れじな、清水一嘉、長谷川卓也、村瀬良一、斎藤夜居、佐藤弘が書く。四号には葛飾栄市、斎藤夜居、長谷川卓也、安川久夫、青雲荘主人が文を寄せ、五号には大久保久雄、清水一嘉、長谷川卓也が書く。六号はやま・れじな、長谷川卓也の他、坂本が「雨亭山房主人」の名で、長文の「ヨーロッパの旅点描」を載せた。七号はさとう実、日高光利、長谷川卓也、高橋栄市で、八号にはさとう実、河合実、小駒公子、安達勉が文を寄せた。九号の筆者は斎藤専一郎、さとう実、たかはしてるを、村沢貞一、小駒公子、長谷川卓也、清水一嘉、福島鑄郎で、十号には河合実、小駒公子、城市郎、さとう実、長谷川卓也、そして坂本の文章二篇が載る。古書目録も充実、限定本等高価な八十九点の品揃えだった。その終刊号「あとがき」の末尾を紹介してみよう。
《会者定離！　蛍の光……を歌いながら、そして皆様の弥栄をお祈りして祝杯をあげ、お別れを申し上げます。なお、また機会がございましたらお目にかかることにいたしましょう。希望を失った人生は死んだも同然ですから。／雨亭文庫主人　敬白》

ところで、私はこの「雨亭通信」発行時に坂本が興奮した口調でかけて来た電話を忘れることが出来ない。……思えば、その頃私は少しだけ書き手として売れていたのだ。雑誌「新潮45」昭和六十年六月号から十二月号にかけて、「日記買います屋懺悔録」なる文章を連載していたのである。

その五回目は、古本市場で求めたある国文学者の日記を紹介した。高木（仮名）は大正八年国学院大学卒。大正十四年福岡高等学校助教授となり、昭和五年教授。戦後は文学博士号を取り、私大を転々とする。妻の死に遭い、結婚相談所通いを始め、そこですっかり人間の変った高木は、相談所をわたり歩き、女性を物色、試験的に自宅へ置いてみるなどに励む。日記は、数年間は平均年に三、四十人の女性と交際するという破天荒な漁色の記録だったのである。編集者がつけたその回のタイトルは「瘋癲老教授日記」。

その雑誌を読んだ坂本は驚愕した。

「青木さん、今度の連載、××××が本名でしょ？　福岡高時代の恩師の一人でした。××先生が戦後そんな人生を送ったとはね……」

三

始めに紹介の「坂本一敏宛書簡集」中、斎藤昌三、岩佐東一郎、酒井徳男等との交遊が分かる書簡群も面白いけれど、何と言っても二百通になんなんとする、老詩人・小村定吉の書簡葉書ほど心ひかれるものはなかった。無論、読書家としての坂本は、すでに戦前から小村の存在は知っていたに違いない。

二人が知り合った初めは、古く残る消印（昭和五十五年）で、坂本六十八歳、小村七十八歳の時と思われる。

最初坂本は新潟県帯織の小村に本を注文、小村は昭和五十五年五月二十二日付葉書（以降、葉書は㋩・手紙は㋢）で、別便書留にて送本……長生郡一宮町とは結構な地名ですね……長生郡にあやかりましょう……などと坂本に宛てた。坂本も早速、着本の丁重な手紙でも出したのだろう。小村は、七月二十日（㋢）、

《御芳名はどこかで伺った気がしましたが、昭和三十一年七月の「書痴往来」に「限定本という本」を書かれた方と分かりました。……坂本さんには書きたいこと山ほどありますが、今は少々健康を損ねており……》

と書いて来た。

すると逆に、坂本からは自転車で転倒し重傷との報。小村は心痛し、自分も二、三年前駅の階段を踏みはずし転落、意識不明で救急車で運ばれたこと、以来自転車には乗れませんと言って来た。こうして文通が始まって二カ月過ぎた。そんな、残部ある著書を

よろこんで求め、早刻送金して手紙で詩人を鼓舞してくれる坂本に応え、長文の手紙まで寄こすようになった。十月二十二日、

《御書面拝誦、お写真、どうもありがとうございました。わたくしも一枚同封しました》

と小村は書いた。

《雅兄も明治四十五年生れと言えばそろそろ七十歳近いですね。七十歳頃はまだよいです。七十五を過ぎると一年増しに弱ります。視力の低下もおそろしいものです。でもその頃はまだ多少の元気はありました。今は骨と皮ばかり、視力のおとろえ、原稿用紙のマス目もよく見えません。小生兵隊検査の時は一番の大男、百田宗治さんを初めて私が訪ねて行った時、「ア、驚いた。お相撲さんが来たかと思った」と言われた。事実相撲とりになろうかと思い、筑紫潟（つくしかた）といういしこ名を考えていました。

花も実もこうなるものか冬木立

やがて茶毘のけむり、ザ・エンド。で、来春から「望雲閣だより」というものを発行します。あなたのところへも四、五部送りますから知人に配って下さい。「死を見つめた人々」というサブタイトルをつけ、詩人の末路を書くつもりです。大仏殿の落慶式に御参列とか。あなたも曹洞宗ですか。私、昭和六年発行の小型本「修証義」を常にポケットへ入れております。不思議な御縁ですね。どうか長生きして下さい。からいもの食

べないで下さい。煙草はなるべくお吸いにならない方がよろしいです。小生も七十歳を記念して煙草はやめました。早々》

お互いの写真まで交し、十歳下の坂本に健康の秘訣まで説いている。坂本はなおも小村の古い詩集の在庫を聞き出すようにし、みな送らせては知己や顧客に取り次ぐのだった。小村ももう、幾らでなくてはなどと言わず、〝蔵に残る〟己が詩集や文集、書いたものなどを坂本に送った。昭和五十六年三月二十四日付（ハ）の一節。

《「望雲閣だより」が出来て来ますので、送本少しだけお待ち下さい。只今次の大手拓次のことを書いております。拓次は昭和九年、肺結核で妻も子もなく四十八歳で、孤独のうちに不遇な生涯を終えた。一方堀口大学さんは数えの九十歳、幸せの人でした。上田敏の二倍、中原中也の三倍の長寿でした。御地はもうサクラ咲きましたか？》

五月二十二日（ハ）

《「たより」への御感想をたまわり大変うれしく存じます。一人につきもっとくわしく書きたいのですが、それでは一回に一人しか書けない。二、三人はと思っておりますので沢山書き足りないことがあります。詩魔に憑かれるということは恐ろしいもので、この年になっても詩と詩人のことばかり考えております。外のこと興味ありませんがあなたへのお便りは書きます。お忙しいようですけれ共、「娑婆」のこと聞かせて下さい》

六月十八日（ハ）

《書留、何事かと思って開いてみましたら大枚五千円が入っていました。驚きました。そろそろ小遣銭が底をついた頃なので、薩摩焼の一輪活(いけ)でも処分しようかと思っていたところ助かりました。早速頂いたお金を持って、これから切手と葉書を買いに出かけます。小生心臓は今のところ落ちついていますが、今月はじめから眼疾悪化、手術を要する状態となりました》

坂本からは海外旅行の便り。

十月十三日(八)

《ハワイ旅行の長文のお手紙、近頃になく楽しく拝読させて頂きました。さながら南国の島々が手にとる如く、鮮やかに目に浮かびました。実に名文ですね。(略)》

昭和五十七年三月五日付(八)の文字は乱れに乱れている。

《お手紙並びに金子ありがたく拝受。人の情のうれしさ、老の身にも涙です。小生目の見えるうちは書きます。もうハガキの字は書けても、自分では読めません》

しかし翌年、小村は手術に成功しこのあと六年間、平成元年四月十六日の死の直前まで、坂本へ向け老いの思いを送信して来るのだった。

四

坂本は昭和五十八年には新潟へ小村定吉を訪ねている。二人の友情はますます深まり、目も回復した小村の筆跡にも力が入って来る。いやそうではなく、その頃の小村の元気のみなもととなったものは、間違いなく坂本との交友だったのではなかったか。

手紙の文面には、小説「永井荷風の死」のことが出て来る。始め小村は二百枚位を構想していたのが、昭和六十一年五月八日付の葉書では四百字詰三百七十五枚で脱稿、五寸堂から出版予定と書かれている。もう一つ出て来るのは城市郎のこと。五十九年七月十一日の一葉、

《城さんのシリーズ、わざわざ御恵送どうもありがとう御座居ました。昔斎藤昌三さんから『三十六人の好色家』という本を貰ったことがあります。城さんもそれに劣らぬ専門家ですね》

このシリーズとは、坂本が雨亭文庫名で出版元となった豆本『活字のエロ事師たち』のことで、①「梅原北明」、②「久保盛丸・谷村黄石洞」が出されたところだった。そしてその四カ月後の⑤に何と、小村定吉が足立直郎、道家斎一郎と共に選ばれてしまう。小村の第一詩集『春宮美学』（昭和八年、椎ノ木社、限定二百部）は、出るとすぐ発禁となっていた。

玉門左右開　恍惚現丹台
芳香遶丘線　紅楼臨花隗
芬芬花気発　滑滑湧泉来

美也乎紫極　春心自相催

という詩が官憲に引っかからないわけはなかったのである。坂本はこのあと、昭和六十二年、小村の豆本『夢十三夜』の発行元になり、翌六十三年には『由利子の歌』の普及版発行も引き受ける。こちらはすでに、昭和五十八年四月に私家版で出された、小村が女人由利子への思いを追慕した愛の長篇詩集であった。普及版末尾には、小村の詩歴と『由利子の歌』を解説した坂本の「刊行者付記」がつき、文章は、

《……定本『由利子の歌』の上梓は亀山巖氏、風神庸人氏のご協力によりやっと陽の目を見ることができて深く感謝しています。私は漸く重荷を下した感じがしている。雨亭文庫の最終刊本として記念すべき本となって有難い。今後ともますます筆者小村定吉翁のご健筆をお祈りする。／南無大悲由利子観世音菩薩！　合掌／昭和六十三年早春　雨亭散人》

で終わっていた。

十月には、二百五十部普及版の小村の『由利子と米吉』が孔芸社版で出る。これは昭和四十六年の高橋本（限定百八部）、五十四年の私家版（これも限定百八部）の加筆訂正本。初老の医師山口米吉と二十五歳の娼婦〝喜美家〟由利子との虹のような交情記で、一部には〝戦後版『濹東綺譚』〟の声もあったと言われる小説。この本には佐々木桔梗の解説がつき、こんな一節があった。

《……それはそれとして、ある時私は小村氏に尋ねた。詩集にしろ小説にしろ、ずい分女性に手を出したり惚れられたりしていますが、当然フィクションの部分もあるでしょうね、と。氏は全部ほんとうのことですと、至極真面目な顔で答えた。私は羨望に似た思いで六尺近い長身の氏をいつまでも見上げた》

昭和六十四（平成元）年、坂本は小村の、

《謹賀新年。小生今年一年がんばると来年は米寿の祝いをしてくれると、家人が申します。何かうれしいようなうれしくないような、妙な気持です》

という賀状を貰う。その後は一月十一日、十四日、二月三日、十日、十四日、十五日と、ほとんど孔芸社版の次の本『由利子の電話』にかかわる心配事の葉書だった。小村は一冊本に出したいのだと言うが、刊行者は作者の意向を聞かず、三冊本の準豆本で出すべく、もう進行させてしまったのだ。その悩みを坂本に訴え続けたのだった。坂本は心配し、進んでしまったことは仕方ないとして、費用援助は最初に約束した以上には出さないようにと忠告した。がそのあとはぷっつりと葉書は途絶え、四月十六日の家人からの死亡通知となった。孔芸社から『由利子の電話』第三巻が出されるのは、平成二年十一月のことであった。

坂本もすでに古本屋のマネ事からは撤退、千葉で悠々自適の生活を送り始めていた。

それでもこのあと坂本は、「日本古書通信」誌上に左の文章を寄稿している。

庄司浅水氏の思い出　平成三年十月

第百冊を迎えた古通豆本　平成四年六月

ウイリアム・モリスギャラリーを訪ねて　平成四年八月

グーテンベルグ銅像と出会い　平成五年二月

詩人・小説家・宗教家にして造本の鬼才西川満　平成十一年四月

晩年坂本は病を得て介添役の夫人と上京、喫茶店で水を貰って薬をのんでいるのを、私は見たこともあった。最後まで旅行も欠かさなかったというが、平成十一年九月十九日、病状の急変で坂本は八十七歳の生涯を終えた。九月二十一日、茂原アスカ法輪閣で告別式が行われ、亡骸（なきがら）は多くの文化人が眠る鎌倉の東慶寺に葬られる。戒名は「梅香院一道明敏居士」。

坂本の蔵書らしいものは、私も二、三度市場で見かけたが、古書業界で望まれている普通本の古書はすでにほとんど売ってしまっていたのか、限定本や豆本主体だった。坂本が版元にまでなったこの分野の値の低落が、現在もっとも業界の悩みの種となってしまっている事実は、残念ながら誰もが知るところである。

中村書店・中村三千夫
戦後派で詩書をあつかった最初の人

ここに、たった四十八頁の小冊子がある。これは昭和二十年代後半から四十三年にいたる約二十年間、渋谷宮益坂で詩集を専門として知られた中村三千夫（一九二二～一九六八）の三十三回忌文集である。

一頁目、「おじいちゃんは古本屋さん」の鉛筆による筆跡。八歳のお孫さんの肉筆で、何とも言えない味わいの文字だ。二頁目の裏白のあと、三、四頁にわたって目次が並ぶ。

古本屋から見た文学　中村三千夫
ある書店主の死　安東次男
詩の職人　日めくり　東京新聞
中村三千夫氏を憶う　木内　茂
中村三千夫くん　高橋光吉
古書漫筆　福永武彦
古本のバカ値　安西　均

中村さんのこと　富岡　弦
中村三千夫の仕事　高橋　理
中村さん　飯田淳次
小林秀雄の思い出　郡司義勝
背の高い詩人　三木　卓
読者よ『異国の薫り』を繙いて見給へ　堀内達夫
私の父　中村千恵子

である。ここで異様なのは、挨拶文（序・前書・後書のみか奥付すらも）がないこと。これは編者（正彦氏）の記憶に残った、父三千夫没後の追想文を集め、前後に、生前の父の文章と、姉の旧文を配したものなのである。

「私の父は、大正うまれで四十五歳である。東洋大学を卒業後、渋谷に本屋を開いた。父が初代である」と、奇しくも昭和四十三年の父の死亡直前に出た中学校の文集に残しているのは、二年生だった千恵子で、父はある夜、酒を飲みながら語ったと言う。「店を開いた時は、店ばかり広くて売る本がなかったんだよ。とうさんは、友達の家から本をかりてきたので、体裁だけはどうにかなったんだが、お客さんがやっと買ってくれると思うと友達の本だろう、断わるのに一苦労さ」

では、三千夫が詩の本を扱う動機となったものは何か。

「勤めた渋谷明世堂出版の前の露地が新詩社跡であったこと。店の前に、生涯最も崇拝した明治文学書の開拓者で歌人・玄誠堂芥川先代が居られたことなどではないだろうか」と書き、中村の仕入れぶりを「市場は振り市の為、都内近県を毎日即売展、各店舗と精力的に巡った。その間東海・京阪・信州等も行動範囲で、各店ともベレー帽を脱ぎながら入ると、快く迎えてくれ、奥から本を出してくれた」と証言しているのは、同業の友人で時々同行もした富岡弦の言葉である。

詩人安東次男は書いている。「(略)そうした無名詩集にいくばくかの値がついて、それが古書仲間の通り相場となったとすれば、それは多くは中村三千夫の功績に帰せられるべきものである。当然彼は、値つけに値する内容の詩集を求めて、現代詩の勉強も怠らなかったし、自分で良書と確信すれば、同業者たちが名前を知らないような本に、誇り高き値段をつけてやりさえした」と。

「今日、詩人として世にある人たちで、当時、ここに出入りしなかった人は恐らくなかったであろう。私はこの店に行く度に、活字でしか知らなかった詩人の実物のひとりやふたりに、お目にかからないことはなかった」

と書くのは郡司義勝で、西脇順三郎を目前にした時の感激を記している。また、「彼は私の詩集を出そうとしてくれた奇特な人物だった。その話はうまく行かなかったが、(略)私は彼の店に遊びに行くのを愉しみにしていた」と書くのは福永武彦で、福永は

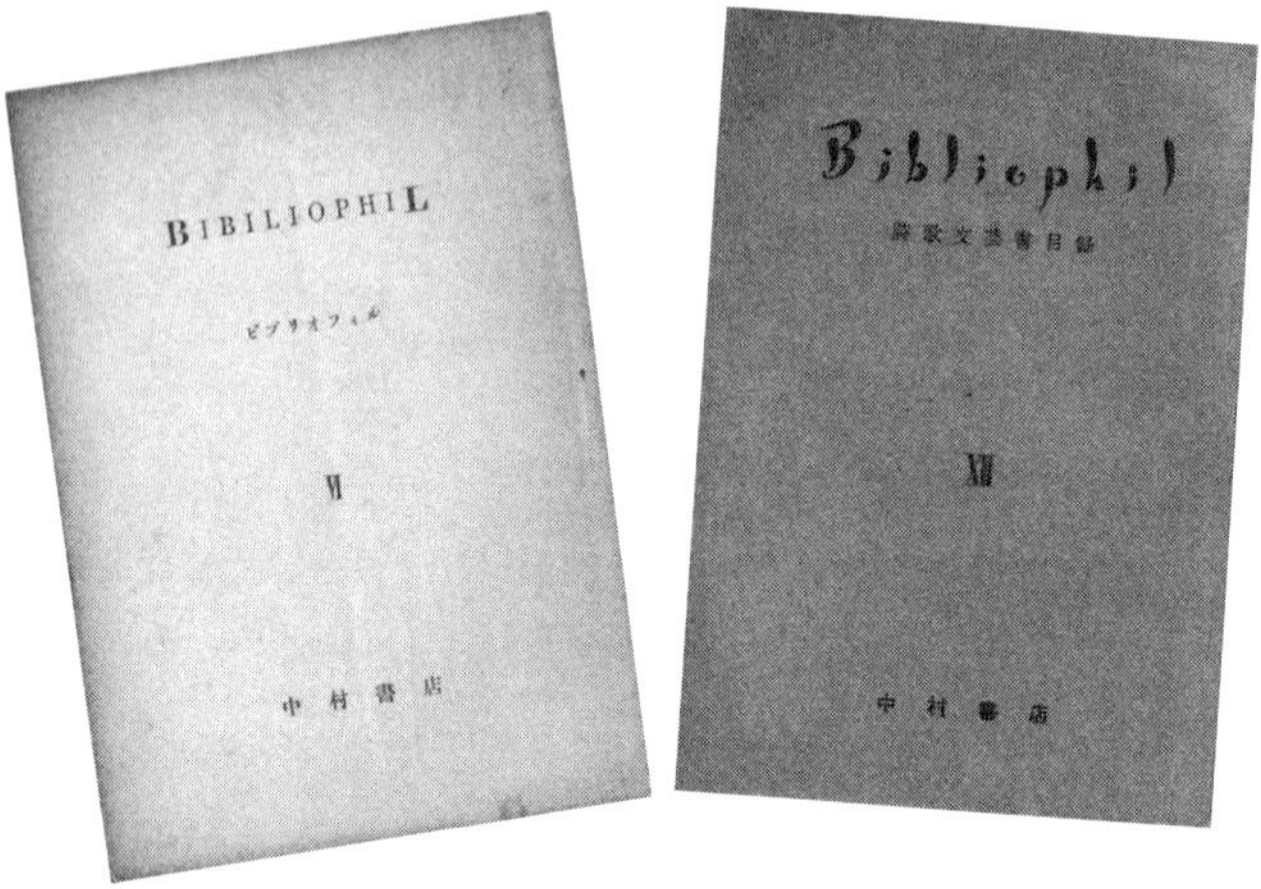

中村書店・古書目録

そこで室生犀星宛献辞のついた朔太郎の『定本青猫』を求めた話をしている。

次いで詩人で作家の三木卓は、谷川雁と高野喜久雄の詩集は中村書店で出していると言い、先の福永の詩集を本当に出してしまう麦書房・堀内達夫は、学生時代中村書店に入りびたり、とうとう自分も古本屋になってしまったのだと言う。

詩人安西均も顧客の一人だったが、「お得意様の誰彼のうわさ話も毒やトゲがなくて面白かった」と書き、ソロバンに合わない長話の相手をさせられる話や、高級車を待たせてしこたま詩集を買い込む若紳士がいるので、どなたかと運転手に尋ねると、西武の堤清二（辻井喬）だったという話も聞いたと言う。

同業間にあっては、三茶書房、山王書房、江口書店、麦書房などと勉強会を開いた。金文堂、甘露書房、高橋書店は親友だったし、鶉屋書店は中村をよきライバルとして成長した。そして中村の最後については、富岡弦が、中村は自分だけでなく、皆五十歳までに自分の店を持とうと奔走、江口書店等と「クロレラの会」を発足させたと言い、「〝雲の会〟の創設も彼の発案による、共同目録が目的であった。彼の死後数年続いたが、その第一号の原稿を恵比寿市場に持参、山帖を書いていた私の後ろの椅子に座っていた彼が、突如いびきをかき昏睡、その後意識を回復しなかった」と、脳出血での死を記録している。

中村は生前、「日本古書通信」誌上の座談会にはよく出たが、文章はそこにも「古書月報」にも書いていない。が、この文集の巻頭にかかげられた「新潮」（昭和三十七年八月号）の文章は、文学書を「(A)常に評価が安定しているもの。(B)徐々に評価が上昇するもの。(C)発行直後のみ評価されるもの。(D)殆ど古本市場で問題にならないもの」と規程、個性的な論を展開している。内容を紹介する紙幅はないが、機会があれば是非読んで頂きたいもの。

なお今度の冊子は八部を製作、家族のみに配られたもので、筆者が親子二代の明治古典会会員となった長男正彦君から、資料提供ということで無理に分けて戴いたものである。

小説「古本屋物語」の作家

篠原書店・篠原進太郎

昭和四十六年、明治古典会の大市会はまだ暮の十二月に行なわれており、この年は十二、十三日が市日だった。同時に会は、反町茂雄・菰池(こもいけ)佐一郎両氏の古稀祝を兼ねており、初日は夜、その祝賀会が新宿・京王プラザホテル四十一階、スターライトの間で行なわれた。私はその立食パーティで、機関誌部理事の文雅堂・高橋太一氏から、「横浜の篠原書店という同業が書いた小説を『古書月報』に載せるかどうかを考えてるんだ」と言われた。

結局この小説「古本屋物語」は、翌四十七年の春、夏号の「古書月報」に二回に亘って載せられ、私も興味をもってこれを読んだ。私たちの明治古典会が舞台になっていたからである。私は後年、ある読書家の貼り込んだらしい新聞記事の切抜帖の中に、このことを報道したもの（惜しむらくは紙名・発行年月日が不明）を見つけた。

《古くは為永春水が貸本屋であり、せどり商だったたし、江戸川乱歩も修行時代の川口松太郎氏にも古本屋の経験がある。古本屋が小説を書いたといっても、それだけでは珍らしい話ではないが、篠原進太郎氏の小説「古本屋物語」が珍しいのは、悲喜交々の古本屋の世界を、気どらず、はにかんだような文体で描いた作品であることだ。この作品、今年四十七歳になる篠原さんの、はじめて活字になった小説だが、昭和四十六年の「オール読物」新人賞に応募して予選を通ったが惜しくも落選したもので……》

先頃〝東京古書組合機関誌〟に前半が発表されたもの、とあり粗筋も紹介されている。主人公の敦夫は東京近県の古本屋、それも好奇心で参加した〝明治百年大入札会〟では、荷風の発禁本『ふらんす物語』が六十万円で落札されるのを嘆息まじりにはるかに眺めているだけの場末の古本屋である。

この大市会に大泉正雄がいた。ここ数年間、裾野から山頂を見上げるように、敦夫は大泉を見て来た。敦夫は一度、業界史のことを質したことで大泉宅に招待されたことがあった。女のように優しい口調で語る、細面で痩身のこの人物は、東京帝大の出身で神田で修業したのち、「取扱う古書は和漢洋、東西の貴重書を」と開業。大泉はまた、時に学者より深い書誌学の蘊蓄をその品に添えるし、若い業界人を育て、ここへ来ては明治物を古典として見直すべしと言っていた。全国の読書人に古書への認識を深めさせる実践の集大成として催されたこの入札会は大成功を収め、業界は今更のように明治物の価値を知らされたのだった……。

春号に載った小説前半は以上であるが、たまたまその大市会で隣り合って座った、や

篠原進太郎

はり近県から出て来たという中年の眼の美しい女性古本屋・美乃(みい)書店と、二言三言、言葉を交す場面も設定され、後半では、あれから三カ月後くらいに敦夫が普段の明治古典会へ行くと、美乃書店はすっかりたくましい古本屋に変貌しているのを見る。その次に会うと、敦夫は彼女にお茶に誘われ、

「どうやら一部の業者が相場を作ってるんじゃないかと思うの」

と言われる。

「がんばって見たけど、もうこの商売が恐ろしくなってしまった。古本屋は女には無理だわ」

とも。何しろこの頃、三島由紀夫の『春の雪』はどこの新刊屋からも一瞬に消え、馴染み客にさえ渡らなかったとの噂だ。

するとその年の七月、敦夫の許に美乃書店の電話がかかった。

「市場が変、夏がれだけじゃないの！」

と、近代文学書の暴落を告げる。がその晩秋十一月二十五日に起きたのが、三島事件だった。三島本はまたまた急騰、古本屋という古本屋からはその初版本が全て消えるくらい売れてしまう。――そんなある日、すでにあの夏のあと古本屋を廃業してしまったという美乃書店が、横浜港へ人を迎えに来たので寄ったの、と美しい和服姿で敦夫の店を訪ねて来た……。

さて、右の美乃書店こそフィクションらしいが、敦夫は篠原自身がモデルで、大泉正雄は紛れもなく反町茂雄その人を投影したものだった。ここで再び、最初の新聞記事に戻ると、

《篠原の店は横浜・六角橋の商店街の中ほどにある。この商店街の裏に入ると、敗戦直後の焼跡闇市の面影が、まだ公衆便所などに残っている。店は四坪、歩いて十分くらいのところに神奈川大学があり、総合大学の影響もあって短歌や国文学、近代文学から社会学まで何でも扱っている》

とあり、篠原の談話も載せられている。

「ご覧の通り、お隣が靴屋でしょう。きちんと身づくろいした上品な奥さんが、子供をつれてお隣で買いものをします。子供が私の店を覗いて、台の上の本をめくりますね。するると奥さんが子供に、『きたないですよ』と言うんです。こんなこと気になるというのも場末の古本屋のコンプレックスなんでしょうね。この作品で書きたかったもう一つのことは、割腹した三島由紀夫の精神、三島氏に限りません、ある種の文学者の精神の

構えの高さを前にしたら、売ればいいというだけだったら、古本屋なんて一流も場末も同じじゃないですか、ということです」

篠原はやがて、この小説を東京組合の機関誌に載せたことで、東京古書組合がこの頃編集中の『東京古書組合五十年史』に、同じ「古本屋物語」のタイトルで、明治から昭和に至る古本屋風俗史の文章を依頼される。篠原は、当時その人を語ることが組合の歴史を語ることと言われた、池袋の夏目書房・夏目順氏を主人公に、これを完成させた。

しかし、本の完成間近に、篠原は重い病魔に襲われ、当時の編集責任者・小林静生、日本古書通信社の八木福次郎の二氏が、急遽その未完成本を病室に届けた。篠原は昭和四十九年、五十歳で没した。

麦書房・堀内達夫
出版も手がけた古本屋

本誌（「彷書月刊」）編集長から、堀内達夫「幻の雑誌をめぐって」の載る『本とその周辺』（昭和五十二年、文化出版局）を頂いたのは一年くらい前のこと。まだまだ資料不足ながら、今回私なりにその生涯をなぞってみることにした。堀内はあまり自己を知らせない人だったらしく、右の本でも他の十三人が語り始めの頁に顔写真と略歴を入れているのに、堀内のところは、《旧制青森県立弘前中学校・鎌倉アカデミア出身。現在文芸書出版、麦書房を独力経営。共著に『書誌・小林秀雄』。『小林秀雄全集』の書誌担当。『中原中也全集』書誌・資料担当、『立原道造全集』『津村信夫全集』編集委員》とはあるが、「筆者の希望により写真は省略」との出版社の断りがある。また、他の人たちにある生年もない。堀内の死は平成四年四月十四日、享年六十四と聞くから、逆算すると昭和三年の生まれだったようだ。

堀内の名が業界の記録に残るのは、第二次明治古典会（昭和三十四年から三十九年）で出していた「明治古典会会報」（昭和三十四年第一号）に掲載の会員名簿からである。「目

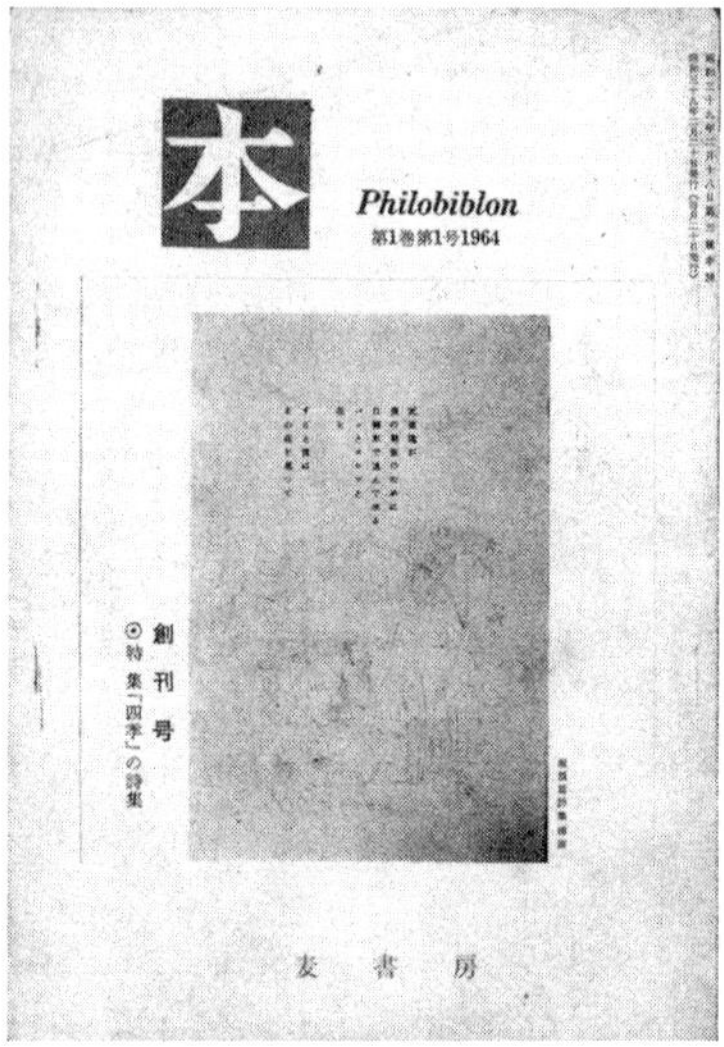

『本』創刊号（昭和39年）

黒区上目黒二の一九五九　ムギ書房」がそれで時に堀内は三十一歳。堀内は、毎月十日二十日に開催のこの専門書市に通い、一年後の総会で役員に選出される。三橋猛雄会長の下、中村書店と共に会報を担当するが、中村三千夫はすぐにはずれた。こうして堀内は、この活版刷り四段組六～十六頁からなる会報を、第十号から二十号まで黙々と編集刊行した。その十六号には、堀内は自ら「私の珍雑誌」を書く。

「こう題して、さて書架をみると、かつて詩集をよみふけった学生時代の、幾冊かの、今は高価になった詩集たちはもうここに居ない」が書き出しで、貸本屋から始めて今の安普請ながら自分の家に住むまでには、金のやりくりにその詩集の一冊一冊を手離してしまった。それでも雑誌の類なら少しは珍品をかかえている、と太宰治等の「青い花」（昭和九年十二月号）、野田書房「手帖」〃中原中也追悼号〃（第十六号）、津村信夫等の「四人」、堀辰雄等の「虹」などを紹介している。続けて十八号の成瀬正勝、岡野他家夫、小堀杏奴の文も載る「森鷗外生誕百年記念特輯」には、堀内は「立原道造と鷗外本など」を書いた。ところで、私が蒐集したこの「明治古典会会報」の中には、〃昭和三十七年一月二十日現在〃のパンフ「明治古典会会員名簿」が挟まっていたが、これによると麦書房の住所は「世田谷区代田一丁目五九三」に変わっていた。

「東横線の中目黒に近い一角に、うなぎの寝床のような店」と、紅野敏郎著『貫く棒の如きもの』にあるのが目黒の店で、「やがて小田急の梅が丘に移ったが」とあるのが、この代田の店だったのか。ともあれ堀内は、勝本清一郎、稲生典太郎の文も載る、昭和三十七年〃歳暮特輯〃第二十号を以って、会報の仕事を終えるのである。会報そのものは、二年後に二十一号が進省堂・鴨志田三郎の編集でポツンと出され、終刊した。

この頃明治古典会は、地方まで入れると百人にもふくれ上がった会員数が災いして、組織が存亡の危機にあった。見かねた反町茂雄が、八木敏夫、西塚定一等と語らい、新しく十五人での少数精鋭主義の再々建を計る。これが今に続く第三次「明治古典会」である。この昭和四十年からの新会員中に経営主任として反町に抜擢されたのが、日暮里の鶉屋書店で、鶉屋は私を経営員（翌年会員）として引っぱってくれた。

堀内は会員として残ることはなかった。いや、すでに別の道を歩もうとしていた。昭和三十九年二月、堀内は巻末に同業の販売目録も載る「本」を出し始める。「四季」特集から、十二月「特集・小林秀雄」で終わるこの雑誌（このあと小冊子十四冊が続刊される）は、今では古書価も高い。堀内は創刊号で、友人から書物雑誌は必ずつぶれるよと言われたが、そう言われると益々やってみたくなるのが私の性分で……と書いているが、やはり足かけ三年で力つきたのだろうか。何しろ堀内は、雑誌の編集はもちろん、古書部、かねて予告していた出版部までも、ほとんど独力でこなしていたらしいのである。もう、その後は週一回開かれるようになっていた明治古典会で、堀内の姿を見かけることはほとんどなかった。「本」が出なくなったあとの消息を伝える資料としては、今手元に「麦通信No.6」（一九六八・六）というのがある。十二頁に印刷された古書販売目録で、今なら垂涎の的であろうほとんどが戦前の文学書である。堀内の地道な努力で、市場以外からの仕入れが多かったのだろう。またこの目録の裏表紙には〝麦書房出版部〟名で以下の広告が出ている。

江戸後期の詩人たち　富士川芳郎著
福永武彦詩集　普及版函入
立原道造の生涯と作品　田中清光著
堀辰雄論　小久保実著
論集・小林秀雄　編集・大岡昇平。篠田一士・吉田熈生・堀内達夫

で、『江戸後期…』については〝第十九回読売文学賞・第十回高村光太郎賞受賞〟の文字が躍る。

私がこのあとの堀内について覚えているのは、昭和四十九年の「古書月報」八月号に堀内が寄せた文章「狗肉を売る勿れ」のことである。堀内が出版、誤植に気づき回収した『福永武彦特集』を、ある同業が「残ったのはこの一本」と目録に宣伝したことへの反駁文だった。……こんな風に、堀内と私は無縁に過ごしたが、平成元年、私が明古の会長をしている頃に堀内が古本屋に戻り、移られた豊中市から毎回のように会へ出席することで話をするようになる。この辺りは〝ドン・ザッキー〟の項でも少し触れた。資料はもう少し残るが、もう書くに紙幅は残っていない。

ツブシ本に価値を見つけた天才業者

上野文庫・中川道弘

一

この（二〇〇三年）九月十二日は、もう四十年休まず通っている明治古典会の市日だった。市では何人かの同業が、ついこの間会ったよ、と上野さん（中川名で呼ぶ人はなかった）の噂をしていた。私は昨日の訃報に年齢がなかったのを思い出し、事務局で確かめると一九九一年の組合加入で、享年六十三だったことが分かった。

……上野さんと私は、親しいつき合いとは言い難かった。私は上野文庫の店を覗いたこともないし、二人で喫茶店に行ったこともない。せいぜい市場、それも唯一通っている明古（めいこ）で立ち話を重ねただけの仲だった。が、上野さんとの話はいつも面白く、刺戟に満ちたものだった。

最初の会話は、上野さんが私の書いた本を皆読んでいる旨、言いに寄って来たことに始まる。以後、色んなことを話題にしたが、書いたものでもっとも思い入れ深く感想を述べてくれたのは、本連載「協立書店・戸沢郁二」（二〇〇一年十一月号）の時。思えば、浅草国際劇場前にあったこの書店の扱い品目が、いわゆる〝風俗文献〟（上野文庫は〝史・誌・録・芸・戦前本中心の面白本〟と称していたが）で、多分に類似していたからだったかも知れない。そしていつか、短期日でやすやすと専門店化を成しとげた自信からか、いつまでも時代に合わなくなった権威本（相場のある本？）にこだわる同業への、辛辣な言葉も私には語るようになった。事実、近隣の全ての古書展や同業を廻り、己の目にかなう本を蒐め、己の値付けで棚揃えをしてしまうやり方は、既成の古本屋にはないものだった。並行して営業の中から生まれた『川柳古書まみれ』等の各種冊子群の発行や、「ご参考までに」と私にも送られて来た、あの黒字に金文字が表紙の販売目録のユニークさ！

古本屋になっての著書

正直それでも、私がもっとも上野さんに関心を持ったのは、この一年間を措いてなかったかも知れない。——これには、自ら〝天才ヤスケン〟と称した中央公論社の「海」の元編集者だった安原顕への興味とダブる。私は週刊「図書新聞」をもう何十年と読んでいるが、ここに安原は「今週のおススメ」なる文章を連載しており、いつも最初に目がいった。私は自著が出ると安原に贈るようになったが、二〇〇一年二月に送った『近代作家自筆原稿集』の時、初めて安原が電話をくれたのである。「ヤスケンだよ。いや、あんたの原稿蒐集の話は面白かった。どこかへ紹介するよ。俺もオーディオ装置などには、百万でも二百万でも遣ってるからね」と。

ところが去年（二〇〇二年）春辺りからの安原の文章に、気になる文句が入り始めた。《両肩に激痛、握力ゼロとなり……》などで、夏になると、同じ嘆きのあと《死を身近に感じると、人はどんなことをするのだろう。ぼくの場合、本とCDを叩き売ることから始めた》と書き、大学の同級生で、上野松坂屋前で古本屋をしている中川道弘に整理させた、とあった。

実は丁度その頃、私には〝二〇〇二年七夕大市会〟後の一年間、行きがかりからすでに十五年前に経験している明古の責任者としての公務が課せられたのである。そんな出発早々のある日、上野さんが近づき、私に言った。

「青木さんのように、近代全般じゃあないのですが、実はかなりの量の原稿を扱うことになりました。近いうち、明古で売ってもらいますのでよろしく」

こうして、上野さんの出品が始まるのだが、中には島尾敏雄、埴谷雄高、辻邦生などに混じり、私も初めて見る吉本隆明、藤枝静男、池田満寿夫、村上春樹等の原稿までが登場して驚かされる。掲載誌が「海」らしいことから、私には安原の文章と合わせ考え、それらの出所が安原だったと分かった。ただ不思議だったのは、これらの原稿のほとんどに、例の編集者の朱がないことで、私はやがて、安原は原稿を受け取ると、まず本物をコピーし、それを印刷に廻していたのだ、と判断した。

ともあれ、安原の文章にはますます意外さが目立った。例えば、ほとんどの評論家が好意的に紹介している、村上春樹の新著『海辺のカフカ』への執拗な酷評があった。ある日私は、上野さんにこのことを尋ねた。

「初期の村上を見出して、どんどん村上に書かせたのが安原だったんです。ところが今は村上の立場が上になってしまった。もう安原など無視するようになったのでしょう。村上への愛着の裏返しじゃあないんでしょうか……」と上野さん。この頃はもう、私達の間では出品される原稿類の出所が安原だということは暗黙のうちに了解済みだったのである。

すると今年（二〇〇三年）一月二十日、安原顯の〝肺癌死〟が伝えられ、追悼記事が方々に出たり、何冊もの著書の広告が見られるようになった。そんな春先のある明古（いち）の日、朝からの特別の忙しさから、老齢の私にまで二十箱ほどの荷の仕分けの仕事が与えられた。「どこの書店？」と事業部長に聞くと、「上野文庫です」とのこと。多分店売りに合わないものでも出荷するのかな、と思いながら本の背を向け並べ始めて驚く。それは、古い感覚の残る業者からは、昔ならどれ一冊取っても相場のある一流書とは見られなかった本ばかりであるが、上野さんがその鑑識眼で蒐め、今は第一線の本にしてしまったと言っても過言でない本の群れだったのだ。私はなぜか安原の死と重なる不吉な思いの中、小一時間かけて、四十点ほどに仕分けしてそれらを入札台に並べて置く。

この日この件について聞くと、上野さんは言った。「あれ、もう売れ残りだから。実は糖尿病が進んで、店売りはやめるかも知れません……」

二

明古の市には必ず出て来る上野さんと、相変らず顔を合わせたが、その度に痩せていき、夏が来てそれが極端に分かった。ある日私に、

「いや、至って元気なんですよ。今後は目録販売でいくつもりです」と言った。

新会館が建ち、竣工を記念した明古の大市会も終わり、市場は新しいスタッフで動き始めた。八月に入ると、それと分かる上野文庫の本が分野別に整然と束ねられて、市に積まれ入札に付された。また少しした八月二十二日の市では、私は上野さんの強い決意を感じた。村上春樹を中心とした原稿類が海の如く並べられ、入札封筒にはその一々に上野さんの懇切な説明がなされていたからである。市場はこの当代切っての人気作家の品で燃えた。が、上野さんはもうこの盛況を見ることの出来る体ではなかった。

通夜は上野駅前、台東区役所近くの徳雲会館で営まれたが、同業の参加はわずかに十

数人だった。私は一時間ほどいて、家までの交通が一直線の、京成電車の乗り場へと向かった。車中、私の脳裏には、わずか死の三カ月ほど前には、「これから先は、目録を写真版にしてボチボチ売りますわ」と言っていたその大量の原稿類を、まるで死期と競争するように、知識の限りをつくして出品の解説書きに過ごしたであろう上野さんの心情のことがよぎった。私はこの一カ月ほどの最後の上野さんの動静が知りたくなった。

二週間が過ぎた九月二十四日、明古の市の帰途、私は同業に聞き、神保町すずらん通りのキントト文庫さんを訪ねた。私はこの三十代半ばの女性古本屋と、一度会っている。昨年（二〇〇二年）六月の、自著『近代詩人歌人自筆原稿集』の出版記念会に、上野さんと一緒に出席してくれたのだ。

「トンマな医者でずっと糖尿病って診断だったんです。もう八月に入ってから、すい臓癌と分かりました。最後は順天堂病院で、ここはキチンとしてました。上野さんのお兄さんからの連絡で、私も十日に病院へ行きました。もう、モルヒネで痛みをとめていたのですが、一週間ほど前から意識が混濁してたんです。その日、容態が急変して……見とったのが私ということになってしまいました」

そしてキントトさんは最後に言った。

「上野さんは尊敬の対象でした。でも、私などからは謎だらけの人でしたね……」

一部のご同業は、商売柄上野さんが本名中川道弘で出した歌集の一冊くらいは見ているはずだ。が、歌人としての当時の中川への反響までは知らないであろう。

　　誘われて我が身の値打ち知り始め
　　　断わりつつも微笑むおとめ
　　息詰めていいた娘の気兼ね解けたのか
　　　田舎ナマリも洩れる暗がり

などが収載されている、歌人中川道弘の最後の歌集、『サラダ記念日』を意識して口語短歌でまとめた『カラダ日記』（一九八七年、フランス書院）には、田辺聖子、サトウ・サンペイの推薦文が帯になっている。またこの本には、《一九四〇年神戸生まれ。北大理類、早大仏文科中退。雑誌記者、京都の画材店、都内の書店を経て、現在、流通グループ書籍販売部門勤務。イラスト個展二回、左記の和歌集がある》と、その略歴と共に、『金茎和歌集』（昭和五十四年）以下、〃新〃〃第二〃〃第三〃〃第四〃〃第五〃（六冊共、仮面社刊）までが列記されている。

　私の蔵書は正篇が欠けているが、幸い『新・金茎和歌集』には、この本の元の持ち主宛に中川がコピーしたらしい書評集が挟まっていたのである。これで辿ると、正篇発行早々「日本読書新聞」が《マルキ・ド・サドの短歌的なエロチズム》と報じ、「アサヒ芸能」は《読めば呆然、直観的理解を起こすことうけあい》と書き、

　ちから攻め誘へば汝れのあらがひて

　腕（かひな）に歯がた血の見ゆるまで

等三首を挙げ、《著者は、知られざる歌人にして絵師、三十九歳》と紹介している。
また雑誌「短歌」は、《著者は、いきなり書評子が三人の娘に本文を読ませての結果を書き、「平凡パンチ」は絵入りで四頁に亘り、雑誌「50冊の本」は書影入りで、「週刊読書人」には福島泰樹が《異色歌集では中川道弘『金茎和歌集』》と書き、『俳句年鑑』中の〃歌壇展望'79〃には中川の一首、

　御霊（みたて）てふΨ（プシー）は似たり籠もりたり
　　向股（むかもも）坐せるきみが女陰に

が選ばれている。また「文藝春秋」中の〃短歌〃欄でも《……そんな歌壇を嘲笑するような、遊びと俗と毒を徹して短歌に持ち込んだ歌集が出た》とし、中川の、

　紐解きし熟寝（うまい）が汝れの蟬下衣（パンティ）に
　　ひとりし触れればこれも飽かずも

を引用している。その後「ブルータス」も肖影入りで《ダークスーツに身を包み、眼鏡をかけたご覧の通りの一見平凡なサラリーマン。池袋・西武の一般書係長なのである》と書いた。

こうして昭和五十六年九月には、『金茎〜』の〃第三〃が発行され、中川は〃あとがき〃で《勝手に正篇を贈本した時の礼状、私信》の名を列記している。

西脇順三郎、ドナルド・キーン、生田耕作、会田雄次、吉原幸子、渡部昇一、加藤郁乎、佐伯彰一、紀田順一郎、小中陽太郎、奈良林祥、小高根二郎、サトウ・サンペイ、青木雨彦、真崎守

で、〝敬称略、歌人を除く〟とあった。また後段、ある出版記念会では五木寛之、塚本邦雄に話しかけられたことや、種村季弘に「文芸」誌上で何か指摘されたことなども記している。

この十年後、中川は古本屋を始めるのである。

なお、毎日新聞九月二十四日夕刊は、逢坂剛の連載小説「墓石の伝説」の真上、横書きの〝編集部から〟で、鈴木琢磨記者が〝上野文庫〟主人の死と、かつての品揃えの棚にどれほど世話になったかを書き、

《「ハーレムにいたんだけどね、今その気になれないんだって帰って来たよ」病床にいる時そう言って笑わせた人だった》と結んでいた。

あとがき

本書題名につき。著者にはすでに、明治堂書店、キヌタ文庫、大阪・菀文洞、山王書房、ペリカン書房主の五名を記録した『古本屋奇人伝』（平成五年・東京堂出版）なる著書があり、本稿連載時のタイトル「古本屋畸人伝」では混同されるおそれがある。著者の頭にあったのは「現代古本屋列伝」などだったが、編集部から提示された幾つかの候補からは「古本屋群雄伝」を選ばせて貰った。

すぐ連想された言葉は「群雄割拠」で、「三国志」や日本の室町時代末期辺りが、そのふさわしい場だったろう。それに比べたら、古本屋の業界など極めて微少な世界かも知れない。が、実は他のどんな商売に比べても、古本屋という職業は各自が一国一城の主（あるじ）という意識の強い人間の集まりなのである。本書に取り上げた同業ばかりでなく、いかに多くの古本屋が一代で沢山の役割を果たしたことか！　即ち日々それぞれの本棚、古書目録、古書展を通じ、生涯どれほどの数の人々に娯楽を、教養を、学問を、人生如何に生くべきかを提供して来たかということである。そしてそれぞれの才覚で盛衰を重ねながら、家業として継がせるもあり一代で閉じるもあって、この世界を生き抜いたのである。これこそ「群雄割拠」でなくて何であろう。

さて、本書の元となった文章が続けられたのは八年間もの連載（一般受けしないのでは、との投書や声もあったとか）を許して下さった「彷書月刊」編集長・田村治芳氏及び編集部・皆川秀氏あってのことでした。その上、田村氏には解説の労までとって頂くことになりました。

またそれぞれの伝に行きづまる度に、著者は「日本古書通信」の八木福次郎氏を訪ね、沢山のご教示を受けました。

そして本稿の編集をされた青木真次氏には、先行の『古本屋五十年』の時同様お世話になりました。即ちこの七十人（人名では百名を越える）からなる人々の伝を、その古本通の全能力を傾け、起承転結のきいた読みやすい一冊の本に仕上げて下さったのが青木氏です。

各位に、厚い感謝の意を捧げるものです。

著者

解説　この古本屋たちを見よ

田村　七痴庵

こんなにもぶっ厚い文庫本をお読みいただき、ありがとうございます。

いや、まだ読んどらん、読むかどうか、おまえの文章をみてからじゃ、というお客様、こんにちわ。著者でもないのに、ありがとうを申しあげるのは、わたしも古本屋のはしくれ。青木正美さんの五十五年のキャリアに比べれば、やっと三十年をすぎたばかしのヒヨッコなんですが、わが業界の先達、仲間のあれこれをお読みいただきの感謝でございます。又、本書の〈はじめに〉ありますように本書の元となりました『彷書月刊』への連載を青木正美さんにおねがいした編集者のはしくれでもあります。

連載百一回をけみして、表題にその姓名を冠する古本屋さんが五十余名。その周囲に、実はそれぞれ一章ずつを成立させたいような百余名を配して、ここに、大河のごとき「古本屋群雄伝」となりました。雄とはアレド、㊙の娘、米山ハルノ、西川清子、花園歌子ほか数名の女性たちも顔を出す。この百五十余名のうち、大乱歩はさておき、鎌倉文庫の面々もさておき、とスレバ、お客さん。

書痴少雨叟斎藤昌三、出版人岩波茂雄、俳人富田木歩、プロレタリア歌人渡辺順三、

「大愚」の画家横井弘三、古書業界のシーザー反町茂雄、は読書人の記憶にあるとしても、本書登場のそのおおむねは、業界外にはとても無名の古本屋さんたちなのでありました。また、あるいは業界内でさえ、とても狭いところで有名だった人も含めて、このひとたちの生活や、商売、そのココロザシが、わたしたちにいったい何を訴えてくるのでありましょうか。青木正美さんは語り部のように、しばしば哀切に満ちて中断されるひとの生涯をかさねていく。

夢があったか、なかったか、それを、あきらめたのか、なにをのぞんでいたのか。読めば、わかるのだ。

あるいは、読めば、読んでもわからないことがわかるのだ。

昭和二十八年、二十歳の青木正美さんは古本屋を開業する。その頃、古本屋さんという仕事は、今よりももっと、人びとの生活とくっついたものとしてあったように思える。

さて、まだ戦時中、ぎりぎり、昭和二十年七月三十日の『朝日新聞』の記事にこんなのがありマシタ。二面しかない新聞の一面では鈴木貫太郎首相が、「敢然戦ひ抜かん」と言うておるわ、B29は三百四十機がやってくるわ、敵アメリカの機動部隊はすぐ紀州沖に来てるわって時ですゼ、ダンナ。

こんなものに普段アレレと目がいくのも、古本屋のサガなんですが、二面の真中あたり〈心の糧としての読書　古本濫読をどう導く日本出版会の対策を聴く〉というタイトル。

満員電車の中でも読書欲はオウセイで、その読まれているものが、

――殆どが古本である。かういふ出版の窮屈になつた時代には知識や娯楽を古本に求めることは致し方がない（中略）問題はその内容だがこれが凡そ低劣な、戦争とは全くかけ離れた過去の自由主義時代でもどうかと思はれたものが多く（中略）書籍ばかりではない、無批判、無統制に出版された古雑誌が人の前で平気に読まれてゐるのも識者を驚かせるもの、これらの雑誌は口絵から挿絵までアメリカニズム一色で塗りつぶされてゐるのだ、色刷りのアメリカ映画の一場面などを見ながら勤め帰りの娘たちが「ちよつといゝわね」など囁き合つてゐるのを見るときなど、憤然と目を背ける人さへある、特攻隊の勇士たちが出撃の前夜『葉隠』や『万葉集』などを心静かに繙いてゐるといふのに比べて何といふ遠い距たりであらう――

ってわけで、記者は日本出版会のヒトに対策を聞くというわけデス。しかし本当に、このように、古本が有効利用されていたのだとするならば、記者以外の読者も、古本屋も、日本人も捨てたもんじゃないじゃないか。

さて、それからおよそ一ヶ月後の八月二十五日の、コレは『読売報知』デス。世の中、

がらっとかわって、戦後予算編成方針成る。食糧配給絶対に不安なし。マッカーサー二十八日本土へって時っす。

「視野」というコラムに（一文学老年）さんの投稿がある。〈本屋へ苦言〉ってモノ。

――昔のことをいつても始まらないが神田、本郷辺の古本屋漁りといふことは読書人の愉しみの一つだつた（中略）それが戦時になつてガラリと変つてしまつた（中略）明るい新日本建設のために本屋の昔に還る日を待つ――

戦時中の悪名高き公定価格、あるいは抱き合わせ販売等への不満が投稿者にはあったのであるけれど、敗戦十日で、本屋が昔に還るのが新日本建設の最重要課題と思っている人がいて、その意見を採用掲載する人がいたのだ。つまり、事ほど左様に、本を読むヒトと、古本屋の仕事と、生活と生活がくっついていた時代だったのに違いない。青木さんの開店時の記録が、躍動的な筈なのだ。

それは幕末から戦後まで、連綿とつづいてきた書物の歴史。出版、新刊本屋、古本屋、読書人たち、市井の生活と、それぞれの本や雑誌が、あざなえる縄のごときものになったようなものか。

今だって、顔も知らない古本屋と、顔のみえない本を買う人が、ある日どこかで偶然に一冊の本を介して出会う。そんな出会いのヘンリンが、オモシロインダヨ、お客さん。オオ、ソレハオモシロイ。そうだろ。本書は老いぼれ島田道之助から、功成り名遂げた新刊書店組合初代理事長土屋右近まで、こんな人名事典は今までもなく、おそらくはこれからもないんじゃないかなあ。すなわち、ぶっ厚いだけのことはアル。ほら、帳場（レジ）はそこにアル。毎度ありがとうゴザイマス。

本書は「彷書月刊」二〇〇〇年一月号から〇八年六月号に連載されたものを、
加筆・編集した文庫オリジナルです。

第二部　古本屋奇人伝

はしがき

世間には古本屋というと、奇人変人の多い職業と見る向きがあり、そう面白おかしく小説などに描かれることさえある。が、私に言わせればこんなに地道で、こんなに平板で、こんなに勤勉実直な商売人の集りはない。業界からは偉人も出ない代り極悪人も出ない。大金持ちもいないから世に聞こえるほどの道楽者もいない。こう書くと、

「反町茂雄のような立志伝中の人もいたではないか！」

「地道で平板な商売と言うが、儲け話が自慢の古本屋さん達がいるではないか？」

などと、業界通のお客様からは反論されそうである。

若き日の反町茂雄氏は、その帝大法科出の明晰な頭脳で、すでにこの辺を見通してしまっている（「古本屋業の本質検討」『書物趣味』昭和七年十月号掲載）。反町氏は一誠堂での小僧生活の体験から、古本屋が「平均して、他の商売の人達よりも、より勤勉であらうともより多く怠惰であらうとは思わない」と認め、にもかかわらず他の類似業の出版業、新刊小売業に比し、古本屋の平均収入は、「番附にすれば田舎の草相撲程度」と、多くの実証例で断じた。この商売につきものの、いわゆる「掘り出し物」についても言う。

「年輩の経験に富んだ古本屋達の最も多く口にする自慢話の型は大体二つか三つで、其の一つを此処に標本として示せば次の様だ。

――何年か前の或る日、某地の汚らしい古本屋の前を通つたら、埃まみれの屑本の中に表紙のとれた大形の本があつた。何心なく手にとつて二、三枚パラ〳〵とくつて見るとそれは世にも珍らしい〇〇版であつた。そしらぬ顔をして値段をきくと三十銭と云ふ。夢中に代金を払つて奪ふが如くにしてシツカと小脇にかゝへ、追いかけられた前科者の様に自分の店へ逃げこむと、雀踊る胸をおし鎮めて又とり出して眺める。まがふ方なき彼の〇〇版である、朝夕楽しんだ末何々氏に数百円で売つた――

と。しかも一人の古本屋の語る掘出し話は何時も大抵同じ話で、未聞の新しい材料を語る古本屋など滅多にあるものではなく、大久保彦左衛門の鳶の巣文殊山の初陣の功名談の如く、何年か何十年か前にあつた一つの事実の潤色した蒸し返しのみが横行して居るのである。」

こうして反町氏は、以後六十年かけて率先業界の地位向上に努力を重ね、古い体質から抜け出そうとその才能を働かせ、古本屋として唯一人その極限を示して去った。

私が自分の生業である古本屋の歴史や、同業の回想記などに興味を持ち始めて、すでに四十年になる。開業の昭和二十八年から組合機関誌「古書月報」の配布を受けたが、私はすぐにその片々たる情報誌の虜になった。執筆陣の常連として弘文荘・反町茂雄氏（思えばこの人の文章のみが同業を啓蒙しようという姿勢だった）がいたし、この本に取り上げた**明治堂・三橋猛雄**氏やキヌタ文庫・永島富士雄氏やペリカン書房・品川力氏の名を見ることが出来た。一人、大阪の蒐文洞・尾上政太郎氏のことは（昭和四十年頃から神田の市場でお会いする）お名前さえ知らなかったが、数年後には、私と創業が同年の山王書房・関口良雄氏の名も誌上に見ることが出来た。またこれらの方々とは別の諸先輩や、すでに歴史として回顧される高名な同業のお名前の、当時は何というキラビヤカさであったことか！　それは丁度、入門は許されたものの己れの名を虫眼鏡でしか見出せない新弟子が、肉眼でもハッキリ見える番附上位の関取衆をまぶしく眺める心境だったかもしれない。

それぞれ古本屋として語るだけの書物の知識と取扱い経験を持ち、表現力にも優れたこれらの人達の文章を見ては、「一生、自分などがここに登場する時代など来るはずはない」と思わされるものだった。朝から晩まで、その日その日にさばける、白っぽい定価以下で売る本や古雑誌を下町の市場や建場（屑屋さんの問屋のこと）廻りで買って来るのが日常の、本の勉強などほとんど必要のない私だったから、その思いはその後十年たっても変ることがなかった。

反町茂雄氏に見出されて、下町の先輩鶉屋書店主が、再建された神田の専門書市・明治古典会の経営主任に採用されたのは昭和四十年のことであった。先輩は私をその配下に誘ってくれ、私は三十二歳にして初めてこれら諸先輩のいる本場の土俵で商売をすることが出来るようになった。こうして週に一日、私は常時百人前後の文科系を専門とする全国の古本屋達を見、おつき合いさえするようになったのである。それから二十八年経た私の確信が、「こんなに勤勉実直な商売人の集りはない」であった。

が一方では、その中にあって人一倍働きづめで来た自分が、ある時期から人がいぶかるほどに屈折した生き方をし始めているのに気づかなくてはならなかった。丁度この商売で三十年をすごしたあたりからで、私は我が身を振り返る自伝を書き、同業三人で業界研究誌「古本屋」を十冊まで出した。この雑誌へは、奇しくもかつて私が三十年前の「古書月報」で見たお名前達にも寄稿願ったのだが、当時あれほどキラビヤカに見えた幾人かが、実は「勤勉実直」の本道からは外れた人達だったのだと、私は気づかされたのだった。また五年間の「古本屋」編集で分かったのだが、本道を歩む古本屋のほとんどは「古書目録」の原稿書きに心血は注いでも、たとえ業界誌へなりと文章などは書きはしないものだったのだ。

……晩年十余年を、四百字五千枚・千二百頁の著書編集に打ち込んだ三橋猛雄、詩人魂が生涯抜けず、後半生は郷土史家と言われた永島冨士雄、「大阪の大紙魚」と呼ばれながら、ゼニ勘定が最も下手だった尾上政太郎、風狂に撤し、未だに多くの人に語り継がれる関口良雄、神に仕える如く人々に文献を配達してやまない品川力、——これはその方々の、いつか古本屋の本道からは外れてしまった愛すべき奇矯、奇行ぶりを世に伝えたいと、本業から屈折したことで同類の一後学が記した一書である。

平成五年七月

青木正美

第二部　古本屋奇人伝　目次

信念を貫き通した人

——明治堂書店主・三橋猛雄

三橋猛雄略年譜

明治36年（1903）　東京市神田駿河台北甲賀町に，父彦次郎・母かつの長男として生まれる。

昭和2年（1927）　中央大学経済学部を卒業。父の古本屋・明治堂書店の仕事に従事。この頃より「明治初期経済思想関係文献」の蒐集を志す。

昭和3年（1928）　古書販売目録「文献」を創刊。

昭和4年（1929）　吉野作造博士の勧めで『明治文化全集・経済編』に「文献年表」を書く。

昭和5年（1930）　秋に高林末吉，大雲英二，原廣，酒井嘉七，吉田直吉等と「書物春秋会」を組織，「書物春秋」を刊行。（25冊まで継続）

昭和10年（1935）　土屋喬雄の紹介で第1回コレクションを，帝大経済学部へ納入する。

昭和20年（1945）　4月13日，空襲により店舗及び私宅の蔵書のほとんどを焼失。

昭和25年（1950）　東京都古書籍協同組合理事長に選出される。（半期1年）

昭和38年（1963）　再度組合理事長に推され，2期4年と3期半年を努め辞任。この間，東京古書会館建設に献身，『東京古書組合50年史』刊行にも力をつくす。

昭和51年（1976）　7月1日『明治前期思想史文献』刊。

昭和61年（1986）　3月10日『雑文集・古本と古本屋』刊。

3月12日，千代田区杏雲堂病院で病没，享年82歳。

(1) 反町茂雄と三橋猛雄

……ある同業者から「もっと善本を扱いなさい、エネルギーの浪費だ」と忠告された。「金額物を扱わなければ損ですよ」とも言われた。しかし私には業界でいわゆる一流品というものと、自分の扱っているいわゆる雑本とどこが違うのか判断出来ない。商品として一万円と百円の本とは百倍の相違があるが、一万円の本より百円の本を喜こんでくれる客もいる。そういう客への奉仕によって自分の生活の資を得ている今日迄の生活を、私はいささかも悔いていない。……

—「新春夜行列車」(「古書月報」昭23/1月号)—

これが、一生を通じた三橋猛雄の信念だった。

しかし猛雄がここで言っている「雑本」の意味が、低級な意味で言われているそれでなかったことは言うまでもない。いわゆる「善本業者」にとっては、「善本」以外はみな雑本なのだ。そうではなく、今日雑本扱いされているものの中に、きっといずれ世に必要とされる本はある、猛雄はこう言いたかったのではないか。その信念で商売をし、暮して来たのだと言いたかったのである。そうしてかたわら雑本の中から蒐集した「明治本」を、現代の雑本二千余冊を参考

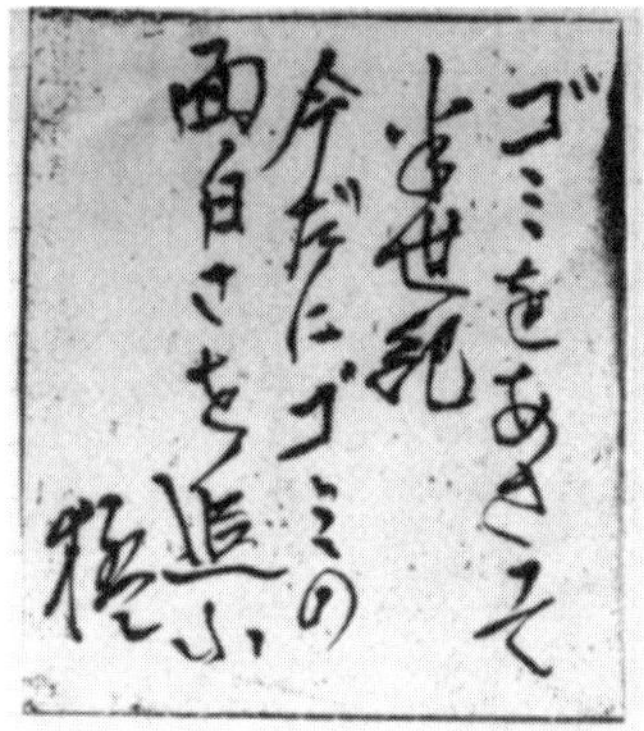

猛雄の筆跡,「ゴミ」は業界用語で「雑本」のことを言う。

書に使って、晩年近く十年余の歳月をかけて編集したのが『明治前期思想史文献』（昭51刊）の労作であった。

これこそ、

「もっと善本を！」「金額物を！」と忠告してくれた人への猛雄の解答だったのではなかったか。

何しろ、大正十二年の大震災直後、まだ学生の身で父の店の復興のため地方へセドリに出たのが業界入りの始まりという古い業歴の猛雄に、こんな忠告をすることが出来る人物などめったにいるものではない。一体それは誰か？ 私には、弘文荘・反町茂雄氏しか想像することが出来ない。周知の如く、反町氏の業界入りは昭和二年である。日本一の古本屋と言われた一誠堂書店で五年半修業、反町氏自身も初めは明治以降の本にしか興味を持たなかったと言われる。やがて反町氏の入店と共に店はますます発展、その顧客の関係から反町氏も必然的に古典籍に目覚め、更に独立してその分野で実績をあげた上での猛雄への心添えだったのである。

生涯、無闇な人に声をかけることをしなかった反町茂雄氏の、無論これはわけあっての発言だったことは言うまでもない。さかのぼれば、昭和五年十月、猛雄は神保町通りの有力若旦那衆を組織、活版印刷の堂々たる雑誌「書物春秋」を発刊した。反町氏には、それに刺戟されて一誠堂の店員雑誌「玉屑」を出した思い出があったのである。「君ならやれるじゃないか！」という思いさえ、反町氏の言葉には重なっていたに違いないのだ。が、猛雄は頑固に己れを通し、その解答として『明治前期思想史文献』を作りあげたのだった……。

猛雄はまた、右の編著を別とすれば生涯でたった一冊の著書に、『雑文集・古本と古本屋』と表題をつけて譲らぬ人であった。それはあたかも、不世出の古典籍商と言われるようになった反町茂雄氏が書いて評判を呼んでいた『一古書肆の思い出』第一巻を意識しての名づけのようにさえ私達には思えたのであった。いやそれは、こころみに両書の奥付を見れば明白である。反町氏の方は昭和六十一年一月の発行、猛雄の方は同年三月に出されているからだ。猛雄の意識したことはもう一つあった。反町氏の本は平凡社発行、B6判函入四百頁の本で定価は三千円。猛雄の本はA5判函入四百二十八頁の実質自費出版本である。営業出版なら最低でも、七、八千円の定価の本に猛雄はあえて三千円をつけることを病床で指示した。それも、売れ残ってはと、部数を五百に限定。結果は、配り本が多かった（百五十冊前後か）とは言え、またたく間に売り切れてしまう。私なども頂いた猛雄の本は当然反町氏へも贈られたに違いない。この年十二月に出される『一古書肆の思い出』第二巻は、頁が五十頁も増えているのに定価が二千五百円に下げられた事実がある。

「読者から、発行元の平凡社へ届いたハガキは三百八枚。（中略）ただし、八十二人のお方から、定価が高いというお叱言（こごと）を頂いたのには恐縮。早速発行元へお願いをして、諸雑費を切りつめて、第二巻は二割ほど引き下げてもらいました。」と「あとがき」に書かれているが、私には反町氏の意識には明らかに猛雄の本があったのでは、とどうしても思われてしまうのである。

このお二人の関係に、もう一歩踏み込んで論じなくては猛雄の人間性に触れることにはならないであろう。私達は反町氏を称するのに、「丁稚小僧に入って古本屋修業するのが普通だった時代、帝大法科出で……」というのがある。一方、そのほぼ同時期に、私学の中央大学を出ているのが猛雄であった。業歴においては、すでに大震災直後から店の手伝いをしていて、二歳下の猛雄の方が反町氏の先輩だったことはすでに触れた。それからの六十数年を、お互いが全く意識し合わなかったということはあり得ないのだ。対外的には知られていない二人の接点も多いのである。今に最も近い出来事としては、昭和三十八年の猛雄の組合理事長時代、本郷地区から理事に推薦されて、反町氏は猛雄のもとで経理部長を担当する。現・東京古書会館建設が大命題の時で、高層化等の積極策を主張する反町氏と、現在の規模を推する猛雄等の大勢とが対立、反町氏は任期途中で理事を辞任している。たしかに、その後の業界の発展を考えれば、スケールの大きかった反町案に先見性があったと言えよう。が、あの戦後のバラック建から今の会館規模に移行するのにさえ、当時多くの組合員は揺れ、組合経営に危惧の感さえ持つ者が多かったのである。

反町茂雄氏は終生、帝大出の学歴をかくそうとはしない人であった。一方猛雄は、中央大学卒業時は銀時計を授かるほどの英才で、一部には母校に残り末は教授にと噂されたほどの人材であったのに、一生、大学を出たことすら人に知られないようにしていた。「官学出と私学出の違い」——単にそんな風に解釈出来ないこともないが、古本屋の大部分が小学校出の時代、たとえ私学出にしろ大学出などと言いためらうような、猛雄はそういう人間だった。現に、この評伝を書くのに取材させてもらった幾人もの御同業が、猛雄を大倉高商卒と思い込んでいた。

こうしてお二人の関係を考えていると、私の思い出はある日の反町邸での、私と反町氏との会話へと移っていってしまう。……あれは、猛雄が亡くなった二年半後の昭和六十三年十一月のことだった。私は重なった二、三の用件で訪問していたが、話題がいつか古書会館建設の頃へ行ったのである。

「私は任期途中で理事をやめたんです」

「承知してます」

「色々ありましてね。私は本部会館を先に建てる意見でした。それも、あの床屋、三橋氏の店、もう一軒地図屋さんもありましたね。あすこを買収して、十階建てにするというのが私の論、三橋氏のは最小の案、つまりあの土地だけでは四階しか建てられなかったんです。それを選んだ。私と対立しましてね。反町がやめるか、三橋氏がやめるかということになり、私が身を引きました。三橋氏というのはあの通り業界内で人望があるんです。しかし私には分からない、また合わない。あの人は全てに消極的なんです。お店一つ見ても分かるでしょう。父親の時代から少しも発展しない。聞こえて来るのは、どこかの女や酒におぼれてるって話でしょ。どうしてそんな人に人気があるのですかね」

……当時の私の日記に書きとめられている言葉である。私は、別のことを聞くための会話の中に、偶然あらわれるてしまったこの反町氏側の猛雄評にこそ、お二人の性格の違い、相容れぬ葛藤の一端があると思えるのだけれど。

ともあれ、このお二人こそ、私達古書業界が同時代に持つことの出来た全く相反して異なる、大きな個性なのである。そしてこの本に「反町茂雄」の項はないけれど、外の四人の「奇人」達の生き方にも、二人の個性はいやでも立ちはだかり、投影されているのを、私は多くの場面で見ることになる。……

(2) 東京古書会館建設に献身

昭和四十二年五月一日、神田小川町に、地下一階地上四階、敷地面積五一七平方メートル、建築延床面積一七〇七平方メートルの鉄筋コンクリート造りの東京古書会館が竣工した。これをここまで持って来た、時の組合理事長が三橋猛雄である。

『東京古書組合七十年史』(昭49)を見るに、五月十日、猛雄の挨拶で竣工祝賀会が始まった、とある。同時に同業有志が持ち寄っての「竣工記念・善本展示会」が開かれ、奈良朝時代から現代までの洋の東西、古今を問わぬ稀書百五十二点が陳列された。当日特に出席された三笠宮殿下がその展示品に手を伸ばされた写真が一枚、前記組合史に載せられているが、かたわら説明役のような形で寄り添うのは反町茂雄氏であった。

……昭和三十八年、私達の組合は六十歳の猛雄を組合理事長に推した。すでにこの前年、猛雄は古書会館建設準備委員会の委員長として、十二月に答申案を提出、識見、人望から見て、もっともふさわしい人物に再び（すでに昭和二十五年度に一期つとめている）組合を托したのである。

昭和42年5月1日竣工の東京古書会館

私達東京地区の古本屋が、「本部々々」と言っているのはこの東京古書会館のことだが、建物の前身は昭和二十年の空襲で焼失、二十三年に木造バラック建の会館が出来、すでに十五年が経っていた。平屋で、下足は脱いで上る様式、板敷と畳とからなる丁度街の柔道場のような造りだった。そこは市場ばかりか組合事務所、古書展にも使用されて、もうかなり傷み切っていた。それでなくとも本は重量のあるもので、床のそこここは歩行の度にギシギシと音立てて揺れた。人々の話題としてはこれ以前五、六年頃からの、新会館建築は懸案でもあったのである。それから四年三ケ月、今、新しい古書会館が竣工したのだ。

建設案の基本は都内四ケ所の支部会館を併行して建てるというもので、すでに下町地区の東部、中央沿線の西部の二つの古書会館が建ち、この時点では南部、北部の会館が未建築であった。が、この両方共に建築のメドがつき、しかも猛雄の理事長職はもう三期五年に亘っており、本部会館の完成を見届けるようにして任期途中で猛雄は辞任したのである。

一口に組合というが、実は単純な中味ではなかった。長年に亘る地域の歴史・伝統からの陰然たる対立がないとは言えなかった。支部の人間は「神田・本郷のガリガリ共め」と言い、神田・本郷の人達は「支部のわからず屋共め」と言った。裏返せば、前者には古書らしい本を扱っていないという劣等感があり、後者には読み捨ての娯楽本など本ではないという優越感があった。そのくせ実態は、両者もちつもたれつの間でもあったことは、市場での需要供給の関係を見れば分かることであった。神田・本郷で売られているいわゆる専門書の多くのパーセンテージが、支部という畑からの供給だったのである。猛雄はよくそれを知っていた。それは猛雄が自認しているように、専門書市の中の、最も雑本と言われる部類を扱い続けたからというだけではない。猛雄には一つの信念があった。

「古本屋に悪い奴はいない！」というのがそれである。

古本屋はどんなに小さくもみな一国一城の主であった。一家言の持ち主ばかりだった。当の猛雄は、一見女性的と見えるほど温和であった。それはしかし文字通り外柔内剛の芯の強さだったのであり、組合運営に当っては頑固に徹底的に公正さを守り通した。その誠実さは、中央においてよりも各支部の人達に深い理解と信頼感を与え、強い協調の気持を生んで行った。それも猛雄の内にあっては、冷徹なまでの計算と分析能力という、稀に見る資質で裏付けられていたのである。ともあれ、会館は無事に出来上り、市場の経営内容もどうやらその途についたのを見て、猛雄は身を引いたのだ。

猛雄はこの昭和四十二年十月号の組合機関誌「古書月報」に「辞任の挨拶」を書く。あくまで健康上の理由を前面に出し、「それに伴う自分の生涯についての考えにもとづきまして、辞表を出したのであります」と猛雄は文中で言っている。猛雄はこの年六十四歳、その後十九年の人生を生きることになる。……多分、ここが猛雄の人生の分岐点だったのではないか。あと一年半で古書組合理事長三期を務めることになり、世俗的な名誉ということでなら、これによって猛雄は戦後古書業界復興の祖ともなり得たであろう。他の商業団体がよくやるように、やがてその先には何々褒章といった生ぐさい話が起きる可能性さえなくはなかったであろう。猛雄はしかしそういうことのもっとも嫌いな人間だったのである。元々二期の任期を終える時猛雄はすでにそこまでという気持だったが、ただ無益の混乱をさけ、半年だけ三期目継続のポーズをとったのである。自分にはどう計算しても決して早すぎるということはない、着手すべき仕事が待っているのだ、——猛雄はそう決断した。

……猛雄には一生を通じた課題が一つあった。本当は、そのことにこそ六十歳からの時間をついやしたかったのである。が、持ち上った新しい古書会館建設という組合あげての大命題に、ここは自らが一汗かかなくてはという使命感が猛雄を突き動かして来たのだ。一体その原動力は何であったのか。それを知るには、その猛雄の半生をたどるしかないであろう。

(3) 戦前期の明治堂と猛雄

猛雄は明治三十六年四月に、神田駿河台北甲賀町に生まれた。父の彦次郎はこの二年前に甲州から出京、借家に入って露店とセドリの古本屋を始めていた。長男の出生を機に、北甲賀町に出店したのだ。明治法律学校（のち明治大学）が近く、初めは教科書販売から始めた。やがて学術雑誌や報告書、統計類を専門とした。大正八年からは販売目録「史籍目録」を謄写版で出す。店は充実し、二階の一部を物置に直して和本を蓄積し、「この中には吉田松陰の自筆本もあるんだぞ」と父が自慢していたのを猛雄はのちのちまで覚えていたという。

そこへ大正十二年九月一日の大震災が起こった。三橋一家はこの災禍によって、店も住居も一切のものを失って着のみ着のまま焼野原へ放り出されてしまった。父は焼跡で一杯五銭の

「甘味ゆであづき」というのを始めた。空箱を並べただけの店だったが、毎日五、六円も売れた。これもしかし十日ほどで売れなくなり、父は今度はうどん屋を目ろんだりした。猛雄はこの年二十歳、まだ大倉商業学校（のち東京経済大学）の学生だった。猛雄はすでに見様見まねで店の本のことはある程度知っていたので、関西の方へ仕入れに出かけて見ようと思い立っていた。幸い神戸には同級生中の親友が帰省している。ともかくそこへ行って見ようと思った。東海道線不通のため北陸線で金沢へ出て一泊、翌日神戸に着いた。猛雄は早速大関通りの友人宅を訪ねたが、家は鳥獣輸入商であった。友人の親爺は太っ腹な人で、猛雄がわけを話すと「仕入資金はいくらでも融通しますから沢山買いなさい」と言ってくれる。翌日から友人の案内で神戸中の古本屋をくまなく歩いた。そのあとは大阪までも案内してもらった。猛雄はしかし、古本屋の家に育って二十年とは言うものの、古本相場などはまだ何も知っていなかった。仕方がないから、うろ覚えの明治、中央大学の教科書で定価より安いもの、他には自分の知っている本、好きな本をかまわず買い集めた。

家へ帰るとバラック建ての家が出来ていた。猛雄はすでに送ってあった荷を芝浦へ取りに行き、店へ並べると忽ちのうちに大部分売れてしまった。市場も、本郷などで再開されていた。当時市は午後開会だったので、猛雄は早目に帰校すると学生服のまま出席して、仕入れと相場を覚えることに努力した。初めはセリ声が出なくて、人の出直りを待って「ナリ」で落とすのが精一杯という出発であった。

猛雄は売上げをためては毎月のように関西への買入旅行をした。やはり最初のうちは神戸の友人宅を根拠にしたが、段々土地の事情が分かって来ると面白い、くつろげる所へ泊るようになった。神戸は全市を廻るのにたっぷり三日間はかかった。姫路まで足を伸ばせば更に半日はつぶれた。こうして夜遅くまで歩き廻ると、一杯やりたくなる。新開地の裏通りの小料理屋で酒を飲み、淘然となった頃には昼間は素通りした遊廓へと、若い猛雄の足は向いた。やがて猛雄は、近畿を始め九州、中国・四国、甲信越、北陸、東北・北海道までも足を伸ばすようになる。——儲けることの面白さ、そして自分で儲けた金で遊ぶ楽しさを次第に覚え、猛雄は到々一生を古本屋で過ごすこととなったのである。

昭和初期から、明治堂はまず父彦次郎名儀の「近集和本目録」を出し始めている。筆者はその第四～十三報を持っているが、これは無論古書販売目録である。年次で言うと昭和四～八年で、みな「明治堂和本部」の奥付。が一冊「十一号」にのみ、「編集兼発行者・三橋彦次郎」というのがあり、間違いなく彦次郎の出していたものらしい。子息がお店を継ぐと、父親が老後に和本を始めるのは、この業界によく見かける図だが、彦次郎が和本をやっていたのは震災前からだったことは先に記した。この昭和四～八年の彦次郎は年齢五十八～六十二歳。すでに大正五年の連合会交換会の設立から始まり、評議員（現在の理事）に選ばれ、昭和五年からは行政面のトップである組合長に推され昭和十四年まで何と九年もこれを続けている。

そしてその地理的条件（明治堂書店の裏口は図書倶楽部—現・東京古書会館—の左側露地）から言

って も、彦次郎は毎日々々「倶楽部」に日参、本を仕入れ、組合行政を見続けていたのだろう。まるで、我が家の一部のように市場を愛していたに違いない。

「人を信ずること厚く一旦依頼した仕事や一任した仕事に就ては殆ど批判などせずに採用し、しかも自己の責任を回避する様なことなく、太っ腹の人で、小事に拘泥せず、こせこせしない性格態度であった。／数年前流行の新聞漫画にでるノンキナトウサンの顔に似ていると云うので、ノンキナトウサンのニックネームもあったが、如何にものんびりした処があって何人も好感の持てる老紳士……」

と当時の同業が書いているのを見たことがある。その風貌の似ていないことを除くと、全く晩年の三橋猛雄の人柄を見る思いがするのは筆者だけではあるまい。昭和十四年、体の不調で引退、十七年彦次郎没。

一方猛雄が、昭和三年から出した古書販売目録「文献」を、筆者は四号（昭5）より五十一号（昭16）まで持っている。「第二号外」とある目録の、表紙のみを掲げても、

新集古書販売目録 昭和四年九、十月蒐集

東京に関する文献

書誌・書目

法規・法制史・法学

政治・経済・社会学　明治初期翻訳書
産業経済資料
歴史・伝記・地誌
木版和製本及古地図
文明移入明治文化史料
語学・文芸　明治初期翻訳小説
地理・博物・医薬
女性に関する文献
洋　書
雑及追加

とあり、日本書九百八十七点、洋書二百数十点が掲載されている。どの項をとってみても平成五年現在の顧客にも合う企画で、猛雄の先駆的営業ぶりがう

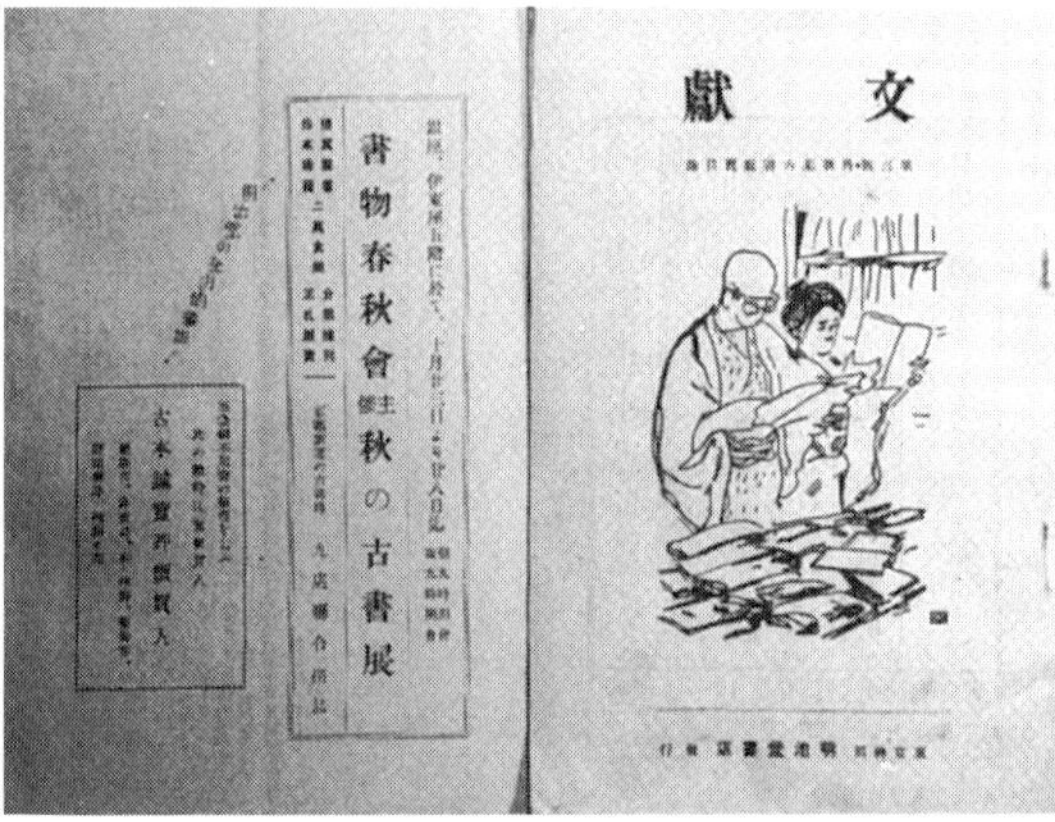

猛雄が出し続けた古書販売目録「文献」

かがえるものだ。ちなみに、猛雄は英文は無論のこと、独・仏文も理解し、最後まで通うことになる市場も「洋書会」だったと言われている。猛雄のモットーは薄利多売で、多くの客に親しまれる。全くこの営業方針と性格は変らず、昭和二十三年からいる番頭の加藤武志によると(加藤は縁戚で、戦時中も二年間手伝いをしている)、猛雄に叱られた経験は一度もないと言う。た

った一度厳しい言葉を浴びたのは、あまりによく売れるカズ物（同一本を複数在庫すること）が少なくなった時値上げしたら、「全部同じ値で売るように！」というのだった、と証言している。

猛雄はまた、昭和初年、関西ビブリオクラブという会に東京から参加する。高尾彦四郎、鹿田文一郎、荒木伊兵衛、杉田大学堂、神戸・ロゴスというのち業界の重鎮となって行く業界の若き俊英ばかり。昭和五年一月には「書好会」に発展、「書好」第一号を出す。これに刺激されて、東京の若手もこの年の秋には猛雄を始め高林末吉、大雲英二、原廣、酒井嘉七、吉田直吉、松村龍一、東條英治、稲垣近義、鹿島元吉等、当時三十歳前後の古本屋十人で「書物春秋会」を作る。販売目録付の「書物春秋」を二十五号まで出し、いわゆるデパート展を、丸ビル、銀座・新宿三越等で九回催している。「書物春秋」の執筆者には、小寺融吉、中山太郎、藤沢衛彦、森銑三、庄司浅水、西脇順三郎、横山重、川瀬一馬等多数にのぼり、時々猛雄達も文章を書いた。

なお、明治堂書店からは他に「近集古書月報」が出され、昭和九年八月までは彦次郎の名で、九年九月からは「山田正男」名儀となる。正男は猛雄の弟で、のち㊣明正堂となり、「ぐろりあ展」などの古書展、個人目録で親しまれた（平成四年没）。この「近集古書月報」（のち「古書」）も、筆者のところに五十冊ほど資料としてある。「弊店のモットーは少冊なる良書を最低価にて提供する事にある――店主白す」等の宣言も表紙に見える。

……このように、実力者となった猛雄を中心に、すでに戦前において明治堂はその全盛期を迎えた感さえあった。この支えとなっていたのが、大正十三年四月に復興（前身は震災で全焼）された東京図書倶楽部だった。こうして、この倶楽部と共に自らの店も焼けてしまう昭和二十年四月辺りまでの戦前を、猛雄は「もっとも時勢がよかった」、と常々回顧している。そして猛雄には、父の代からの限りない愛着と、「市場と組合あっての古本屋だ」という考え方が基本にあり、これこそ戦後の東京古書会館建設への献身となった原動力だったに違いない。が、猛雄の中にはいつも、もう一人の猛雄が棲んでいたのである。

(4) 蒐書の歴史

東京古書会館が完成、各都内四地区にそれぞれ東西南北の古書会館が建つ見込みもついて、三橋猛雄は六十四歳で理事長職を下りた。

畳敷というのが象徴するように、全て和式で行なわれたそれまでの市場の方式が、洋式の会場設備の出現で、業界はまたたく間に商売の方式を変化させた。人間関係が日々ぶつかり合う競り市が、声のない置入札制が主流の市場に変った。市は曜日別に専門書化し、業者は気に入った本にだけ入札して夕方その結果を見に古書会館へ出かけて行けばよいのだ。今日業者になった者でも、十円人より高く入札すればやすやすとその本を自分のものとすることが出来る。古いしきたりの中では考えられなかった理屈の上の民主的古本市場！　猛雄は、基本にのっとった新しい秩序の出現に期待したのかもしれない。

「未来は、若い君達にまかせたんだ！」

猛雄は、もう一人の自分が追い求めたものの実現に邁進するのである。

……猛雄には蒐集癖があった。少年時代すでに燐票集めに熱中している。学生時代には、不必要に沢山の参考書を自分の部屋に積み上げ得意になっていた。そして大正十三年頃からは明治初期経済思想関係の文献を集め出した。震災焼残りの市内や地方から大量の古本が東京に集中、それ以前殆んど顧みられなかった明治物に対する需要が急激に増していた。たまたま猛雄の専攻も興味もそこにあり、商売もこの分野を中心にした。吉野作造、尾佐竹猛、藤井甚太郎を中心とする明治文化研究会の誕生もこの頃で、猛雄は自らも何かこの一面を調べられないものか、と思った。当時も、明治物の中心分野としては何と言っても文学書だった。次いで経済史、政治史、自由民権、憲政資料などに人気があり、変り種としては売笑女性関係資料のコレクター花園歌子（のち正岡容夫人）という若い女性も店のお客にいた。猛雄は学校で経済学の初歩を学んでいたのと、人が手をつけていないことが分かって幕末から明治初期にかけ泰西の経済思想がどう我が国に移植されたか、それが明治文化に影響を与えたかを調べたら、と思い立った。生涯の蒐集対照となる「経済思想史文献」の渉猟である。

豊富に本のあった時代だし、猛雄自身本屋なので、短い期間にかなりの量が集まってしまった。蒐集は進んだが、調査研究までは手がまわらず、猛雄は自ら出していた古書販売目録「文献」に「明治経済思想史資料解題」を発表し始めた。昭和三年、猛雄二十五歳の時のことである。それを、顧客の吉野作造博士が認め、「明治文化全集・経済篇」(昭和4年刊)の「文献年表」を書くことを猛雄に勧めた。猛雄はその仕事をした。五十円の原稿料をくれたので、猛雄はこれを懐にして温海、鳴子と十日間の東北温泉旅行をした。この仕事を紹介した吉野作造は、昭和六年の東京朝日新聞に「資料の蒐集」という文章を書き、末尾に猛雄の名も記している。

……「私共の仲間の中で宮武外骨、石井研堂、尾佐竹猛、藤井甚太郎、斎藤昌三、柳田泉等の所蔵を一緒にすれば、あるひは完備した明治文化研究資料が出来るかと思ふ。外にも同様の骨折をやつて居られる方は沢山あると思ふが、特に経済の方面では高橋亀吉君、明治堂若主人三橋猛雄君のコレクションに敬意を表しておきたい。」

しかしそのあと、本庄栄次郎、加田哲二、住谷悦治などの著作、又堀経夫の決定的著作『明治経済学史』(昭10)が出るに及んで、猛雄は自分のコレクションが宝の持ち腐れとなったのを感じないわけに行かなくなった。時を同じくして、土屋喬雄が「帝大経済学部に欠けている分野だから」という話を持って来たので、コレクションをそっくりそこの研究室へ納入することになった。その、約千点のコレクションの請求額は金千円、教授会の慣例で値引要求があり結局九百円で猛雄はこれを手離した。

それからしばらくの間、猛雄はサバサバしたような、しかし一方では淋しいような気持ですごした。何年かした頃、猛雄は上州から出た明治物の一口を入手する機会に恵まれたのである。猛雄はこれを土台に今度は慶応から大正三年までの五十年間の、社会経済のみでなく宗教・哲学・教育等、文学を除く思想史一般について集めてみようと思った。それは大それた企てだったが、第一に安かったのと、将来はきっとこの時代の研究も盛んになるだろうという思いが猛雄にあったからである。一例を引けば、田岡嶺雲の著作など数十銭で売買され、教育学、教育史の本などほとんどツブシの扱いであった。逆に文学書だけは蒐集家も多く値もずば抜けて高価で、それに研究も進んでいたので猛雄はこれを除外したのである。

昭和十年代に入るといくら古いものでも社会主義関係の文献は取引が禁止された。戦時になってからは「社会」と名がついているだけで警察に没収されるようになる。競争者の少ない猛雄の集書はどんどん増え、猿楽町の奥にあった猛雄の住宅は二階二間、階下は廊下まで足の踏み場すらなくなるまでになった。「明六雑誌」「家庭叢談」「近事評論」「草莽、莽草雑誌」「七一新報」「国民之友」「日本人」に至る雑誌や「文部省年報」第一回以降などまで集まり、いつの日かゆっくり整理出来る日も来ようと、あわただしい時代の中でも猛雄は楽しみにしていた。楽観視していた戦局も、やがてせっぱつまったものに映り出し、猛雄は明治二十年までの部分を茨城県と山梨県へ疎開させることにした。やっとそれを送り出した昭和二十年四月十三日、折からの空襲で店も住居も、当然疎開した以外の蔵書が全て灰燼に帰してしまった。

終戦後、店を何とか復興させてから、猛雄はコレクションの集め足しを始めた。が、昔のような出物もなくなり、ただ失ったものの多きを思って容易に気力も湧いて来ない。それでも猛雄の、明治の中期に生まれた自分と、父彦次郎から思い出話として聞かされていた明治期の書物に対する愛着だけはますます深くなって行った。

猛雄はしかし、この頃商売へさく時間の最も多い時期を迎えていたのである。昭和二十一年には北川義男に誘われ新宿伊勢丹デパートで古書即売展を開く。第一回展のメンバーは他に、時代や書店、金井書店、魚住書店などがいた。この展覧会が、今に続いている「趣味の古書展」の始まりで、昭和二十四年からは場所も東京古書会館に移り、年六回の開催を守り、続けることになる。そして昭和二十五年四月に古書目録「文献」も再刊、店売、古書展と忙しかったが、この昭和二十五年、猛雄は二十二年以来理事長を務めていた村口四郎を継いで東京組合の理事長になった。昭和二十三年、全国の古本組合が結合を見、「全国古書籍組合連合会」――全連が生れ、村口が全連理事長も兼ねていたのであるが村口の多忙から猛雄が選ばれたのであった。村口は以後全連理事長のみを続ける。

猛雄は昭和二十八年の明治堂創業五十年を記念してコレクションの書目だけでも作ろうと思ったが、それさえ出来ずに忙しさに時が流れた。猛雄が「家蔵明治前期思想史文献目録草稿」を作り友人、顧客に配ったのは、昭和三十四年三月のことであった。これは神田古書会館での初の明治古典会古書即売会に合せたもので、別室に猛雄のコレクション二千三百点の参考品を並べ展示会を開いたのである。同時に猛雄は、店のショーウインドも利用してささやかに日替りの展示もした。猛雄は日夜生活のための営業のかたわら、これの本格的解題作業を始めようと思った。そうして初めて、多少はこの時期を研究する人々のためになるのだから、青年時代からの集書が世に生きるに違いないと思った。猛雄はこの年の「日本古書通信」十月号に「私の集書歴——社会思想史文献を集めて四十年」を書いて末尾を次のように結んだ。……「それにしてもその余暇を得る時が何時来るかしら。今日から毎日一冊宛書き留めるとしても十年近くかかる。最近の日本人の平均的寿命迄健康でなければならない。それよりも防火防水の書庫を作らなければならない。思えばえらい事を始めたものである。楽しみも又苦しみである。」……

だが、猛雄にはまだまだそうした理想的な生活は得られなかった。昭和三十四年には第二次明治古典会の会長を一年間引きうける。それが終った頃の組合に、神田の本部会館、及び都内各地区の古書会館建設の機運が盛り上り始めていたのだ。いつか猛雄もその渦中に巻き込まれ、その渦の中心にさえすえられて行ったのである……。

(5)『明治前期思想史文献』

——今私は、猛雄が店は子息と番頭の加藤武志さんにまかせて引退、十年をかけて作り上げた本『明治前期思想史文献』を机上に置いて見ている。

本が商売の私が見ても、何とも不思議な本だ。函入A５判で千百六十頁の大冊である。装幀は簡素で、白っぽい函に猛雄の筆跡によるタイトルのみ。中身は紺色の布装にやはり同じ筆跡で金箔の文字が押されている。発行所、編著者名は一切なし。タイトル頁に至ってやっと「三橋猛雄編」と入っている。まず凡例があり、二千三百点を細字で並べた「分類目録」がある。それから本文。本文が終ると「参考書目」、これが二千点もあるのは驚異という外はない。そしてこれで終りではない。更に「あとがき」のあと末尾には「書名索引」「西洋人名索引」「人名索引」「書肆索引」がつく。組ミがまた異様だ。分類目録の８ポ三段組に続く本文頁は、「本文（抄記）」「収載」が８ポ、「参考」は７ポの二段組で、その本の刊行事情や影響等も参考文献から引用付記しているのである。一応「本文」で字数計算してみると、一頁が四百字五枚、全冊では五千枚余りの容量ということである。

発行は昭和五十一年七月一日、まだ当然活字印刷だったであろう。十年もの、猛雄の孤独な想像を絶する厳しい作業が続いたに違いない。量的なもので例えれば、『広辞苑』のほとんど三分の一を独力で編むほどの仕事で、辞典でない単なる本としては、最低でも三分冊に、常識からすれば五、六冊には分冊、その字面ももっと大きな活字で組まなければならない本だったのだ。そしてその内容も、二千冊の参考書を全て駆使して出来上ったものである。これをもし他に生活手段の勤めでもしながらの作業としたら、優に二十年はかかる仕事だったのではないか。これはもう、量的なことだけで言っても明らかに「奇行」の世界ではないだろうか！

編集姿勢はどうか。……すでに戦後は国会図書館の「明治期刊行図書目録」その他が出ている。わずか二千数百の私蔵書公表は意味ない。又解題するには素養もない。ただし、ここには原文献の形態を示そう、その文章内容を抜粋しておこう、と猛雄は言う。そして「私の集書には特色」もある、とも猛雄は言う。それは、「駄本愚書がまじっている事である。無名人の書や、識者がみてつまらぬとする内容の本が、かなりある事である。精選されたものでない事である。これを私が特色とする訳は、戦後思想史と名づけた本がたくさん出版されたが、多くは一人又は数人の代表的思想家と称せられる人の、生い立ち、思想形成の過程、著作の分析、影響を微に入り細を極めて叙述しているだけである。この事も大事であるがそれだけで当代の思想史の全きものと云えるだろうか。一方に進歩的文化人がおれば他方にしかも多数の保守的非文化人が居るのである。頑冥固陋の徒と一と言で片付けてしまわず、その思想、思想と云い得なければ、気もち、を汲み上げてみるべきではないかと私は思う。頂点的エリートの思想のみでなく、ごくありふれた普通の人の意識をさぐるのも大事ではないかと思う。それ故に有名人の有名書は揃っていなくとも、無名人の駄書のまじっている、私の集書が一つの特色と云い得るのではないかと思う。」（「五十年間集書のまとめ」日本古書通信・昭和五十年九月号掲載）――と。

思えば猛雄の昭和四十二年の理事長辞任の年に原稿を書き始め、精魂こめた作業がやっとここに完成を見たのである。書影も多く載せられているが、「写真の撮影は日本古書通信社八木福次郎氏を煩はし、索引の作成には妹広沢百合子の助力を得た」と猛雄は「あとがき」に記した。

さて、話は多少前後するが、すでにこの本が印刷に廻された昭和五十年十月三日、かねて自らも会長を歴任している明治古典会の市場で、猛雄はこの本の参考書類二千数百冊の売立をした。この時、私は鶉屋書店・飯田淳次会長の下で幹事のはしくれにいたから、筋の通ったよい本ばかりの一口で、いつになく市の燃えたことをよく覚えている。ただ、気になる一つの噂も働いている私達に聞こえて来なくはなかった。

「三橋さんはこの売上げを、今度出来る本のタシにするらしいよ。何しろ大変な印刷費がかかったらしいんだ」というもの。

ところで、会ではこの市終了後、「三橋猛雄氏を囲む会」というのを行なっている。当日の市の出席者と、その会への出席者で五、六十名ほどになり、夕刻から二時間ほどの会となった。司会は飯田会長で、まず、

「今日御出品下さった蔵書についてお話し下さい」と口を開いた。

「……文献コレクションの方ですと、多少自慢出来る本もあったのですが、これは東京経済大学に納まることになりましたので、その参考書だけを今日売って貰ったわけです。参考書の中には実業家、政治家を問わず無名の人の伝記が目立ったと思います。これは明治初期に青少年時代を過ごした人々がどのような本を読み、どのような生活をしていたかを知りたいと思っ

て集めたものです……」と猛雄は答え、いくつかの問答が続いた。中で一ケ所だけ、猛雄が珍らしく激された場面があったのを私は覚えている。

「今度の出版のことを、私は早く話しすぎたんです。先日は思いもつかない誤解を受けました。九月十九日夕刊の東京新聞なんですが、例の匿名批評『大波小波』欄に、古本屋の主人が学者まがいのことをして、文献を売り惜しみ、本の値段の操作までしているって、批判的に書いてあるんです。私がこの仕事をしたのは金儲けや名誉のためでは決してありません。古本屋として最後の仕事をしたいという望みからなんです！　店でお客様に接する気持で研究したもので、古本屋として私が果たした事実として見て貰いたかった。多分出来た本を見て頂けばあのような誤解は受けなかったでしょう。印刷が後れていて残念です！」

私は単純に同業が中傷されたことで義憤を感じたが、まだそれ以上の感じは受けなかった。しかし今この本を目の前にする時、あの時の猛雄の憤りと口惜しさが手にとるように伝わって来るのである。ともあれ、すぐまたいつもの温和な猛雄に戻ったが、別の出席者が、

「三橋さんは大倉高商を出て中央大学を卒業されたのですが、その大学時代には昼も夜も講義を受けに通い、稀に見る秀才と呼ばれたと聞いていますが」と言ったのに、猛雄は答えて、

「いや、また誤解を受けました。秀才などとは全く嘘ですよ。確かに昼も夜も大学へ行きましたが、この時は小遣銭欲しさに半分は商売だったんです。その頃プリントというのがはやっていて、他の講義まで聴いてはガリ版刷りのものを作ってね、講義に出席出来ない夜学生なん

かに売ってたってわけなんです」と言ったので会場には沢山の笑いが起こったのも、私はよく覚えている。

昭和五十二年一月三十日の日曜日、いよいよ本が完成、東京古書会館二階ホールで『明治前期思想史文献』出版祝賀会が開かれる。その業界での実績から多くの古書業界人が集まり、定刻には百七十名ほどの参加者となった。中には学界から石井良助、稲生典太郎、大久保利謙、脇村義太郎氏等の名前も見られ、石井、大久保、脇村氏の挨拶があった。この日出席はされなかったが、大塚金之助氏からは長文の祝電が届き、読み上げられた。

ミツハシサンオメデトウ　タノシミニシテイタキヨウケツセキスルノハザンネンデス　五〇ネンライワタシハアナタノオセワニナリマシタ　ドコノウマノホネカワカラナイワタシニマデシンセツニシテイタダキメイジブンケンニシタシムヨウニナリマシタ　コンドノオシゴトハメイジブンカケンキユウノオオキナキネントウデス　アナタノゴクシンニフカイケイイヲヒヨウシマス　ヨガヨナラ　イヤ　クニガクニナラアナタノコノホンデメイヨブンガクハカセノガクイヲウケタデシヨウニザンネンデス　八四サイ　オオツカキンノスケ

というもので、それに聞き入る猛雄の表情と共に、参加者に深い感銘を与えたのである。なお、この日の来会者には、三橋猛雄編「明治前期刊行書古本目録」が用意、配布された。これは明

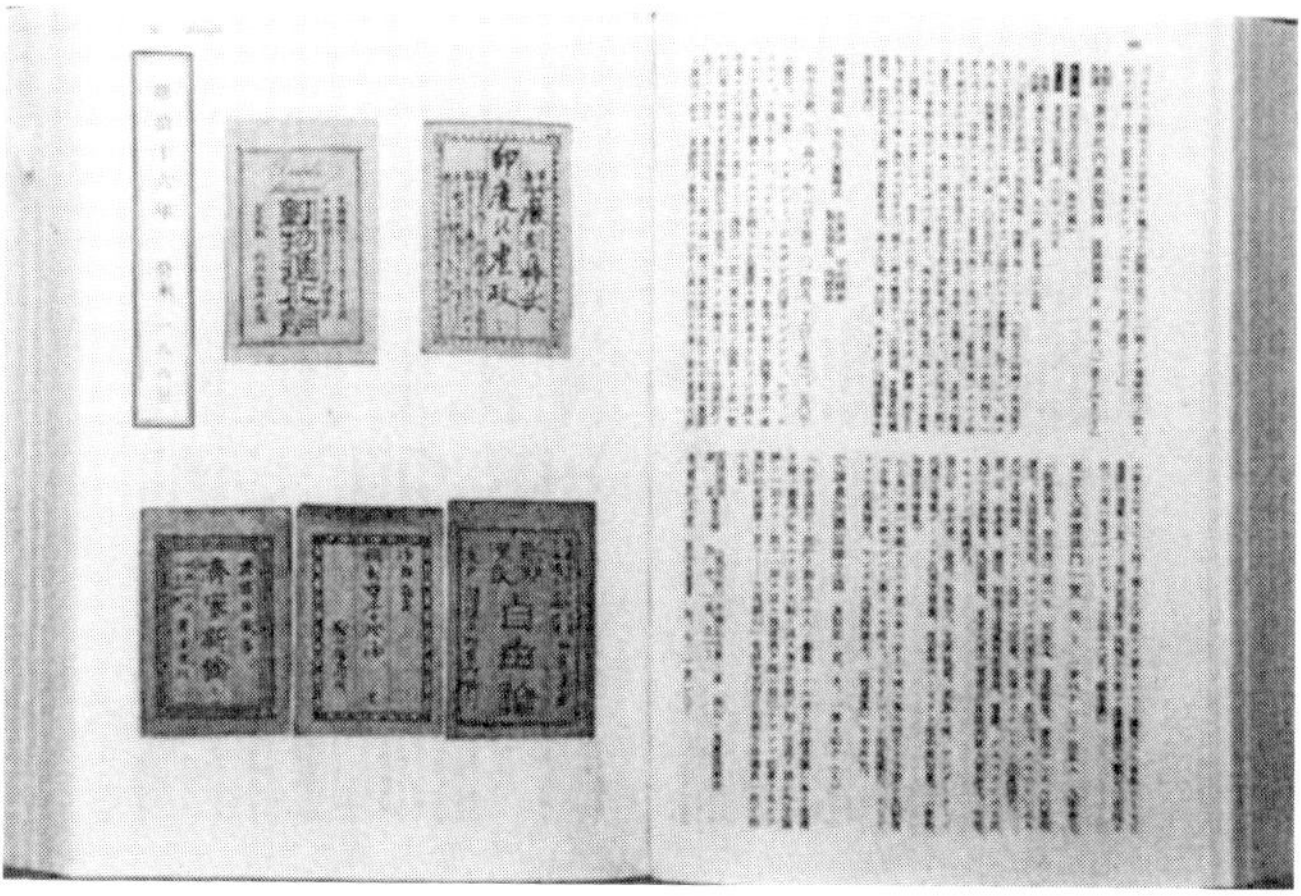

『明治前期思想史文献』昭和51年刊

治堂書店発行「新集古書販売目録『文献』」創刊号（昭和三年二月）より第五十一号（昭和十六年九月）までの掲載書から、慶応元年～明治三十年刊行の書物を抄出し刊行順に並べたものと言われる。そこには装型、刊行年、当時の売価も入っている。A５判百二十四頁、二段組で、あとがきに、「此書に掲げた五千四百部はこの期刊行物の一部分に過ぎないが、『明治前期思想史文献』の補遺の一つとなると思う」と書かれていた。

が、労作『明治前期思想史文献』は予想外に売れなかった。「明治百年」が世に喧伝されたのはすでに十年も前であった。世の中の活字離れ、軽薄化はますます進み、割と馴染みやすいとされる文学の世界ですら、明治期の文豪（漱石、鷗外、藤村クラスは別）もそのほとんどの名が忘れられ、古書市場でのその取引値も低迷した。せいぜい伊藤博文、犬養毅、植木枝盛、尾崎行雄、勝海舟等々、たまたまひき合いに出されることはあっても、よほどの専門家でないとその著述までひもどこうとする者などいなくなった。

まるで辞書を繰るようにしか検索することが出来ないような、小さな活字で出来上った猛雄の本は、心ある同業でさえ、敬して遠ざかる的書物に映ったのである。本は公称五百。実際はもう百部ほど多く作ったようである。定価は一万八千円。五百部が定価で売れても多少の損になり、六百部みな売れてやっとトントンというのが猛雄の内情だった。……その後十七年。未だ残部なしとしない、これが我が血肉を分けるようにして猛雄が作り上げたこの本の、今のところの運命である。

(6) 晩　年

さて、『明治前期思想史文献』を完成した昭和五十一年から、亡くなった昭和六十一年までの、年齢で言えば七十二歳から八十二歳までの猛雄の晩年である。

まず猛雄の住居のことがある。すでに『明治前期思想史文献』執筆の頃から、狛江市の方へ住いは移らせていた。無論お店の所在はそのままであったが、その後は子息献雄氏の住居となった。最寄り駅は歩いて十五分はゆうにかかる小田急線・喜多見であった。そこから代々木上原へ出、地下鉄千代田線で新お茶ノ水駅へというのが、猛雄の神田への足であった。約一時間くらいが所要時間で、猛雄の上京回数も少なくなって行った。

私が年月を限定して猛雄の風貌に接した一つは、昭和五十五年八月の東京古書会館における本部総会においてであった。私は下町の支部から、この年より二年間が任期となる理事に選ばれて、それまでめったに行くことのなかった神田での組合総会に出席したのである。例年、ほとんど何事もなく、質問者もせいぜい三、四人が目立つくらいでいわゆるモメるなどということのない総会だが、いつになくこの年は質問者と執行部が議論になった。やっと両者が納得、新しい理事会も出発、出席者を憩う意味もあって懇親会となった。その乾杯の音頭に、猛雄が指名されたのである。猛雄はにこにこしながらいつものように小柄な和服姿でマイクを手に持った。

「……今日は珍らしくヤリトリがありましたね。面白かったですよ、大いに議論すべきです。みんなが理事会にまかせっきりで何も言わなくなったら、組合はよい方に行きません。そういう意味で私は今日はとてもよい気分なんです。では今日から船出する新しい理事会の御奮闘と、組合員お一人お一人の御発展を祝して乾杯したいと思います……。」

その業界人としてはなすべきことを全て果たした人の悠揚せまらざる言葉に、場内は一人の例外なく好意を示して乾杯に和すのを私は見た。それは、この人がある間は組合はびくともするものではない、というような安堵感さえこの時猛雄は与えていたのである。

昭和五十七年十月、私は猛雄から葉書を頂く。私の二冊目の本へのものである。『古本屋三十年』ありがとう。さっそく読み初めました。堀切の兄戸沢氏、思い出があります。最近読書の気力が衰えましたので、全部読了するのには時間がかかりますが、興味深く読めることと思います。よくぞお書きになり、気持のよい造本、感心しました。とりあえずお礼まで」。

昭和五十八年八月三十一日、私は小林静生君に誘われて狛江での「三橋さんとビールを飲む会」というのに参加する。この日昼下がりの四時頃、私達が小田急線喜多見駅へ着くと、例の如くの着流しの猛雄が待っていた。他に文雅堂・高橋太一氏、天下堂・榊原謹一氏、由縁堂・相川章太郎氏が参加。街中を抜け、巾五、六メートルの小川に沿った道を歩き、グリンプラザという公園内のレストランに着く。樹の下でビールで乾杯、歓談に入る。まず一ト時、去年出した私の本をみんなが話題にしてくれた。もっともこれがこの年の会に私を誘ってくれた理由だったのかもしれないが。仕舞いには、猛雄の若きセドリ行脚の頃の女性体験談なども出、私はすでに噂では聞いていたが、初めて御本人の口から猛雄の別の面を見せられたのだった。生ぐさい同業の噂話など全く出ないことも珍らしく、みなが言葉に出さないでも猛雄への敬愛でまとまっている会と分かった。こうした会がもう何年も続いていると聞いた。

その後猛雄と会うこともほとんどなくなって、年六回行なっている「趣味の古書展」で、番頭の加藤さんと会ったり、会計をお手伝いされていた猛雄の妹・広瀬百合子さんに、「三橋さん、お元気ですか?」と私が声をかけるくらいのものであった。

ある日私は、市場へ急いでいたが、東京古書会館の入口近くで人につかまり、ちょっと立話を始めていた。丁度古書展も開かれ、市の始まろうとする午後一時過ぎの最も人の出入りの激しい頃だ。ふと十メートルほど先のエレベーターが開き、ますます小さく見えるこのところお会いすることのなかった猛雄が降りて来るのが見えた。受付前には、三、四人の若い御同業がタムロし、その外にも二、三人が通行中であった。猛雄の通るのを誰も気づかず、猛雄はすぐ入口まで出て来てしまった。うつむき加減の猛雄が自分の店のある駿河台通りの方へ曲った時、私は声をかけた。

「三橋さん、今日は！」

その時私は、まるで人の声から逃げるように、むしろかくれるようにして猛雄が去って行くのを見なくてはならなかった。私は話相手との話のチグハグもかまわず、何か肩を落とすようにして、駿河台の通りを更に店の方へもう一度右に曲がって去って行く猛雄の後ろ姿を眺めていた。

……私はこの日市場にあっても、何か逃げるように、かくれるようにあの場を去って行った猛雄のことを思って、気が晴れなかった。私はいろいろに考え、いろいろに想像した。猛雄があの大著を完成してからでも八年ほどが経過していた。市では「明治堂」の発声も少なく、当然猛雄は古本屋としてはもう過去の人であった。若い業者も増え、すでにその人達には小柄な和服姿の猛雄など眼中になくなっていた。いや、たまに友人と言ってよい日本古書通信社の八木福次郎氏を訪ねるくらいしか、古書会館へは猛雄自身も用がなくなっていたのであろう。また若い同業からすれば、すでに猛雄の顔さえ知ることがなくなっていたのかもしれない。また私が、個人的な思いとして、もしこの人なくば、少なくもあの年度に古書会館は建たず、今日の業界の盛況もなかったのではないかと思ったとて、すでに二十年に近い昔のことを知る同業の方が少なくなっている現状では、言って見ることも無理なのかもしれない。一方猛雄は、そんなことは百も承知なのだ。万一にもそんな昔のことを功績などと思われたくない。今耐えているのは、体中のどこもかしこも、利かなくなった老いた己れの肉体のことなのだ。いかに死すべきか、なのだ。

「三橋さん、今日は！」

そういう声は聞こえたような気もする。「やあ」と言えば、きっと「お元気ですか？」と重ねて来るであろう。決して元気でない自分のこの老いの悲しみを、どう説明したらいいというのか。……昭和五十九年暮れの出来事であった。

この年も暮れ、正月が来た。私の次の自費出版本が出来て来たのは、月半ばであった。私は例の如く猛雄へも一本をお送りした。二月一日、猛雄からの返礼が届いた。

『日記蒐集譚』ありがとうございます。特異な、豊富な内容と存じます。ゆっくり読ませてもらいます。

私は七十歳代から老いを自覚する様になり、八十を過ぎたら老化のテンポがはやくなった様です。五十代が仕事が出来、充実した生活を送る事が出来たと思います。

青木さん、今が生涯で一番の時と思はれます。御活躍を期しております。

昭和六十年一月末

これが猛雄の、私に向けて下さった意志表示の最後であった。この時私は五十二歳だったが、以後五十代に七冊の本を出し、友人と雑誌「古本屋」を十冊刊行した。そして一冊本を出す度に、何故か猛雄の「五十代が仕事が出来、……」という言葉が浮かんで来るのだった。

さて、この昭和六十年は、私が雑誌「古本屋」を所属が同じ下町地区の小林静生、石尾光之祐の両氏と語らって出した年でもあった。創刊を進めていた同じ頃、下町は秋に行なわれる支部の二十周年記念行事のことで忙しくなった。私も準備委員に選ばれ、与えられた仕事は協同編集で記念誌『下町古本屋の生活と歴史』を作ることであった。同時進行の「古本屋」の方の原稿依頼は小林君と手分けしてやっていたが、私達が創刊号の巻頭を飾る人として考えたのが猛雄のことであった。

十月二日の当日が来、上野・池の端文化センターで業界人百五名の参加を見、二十周年祝賀会は盛大に行なわれた。席上猛雄も出席し、現理事長のあと乞われて挨拶をした。猛雄は二十年前の三ノ輪、向島地区両下町の古本市場が合同に至る思い出話を、その責任当事者として理路整然と語った。

乾杯のあとは、すぐ猛雄の周りに人の輪が出来た。猛雄は元気そうに、久しぶりで会う古い業者と機嫌よく歓談を始め、私を見つけると、「ようッ!」という風にコップを少し上げて合図をした。私は、数日前に小林君を通じて頂いた原稿のお礼と、その中のどうにも気になる箇所について一言言おうと思った。が、猛雄にはほとんど前後左右からと言ってよいほど、同業の誰彼が近づき、猛雄もすぐその一々に言葉を返したりで、私はとうとう猛雄と話をする機会を失ってしまった。

こうして、私達は十、十一月と、初めて出す雑誌編集の仕事に忙しく日を送っていた。無論その間に、私の場合は古書展が一回入り、暮れの恒例、「明治古典会クリスマス特選市」の準備もこれに重なった。十二月二十日、「古本屋」が千冊出来て来た。原稿料代りの五冊ずつを、これまた三人が手分けして各執筆者に届けることとし、猛雄へは小林君がお渡しした。マスコミ関係への発送は私の役目だ。

年が明け、昭和六十一年になると、私達の雑誌のことが、多くの新聞記事になった。特に朝日の一月十三日付のものはたった二十五行ばかりのものだったが、読書欄に出たことで「古本屋」への問合せが殺到した。また前年十一月には七年後に直木賞作家となる出久根達郎氏の最初の本『古本綺譚』(この本には「古本屋」創刊号に載せた文章も入っているが雑誌発行が遅れて本の方が先に出てしまった)が出、「古本屋」と時期を同じくして出た反町茂雄氏の『一古書肆の思い出』第一巻が大評判になっていた。こうして、にわかに古本屋の書くものが脚光を浴びていたことなどが雑誌の売れ行きに幸いしたことは間違いなかった。神保町を中心とした店売の方も好調で、私達は相談して「古本屋」創刊号を五百部増刷した。これも売切れ、最終的に二百人くらいの定期購読者を持つことが出来た。私はすでに店は息子に任せていたが、奇数月の古書展の仕事は続けていたから、すぐにその開催日もせまって来た。それに五月に出す第二号の準備も始めなくてはならず、私は忙しく日を送った。

(7) 終焉

私は私の行っている週一回の明治古典会の市の日はつとめて、会館内にある日本古書通信社へ寄る。ある日、八木福次郎社長から、このところずっと猛雄の本作りをお手伝いしている、という話を聞いた。三月には出るでしょうと言われる。一週間後の二月二十一日、

「そう言えば、十月の東部の祝賀会以来三橋さんを見かけませんが、本作りに忙しいんですね」と私。

「うん、まあそういうことですが……」と八木氏。「あんた、一寸お茶でも飲みに出ましょうか」

喫茶店で私は、猛雄自身に起きている意外な近況を、八木氏から聞かなくてはならなかったのである。猛雄が一月二十二日から、杏雲堂病院へ入院されていると言うのだ。

この日市で会えなかった小林静生君に、私は夜電話して猛雄のことを話した。

「え？　入院してるって？」と小林君。「寒いので、喜多見から出て来ないのかとばかり思ってた。それに本を作ってるって言うから……」

二月二十三日には熱海で組合役員の合同会議があった。出席していた小林君はそれを、本郷井上書店・井上周一郎氏に話す。二十四日、井上氏は崇文荘・佐藤毅氏と三橋氏を見舞う。共に理事長経験者で、井上氏はのちに「三橋さんは、私の小学校の先輩でもありました」と追悼文に書いている。

三月十二日、三橋猛雄逝去の知らせ。十四日土曜日六時〜七時、駿河台のお店で通夜。三月十五日、朝まで降り続いた雪が小雨に変っていた。

十二時〜一時が告別式。この日、奇しくも猛雄の明治堂書店も参加する「趣味の古書展」が開かれ、同人でもあった私は朝から古書会館へ行った。やがて臨時にあけられた古書会館の一階フロアは、地方から駈けつけた人も混じる喪服の同業者で一杯になった。出棺前の投花の時、私は近くにいたので人々の間から猛雄の遺骸を拝んだ。晩年の特徴であった白く長い眉が印象的であった。棺が乗せられた車に続く、幾台かの小型バスの一つに私も乗った。私は文学堂書店・内藤勇、金井書店・花井由松両先輩と共に、展覧会同人を代表してそのあとの時間も同行出来ることになったのである。

町屋斎場へ。一時間後、小林静生君と小さくなった猛雄の骨を箸ではさんで骨壺に運んだ。そこから車の列は九段のダイアモンドホテルに向かう。

広いホールの、壁に向かった中央に祭壇がもうけられ、花が飾られてあった。そのまん中に遺骨が、かたわらには猛雄の二冊の著書が置かれている。順々にそこへ列を作り献花、着席して行く。丸いテーブルが十箇、私達のテーブルには三茶書房・岩森亀一、文化堂・川野寿一、江口了介、相川章太郎、高橋太一、花井由松の各氏、それに小林君と私の八人。すると参会者は約八十名ということであろう。葬儀委員長・佐藤毅氏、神田支部長慶文堂・小野塚健氏、続いて小宮山書店・小宮山慶一氏等の挨拶。

やがて八木福次郎氏の名が呼ばれた。

「二、三年前、神田の飲み屋で同席、僕が死んだら香典返しの配り本を作ってくれないかって言われたんです。私は、元気なうちに出されるならお手伝いします、って言いました。すると一年前頃に、本を作りたい、と言って来られました。割と多く書かれている『古書通信』のものや『古書月報』のものをコピーしたりして差上げ、半年くらいして原稿が揃いました。印刷所に原稿を入れたのが十一月、十二月に校正が出て来ましたが、久源太郎さんに初校を見て貰い、御自分でもご覧になりました。再校の頃になると顔色はすぐれなくなり、酒も飲めなくなった、って言うんです。一月末入院されましたが、誰にも入院のことは言わないようにと、

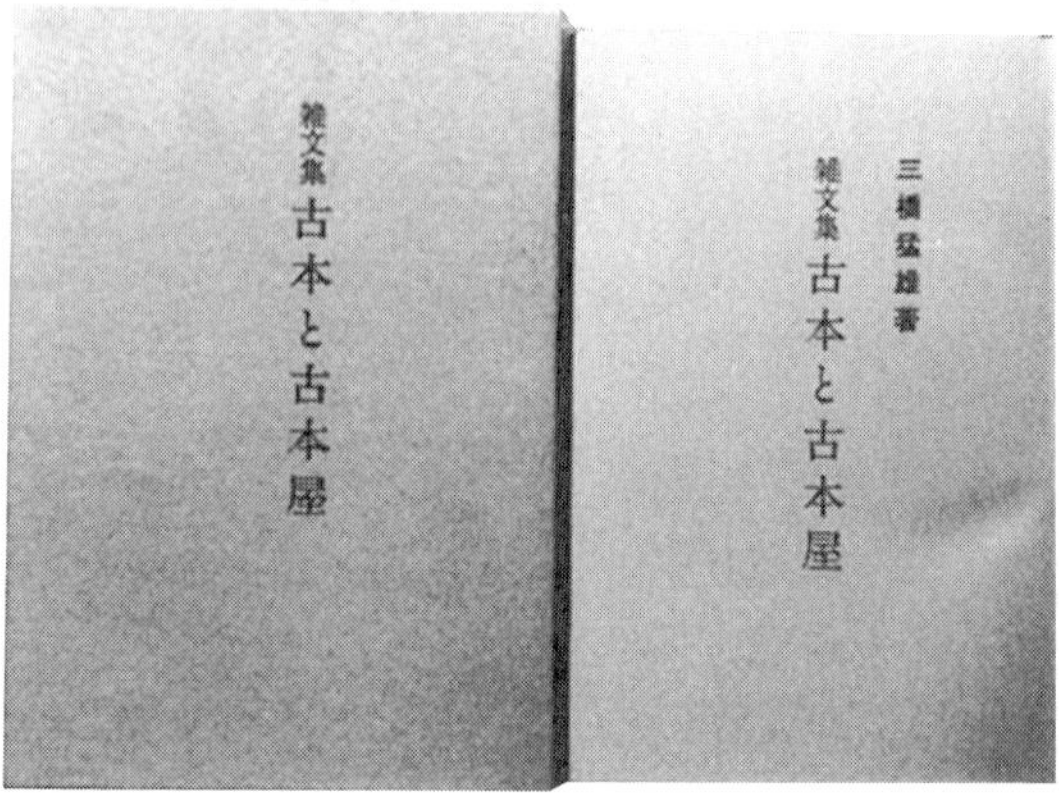

『雑文集 古本と古本屋』昭和 61 年刊

強く言われてしまった。二月十日頃か、私の事務所に青木さんが見えて、近頃明治堂さんが見えませんが、って言われ、実は……と言ってしまった。それが小林君に通じ、何人かの古いおつき合いの方々に知れたのです。……それからは印刷との競争でした。実は原稿の整理や校正が始まってからも、私にはよく三橋さんは言われてたんです。君は忙しいんだから急がなくてもいいんだよ、と。三橋さんは、この本が出来た時が自分の死ぬ時だと、すでに予感しておられたのではないかと、今にして思われます。三月五日、見本が出来て早速病院へお届けしました。すでに自分では頁を繰ることも出来ない状態だったので、顔の上で頁を開いて御覧に入れたわけです。勿論分かって、うなずくようにしておられました。今にして思うと、よくぞ、間に合ってよかったと思います。御冥福をお祈り致します」

八木氏の挨拶の途中、司会の方が私達のテーブルにやって来て、小林静生君に、少々時間が余るので急で恐縮だがお話を伺えないか、と言った。こうして八木氏のあと、紹介されて小林君がマイクに近づいて行った。

「この三年ほどは、色んな事情で中絶していましたが、それまでの数年間、私が一番若年のため、幹事役をつとめるような形で、毎年春の梅見の宴と、夏の生ビールを飲む会を七、八人の仲間で続けていました。ある年は神津島まで足を伸ばしたことなどもありました。三橋さんは小柄な体なくせに健脚で、いつも一番前を歩くんです。理事長を五年に亘ってつとめられ、その間古書会館建設、『古書組合五十年史』の発刊に多大の尽力をされたことは皆さんが語っておられる通りです。そもそもあの『五十年史』の発議も昭和四十四年二月の総会における三橋さんの提案からなんです。いや、発足時には三橋さんは目次プランまで作って来られました。また三橋さんには、沢山の障害を乗り越え完成に到るまでには、どれほどの協力を頂いたか知れません。一方、立派に古書会館の竣工を見て辞任され、その後十年をかけて『明治前期思想史文献』を完成されました。この仕事は、私もささやかですがお手伝いをしたことでも忘れることが出来ません。この本は、私達が理解している以上に大変な著作だったことは、この本の出版記念会での、世が世なら、いや国が国ならあなたはこの本で名誉文学博士の学位を受けたでしょう、と大塚金之助先生をして言わしめた一言でも分かるのではないでしょうか！」と言って、一瞬小林君が言葉を止めた。

　すると突然、こういう会では不似合の二、三の人の拍手が上った。その一つは私で、すぐ手をとめたが時すでに遅かったのである。小林君はおかまいなく言葉を継いだ。

「実は、私達下町の同業三人で一月に『古本屋』という雑誌を出したんです。これが、今から考えると、まるで三橋さんは御自分の死期を知っていたのでは、と思えてならないわけです。たしか頂いた文章は、『私が古本屋の長男として生れてから八十二年になり、そろそろお迎えのくる頃である』で始まり、『一生を古本屋で通し得た事を幸せと思う』で結ばれていた筈です。これを、すでに去年秋に書かれてるわけで、その意味でも三橋さんはよく己れを知った稀に見る立派な人間だったと、私は思うんです。三橋さん、どうか静かにお眠り下さい……」

私は危うく、もう一度拍手さえしかねない自らを押しとどめていた。

……三橋猛雄が亡くなって七年になる。お店は現在、御子息がコーヒーショップ「ロトール小川町三丁目店」を経営され、加藤武志さんが古書展の部門を継いで明治堂書店を営業している。

詩人魂が抜けなかった古本屋

——キヌタ文庫・永島冨士雄

永島冨士雄略年譜

明治 34 年（1901） 千葉県木更津郡馬来田村に，父永島信吉・母はなの長男として生まれる。

大正 7 年（1918） 千葉県木更津中学校を卒業。上京して主に浅草を放浪する。オペラ雑誌「歌舞」を手伝う。

大正 12 年（1923） 正岡容のあとを受け「歌舞」3 代目編集長となる。8 月退社。小生夢坊の組織した「東京オペラ座」に文芸部長として誘われ，日本各地，朝鮮を巡演する。

昭和 3 年（1928） 10 月，第 1 詩集『十月詩集』を刊行。

昭和 5 年（1930） プロレタリア詩集『都市の氾濫』を刊行。

昭和 12 年（1937） 妻（助産婦）の実家が砧村の農家で，嫁した娘に家を建ててくれたので，砧村（現・成城町）に住み始める。地域誌「きぬた」にしばしば投稿する。

昭和 17 年（1942） 医学出版の南山堂へ入社（19 年退社）。かたわら児童向に『南海の熱血児』等 4 冊を書く。

昭和 21 年（1946） 成城駅前に露店の古本屋「キヌタ文庫」を開業。

昭和 33 年（1958） 地域誌「砧」第 5 代編集長に就任。（以後 23 年間 276 号を独力休みなく編集する）

昭和 63 年（1988） 8 月 1 日至誠会病院で病没，享年 87 歳。

(1) 浅草放浪

ここに一篇の、文字通りの「浅草の詩」がある。

浅草の詩

こゝは大東京の心臓、大東京の脳天
すべての信仰はこゝにあつまり
すべての歓楽はこゝにあつまる。
金龍山浅草寺
すべてのひとはこゝにぬかづき、こゝに合掌し、こゝに礼拝する。
堂々と聳え立つ興行街
活動常設館、劇場、水族館、軒並に続く大建築物。
その舗石の上を
ひとびとはゆき、ひとびとはかへる。
ぞろぞろとこの興行街の一画めあてに集り来るひとびとのざはめき、その足音、そのさゝやき、その喧騒。
浅草へ、浅草へ！
なだれをうつて潮のごとくに寄せくる無数の群集
あらゆる階級を通じてこゝに集る無数の群集。

（――一節分中略――）

大洪水のやうになだれをうつてうち寄せて来る大衆！
めしひの大衆！
この大衆を消化し尽す巨魚のはらわた。
こゝに神秘がある
こゝに秘密がある
こゝに魔術がひそんでゐる。
浅草は大衆の懐を呑む。
浅草は大衆の心を嚙む。
浅草は絶えざる新陳代謝に余念がない。

詩人・永島不二男（本名は冨士雄）が、その第一詩集『十月詩集』（昭3）の巻頭にすえた詩である。

当時もっともっと巧みにうたわれた詩は多いが、大正末をうたってこれほど浅草という存在を的確につかんでいる詩は少ない。それはこの詩を書いた詩人が、浅草の傍観者でなく、どっぷりとそこに暮していた人間の眼で描いたからである。このように、大正末の浅草というのは、今の眼で見る「新宿」を指す以上に、当時の東京を全て集約した存在だったのだ。二、三の同時代証言をあげてみよう。

「浅草は実に民衆娯楽の坩堝(るつぼ)である。力強く燃へる民衆生活の火で古いものは熔かされ新しい形となつて現はれ、新しいものはそのまゝ坩堝の中から生れて来る。（権田保之助）」「八木節踊りの若い女が、赤い腰巻の間から、ちらりと覗かせる大根の様な足に、合槌を打つて喜んでゐる其処の世界にも、池の端の煮込みの屋台にぶら下つて、腹掛の底を気にしながらひと切のおでんを口にする労働者の周囲にも、日本館の二階で世界の舞台を高級がつて見てゐる学生達にも、力(リキ)ちゃんの姿に燃える様な恋を悩んでゐる娘達にも、浅草は楽しい面白い恋の港ではないでせうか。（馬場春宵）」（雑誌「恋と愛」大11／4月発行『民衆娯楽 浅草研究号』）

浅草で十三年芝居して、この年観音劇場で興行中だった曽我廼家五九郎は言う。

「日々この浅草に這入る人の数は、実に十万に及ぶと云う夥しいものです。私の観音劇場だけでも、一日七千人から一万人の入場者があります。現に今日などは第三日曜であるし陽気が春めいてゐますから一万人を突破する筈です。之れ等の人々が皆んな一日、或は半日の愉快を需(もと)めに浅草へ集つてくるのです。実に怖しいばかりです。」

ともあれ、大正七年に郷里の中学を卒業し、以後の永島を受け入れ、虜にし、育てた場所がこの浅草だったのである。

「軍人を父として生れた私は、幼い頃から軍港の各地を転々した。生れながらの放浪児であるとも言へる。浅草公園に於ける悪童記者時代、劇団生活放浪時代、二十七年の半生にも幾多の波瀾があつた」――処女詩集の巻末に書かれた、永島冨士雄の言葉である。

……永島の残した自叙伝的文章を、私は今四種眼の前にしているが、みな始まりは浅草時代からである。どれも微妙に違っているが、少なくも大正十二年九月まで、浅草・今戸の歌舞社から「歌舞」という雑誌が出ていて、永島はその編集に従事していたことはたしかだ。その「歌舞」が、ある時数冊私の加入していた古書展に出、もうすでに売り先がきまって取り置き棚に並べてあったのを朝の開場前に気づいたのである。出品主の同業に断わってあわてて組合事務所へ駈け上り、永島の名のある頁を主としてコピー、私が降りて来た時にはお客が取りに見えていると言った修羅場を経て得た思い出のある資料が、今目の前にある。この時あった数冊とは、大正十一年三月号、そして十二年八月号、九月号だった。そうしてそれぞれ三十四、五十一、五十二号とあり、どうやら欠号なく出ていた月刊誌で、みな九十二頁立てであったことが分かる。

永島は言う。「大正七、八年頃の浅草の花ざかりは過ぎていたが、私はオペラの月刊誌『歌舞』の編集長で、二代目の正岡容が、オペラ誌を日本舞踊の『歌舞』に変えたので、ペラゴロ(オペラ愛好者)が承知せず、正岡を追い出して、私がその後釜に居据ることになった」と。私はこの文章(「詩人たちとの友交録」昭62／4『古本屋』)の原稿を今ももう一度調べたが、傍点の箇所はやはり「長」である。ここを「員」と直せば、永島の言葉はみな資料と合う。正岡が編集したらしい三十四号の編集後記に「民謡勃興期に当つて突如何の前ぶれもなく『歌舞』は小唄研究号を諸君の前に提供しました」とあり、この号が正岡追い出しのキッカケになったのだろうか。正岡はまた、同じ後記の末尾に、

「正岡いる、氏の第一物語集『宿場しぐれ』色々手違ひから後れましたが、漸く目覚める様な装幀で上梓されました。」とも書いている。このあと二十一歳で編集を任される永島も早熟だが、そこまで編集長を務めた正岡の年齢たるや永島より三歳下の十八歳というのだから驚く。その上、この号に載せている文章が「随筆・いろいろな小唄」という渋さである。

一方、この号では永島はまだ手伝いにすぎず、詩人志望ら

震災の月まで出ていた浅草オペラの雑誌「歌舞」, 永島も編集した。

しく、埋草には「田舎道」という詩が小さく印刷されている。

二人歩んだ田舎道
いくつの森を過ぎたやら
とうきび畑　桑畑
(以下二連を略す)

と言ったもので、「永島不二男選」で「歌舞詩壇」の選者も受け持っている。この号には男性五、女性四の応募詩が載せられ、「加筆した後をよく味つて貰いたいと思ひます」と永島は指導している。

こうして大正十一年の何月から「歌舞」の編集を永島がしたのかは不明だが、少なくもこれから引用の大正十二年八月号及び九月号が永島の編集であったことはたしからしい。まず、「歌舞」八月号のタイトル頁には、ゆったりと「待宵草　永島不二男」として永島の詩一篇が載せられている。

河原の土堤で泣いた人
泣いて別れた君故に

今宵も土堤に来ては泣く
待宵草の淋しさよ
星の青さに嘆きます

こうして、永島は最後の大正十二年九月号を編集する。またもや巻頭には、

タンポリン
かきならせども
悲しかり

で始まる永島の詩が載る。が、永島がこの号でもっとも記録しておきたかった資料は、この号の口絵写真だったかもしれない。そこには頁を二つに割って、上下二枚の群像写真が割り付けられている。まず「童話劇協会の人々」と題された上段は、指導部とおぼしき男達七人が立ち、その前に劇団員であろうあどけない娘達がこれまた七人、敷物の上にそれぞれ自由な肢体で座っている図。説明は「後列右より永島不二男（脚本部主任）森岡夢夫（舞踊指導）藤山宗利（会長）……」とあり、娘達も生徒誰々と名が出ている。そして永島の風貌たるや、長身の好男子の上、服装がまたこっている。ロシヤのコーカサス地方の踊りに着るルパシカで、それが実に

よく似合っている。下段は「コスモス会の集り」。全員で三十名くらい写っているが「前列右より荒井定市、二村定一（金龍館出演）、三上武夫（オペラ座出演）、町田嶺子、大塚君子……」と和服姿の女優達。やはり後列右寄りに、上段と同じ服装の永島が立つ。何しろ永島は、二十名くらいいる男の中で首半分は長身だから、目立つことこの上ない。後年お訪ねした日の終りの方が、次から次と当時自分がいかに踊り子などにもてたかという話になったことも、これではさもあろうと思わざるを得ない。

そうして頁中に残る甘ったるい詩とは別に、永島は本文では「爼上断片」などという骨っぽい浅草オペラ批判なども署名入りで書いた。だが奥付上の編集後記には「海の生活が慕つかしい。山の生活を考へてはならない。それでも社長は旅へ出られた。不二男詩人は房州巡礼をするのだと云つて編集を急いでゐる」の文が見える。ところで、編集長となったと回顧している永島だが、奥付の「編集兼発行人」名は藤山宗利である。これは「童話劇協会の人々」の中にいた「会長」と同一名であり、写真もかなりの御老体である。だからこの時点で永島が実体として編集長だったことは、永島の言葉通り取ってよさそうである。また、この後記は必ずしも自分で書いたのかどうかは分からないが、「不二男詩人は……」と書かれているように自らを托するところは「詩人」であったことも間違いない。永島は多分「歌舞」以外にも、この頃かなりの雑誌に詩を書いて載せていたのではないか。

こうして、正岡容から受け継いだ「歌舞」は再びオペラ雑誌に戻して好調な辷り出しだったのだが、永島は何故か「社長と意見合わず、時もあろうに大正十二年八月三十一日」歌舞社を退社してしまう。その夜永島は取り巻きのペラゴロやペラゴリーナ（オペラ好きの女性）達と退社祝いをやって二次会三次会となり、ぐてんぐてんに酔っぱらって、夜中の三時にやっと下宿へ戻り深い眠りについた。……翌日は大正十二年九月一日の「東京大震災」である。午前十一時五十五分、ガーンという音と共に、永島は本能的に跳ね起きていた。少し地震のおさまったあと、やっと窓を開け目の前にある十二階を見る。塔は立っていた。やや傾いているのは以前からで、ネオンの器具がぶら下って揺れているのが見える。塔はやがて、千束町方面からの熱風と炎のために、下の階から、吹き抜けるように上に向って燃え始まるのであった。

この日を界として、古い大正の浅草は壊滅する。何とか続いていた浅草オペラもこの日を以ってつぶれ、ここでの永島の交友関係もみなバラバラになってしまった。永島の「浅草放浪時代」も終ったのである。この時、二十二歳の青春を持てあましていたような永島に声をかけてくれたのが小生夢坊（いけ）だった。小生の組織した「東京オペラ座」というのに、文芸部長として迎えたい、と言ってくれたのである。永島はこの話に乗り、名古屋の御園座を振り出しに紀州、中国路を巡業、九州へ渡る。九州では岡村文子（のち映画「愛染かつら」などの脇役で名を上げる）が入団、小倉の不良・南部僑一郎も永島の文芸部に転がり込んだ。劇団は更に朝鮮へも渡った。こうして一座と共に一年をすごした永島は九州に戻ったところで健康をそこね、それをキッカケに劇団生活に見切りをつけ、東京に帰った。

ここに、「一九二三、十二～一九二四、十二」と末尾に記され「詩」と題された原稿の束がある。詩、短歌、感想からなる百枚ほどのもので、中に「浅草にかへりて」という短歌八首が残されている。その内の三首を引用してみたい。

あさくさにかへり来にけりかずかずの
恋のむくろのうづもるつちに

別れ行くひとは呼ぶまじ人の世の
この雑踏にもまれもまれて

空しきにこゝろなやむな浅草は
いま春の夜のたけなわなるを

永島はまた、震災について書いている。

「震災の緊張がぼくらを結びつけたのだ。だからゆるみが出ると共に別れなければならなかったのだ。……あれは丁度解放の夜だつた。ぼくらをしばる何ものもなかった。あらゆる因習から抜け、すべての惰性をふみにぢってぼくらは勇み立つた。……ぼくは良心にそぐわぬすべての原稿を焼き捨てた。……やがて世が治まつた。今は再び因習と約束の生活に帰つてしまつた……」

浅草は、永島にとって空しい場所になってしまっていたのだ。そうして世の中もすっかり落ちつきを取り戻し、永島は働く道を探さなくてはならなかった。こうして大正も暮れるのである。

(2) 詩人時代

大正十五年、永島がやっと見つけた仕事が中外商業新報（のちの日本経済新聞）の校正部だった。以来永島は、表向き十七年間この仕事を続けることとなる。

一方趣味としては、アマチュア劇団を主催したり、水品春樹に頼まれ笹本寅と築地小劇場のドラマリーグ「水曜会」を組織して活動した。会員は三百人を越え、水曜日には観劇が終ると、きまって銀座へ繰り出しモボとモガになった。

が、何と言っても己れを托するところのあったのは詩人としてである。「涙の詩人永島不二男氏が、筑紫路より、満州、朝鮮、と旅行の歌を送られることになった」と記している雑誌（「創生」大正十四年五月号）が古本市場に出て来たりする。

昭和三年五月、永島は詩誌「曼陀羅」（編輯同人・湯川宗二、末繁博一、永島不二男、会田毅、水島満久男）を出す。同人外の執筆者として、尾形亀之助、尾崎喜八、草野心平が載っている。尾形の詩は「秋は露地を通る自転車が風になる／うす陽がさして／ガラス窓の外に昼が眠ってゐる／落葉が散らばつてゐる」というたった四行の「幻想」と題された詩。尾崎のは「西多摩の奥で」という詩で、尾崎とは晩年まで交友があったと永島の家人が証言している。今では大詩人の一人に数えても遜色がない二十五歳の心平のは「逆歯に死ぬる兄弟を聞く蛙たちの青大将に突撃する頭の中の吶声」というすさまじい詩である。

さて、二号は八月に出る。尾崎喜八、吉原重雄、西谷勢之介などが同人外の執筆者である。「消息・後記」欄には各詩人の詩集発行予定、「尾形亀之助氏上京」などという記事。中に、「同人永島不二男氏、詩集『鉱脈の花』を近刊」というのがある。

昭和三年十月、右の『鉱脈の花』を急拠題名をかえて出された永島の第一詩集が、最初に触れた『十月詩集』だったようである。発行は「曼陀羅詩社」で、「浅草の詩」を別とすれば、多くはモダニズム詩に近い感覚的詩篇四十六篇が載せられている。ただ、すでに第二詩集へ進むための、かなり「傾向詩」的に作られた詩も中に入っていて注目される。

昭和四年、永島は今度は神山時雄、吉野保二、湯川宗治と語らって詩誌「地下鉄」を発行する。第一号は四月に、二号は六月に出る。発行所は「新詩学協会」で、永島の住所と同じだから、おそらくこれは永島の主宰だったと思われる。そう判断出来るもう一つの理由は、この二号共に、「『十月詩集』読後感」を載せているからである。

一号の「後記」に曰く、

「我ら各個、反省と自覚をもつて、曼陀羅詩社を解散した。我らにはお山の大将気分でのほほんと治まらうとするものは断然ゐない。(宗二)」

「潰れるものは潰した方がいゝ。そこで地下鉄はぐんぐんと延びてゆく。忌憚のない批評を

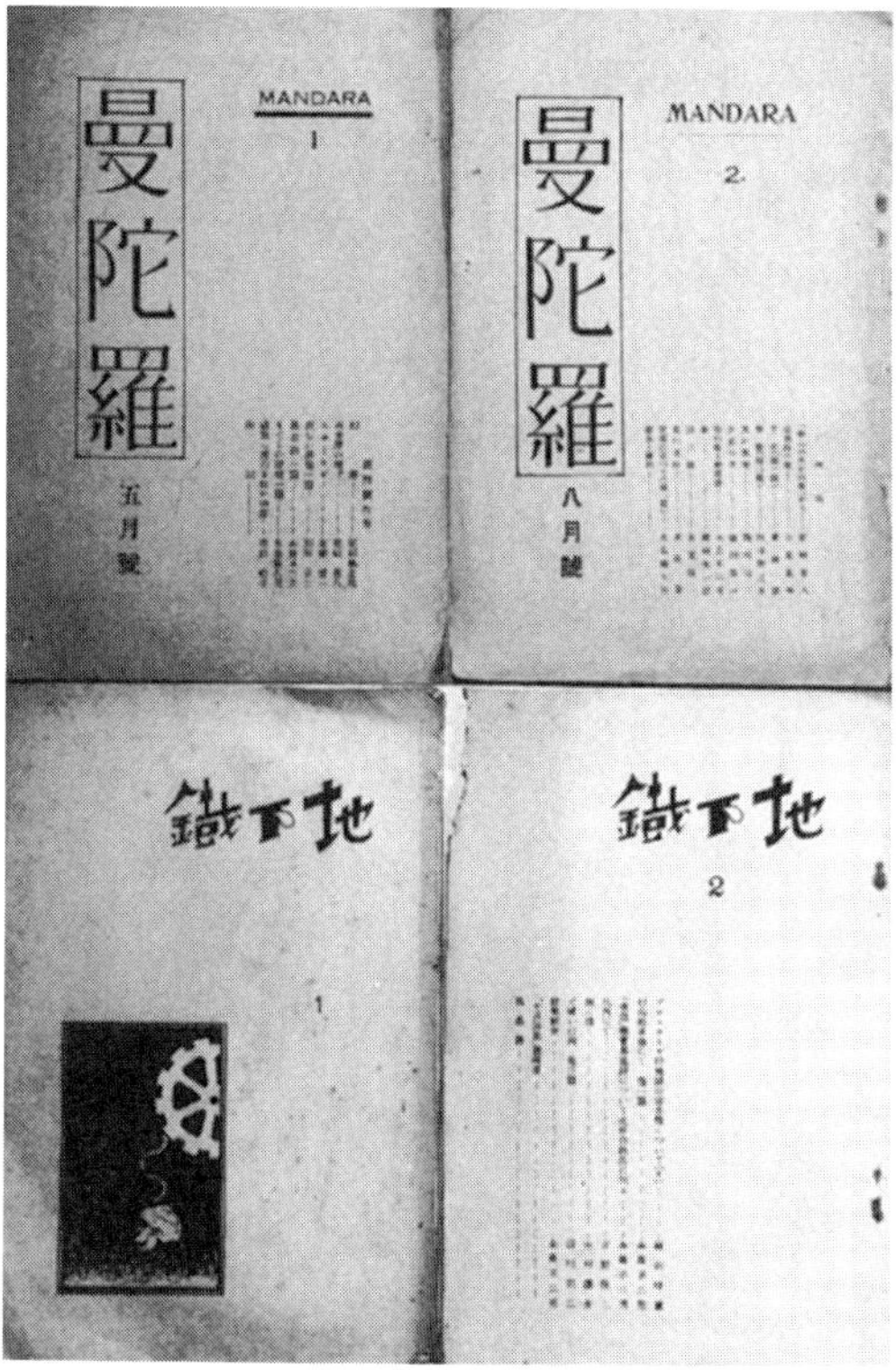

永島たちが出していた詩誌「曼陀羅」(昭和3年5・8月),「地下鉄」(昭和4年4・6月)

載きたい。詩集も順ぐりに出る。（不二男）」

ところで次に、二頁に亘って載せられている、おそらく詩集贈呈への返礼葉書をそのまま印刷したものであろう『十月詩集』読後感」を抜粋紹介してみよう。

「……御著十月詩集は気持のよい詩集です。私の好きな詩は麗春詩篇、踊子の晩餐、よっぱらいの唄……（河井酔茗）」「……僕は兄のデカダン趣味や人をおもしろく思ふと同時に、兄はそこから最う一歩すすめて……（広瀬操吉）」「小生としては『薄暮の都会』をいゝと思ひます。……然しこれらを歌つてゐる作者は今のところ巴里の触手を歌つたベエルハーランのやうな態度でしかありません。……けれどもこゝには作家が眼に映ずるものに対して素直に懐疑してゐます。これは今後のよき方向となるでせう……（田辺耕一郎）」「詩集身にしみてよみました。ひとつは私が東京人で、この中に現はされてゐる東京の縦断面に深い愛惜を持つてゐる故かと存ぜられます……（平木二六）」「一読力強さを感じる詩境と存じました。巻頭の『浅草の詩』はこの詩集の生命を象徴してるやうに思ひます……（多田不二）」「早速一読……特に浅草街の頽廃的な哀傷と殉情の秋に於ける澄める自然のデッサンとを面白く拝見致しました……（梶浦正之）」「大変立派な詩集であると信じます。主として浅草をうたへるもの……（杉江重英）」「かねて貴下の作品を愛読してゐる小生、この書一巻は……（野村吉哉）」「……其後放浪の小生、余命短かからず、かにかくに泳ぎをる次第、上野駅頭の地下鉄道も知らず、あさましき田舎親爺となりしものかな（相川俊孝）」「十月詩集御寄贈被下御礼申上候、特殊なる近代的感覚のめずらしき御詩風と存じ候（三木露風）」が、当時すでに第一級の詩人だった高村光太郎のは、「忝く拝受、まだ通読しませんが……」というものであった。

なお「地下鉄」第二号には永島の「『改造』懸賞募集詩について北原白秋氏に問ふ」がかかげられている。論旨は、白秋が選者になって選んだ当選者が「近代風景」によった弟子が大半だったのは不明朗だ、というものである。永島はこの年、まだまだ怖いもの知らずの満二十八歳。

翌昭和五年九月、永島は第二詩集『プロレタリア詩集・都市の氾濫』を新詩学協会から出版する。永島は今や、社会性と階級的現実に目覚めた視点で、全詩篇を描くようになる。ちなみに、この詩集へは、二月に『手をもがれた塑像』を出したばかりの会田毅（ペンネーム北町一郎でユーモア小説を書いた）が序文を寄せている。『都市の氾濫』の内容であるが、「失業都市」「おいらと浅草」「鮮人部落」の三つに分け、十九篇が収録されている。

この詩集からも、永島がその多感な四、五年間を文字通り放浪した浅草をうたった何とも厳しく悲しい短詩を一篇だけ記録しておく。

浅草田原町附近

浅草公園入口、田原町共同便所裏！
糞壺の中に手を突つ込んでゐる自由労働者

真黒に糞やけした半纏男
この男は掃除屋の後から離れないのだ。

糞壺の中に手を入れてかきまはせば
一日二円平均の商売になるのだといふ
落ちてゐる蟇口を銀貨を銅貨を探してゐるのだ。

大東京浅草公園入口の共同便所
こゝの糞壺ほど金の落ちてる所はないのだといふ
半纏男は便所の糞壺といふ糞壺に手を突込んでゆく。

これなど、「十月詩集」に田辺耕一郎が述べている不満を、すでに通り抜けた出来だと、私には思える。

なお、永島が大正十三年の半歳に亘る朝鮮放浪の中で生れたものと言われる「釜山を歩く」他五詩の並ぶ「鮮人部落」も、ヒューマニズムにあふれる中々の出来だ。さて、これだけの二詩集だが、実際のところそう評判にはならなかったと思われる。私が調べた資料の限りでは、年鑑詩集ばかりか詩史や評者の評論に残っていないからである。

ともあれ、この前後の詩人達との交友は、永く永島の思い出に残ったことはたしかだ。

……その頃詩集を出すということは、買ってくれる人などないほとんどが自費出版であった。発行部数も百から三百くらい、ほとんど寄贈でなくなって行くのである。その代り、次から次と無数に出、その度に出版記念会が催された。詩壇はボルとアナ系とに分かれて、激しい論戦が続いていた。渋谷道玄坂のカフェーで、ある詩集の出版記念が行なわれた夜、永島はスピーチでアナキスト攻撃をした。宴が終了して、二階から階段を降りかかった永島の背中をうしろから打った者がいた。うしろからだったのと、酔っていたので不覚をとった永島は道路に飛び出し、

「やったのは誰だ、出て来い」とどなった。相手は逃げたらしいが見当はついていた。植村諦か岡本潤だ。果して数日後、岡本から「杉並の三本杉まで来い。果し合いをやろうじゃないか」との文面の手紙が来た。永島はしかし「一人でのこのこ行く手はない」とそのままにしてしまった。

やはりその頃の話だが、永島はいつか三越本店の看板となっていたブロンズのライオンに一度乗ってやろうと、時をねらっていた。ある夜、もう電車も人も通らない深夜一時頃、永島は酔いにまかせてライオンの背中へよじのぼったのである。思わず永島が、

「ハーイ、ドウドウ」と馬にまぎらせて声を上げていると、誰が交番に通知したのか、巡査が駈けつけてサーベルの音を立てて、

「こら、降りんか！」と言った。

すでに目的を達していた永島は、

「このライオンを見ろ、誰も乗ってやらないから、寂しがって泣いてるじゃないか。今降りるよ」と素直に降りた。

「貴様何者か？」と聞かれ、永島は、

「中外新聞社の者だ」と言うと、新聞社では相手が悪かったのか、

「早く帰れ！」で済んでしまった。

(3) 読物作家志望

詩の筆を折った永島は、昭和八年三十二歳で見合結婚をする。永島の放浪生活と女性遍歴もここで終った。その後はどんなに遊んでも、家をあけるようなことはなかったと言われる。永島はいわゆる「年貢を納めた」のである。十一年、長男が生れ、妻はなの実家が府下砧村（のちの成城町）の農家で、娘のために住む家を建ててくれた。はなはそこで助産婦の看板をかかげ、永島もそこから小田急で新聞社へ通った。成城にはすでに、成城自治会報「きぬた」が出されていて、永島はすぐにその投稿を始め、後年地域活動にかかわって行くきっかけとなった。

ところで、詩をやめたあとの永島の文筆の方である。永島家に残る手控帖によると、一時期永島は懸賞募集の流行歌の作詞にこっていたようである。「新民謡　人形町小唄」「ブラジルコーヒーの歌」などの習作が残っている。そうして昭和八、九年頃からは実話読物風の大衆文芸を志すようになり、各種雑誌に「永島不二男」を見かけるようになる。

そう言えば、前出「詩人たちとの友交録」には、永島は次の挿話を入れていた。

喧嘩といえば『徳川家康』を書いて大衆文学の大御所となった山岡荘八が、まだ無名で実話雑誌の編集をしていた時、新宿三越裏通りに小さな酒場があり、その店の女の取りっこで、私の書いた小説「十二階の娘」に映画化の声がかゝったということから、山岡が難癖をつけ、喧嘩を吹っかけられた。向うは二人、当時、今の伊勢丹が建設中で、その四つ角の囲いの所で相対した。私に剣道で鍛えた腕前があり、ステッキがあれば、ふっ飛ばしてみせるが、一人に二人となると頭を使わねばならない。古本屋で買いたての岡本綺堂の随筆集を、荘八の顔の真正面に力まかせに投げつけ、彼がひるむ隙に逃げるが勝ちと雲がくれした。彼が『徳川家康』を書き一流作家になったのだから私が負けたのである。

というものである。原稿を頂いた当時は、私は対照する人物が大きすぎる、と思った。が、それは昭和六十二年の感覚で物を見ていたからである。例えばその後見つけた昭和九年十一月号の「実話読物」がある。永島の言う「実話雑誌」とは別だが、目次を見ると永島と山岡がちゃんと名を競っているのだ。「中央沿線の猟奇を探訪する」というのが永島の文章、山岡の方のタイトルも負けてはいない。「人獣と暮した一ヶ月」である。この号だけでも他に、村上元三、瀬戸口寅雄、大坪草二郎、中沢巠夫などが実話読物風の文章を書いている。「私が負けたのである……」の意味は深い。

ところで、永島の右の「実話読物」の文章だが、今やこの沿線に多くの古書業者が集中していることからも貴重なルポルタージュである。

「大震災を画して下町の生活を振切ったインテリ群は、郊外へ、郊外へと流れて、大東京は大河の決するやうに、大東京の外郭は膨張し蜿蜒として、都市は氾濫していったのである」と始められ、東中野を扱った「火葬場へ行った踊子の話」「パトロン募集広告」同、東中野に集まる文壇人の出入りを書いた「喫茶店『ゆうかり』騒動」、探訪「高円寺界隈」、「西荻窪附近」「井之頭風景」と続く。ここでは、「荻窪の女」という項を抜粋載せてみよう。

> 十年前の荻窪駅は、野原の中の一軒家といつた感でした。駅の前に五六軒も家が並んでゐたでせうか、一面の畑で、大根が沢山植ゑられてあつたと思ひます。女子大の寄宿舎がセンチに灯つて、人影らしいものさへ見ることが少なかつたものです。全く武蔵野の面影が色濃く出てゐました。

夕暮になると鎮守の森から太鼓の音がドドンドン〳〵と響いて来て、まんまるな月が野面の上に高く澄んで見えたものです。青草の臭ひや赫土の香が混つて夜露がキラキラと光つてゐました。

僕は浅草に居て放浪生活を十二階裏に過してゐる頃でした。雑誌の投書から結ばれて、荻窪の女と知合ひになつたものです。彼女は荻窪で一二といふ資産家の娘でした。

荻窪の駅の前に立つて『こゝから見渡す限りの土地は私のものよ。この道を行くと私の家の名の附いた橋があるわ。』と聞かされた時はなんて素晴しい話ぢやないかと僕は驚いたものです。

今でも忘れませんが、琥珀色の短い柄のついたパラソルをさしてゐました。僕はその琥珀の柄が好きで、何か宝石に触れてでもゐるやうな楽しい触感に酔はされたものです。

吉祥寺の方へ散歩するときは、きまつて、そのパラソルを麦畑の畝の中に蔭して出かけたものです。

『おい、盗られるぞ！』と云ふと、

『大丈夫よ。誰れも知りやしないわよ。』

と平気に笑ふ彼女でした。

今から考へると全く呑気な話です。

というもの。思い起こせば、昭和六十二年の永島八十六歳時の私の訪問に永島が、最後はとくとくと女性遍歴の一端を話されたわけだが、どうやらこの話もあったような気がする。

ともあれ、永島の筆の軽妙さは、最低限筆で生活するだけのところまで達成されていたことは間違いなく、昭和八、九年から十二、三年までの、いわゆる大衆読物雑誌を漁るとけっこう見つかるようだ。ただ、今となると、業界に「中央公論」「改造」はあっても、「講談倶楽部」「実話雑誌」は中々に見つけることが出来ない。

文芸春秋社から「話」という読物を内容とした雑誌が出されたのは、昭和八年の四月からだった。その昭和十年一月号を、私は見つけてあった。当時のモダンガールを描いた岩田専太郎の表紙絵に、「新年特輯・百人百話号」と書かれている。執筆者は菊池寛以下、内田百閒、横光利一、西條八十、子母沢寛等の文壇人、入江たか子、田中絹代、宮城道雄、藤田嗣治、徳川義親他の人気女優や諸名士である。中に、割と大きい扱いで「当選実話」というのが特集され、三人が当選、中に「永島不二男」がいた。もう一人の「沙羅双樹」という人は後年結構大衆作家として活躍している。永島の当選作は「眼玉だけ生き残った女」で、犯罪実話と因縁物語を重ね合せたような四百字三十枚ほどもある読物である。選後評などはないが、奇妙なことに末尾に、「御住所御本名御一報ありたし」の言葉が添えられていることだ。この時点での、永島の存在程度はこんなものだったようだ。

……さて前出の流行歌が書かれていた手控帖である。流行歌のメモが終ってからは今度はこ

れら送付原稿の手控になっていたのだ。当然この「目玉だけ生き残った女」の記録もある。順にその記録を引用してみるが、

○談話室
喰はれる百貨店
ルンペン処世術
花束捧げた安さん
十一枚、モダンライフ社
○花柳界夜話
―水揚料の話、他
三十枚、実読読物

というのが「目玉だけ……」の先に来、以下は次の如くである。

○広告ナンセンス　喰ふか喰はれるか?
クヰーン社
○ゴシップ　当代人気者を語る

三十枚、実話読物

○実話　ライオンに乗った男

三十枚、実話読物

○実話小説　渡鳥青春記

五十枚

○山田五十鈴女優志願の巻

―栗島に断はられて幸運を拾った五十鈴

五枚

○豪華版（ゴシップ）　当代花形閻魔帳

三十枚、実話読物

○街へ

二十四枚

○実話（レビュー）　渡鳥青春記（その一）

二十一枚半、実話読物

○花柳界夜話

―亡びゆくカフェー、他

二十五枚、実読読物

○鬼子母神の使鴉
　八枚、大法輪閣
○流線型美人床
　六枚半、事業の世界社
○隼のお銀
　五十三枚、大衆倶楽部
○深夜の浅草を行く
　十八枚、実話読物

記録はここまで残り、以下はバッサリと頁が抜かれている。逆に左頁からは採用可能な雑誌名と発行所が記され、そうして取材メモ。

ではこれだけが永島の書いた原稿なのかというと、少なくもこんなものではない、と言う外はない。例えば一月に当選した「話」の昭和十年七月号には「実話・直木三十五を慕って心中した名妓」が載っている。これもたまたま見つけたもので、「話」を順に見て探したものではない。

私が偶然古書展で見つけたものに「裏」昭和十一年九月号というのがある。四六判で三百五十頁もある。一種の暴露雑誌で、「大東京万華鏡――盛り場奇談八景」、「女ばかりの寄宿舎生活内幕話」「女ならその日から開業出来る商売案内」「朝から夜中まで・カフェーとはどんなところ」「女車掌はどんな生活振?」等々、当時の風俗を知るに興味津々たる記事が並ぶ。この雑誌にも永島が載っている。「煙突から降りて来た幽霊」という挿画入の力作で、これもいわゆる実話物である。

昭和十一年の永島はまだ三十五歳、平和な時代が続いていたなら、永島が読物作家として少なくも食って行けるくらいのことは出来たであろう。しかし、時局はこうした雑誌の存在をおびやかし始め、やがてその存在すら許されなくなって行くのだ。

(4) 古本屋稼業

昭和十五年、永島は中外商業新報社をやめ、十七年医学出版社の南山堂に入る。十九年に退社して今度は国際電気通信株式会社へ入社。この間、永島は四冊の青少年向き書物を著わす。さて、国際電気通信での永島である。軍属としての就職で、研究室司書という身分。研究所で発表する雑誌の編集、図書室にある世界各国の技術図書の保管整理、技師達の希望する図書購入が永島の仕事の内容であった。

永島は三日にあげず神田、本郷などへ本の買入れに出張したが、頭には鉄兜、脚にはゲートルを巻いて出る。戦争は激しくなり、永島は会社では金沢高等工業から出向して来た三十人ほどの学徒を指揮、空襲警報の出る度に不眠で会社を守った。時々卑近弾も落下するようになり、立川の飛行機工場にＢ29が襲いかかった夜は研究所の高台から眺め、永島は涙を流して口惜しがった。ここは無線研究所なので、刻々アメリカのニュースも入り、東京郊外に原子爆弾が落ちるらしいとのアメリカ情報には狼狽、家族を一日中壕の中に入れていたこともあったとか……。

一方、Ｂ29が成城の空を高く飛んで行くのを見上げながら、隣りに住む畝傍書房という出版関係の人と、永島は、「敗けたら、すぐセックス解放の時代が来る。雑誌を出そうよ」と話し合ったこともあった。

やがて敗戦、同時に会社もやめ、永島はさっそく闇で用紙を入手、「性文化」の編集名儀人となった。が、これは発刊と同時に発禁、創刊号で廃刊となった。よく市場にカストリ雑誌の創刊号コレクションが出品されるが、中に「性文化」も入っていることがある。紙質がきわ立ってよく、他のドギつい絵柄のものに混じり、こればかりはいかにも高級誌ということを感じさせ、奥付の編集人の名は無論、永島冨士雄である。

そこで今度は、永島は自分の蔵書を

主とし、家の玄関を開放、貸本屋を始める。「砧」をカタカナにした屋号「キヌタ文庫」は、この時からのものである。蔵書は沢山あったのだが、どちらかと言うと小説書きの資料だったので、知人から小説本を沢山集めて来た。これが一時的に当り、千客万来となった。

戦時中、娯楽のない子供達のために勤めの休みを利用して紙芝居を持って成城の町内を歩き廻り、東宝の女優連れに笑われたこともある永島だ。今度は何か文化的な仕事をして民主主義のため役に立たねばと、店に来ていた成城学園の高校生に声をかけ、家で近代文学の講義まで始めた。十数人の学生が来るようになり、

「おやじは酒が好きだから」と、自家の薬局から局方アルコールを盗み出し、学校の化学実験室でウイスキーなるものを造って持って来た子もあった。その夜の講義のあとは廻し飲みとなり、永島の話は仕舞いには半玉論からワイ談に落ちる始末だった。

「……その連中が今や外交官、出版社の編集長、著述業、シナリオライター、社長など、みんな第一線で働くようになって時々店にやって来る……」とは、三十年後の永島の回想記の一節である。

学生達は永島の蔵書を見て、

「これだけ本があるんだから、いっそ古本屋をやれ!」と言い出す。古本屋は永年の夢の一つだった永島は、彼等の言葉でふん切りもつき、昭和二十一年成城駅前に露店の古本屋を出す。永島は時に四十五歳、それから八十七歳の死まで四十二年間を今度は表向き「古本屋」ですご

すこととなる。

露店商と古物の鑑札をとった永島は、軍隊から払下げの布の上に自前の百冊ばかりの本を並べた。多年蒐集した歴史物資料、詩歌集、岩波文庫などがその内容で、売価はみな出たらめだった。何しろ、新刊屋の本はみな紙の悪い本で、神田では針金とじの岩波文庫の発売に行列が出来た頃で、永島の並べた本はどれもこれもすぐに売れてしまった。仕入れた本ではないから売れた分だけ儲けた感覚になり、夜明けが待ち遠しいほどだった。その内に買ってくれという方の客もある。始めは幾らで買っていいか分からない。いくらでいいですか、と聞いて、自分で納得さえ出来れば言い値で買ったものだ。それでも大きな間違いもなかった。

成城は学園に爆弾が落ちて一部を焼いたものの、住宅街は無事だった。文化人の大邸宅やインテリの住む町だったので、古書は無尽蔵に多かった。平常なら手ばなす家などないよい環境にあるはずだったが、竹の子生活や新円切替などのため沢山の本が永島のところに持ち込まれた。その外お米の配給車が来てもぱっと古本が持ち込まれる始末。やたらと買入れた中には、軍人の伝記、右翼思想等、その後世相の変化で値を戻す本も、その時売れないものは惜し気もなくツブシ屋に売ってしまった。その最盛期には、毎日平均二、三十貫の本を売ったが、ザラ紙でも一貫目が四十円したので、安い本を売るよりツブシ屋に処分するのに力を入れる有様だった。

永島（右）が露店の次に作った掘っ立て小屋の古本屋，昭和 24〜5 年頃に成城駅前に所在。

仲間も出来た。南側に二人、永島の北側にも二人、五店舗の古本の露店が出来てしまった。東大出で体を悪くして中学の先生をしていた九鬼という人、上加世田という美術家くずれの人と気が合い、競争相手なのに仲良くなった。その九鬼という人の紹介で永島は柳田国男邸にも行ったし、萩原葉子も知った。詩人だった永島は「朔太郎の娘」ということで感激し、「父の本を集めている」という言葉に、

「他人の私なんか持ってるより、娘さんのあなたが所蔵していた方が本も喜こぶでしょう」と、現在なら何十万円かで取引される朔太郎の初版本を永島は何冊も贈った。

そのうち、客の中にバカに買いっぷりの良い人達を見かけるようになる。それも、同じ本でもぱっぱと買ってしまう。神田の古書店から来たセドリ屋さん達で、やがて顔馴染みになってしまった。買入れて並べる本の目ぼしいものはみな抜いて行ってしまうが、お屋敷から不用の古書がとめどなく出たのでいくら抜かれても品不足になることはなかった。『善の研究』『三太郎の日記』『出家とその弟子』『古寺巡礼』を、永島は何冊何十冊露店に並べたことであろう。

ある時、永島は駅前に掘立小屋を作った。小田急の土地を無法占拠したのだが、ある手づるで警察の黙認は得ていたのだ。全てがドサクサの時代だった。もっと永島が不思議に思ったのは、何々組の者ですとか言って知らない女が毎日「場銭」を取りに来たことである。ある期間、低額ではあったし売上げもよく、永島はそれを払い続けた。それが前に交番さえ見えていた場所だったのである。その交番を巡る出来事だが、朝晩その附近を掃除するのが永島達の役目だった。雑巾、バケツまで備えてそれをやっていたのだが、ある時交番で暴発したピストルの弾丸が、気がついたら永島の掘立小屋の柱にめり込んだのである。結局、不馴れな巡査の操作ミスだったらしく、永島はちょっとしたところで命拾いをした。

進駐軍払い下げのヤミ屋もよく来て、煙草、石鹸、その他いろんなものを買えと言う。永島が作家の加藤武雄のところへ世話すると、煙草には目がない加藤は沢山それを買占めてしまっ

た。永島が驚いたのはその頃の加藤の原稿料で、一枚が千円と言い、朝行った永島に、

「今朝は十枚書いたよ」と言ったりした。

前出の九鬼と加世田と組んで、よくノリ（同業が一緒に仕入れ、市で売って利益は同等に分ける業界の商習慣）で買入れをすることが多かった。三人行っても、三人共見たことのない蔵書にぶつかったことがあり、その時はセドリに来ていて知り合った神田の本屋に連絡した。神田からは主人か番頭が飛んで来て、

「これこれで買うから、これこれで買え」と言い、市でいくらするか分からぬうちに引き取って行ってしまう。

「出征して帰還しないのです。生活費になるでしょうか」という女性客のところへ永島が、上加世田と行った時のことだ。並んでいる本がみな、岩波書店発行の立派な本で、それも各二冊あり、一組分だけ買って下さいと言うのだ。

「一冊だとなくなる心配があるので、主人はいつも同じ本を二冊ずつ買っていました」と永島達に言った。その主人はやがて一番遅くソ連から帰ったが、東宝映画のけっこう偉い人だったと、永島はあとで知った。

その東宝だが、昭和二十三年十二月に東宝争議が勃発する。組合の分裂、スターの組合脱退があり、会社側は千二百名の解雇を通告、翌年夏には警官二千五百人とアメリカ軍の戦車が永島の家から一キロほどの東宝撮影所裏門側にやって来る。浅草時代から、映画人に知人が多か

った永島の掘立小屋には、事件解決の日まで生活に困った人達が本を売りに来たりした。時には永島も金銭援助をした。

さすがによい本だけポンポン抜いて行ってしまうセドリ屋の横行が目に余って来た。永島もいわゆる本が分かって来たのである。自分達で市を経営しようと考え、まず近接の市場を見学、警察の許可を取ると「成城古本市場」を開いた。が、初めは神田の同業まで来たが、やがてジリ貧となってやめてしまった。……さしものあふれるほどの古本流出が、世の中が落ちついてしりつぼみになって来るという時代背景もあったのである。

露店の仲間達も、やがて四、五年たつと古本商売から脱落して行った。あれほど儲かった頃もあったのに、みんな競馬競輪、酒、マージャン、旅行、個人々々異なる言えない金遣いと、その都度つかい果たしてしまっていた。そして昭和二十五年の東京都の露店廃止方針で決定的打撃を受けることになる。

幸い永島だけが駅から五、六分の距離のところに住宅があり、そこへ店舗を開く（実際には、駅付近の床店を三回ほど転々としたあと）のである。が、店は住宅地にあったから小売はそうきかない場所だった。ただその後は高級住宅地の代名詞ともなる「成城」の中心部である。住民の中には、すでにその一部について記しているように文学者だけでも、

野上弥生子、市河三喜，西条八十、成瀬無極、三宅やす子、加藤武雄、柳田国男、桜井忠温、中河与一、大江健三郎、武者小路実篤、由紀しげ子、里見弴、山田耕作、横溝正史、

永島も一時会主を務めた「霞町市」，支部市ではあったが本部市に準ずる本格的市場であった。

菱山修三、与謝野晶子、河竹繁俊、平塚らいてう、水上勉、福永武彦、大岡昇平、鶴見祐輔、滝沢修、という名を、またたく間にあげることが出来た。まして店舗をかまえては信用も違った。それに、キャッチフレーズの文案はお手のもので、出発時の小さなお店を称し、

「成城〇〇番地に小さな小さな古本屋誕生！　山椒は小粒でもピリリと辛い、キラリと光る良書で一杯です」

などと書いたビラを幾枚も作り、中学生だった長男の斐夫を使って、夜電信柱に貼りにやらせたりの宣伝もした。永島の始めたキヌタ文庫に買物が多かったのもうなずけるのである。そして当時の「買入れ」というのは、市へ出品していくらに売れるか分からない面白さに満ちた時代だった。ただ、

高く売れた永島の帰りが問題で、酔って帰るのはいい方、どこかでスリにお金をすられてすってんてんで家に帰ったということも一度や二度ではなかった。

やがて永島は市への出荷を当てにされて、当時神田に次ぐ有力市場だった麻布の「霞町市」の同人にも推薦されて入った。

永島はこの頃のことを書いている。「霞町にはウブ荷を運んだ。共産党くずれの松本君とはウマが合った。市場の先輩たちは商才にはタケていたが頭が固く、松本君の発言は入れられなかった。私は新米で口をつぐみ、皆の顔色を見ながら、昼間から酒を飲んだが柮川さんからは商売のからくりと、金の有難さを教えられた。そろばんが弾けず、ヌキをやってもヘマばかり。キヌタ文庫の屋号を逆に並べ〝タヌキさん〟と呼ばれ、自分では正直者のつもりだが、駄ボラ吹きで、お客をダマして買い取って来る、という。まさかお金を木の葉でダマしたのではない。なにをいっても信じてもらえないもどかしさ。同人としては無能で過してしまった。だから組合行政には顔を出さずじまいだった。」（「成城の町に生きて」古書月報・昭和42年10月号掲載）

――この内の「松本さん」とは、のち組合理事となり、たくましい実行力で業界につくしたことで知られるにんじん書房・松本敬之助氏のこと。「柮川さん」とは港区六本木の誠志堂書店・柮川節氏。「ヌキ」とは市場の事務の一種で、各店別に買った品物を複写で筆記して行く係のことである。また「組合行政」とは、商売とは別に、組合内の行政面で手腕を発揮することを言うのである。

そうして永島の文章である。人には平凡な言葉に見えるかもしれないけれど、さすがに当時の己れの姿と心の内を正直に分析している。古書業界とは、これほどに厳しく、素人上りの古本屋の扱いなど永島によって描かれている通りだったのである。若い者ならどんなしきたりにも耐えて行く。五十歳近くの新米市場経営は、永島に組合行政への意欲さえ喪失させたのかもしれない。ついでに触れておくが後年（昭和三十五年）、本部の東京古書会館建設問題で「古書月報」に沢山の意見が寄せられ始めた頃、永島も「一支部員としての言い分」を寄せている。要するに、時期尚早である、というのが論旨なのだが、永島は先の「素人あがりの古本屋」云々と別の、郊外対神田問題の日頃の思いをぶちまけている。

「……常に思いますが、郊外の業者によって求められた本は、水の高きより低きに流れゆくように、神田へ神田へ流れています。古書会館が立派でなくとも、その運営さえよければ、居ながらにして、労せずして手に入り、資本の力によってがっちりと店舗に積まれている有様です。／高く買ってやるからお前等は生活出来るのだ——とは口では云わずとも、腹の中では思っているに違いありますまい。この気持があらゆる面に現われて来るのです。（中略）／組合は支部市の繁栄にこそ心を用ゆべきで本部の市場も郊外の業者から見れば一支部に過ぎません」（「古書月報」昭35・7 8合併号）。以上の意味からも不公平なきように、というのである。

この時点での、大多数の郊外の古本屋が抱いていた思いを代弁したような意見だったと、今の私にも思える。

しかし、こうした心の内はともかく、永島も次第に古書業界で生きて行く術を学んで行ったに違いない。相変らず店買いがキヌタ文庫の商売の主力だった。かと言って市場売は、同じ品物でも荷順（高い時間帯、安い時間帯がある）とか、客の顔ぶれ、その日その日の景気などにも作用される不安定要素が多い。昭和二十五年、永島は「城南古書展」の前身、「世田谷古書展」に参加する。昭和三十三年には斐夫が大学を出て店の経営に加わり、古書展の名門「書窓会」にも加わる。こうして古書展での古本販売もキヌタ文庫の商売の主力となって行くのである。

ところで、古書展風景の中での、永島の面白い意見が残っている。

「……古書展のおり、お客が目の色を変えて、本を探している時、楽屋から傍若無人の高話が耳に入ってくるのは、大変迷惑なものである。つまらぬ話を自慢に笑っている。謙虚にならねば不快度を高めるばかり、業者の態度が悪いと怒っている古書展常連もいる」（前出「成城の町に生きて」）というもので、普通は古本屋の立場からものを言うのに、永島のは同業批判になってしまうのである。ついでだから、「……古書展のおり、……」の前にある、古本市場批判も引用してしまおう。

「……市の時、積み重ねた本の上に腰かけている人がいるのには驚いた。商品を尻にひくとは言語道断である。またぐことさえ許しがたい。私はそれほど本を愛す。活字は生きている。人を導くものだと思っているからである」……

(5) 地域活動

昭和三十年代から、永島は徐々に長男に商売を譲るようにして、古本商売だけの人生を軌道修正し始める。もっとも力を入れたのが地域活動である。かつて放浪の永島をあたたかく包んでくれた浅草を愛してやまなかったように、今はこの世田谷区成城の町を、永島は我が故郷の如く思い始めてもいたのだ。

すでに昭和二十七年から、地方自治のための住民運動の一環として月刊の機関誌「砧」が出されたが、昭和三十三年七月から第五代編集長に推され、昭和五十六年にグループ編集に移行するまでの二十三年間、実に二百七十六冊を、一冊の欠号もなく独力編集する。近くに住む柳田国男が、郷土史の発掘を「砧」紙上で呼びかけたのに発奮し、地域風土、歴史を掘り起こした実に二十七年ぶりの著書『私の武蔵野』を、昭和四十五年に出版する。永島はいつの間にか町で郷土史家と称されるようになった。

思えば、敗戦で売文の筆を絶ってからの永島は、やっと文章の喜こびをここに見つけたものの如くである。

永島は右の本で、武蔵野の台地に広がる町・成城の今昔を、そして文学を、多摩川に及ぶ風土、民俗、歴史について書いた。この時点にすでに亡い古老の談話など、永島がやらなかったらもう話さえ残っていないものが多い。ここに住む多くの文学者達も、原稿が売れている限り、土地を調べる売り物にならない文章など書きはしないであろう。この方面へ寄せた情熱からしたら、我が古書業界へ向けた文章など、永島にとっては多分おつき合い程度のものだったのではないだろうか。

その永島の文章だが、それでも組合機関誌「古書月報」には、昭和三十三年からその死亡年昭和六十三年までに十数篇が残されている。が、ほとんどが市会同人や支部員慰安旅行の記録で、達者に書き流してはいるものの心に残るものとは言い難い。さすがに、成城地区に触れたものは面白く昭和四十三年の「私の通っている作家たち」は、野上弥生子、大江健三郎、安部公房、福永武彦邸の書斎について触れて貴重であり、この枕に使われている「先日の西武古書展で私の第二詩集が目録に出ていた。『俺の詩集が六千五百円だぞ』と言ったら、家族のものは相手にしない」と嘆いているのは面白かった。今では二冊のどちらの詩集も、

砧

永島が23年間276冊を独力で編集した成城の地域誌「砧」。

売値は二万円を越えるであろう。

また昭和五十八年に書かれ、「古書月報」の最後の掲載となった「世相と古本屋」では「同業青木正美さんの『東京下町古本屋三十年』を読めば、下町も郊外も戦後派の業者にとっては似たり寄ったりの道を辿ったといっていい。ただ下町と郊外との違いが少しあるもしれない」という言葉が枕になっていた。が、古本屋としての永島が書いた最良の文章は昭和五十二年の「成城に生きて」、昭和五十三年に「日本古書通信」に書かれた「成城駅前・露店の古本屋」、そして昭和六十二年に「古本屋」第四号に寄せてくれた「詩人たちとの友交録」の三篇であろう。物を書く人間が、晩年まるで死を予期する如く己れを書き残す、これもその性がなさせたわざの一種ではないのかとさえ思われるほどである。この間の昭和四十年末には、

「……成城の環境と緑を守るために日夜奮闘しているので、いつまでも歳を取る暇がなく、成城の歴史を書いた『私の武蔵野』の出版と緑を守る努力に対し『日本善行賞』を受賞、東宮御所に呼ばれ皇太子と同妃殿下にお目にかかる光栄にも浴した……」とも永島は書いている。

……たしかに永島自身は、古本屋として大成した人だったとは言い難い。が、斐夫が受け継いだキヌタ文庫は、店の奥に大きな美術書に囲まれて、客がゆったりと腰かけて本を眺め憩う、広々とした空間がもうけられた明るい店に変貌している。やがて、神田で修業して現在は隣町に支店を出している三代目がここをがっちり継ぐに違いない。生涯詩人だった、永島のこころざした文化を売る理想的古本屋は、今確実にキヌタ文庫に生き続けているようだ。

「大阪の大紙魚(しみ)」と言われた男
――蒐文洞主・尾上政太郎

尾上政太郎略年譜

明治 44 年（1911） 大阪西区アミダ南門前に，父孫三郎・母ヨネの長男（ひとりっ子）として生まれる。

昭和 4 年（1929） 3 月，大阪市立西商業学校を卒業。5 月，父が 50 歳で病没，家業の「水引製造卸商」を継ぐ。

昭和 7 年（1932） 店を番頭に譲り，子供の頃から憧がれた古本屋の道を歩む決心をし，天王寺区松ヶ鼻町に蒐文堂を開店。

昭和 8 年（1933） 島の内・周防町筋の畳屋町に蒐文洞と改め再開店する。

昭和 14 年（1939）「故・生田源太郎蔵書」の売立を「明治文学書売立会」として，カズオ書店と共に仕切り札元となる。これを期に，生涯書き続けることになる「古本屋日記」を書き始める。

昭和 20 年（1945） 3 月 13 日の第一回大阪大空襲で店舗焼失。

昭和 21 年（1946） 大丸百貨店に古書部を出す。

昭和 28 年（1953） この年頃，天牛書店に入店。以後昭和 63 年まで番頭としてすごす。

昭和 42 年（1967） 緑の笛豆本第 32 集『夢二のこと あれこれ』を刊行。

昭和 58 年（1983） 緑の笛豆本『私の古本屋五十年』刊行。

昭和 61 年（1986） 緑の笛豆本『私の古本屋むかし昔』（上・下巻）刊行。

平成 4 年（1992） 病没，享年 81 歳。

(1)「水引」卸商のぼんぼん

蒐文洞・尾上政太郎は明治四十四年、大阪西区のアミダ池（和光寺）南門前の古い商家に生まれた。父が受け継いだ商売は「水引製造卸商」であった。

家は奥が深く倉もあり、長持箱には家の記録など反故類が一杯詰まっていた。それが子供心にも珍らしく、よくひっぱり出し大阪絵の画帖などを屏風に見立て、近所の女の子とお医様ごっこやままごと遊びをしたのを、政太郎はよく覚えている。政太郎は後年、「芦の都艶くらべ」とある一枚刷の美男美女くらべ番附を見たことがある。明治十八年に売り出されたもので、その中段に「尾上又次郎」という名が出ているが、これが政太郎の祖父であった。この人は艶聞の多かった人で、よく堀江のぬけ露地のお茶屋で遊んだ人だったと、政太郎は聞いていた。政太郎はある時、自分が一番よくこの人の血を通わせているな、と感じたことがあったと言われる。

尾上家の一人っ子だった政太郎は、小さい頃から女中付で、両親の盲目的な愛情で育てられ、我がままに馴らされた習性は後年になっても容易に直らなかった。政太郎の終生の極楽とんぼは、そんな環境から来ていたかもしれない。

父は政太郎に「水引」の家業を継がせたいと、時々手伝いをさせて見るのだが、政太郎は全くその気がないばかりか、我が家の商売を嫌い切っているようだった。昭和四年五月、父は五十歳になるかならぬかで死亡、十八歳の政太郎は番頭の遠藤と店をやりかけてみた。

が、少年時代から好きだった本の世界が忘れられず、政太郎は暮れ方になると市内の夜店の古本を毎晩のように漁り歩いた。当時、平野町の夜店が有名で、その一・六の日には宵の内から飛んで行くくらいだった。堺筋から東へ、古本屋が並ぶのだが、政太郎は一軒々々見て歩き、まだ準備中の店もかまわず覗き込んで出しかけの本を漁った。政太郎はやがて、どの店とも顔馴染みになって行ったが、特に「山野」の親父は、「これは尾上さんに取っておきましたよ」と言って、汚ない箱の中から幾冊かの向きのものを出してくれた。政太郎が求めたものは絵入の和本から始まり、明治本、そして文学書と文学雑誌。

そんなことで老舗の水引商の方は身が入らず、政太郎の思いは好きな古本を商売にしたいものだという方に傾いて行った。政太郎が店を番頭に譲り、古本屋の道に入ることを決心したのは昭和七年の秋、二十一歳の時であった。大阪古書組合の「大阪古書月報」七十二号（昭和七年十一月）には左の記事が載っている。

新入会者

天王寺区松ヶ鼻町八一番地

蒐文堂　尾上政太郎殿

紹介者　山野元治郎氏

当時は紹介者を必要とした時代で、例の平野町の夜店で仲良しになった「山野」の親父さんが政太郎の「紹介者」になってくれたのである。店を松ヶ鼻町にきめたのは、その頃商科大学が近くにあり、附近は有産階級の家が多く、店を張ればよい買物も沢山あるだろうと、政太郎がふんでのことであった。「蒐文堂」の屋号は、政太郎が少年の頃から紙に関するものを狂的に集める性格を、家の者が「紙屑の神様」などと呼んでからかったのを思い出し、それにちなんだのだった。

が、その場所での古本屋は失敗だったと、すぐに政太郎は分かった。あまりにも自分の趣味を表に出した古本屋など、お屋敷町では通じなかったのである。が、家産はあるし、市では好きな本が買えるしで、政太郎には売れないことなど別にこたえなかった。政太郎が島の内・周防町筋の畳屋町へ、「蒐文堂」を「蒐文洞」と改めて、店を移したのは一年余り後のことである。

当時、周防町筋は都市計画によって町並が新しく広がり始めていた。ある日、知り合いの画家・稗田彩花と「ミナミ」で飲み、八幡筋（はちまんすじ）の道具屋を見、色紙短冊で鳴らした「柳屋」へも寄り道し、更に大丸へ絵の展覧会を見に行こうということになった。で、周防町筋へ出た時、そこに新築された三階家のシャレた家並が政太郎の目にとまり、一目で角から二軒目の家が気に入ってしまった。ここなら政太郎の念願する「趣味の古本屋」でお客が来るに違いないと思った。早速交渉して店をきめ、一週間ほどで松ヶ鼻から引っ越しをしてしまった。まだ珍しかった「ホンヤ」のネオンサインをつけ、それが夜の心斎橋筋からも見えるのに、新しもの好きの政太郎は大変満足した。店頭にはショウ・ウインドウも作って、おもちゃ本、芝居番附、画帖などを陳列した。棚には初版本、詩歌書、演劇本、美術画集、それに大阪物を主に集め、本棚上には郷土玩具、げてもの、ガラス絵なども並べた。これら本以外のものは政太郎はなるべく売らないようにしていたのだが、時々はその道の好事家に狙われ、売ってしまってあとで後悔することも度々であった。

政太郎は、朝一番に道頓堀の「天牛本店」へ行くのを日課とした。ここは後年、織田作之助によって『夫婦善哉』にも書かれたように、二階は貸席で、古書市にも古書展にも使用されていた。階下は間口、奥行共日本一の広さを誇り、「古本の百貨店・天牛本店」が、その頃の業界誌への広告である。そう言えばこの誌上には政太郎の店の広告も出ていて、

一枚刷り 昔の本 明治の雑誌 このほかに、げてもの、おもちゃ本変ったものは何でも蒐めて居ります

というのがキャッチフレーズで、政太郎の営業への志向がうかがえるものだ。こうして天牛では、毎朝棚埋めされる新入荷本から、政太郎は自らの眼目に合った掘り出し本を抜いて買って来るのである。午後は午後で、大阪市中の同業のところを歩き廻り、夕方まで掘り出し物を見つけて歩いた。若い頃の政太郎ときたら、それほどまでに本に憑かれた毎日を送ったのである。

幸い、当時の政太郎の店について、俳人山口誓子がその頃の「サンデー毎日」に記した随想「周防町筋」の中で触れているので、読んでみよう。

「……さて、周防町筋に足を入れた私は――歩きながらこの町と町の人々のことを書かうと思う。／私の記述が町の右側にまでおよばないのはいつも町の左側を歩くからである。私は第一に、O・S堂といふ古本屋のことを書かねばならぬ。ここは極めて異色ある古本屋である。そこの書棚には芸術に関する書物がぎつしりと充満し、驚くべきことにそのひとつひとつが選ばれたものである。私はこの店の前を素通りすることが出来なくて、店のなかへ這入つてゆき、見覚えのある書物が、まだ売れてゐないのを見て安堵して出て来る。薄暮には、私ひとりのためめに電燈が点り私が出るとその電燈が消えた。／私はここで『大阪城誌』といふ碧い帙に入つた和本と、『小出楢重画集』を買つた。私は鼠がものを引くやうに、ここの古本を自分の書棚へ運ばうと思つてゐる。」

誓子のこの一文は、のち随想集『宰相山町』（昭15・中央公論社刊）に入り、戦後になるが政太郎はこの本に、

ひとり膝を抱けば
秋風
また秋風　　誓子印

という一句を誓子を訪ねて書いて貰い、秘蔵していたという。

(2)「鳶の巣文珠山の戦い」

この周防町筋へ店を出したお蔭で、政太郎は大阪の一流古書店がメンバーになっている「古書即売会」へも勧誘された。公立社書店（藤堂卓）、中央堂書店（松本政治）、カズオ書店（伊藤一男）、杉本梁江堂（杉本要）、中尾松泉堂（中尾熊太郎）、玉樹香文房（玉樹安造）、石川清和堂（石川留吉）、神戸・ロゴス書店（前田楳太郎）という大阪業界の錚々たるメンバーが同人だったのである。

その三越百貨店の古書展は、服装がことの外厳しく、政太郎は初めて角帯を締めて店番をした。さすがに客筋は良く、古書目録の注文も、むしろ良いもの高いものから売れるということを政太郎は知った。

政太郎は以来、高島屋で年一回開催の「東西古書即売展」、「東西稀本くらべ・特蒐展」等々にも出店する。そして政太郎は、その出品でも専門の文学書、初版本、詩歌集、演劇書を選び抜いて販売、常によい売上げを記録してみんなを驚かせた。
また同じ高島屋で、昭和十五年七月、大阪で最初の「限定本・百種特別展観」を開き大藤孝太郎、高柳忠灑の協力でその秘蔵本を披露したりした。「千里山文庫」の山本道三の愛蔵本を借用、「興隆時代の明治文学回顧展」を開催しその展観目録を編集して自費で配り、後日その特製三十五部を作ったりの道楽もした。昭和十六年新春の古書展には、政太郎が仲介して「竹久夢二を偲ぶ本」の特別展観を行なった。これは政太郎と馴染みの高柳氏蒐集の夢二本を発行年代順に陳列したもので、天下の夢二ファンから大好評であった。生来好きだった夢二本の蒐集に、政太郎の馬力がかかったことは言うまでもなかった。

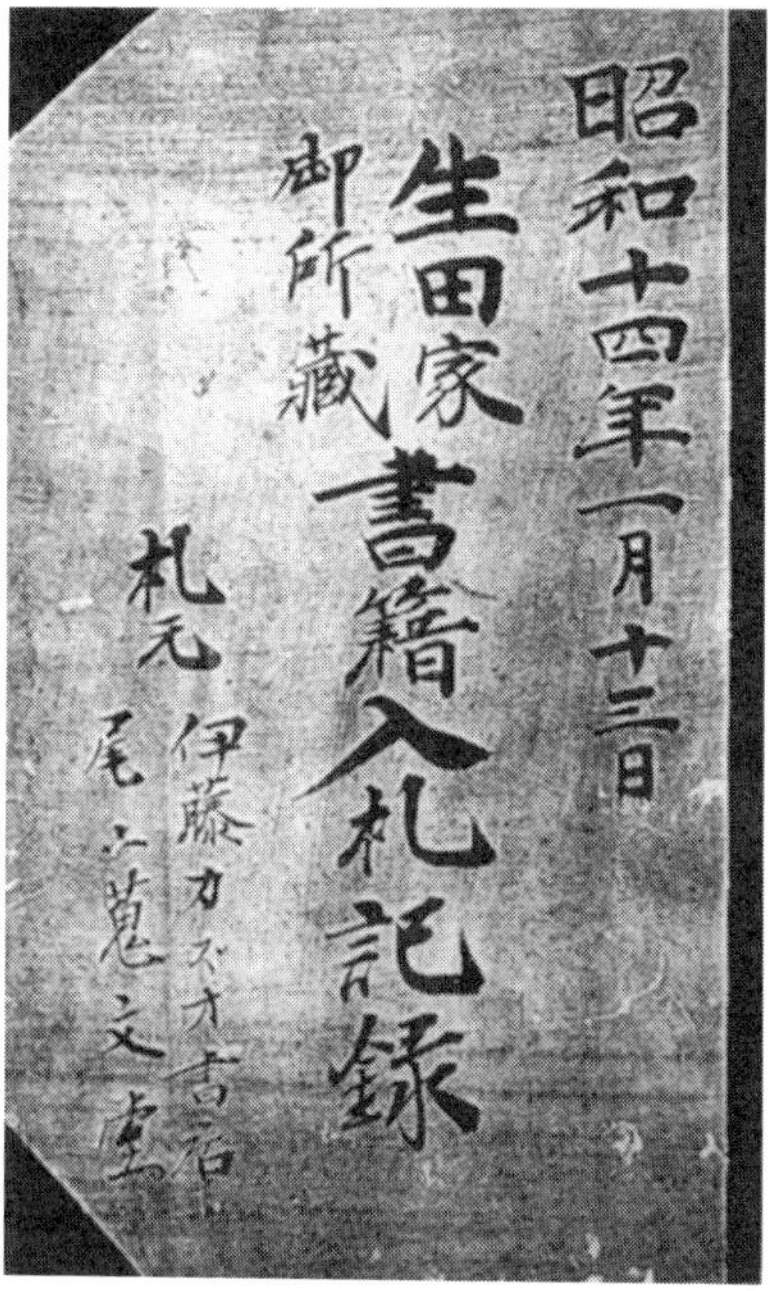

この売立の札元となったことで，政太郎が生涯自慢した「生田家本売立記録」。

顧客に有名人も多く、尾崎紅葉門下の山岸荷葉、「上方」(全百五十一冊)を創刊した南木芳太郎、川柳家の岸本水府、新派の女形の大御所・河合武雄、新国劇の大幹部だった野村清一郎を始め、作家の長谷川幸延、川口松太郎などが政太郎の店によく来た。仲良しの同業、十二段書房・西垣光温の紹介で棟方志功を知ったりもした。

ところで、政太郎の古本屋としての生涯を通じての最高の思い出は、何と言っても昭和十四年一月十三日に、故・生田源太郎蔵書を「明治文学書売立会」として、カズオ書店と共に札元になったことであった。この、『広辞苑』にものっていない「札元」であるが、古本屋が蔵書主に代って市場での売立を代行するもの、とでも言ったらよいだろうか。無論、一、二割の手数料を売上げから古本屋が頂くことになるのは言うまでもないが。主催は「京阪神同人会」、会場は天牛本店楼上にあった「道頓堀倶楽部」であった。

生田源太郎は南区高津の、のれんの古い質屋の長男であった。元来病身で文学を好み、自分では短歌をやっていた。政太郎が島の内へ来てからの懇意で、文学好きが共鳴して、明治の文学書、詩歌集の初版を一緒になって集めつくした。とは言うものの、生田の蒐集基準は実に厳しいもので、箱付またはカバー付等、原装の完本で、その上極美本というのが望みだった。政太郎の腕の発揮どころでもあり、その数々の思い出の品が、今売立てられようとしていた。生田が最も愛し、苦心して集めたのは尾崎紅葉のもの。その中でも、明治文学史上に重要な役割を果たした硯友社の回覧雑誌、それも紅葉、美妙が自筆で書き記した「我楽多文庫」は正に天下一品のもので、当日の華と言ってよい評判を呼んだ。これの結果だけを先に述べてしまうが、「二千円」という高値で、六甲書房（現・八木書店）の八木敏夫が落札した。何しろ、この二千円という値は、この頃ちょっとした庶民の一軒家が購入出来た金額である。のちに伝えられた注文主は、文芸評論家の勝本清一郎と言われた。

当日の売立会のことは、政太郎とカズオ書店によって、開催二週間前くらいに、

生田源太郎所蔵
明治文芸書売立目録

なる洋紙袋綴じ二十六頁の売立目録が、全国有力古書業者に配られていた。右と同じタイトル頁、次いで「陳者今般、明治文芸書蒐集大家、故生田源太郎氏の所蔵本を下記の如く……」と続く「御案内」なる挨拶文、裏面は当日の予定略目と札元名。そして「筆写回覧時代の我楽多文庫（肉筆）」及び「活字非売時代の我楽多文庫」他の書影写真版が五頁に亘り載り、以下「売立目録抄」が続くのである。

当日の出席者であるが、先の八木敏夫、一誠堂書店、弘文荘・反町茂雄、窪川書店・窪川精治、時代や書店・菰池佐一郎、山田書店・山田朝一、巌南堂・西塚定一と言った東京の一流どころも参加している。……こうして政太郎にとって、さしずめ大久保彦左衛門の「鳶の巣文珠山の戦い」ともなったこの日の記録であるが、右の目録そのものが今では稀本だ。業界資料としても貴重なので、これを当時の編集のまま書き写し（但し、全ての引用は煩雑なので、約半分を略した）、別の私の資料で下段にこの日の落札価を示すことにする。

我楽多文庫　　単位　銭

第一期　筆写回覧時代　一、二、三、四、五、七、八、　七冊
第二期　活字非売時代　九号より十六号　八冊合本　一冊
第三期　公刊、我楽多文庫　一号より十六号　十六冊合本二冊
第四期　改題「文庫」時代　十七号より廿七号　十冊合本　二冊
（以上）二、〇〇一、一〇

本書は実に第一期より四期まで完全に揃って居り、殊に筆写回覧時代分は、紅葉、美妙の肉筆本にて、天下一本の珍書です。

新体詩歌　一集より四集　竹内隆信　四冊　三五、二五
新體詩抄　外山正一　一冊　一四、〇〇
新体梅花詩集　中西梅花　一冊　二七、六〇
青年唱歌集　山田美妙　二冊　二一、〇〇
いさり火　大和田建樹　一冊　四六、八〇
湖処子詩集　宮崎湖処子　一冊　二八、〇〇
暮笛集（初版、再版、三版）薄田泣菫　三冊　一六、八二
ゆく春（初版、再版、四版）（四版署名入）薄田泣菫　三冊　一八、二四

白羊宮（特製本）	薄田泣菫	一冊	一八、二四
東西南北（特製本）	与謝野鉄幹	一冊	一二、〇〇
天地玄黄	与謝野鉄幹	一冊	一三、〇〇
紫（表紙外装完全の美本）	同	一冊	三五、四〇
無絃弓	河井酔茗	一冊	四、一六
天地有情（初版）	土井晩翠	一冊	二、〇〇
海保技師（外装付） 悲恋悲歌 闇の盃盤 泡鳴詩集（外装付） ゆふほ	岩野泡鳴	五冊	二一、〇〇
夏花少女 花妻	前田林外	二冊	一七、〇三
花外詩集	児玉花外	一冊	三、〇〇
一握の砂 あこがれ 悲しき玩具	石川啄木	三冊	四二、八〇

草わかば（外装付） 有明集（署名入） 春鳥集 独絃哀歌	蒲原有明	四冊	一〇二、六九
美奈和集（初版）	森鷗外	一冊	八、一一
玉匣両浦島	森鷗外	一冊	一一、三〇
海潮音（初版）	上田敏	一冊	一〇、〇五
邪宗門	北原白秋	一冊	一〇、六一
孔雀船	伊良子清白	一冊	八、五〇
衣香扇影	山田美妙	一冊	四、一六
小野のわかれ	小山内薫	一冊	三二、一三
食後の唄	木下杢太郎	一冊	六、一八
みだれ髪 恋ごろも 小扇	与謝野晶子	三冊	三〇、一〇
海の声（署名入）	若山牧水	一冊	二六、八六
みなかみ	同	一冊	二、〇〇

かへで（布製特製本、自筆和歌入贈呈本）　矢沢孝子　一冊　三一、八〇

月に吠える（初版、外装付）　萩原朔太郎　一冊　八、五四

三人の処女（外装付）　山村暮鳥　一冊　七、八八

愛の詩集（署名入）　室生犀星　一冊　六、二三

尾崎紅葉著書　九十四冊　二六四、六六

「浮木丸」、「不言不語」、「紫」、「裸美人」、「冷熱」、「金色夜叉」、「笛吹川」、「多情多恨」、「隣の女」、「三人妻」、「なにがし」等の全著書全部に、句稿、遺稿、原稿類を合せて、八十種の多きに及んでゐます。就中、「東西短慮の刃」には紅葉の署名があり、「京人形」は異本四種を集め、「紅鹿子」は上製と並製あり、「紅葉遺稿」には編者石橋思案の署名があります。尚、本は極美本揃にて、外装や袋付のもの多く、単行本は殆んど見事に初版本をとり揃へられてあります。生田家本中、最も苦心の蒐集品で散逸を惜しみ、全部一口に入札したく思ひます。

永井荷風著書　三十二冊　二五六、〇〇

「夏すがた」外装付「地獄の花」、「野心」、「腕くらべ」、「歓楽」、「珊瑚集」、「夢の女」、「冷笑」等三十二種を集む。二種をのぞき全部初版本です。特筆すべきは「腕くらべ」に二種あり、一本は著書の私家版にて、荷風文献中の珍書です。

竹久夢二著書　四十八冊　一四一、〇〇

「三味線草」、「艸畫」、「桜咲く島」、「たそやあんど」、「野に山に」、「どんたく絵本」、「暮笛」、「小夜曲」、「昼夜帯」等、夢二の全著書を網羅し、「露路のほそみち」には署名がはゐり、珍雑誌「桜咲く国」が二冊、白風の巻と紅桃の巻が揃ってゐます。何れも外装、箱つきの美本揃ひ、五種を除き全部初版本です。総数、四十八種。

吉井勇著書　　三十一冊　　三六、六〇

「仇情」、「みれん」、「恋暮流し」、「恋愛小品」、「祇園歌集」、「黒髪集」、「河原蓬」等三十一種全部初版本です。殊に「酒ほがひ」の初版箱入には市川左團次宛の署名入です。

原稿、手紙、短冊類

紅葉、牧水、夢二、潤一郎、泣菫、荷風、龍之介、柳北等

この以外、明治文芸、単行本、雑誌等、数百点、之を略します。

この日の結果は以上の如くである。当時の人気商品が何か、反対に当時は安く半世紀後に値上りした作家は誰か等、この落札表を見て分かることは多い。いや、今なら最後の、明細さえ書かれていない原稿、手紙、短冊類が、目録中の目玉として最初に写真版にしてかかげられることは間違いないであろう。

なお、当日の結果は朝日新聞が嗅ぎつけて写真入りの記事とし、のち「サンデー毎日」誌上にも大きく取り上げられている。

——話を戻そう。

若い頃からの、政太郎の本を求めての外歩きは相変らずだった。大阪郷土史家の鷲谷樗風は、当時の政太郎のことを「……何時覗いても彼がいたためしはなく、お母さんも『フラフラとどこへ行くのかちっとも腰を据えて勉強しやしません』とこぼしていた」と書き(「思い出の古本屋街」)、当時を知る元ＮＨＫの職員だった魚谷忠の証言にも「……一度として店主が頑張っておられたことがなく、母堂が厳然とひかえておられるので『主人はいつもお出掛けですね』とあきれた口調で問うと、『はい、本集めに夢中です。好みの本を探すのに夢中で、なかなか店番をしてくれません。わが子ながら本好きを通りこして狂人に近いのですよ』と応じられ、自分の耳も眼も痛かった」(「私の大阪時代の古本屋さん」)とあるくらいだ。

多分これは、昭和十三年からのデパート古書展への参加が、より政太郎の蒐集癖を刺激したのかもしれなかった。右の二人の文は、昭和五十五年に詠品会から出された『尾上蒐文洞古稀記念・紙魚放光』(編輯・梶原正弘)に載せられている文章である。紙魚仲間三十六人からなる興味津々たる文集だが、この外中尾松泉堂・中尾堅一郎が寄せた「蒐文洞と古書即売会」は政太郎に関する大変貴重な資料である。中尾は政太郎が参加した古書即売会の目録から、その時々の蒐文洞出品中の代表的品名を調べ、載せているからである。以下は中尾の記録からの引き写しである。

昭和十三年十一月　第二回東西連合古書大即売会　なんば南海高島屋六階
にしき絵時代かが美大首（五十枚）、巨泉おもちゃ絵集（特製本・三冊）、バーナード・リーチ（特製本・署名入）、明星抄（晶子・二冊袋付）、我輩ハ猫デアル（漱石・三冊）、高野聖（鏡花・初版）、十日物語想夫恋（ビゴー挿画）、邪宗門（白秋・初版）、其他詩歌初版もの。
昭和十四年十一月　第三回東西連合古書大即売会
龍之介肉筆もの（水虎の図）、荷風肉筆もの（原稿十七枚・詩入扇面・金銀短冊二枚・句入団扇二本）、藤村色紙、棟方志功短冊、夢二尺牘、一握の砂（啄木・初版）、うた日記（鷗外・初版）、紫（寛・初版）、大阪演劇詳報（全揃）、大阪舞台評論（全揃）、雑誌芸術殿（全揃）
昭和十五年一月　大阪三越第二十二回古書籍即売会
女十題（夢二作版画・一帙）、夢二本一括（著書二十冊）、桐の花（白秋・初版）、其他牧水・茂吉・赤彦・春夫・潤一郎の初版本及び芝居演劇雑誌類多数。
昭和十五年五月　大阪三越第二十三回古書籍即売会
独歩・龍之介・百穂の尺牘、荷風・潤一郎の短冊、おもちゃ郷土の光（二十袋）、金色夜叉（五冊）、即興詩人（初版・二冊）
昭和十五年九月　大阪三越第二十四回古書籍即売会
和服の人（鍋井克之・特製本）、ゑげれすいろは人物（澄生）、夢二本一括（初版・十冊）、

書物展望（特製本・創刊より揃）

昭和十六年一月　大阪三越第二十五回古書籍即売会

新体詩学必携（初版）、天地有情（晩翠・初版）、海の声（牧水・初版）、迦具土（初版）、透谷全集（初版）、底知らずの湖（逍遥）、大阪能弄戯珍誌（創刊より揃）、角劇場繁栄之図（三枚）▽特別展観「竹久夢二を偲ぶ本」

昭和十七年一月　大阪三越第二十八回古書籍即売会

日本名所図絵（七冊・函入）、市川家隈取図巻、役者隈取（実川延童筆）、白樺（創刊より百二十冊）、短歌研究（創刊より五十六冊）、古典研究（創刊より五十五冊）、風俗研究（創刊より揃）、科学ペン（創刊より揃）、大大阪（六十二冊揃）、一分線香（落語誌）

昭和十七年九月　大阪三越第三十回古書籍即売会

寿々外国玩具集、瓜哇古面譜、淡島寒月余影、切火（赤彦・初版）、紅玉（利玄・初版）、仰臥漫録（子規）、歌舞伎研究（全揃）、其他演劇関係もの多数。

昭和十八年一月　大阪三越第三十一回古書籍の市

柳宗悦本一括（十冊）、劉生装幀本一括（十冊）、潤一郎本一括（十五冊）、俳諧師（虚子・特製本）、大阪小天地（九冊）、大阪文芸画報（創刊より揃

昭和十八年九月　大阪三越第三十三回古書籍の市

長崎版画集、毒草（寛・初版）、婦系図（鏡花・二冊）、酒ほがひ（勇・初版）、桐の雨（三

重吉・初版）、桑の実（三重吉・初版）、明治文学双刊（柳田泉）

中尾はまた文章の中に、この頃の政太郎について書いている。「その頃の蒐文洞は新進気鋭として知られ、東京の強豪店や大阪の有力店と互して奮闘の活躍ぶりであった。（略）尾上氏は、ちょうど青年期（三十代）であり、商売上の全盛期でもあった」と。つまり正確には、政太郎は昭和十三年には弱冠二十七歳、十八年でも三十二歳の若さで、正に青年期に古本屋としての最盛期を迎えた感さえあった。

(3) 「古本屋日記」

元々文学青年時代「尾上香詩」というペンネームを持ち、啄木、哀果、牧水を好み、短歌の実作に励んだ政太郎は、今は何故かこうした忙しい中、業界関係の記録を残すことを始めるようになった。昭和十五年、のちに大阪業界ばかりか一部東京の業界人間にも有名になる「古本屋日記」を書き始める。まるでそれは、営々と築き上げたものが結局は何もかも「浪速の夢」に終ってしまうその後の政太郎の十年を本能的に感じとっているかのようで、実際この日記が尾上自身の存在証明ともなったのである。

すでに述べた「生田源太郎蔵書」の売立が、そのキッカケの一つとなったことはたしかで、それは「生田家御所蔵書籍入札記録」となって尾上家に残されている。そして昭和十六年三月のやはり政太郎の札元だった「明石市・北脇家蔵書の売立記録」からは、完全にこの「日記」の中に詳述されるようになる。が皮肉にも、こうして最盛期を迎えた政太郎の古本屋人生に、国の施策が起こした苛酷な試練が次々と襲いかかるのだった。

翌昭和十七年頃からは、商工省からの「公定価」の押しつけなどあり、本には自由な売り値をつけることが出来なくなってしまう。従って、営業の戦果を記すことを目的にした政太郎の「古本屋日記」は、やがて侘しい「戦中日記」となって行くのをどうすることも出来なかった。

政太郎が499冊まで書き続けた「古本屋日記」

昭和十九年には遂に政太郎も徴用され、政太郎は軍需工場で働く「応徴日記」を一冊残している。終戦後の昭和二十年九月からは「裸から新生活へ」と題する、希望に満ちた新日記となるのだが、そこへ行くには、政太郎は生涯最も苦渋に満ちた一ヶ年を通り抜けなくてはならなかった。昭和二十年三月十三日の、第一回大阪大空襲との遭遇である。

この夜、政太郎の全情熱を傾けたと言っても過言でない、何千、何万という本が全部、店、家財道具もろ共に、一夜にして灰燼に帰してしまったのであった。なお、この夜の空襲では、大阪名物の一つであった日本橋筋西側に立ち並んだ三十数軒からなる「古書店街」、二ツ井戸の天牛本店、道頓堀のカズオ書店、八幡筋の杉本梁江堂、短冊・色紙で名を売った柳屋、西清水町の石川清和堂、南堀江木綿橋詰の皇典社、荒木伊兵衛書店、心斎橋順慶町の古典籍で名高い鹿田松雲堂までが焼けてしまったと言われる。……不思議なのは、政太郎が戦前の「古本屋日記」を残していることである。あの永井荷風が、「偏奇館」の焼失時に日記をかかえて逃げた如く、政太郎もまた日記だけは持ち出していたのだ。ともあれ、空襲直後の政太郎の落胆ぶりは、後年自ら「腑抜け状態で何もする気はしませんでした」と語り、「もう古本屋をやめようと思った」ほどであった。多分政太郎の、ある種の執着心のようなものさえここで切れたのではと思えるくらいで、その後の生き方に焼失のショックは作用したようである。

敗戦後、焼け残った各百貨店の売場に有名古書店が誘われた現象は、東京も大阪も変りなかった。まずこの時点では、百貨店に商品が絶対的に不足した。新刊本はろくなものが出ない。本らしい本と言えば四、五年前の古本にさかのぼらなくてはならない。そこで考えられたのが、昭和十七、八年までも続いた古書即売展での古本屋の書物供給量と顧客の動員力であった。大阪では、阪急を山内金三郎と広岡利一が、阪神マートは黒崎丈一が、三越は杉本要が、松阪屋は小関春雄が、大鉄は松本政治が、十合は武藤米太郎と伊藤一男が、それぞれ古書部を設けた。

そして大丸百貨店に、洋書部・尾崎義夫と並んで政太郎が古書部に誘われたのである。その大丸全盛期の政太郎の風貌を、浪速書林・梶原正弘が追悼文に活写している。

「広い会場の中、詰めかけるお客さんを掻き分けるばかりに、颯爽と右へ左へ忙しそうに動き廻り、あちこちで『やあ、やあ』とか言って手を上げ声をかけ歩く人がいる。服装も業者にあっては目立つほど洒落て立派、恰幅もよく、度の強そうな眼鏡をかけてどちらかと言うと異相の人。当時少年の私には、単なる古本屋とはどうしても見えなかった。『古本屋にもすごい人がいるもんやなァ』きっとこの人が大阪一の実力者ではないかと、憧憬の眼を向けるばかりであった。」

この時の梶原は、大丸での古書展に参加していた天地書房の店員として出かけていたのである。昭和二十六、七年の頃だったという。

ところで、政太郎のこの大丸古書部というのはいつまで続いたのであろうか？　ここに政太郎自身の談話が取材源になったものであろう、昭和五十六年四月十四日付の大阪版・読売新聞夕刊の記事がある。

「……戦後は、一時大丸古書部に店を持ったこともあるが、ゼニ勘定が苦手の性格は直らず、あくせくするよりは、古本の面白さを教えてくれた天牛さんに恩返しするために同書店の〝番頭〟になった。以来三十年、いまも天牛周防町店で、本の見立てを続け、夕方になると、酒の相手を見つけてはネオン街をはいかいしている」というものである。これをまともに取ると、昭和二十六年には天牛へ勤め始めたことになるが、先の梶原の証言もあり、全盛期にやめるはずもなく、政太郎が大丸から身を引くのは、もう一、二年あとの頃とも思える。

実はこの頃になると、他の大阪の百貨店古書部は無論のこと、東京の百貨店古書部も、次々と百貨店から引き払い始めている。やっと出版情勢も昔に復し、百貨店の書籍売場は元々の新刊書店に全スペースをとるようになるからだ。また右の新聞記事にある天牛入店の政太郎の動機だが、余りにもこれではかっこよすぎるようだ。

政太郎は、たしかに敗戦直後からの古書業界の勢いを見、またようやく戦後の出版物に古本が押され始める衰退の歩み二つ共に経験したのに違いない。そこに重なる世相はあの戦後の解放的風潮の昭和二十年代であり、政太郎の年齢も三十四～四十二、三歳の男盛りだった。私がある大阪の先輩の方から酒席で聞いた政太郎の伝説にはこんなのもあった。政太郎はその最盛期には遊廓から古書展に通っていたことさえあったというのである。単に女性好きは政太郎一人ときまった話ではないが、ある期間遊廓からの御出勤という豪の者は政太郎をおいてこの業界には聞いたためしがなかった。また別の人の話では、その頃もその後も、政太郎が明らかに特定の女性を連れ歩いているのを目撃しているという。その生き方はあくまで破天荒で、時には儲けた金を一夜に遣ってしまうことさえあったらしい。

ついでに、政太郎の「ゼニ勘定の苦手」ということにも触れておこう。やはり大阪の同業から聞いた話だが、政太郎はその抜群の目利きから、本の掘り出しも名人だった。特に人から頼まれた本、これはあの人が欲しがるだろうという本は忘れなかった。それを求めるが早いが、政太郎はわずかの利づけで顧客に譲り、客の喜こぶ顔を見るのを本懐とした。寝せて高くなるまで待つとか、客の足元を見て高く売りつけることなどは全くない性格だった。その性格は、戦災で全てを失ってからますますきわ立ったようで、今や政太郎の執着は「古本屋日記」にしかなくなっていたのかもしれない。

政太郎の天牛入店に話を戻したいが、これはどうやらそうしなくては一家を養って行けなくなった事情があってのことのように思える。戦後も、政太郎はデパート勤めの帰途などよく天牛書店へ遊びに立ち寄っていたので、形勢悪くデパートをやめることになって思いついたのが、昔から親しんで来た「天牛のおっちゃん」に使ってもらうことだったのであろう。

さて、先の新聞記事である。テーマとしては、

「大阪古本界の名物男、天牛書店の番頭の尾上政太郎さんが古稀を迎えたのを祝って、本探しで尾上さんに世話になった愛書家や書店仲間が記念の本を出版してプレゼントした」という『紙魚放光』出版時の紹介であった。政太郎が店番をしている大きな写真も添えられ、記事は以下の政太郎の言葉で結ばれている。

「……わたしから古本と酒と色気を取ってしもたら何も残りまへん。ええ人に恵まれてこんなりっぱな本を作ってもろて、もううれしいてうれしいて……。百まで生きて古本あさりを続けます。」

たしかにその通りであろう。が、さすがの新聞記者も、政太郎のもう一つの面にまでは想像力が働かなかったようだ。政太郎の半生の中ですでに、体の一部のようになっていた「古本屋日記」に触れることがなかったからである。未使用の和とじ本に毛筆、そしてある時期からは即席カメラを、政太郎は市場にも古書展にも、大阪の文化人と会う場所にも持って出かけた。そしてそれは酒席であっても、多分女遊びの場であっても片時も忘れることがなく、しかるべき人には筆をとらせ、文字を書き続けた。そして日記には業界の消息以外にも、知名人の訃報から本に関する新聞の切り抜き、旅行時の宿のメニュー等まで貼りつけられていて、結果として世相・風俗までもそこに見ることが出来る。そして当然の如く、三十年間の天牛でのお店番にもそれは毎日持参したに違いない。

天牛では書店主・天牛新一郎とはいつも対等に会話し、時には平気で言い争いなどもするわがままぶりだったという。ただ店側でも政太郎の天性のにくめない性格だけは認めないわけに行かず、それが政太郎を永く使い得た要因でもあった。無論それには、政太郎の持つ、ある種の几帳面さもプラスに働いたことはたしかで、例えば出勤時間に遅れることなど決してなかったと言われる。ただ、興に乗れば、政太郎が仕事中でもかの「古本屋日記」を書き出すことなど、日常茶飯事だったのではないか。

……もう政太郎の晩年のことだが、私も一度だけこの「古本屋日記」作成現場を見ている。

それは、政太郎の最後の上京となった昭和六十二年のことである。

七月が来て、恒例の明治古典会大市会下見初日の午後、政太郎は上京して来た。会場で、ややあと、手を取り合うように私は政太郎と挨拶した。この日も政太郎はポラロイドカメラを首に下げていた。「古本屋日記」の頁に貼るためのもので、私は早速この年度の会長・三茶書房・岩森亀一氏と並べられ、被写体となった。会場に、反町茂雄氏の元気な姿があり、政太郎が私の耳元に口を寄せて、大阪弁で何かささやく。どうやら、

「撮らせて貰うよう、工夫せよ」と言っているらしい。そう言えば、「反町氏を写真に撮りたいと思って中々そのチャンスがない」というのがかねての政太郎の口グセであった。業界人の誰もがそうであるように、どうやら反町氏にだけは政太郎も遠慮があるのらしい。私は度胸をきめて反町氏に近づく。幸い、一言二言の用事もあった。お蔭で私は、反町氏と二人並んで写真に納まるという、初めての光栄に浴することが出来たのである。

この夜、行きつけの中華料理屋「長楽」で、政太郎を囲むささやかな一席が設けられた。「古本屋」同人が三人、それに八木福次郎氏が参加してくれる。座るとすぐ、まず全員で写真を撮ろう、と政太郎が言った。するとウエイトレスが、私が……と全員を撮ってくれる。飲み、喰い、しゃべりながらも、政太郎の手と筆は動き、今撮ったばかりの写真を貼り、余白に順に、我々にも寸感を書かせ署名をさせる。「古本屋日記」――、書き始めてからはもう半世紀にも近く、この日記を開かないでは筆跡さえ見られぬ同業諸先輩も多いのである。特に大阪地区の

大市、有名百貨店の古書展覧会の諸記録等、ここにしか記録されていないことが少なくないとも言われる……。

(4)「蒐文洞だより」

私が尾上政太郎さんを知ったのは、昭和五十七年に私が最初の本を出し、それを贈呈したことで文通をするようになったのが始めであった。

その年内に二通を頂いた尾上さんの「蒐文洞だより」を、翌五十八年にも二通頂く。そもそもその「蒐文洞だより」とは？　複数作られた印刷物ではない。週刊誌大の茶封筒に入れて、尾上さんが原稿用紙による早書きの文章を綴って寄こす「手紙」である。紙面には各種案内物や写真が貼られ、時には入手困難な貴重資料が挟まれていたりする。封筒表の宛名書き横には、色彩やかな夢二、劉生、志功、深水、梅原龍三郎などの大形記念切手が惜しげもなく使用され、他の郵便物に混じってもそれはすぐに「蒐文洞だより」と分かった。

……実は、この四通を頂いた間に、いや正確には昭和五十八年十二月に、尾上さんは一度火事に会っているのだ。住んでいた長屋の隣家から出火、尾上さんはまたも売りたくない沢山の本を焼いてしまっている。のちに聞くその時の尾上さんの行動がまた個性的なもので、

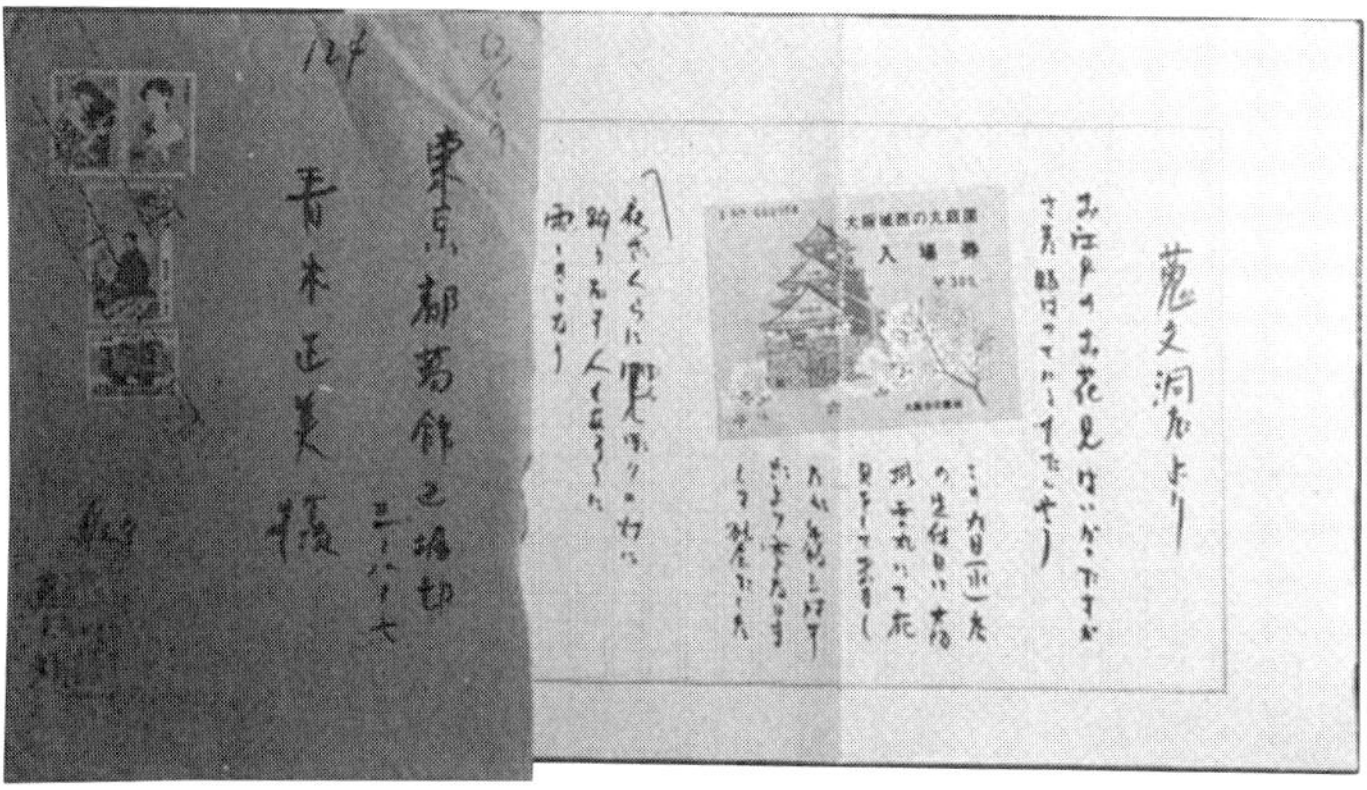

政太郎の「蒐文洞だより」

「私も火事見舞に行きましたが、着の身着のまま。『小南陵はん、本が焼けてしもた。日記だけは大丈夫やったけどな』と私との出会いの第一声。普通なら『家が焼けてしもた』というところだが、尾上さんの頭の中には本のことだけしかないらしい。」と、これは大阪の講談師・旭堂小南陵氏が、昭和六十一年十一月号の酒の雑誌「たる」に寄せた「ぶらり人情散歩—古本一筋五十五年」という文章の一節。

「話題の多い人だった。(略)火事で自宅が類焼した時に、新聞社の知人に電話をかけて、家が火事になったから取材にきてくれ、一生になんべんもあらへんことやから記念に写真を、といったことが新聞にでたが、家財道具はいいから本は何とか出してくれ、と持前の大声をはりあげて持出したそうだ。火事の最中に本人からそんな電話をかけてくる人も珍しい、とその記者は言ったそうだが、尾上さんはその新聞の切抜きを早速〝蒐文洞だより〟に貼って送ってきた。」これは八木福次郎氏が、平成四年八月号に載せた尾上さんの追悼文の一節であった。

「住み馴れた大阪市西成区の自宅が類焼し、秘蔵の本も多く失った。日記は真っ先に抱えて飛び出した。『あのとき焼いてしもうとったら、いまごろぼけてしもうとるやろ。ほんま世の中には神さんはおるもんでっせ。』〝張り魔の守〟に恐れをなした。」（青木・註…張り魔の守＝資料等、何でも貼って日記を作っていたので）とこれは、大阪版「読売新聞」平成元年三月十九日付の記事「人間劇場—古本一筋〝浪速の大紙魚〟」の一節である。……

昭和五十九年になると、「蒐文洞だより」は七通に増える。差出住所も、西成区天下茶屋から北区池田町の「ローレルハイツ」というマンションに代った。何でも火災時の保険金で移られたとかで、「あれは焼け太りだよ」という評判をしている同業の話を私は聞いたことがあった。この年七通目には、

「『大阪古書月報』（二〇六号）が出来ました。私も久しぶりにて、好きな明治古典会のことを書きちらしました。どうぞ御笑覧下さい」とあり、その月報が封入されていた。それによると、尾上さんが初めて明治古典会の大市会に上京されたのは昭和三十年から、とある。また、昭和三十年代には「天牛書店内尾上政太郎」の名で、会の地方会員だったことなどもこれによって分かった。

昭和六十年暮れ、私はその頃書きかけていた「弘文荘・反町茂雄—その人及び著作活動」の大阪方の資料渉猟を尾上さんにお願いしたのである。私は日頃のその言動で、尾上さんが最も

尊敬する業界人としては反町氏をおいてなかったと知ったからであった。そうして送られて来る反町氏関係の資料は驚異と言ってよいほど未見のものが多く、尾上さんの反町崇拝がなまじのものでないことを私は改めて知った。これらの資料が、その時の私の編集に役立ったことは勿論であり、反町氏没後刊行された『一古書肆の思い出』第五巻の「反町茂雄年譜」や「反町茂雄著述目録」にも役立てられているが、これはのちの話である。……ともあれ、こうして尾上さんと私とは「反町崇拝」という理屈なしの一点で通じるものが出来たのだった。

昭和六十一年になると、尾上さんの「蒐文洞だより」は二十二通を数えるに到った。この年はまず、尾上さんに衝撃を与えた出来事が三月にあった。多分、親しみを持った敬愛ということでは反町氏への崇拝と並ぶ先輩、明治堂・三橋猛雄氏の死がそれであった。尾上さんは私に、早速その「古本屋日記」からコピーして、三橋氏の幾つもの資料を私に送ってくれた。そうして大阪版「読売新聞」の三橋氏の死亡記事も……。欄外には小さな字で以下の内緒話も添えられてあった。「三橋さんの死去は残念でなりません。これから東西の古書業界昔ばなしをやりたいと思う矢先でしたのに。私は若い頃、大阪の高島屋での東西古書展の打合せに、先輩のカズオさんと上京し、その夜初めて神楽坂の待合にて三橋さんの世話で、いい女を抱かせて貰いましたよ。ああ。」

それ以降の「蒐文洞だより」を摘記してみたい。

「お江戸のお花見はいかがですか。さぞ賑わっている事でしょう。この九日(水)、店の定休日に大阪城西の丸にて花見をして来ましたが、午後三時すぎより雨となり残念でした。／夜ざくらのぼんぼりの灯に踊り出す人もあろうに雨しきりなり」（四月十二日）

「いよいよ夏場です。店を私は五時半に終りますので、『ミナミ』にて生ビールでのどをうるおすのを楽しみに今日この頃を暮しております。／今日は水曜日にて天牛書店の公休日、よって娘二人と古女房に伴われて、京の平安神宮と新京極を漫歩して来ました。ともかく、言うはおかしきことながらの古都、おくゆかしさを感じさせられました。平安神宮にての百円のおみくじで、第五番の吉でした。／けふはよくはたらきにけりかにかくにからだ疲れて満(たら)ふ我なり／の歌が添えられてありました。あまりいい歌ではありませんので、私流に一首詠みました。／今日はよく遊びに過れりかにかくに疲れてくめる酒のうまさや」（六月十一日夜半）

「恒例の明治古典会七夕大市会は、いつもながら私にとって心たのしい一日でした。好きな本を手にとって見られるし、逢いたい人達ともお逢いしまして喜こんでおります。貴男と見ている夢二の手紙の写真、長田幹雄さんへも別送いたしました。」（七月十九日）

「わが世の秋が来ましたので、いよいよ私のマンションから十分で行ける淀川べりへ釣りに出かけてます。毎朝の六時半です。／今朝は鯉に竿をとられまして大変でした。淀川を流され引きまわされて、見物人が三人も立つ程でした。結局は糸を切られ逃げられました。」（十月六日）

「大阪でも木枯らし一番が吹いて寒くなりました。／相変らず早朝から竿をたれてます。走っている人、犬と散歩の女達ともすっかりおなじみになり、あいさつを交わすのも楽しみの一つになりました。／こう寒くなっては魚の食いも悪くて『坊主』の日が続きますが、まだまだ続けるつもりです。」（十一月二十八日）

この年十二月二十五日、珍しく尾上さんの筆跡で「第24回・アベノ近鉄古書まつり」の古書目録が届く。尾上さんから古書目録の恵送を受けるのは初めてで、早速眺めて行くと、一点自筆物で欲しいものがあり、電話注文をする。「……早速に手配しておきます。ともかく天下一品の大物をえらばれて、羨やましい事です」という便りが届く。

鯉を釣り上げた尾上政太郎

ところで、この年はまた「古本屋」第三号（昭和六十一年十月刊）に尾上さんの原稿「異色ありし大阪の古本屋」を頂いた年でもあった。これは鹿田松雲堂、中尾松泉堂、だるま屋書店、柳屋、玉樹香文房、杉本梁江堂、高尾彦四郎の思い出を、尾上さんの業界入前にさかのぼって記した貴重な記録である。ただ、その時編集人泣かせだったのが、毛筆による例の自己流で早書きの尾上さんの筆跡であった。校正刷りをすぐ大阪へ送り、結局尾上さんのお弟子に当たる、浪速書林・梶原正弘氏が校正をして送ってくれたように覚えている。

昭和六十二年は、早くも正月三日付の便りがついた。まず、短歌二首が書かれている。

生涯を古書に生きたる
喜こびをこの元旦の
うま酒に酔ふ

生きがひを古書にもとめて
七十と六歳の春
たのしからずや

次いですでに書かれてある年賀状が貼布されてあり、わざわざ便りに直されたものと分かる。年賀状には「本が好き、酒が好き、人間（ひと）が好き、に生きる」とあり便箋の方に線を引いて曰く。「かつてはここに〝女が好き〟が入りましたが、もうだめになりました。」と。

一月十九日の便り。「『近鉄古書まつり』にて御買上げの代金、正に頂戴いたしました。出品者も喜んでおります。ありがとう御座います。」と、たとえ他店の品への注文であろうと、自らが受けた話には最後まで責任をとろうとする言葉のあと、思わぬ文章が続いていた。デパートで火事騒ぎがあったというのである。「一時はどうなることかと心配いたしましたが、幸いにも大事にならず二時間余りの休館で、又開催しましたので喜こんで居ります。」

尾上さんらしいのは二枚目の用紙に貼りつけてあるボヤ騒ぎの写真コピー二枚で、「この写真は私がとりました。煙の上った食堂街のとなりが古書まつりの会場なので、えらい煙が流れ込んで、お客様に出て頂くのが大変でした」とあり、愛用のポロライドカメラの偉力を早速使ったものであろう。ただ皮肉なのは、これで、戦火と類焼とこのボヤ騒ぎと、尾上さんは生涯で三度火に襲われるという体験を持ったことになるのだった。

四月十四日の便り。「花のいのちはみじかくて、とかの林芙美子さんの言葉の様に早や私の淀川べりの花(さくら)は落(ち)り続けてます。／去る八日（月）、名古屋での全連大市会へ、大阪方は二十名ほど出席いたしました。／十一時十分前に反町さんが来られまして、私があいさつをしたら、胸へつける名札を付けて下さい、となかなかごきげんが良ろしかった様です。／会場は広々していて、ゆっくりと手にとって本が見られました。発声もゆっくり続けられましたので、私は好きなものだけ落札価を書きとめました。」

五月一日の便り。「今朝も八時すぎには淀川にて早や鮒（中型）を釣りあげて、気分爽快です。午後、関西大学の図書館で〝さくらづくし〟の一枚刷錦絵等の展示会を見学して来ました。（目録同封進呈します）／さて、いずれは私の『古本屋日記』も全部ここへ納めることに約束しており、ありがたいことと喜んでいる次第です。／腰に下げし古手拭や花の中（万太郎）／右にならって／腰に下げし古手拭や釣たのし」

六月九日「午前六時には我が淀川べりにて竿を十一本も入れてます。いよ〱病こうもうだと自分でも感心してます。／今日は年一度の大阪古典会の特別市会へ出席して来ました。反町さんのお顔が見られたら、せめて遠くからでもと、フォトカメラを引っさげて行きましたものでした。／私の店からも、ちょっと変った和本を出品しましたが、なかなか高価になりました。／さて、来月は七夕大市会にてお目通りいたしましょう。みなさんへもよろしく。」

この年の暮には「蒐文洞だより」にお土産が入っていた。「今年の最後のおくりものを二点、同封します。」とあり一点は「最近東京大流行歌・浅草行進曲外二篇」という大正発行の一枚物歌詞。もう一点は、昭和二十三年に大阪・朝日会館での『破戒』上演パンフレット。新協劇団の公演で、若き宇野重吉が瀬川丑松を、李香蘭から本名に戻ったばかりの山口淑子がお志保に扮しているのが分かる珍しいもの。尾上さんの、私が浅草文献、島崎藤村文献を蒐集しているのを知っての、さりげない行為であった。

こうして、この年は年内三十日にもう一通便りがあり、合計十八通もの「蒐文洞だより」が私のところへ配達されたのである。

(5)　遺された反町茂雄書簡

翌昭和六十三年の「蒐文洞だより」は極端に少なくなる。尾上さんの身に大きな変化が起きるのである。

一月十九日「私も永らくつとめた天牛より退店いたします。三月からは一蒐文洞にもどりますから、又よろしくお願いします。」

それからずっと途絶えた、この年二度目の尾上さんの便りは四月二十四日に来た。多分、お店をやめること等で色々忙しいのだろうと気にもとめていなかったが、その二通目の、別人とも見える筆跡の乱れに私は驚いた。

「私こと、去る三月二十三日早朝に家にてたおれ、救急車で桜橋の渡辺病院へ入院、一時は生死の境をさまよいました次第です。退院後は毎日の様に針灸整骨院へも通ってますが、左足を少しひきずっております し、この様に字を書くことが……」と、心筋梗塞で倒れた経過が記されてあった。それでも末尾には、最近送付した「古本屋」六号を二十部送るようにと添えられてあった。

五月十三日、「古本屋」の代金を現金封筒で送付して来る。「風かおる五月です。毎日の様に病院通いをしております。」という紙片が一緒に入っていた。

六月九日、便りが届いたが、中は「大阪古書月報」で、文章は何もなかった。もしや七夕大市会で会えるのでは、と思って待ったが、やはり上京はなかった。八月の、東京古書組合の休みを利用する形で、私が夫婦で初めての大阪旅行を思い立った一つは、尾上さんに会いたいという気持もあったからであった。

八月五日、早朝東京駅へ。新幹線ひかりに乗り、三時間後新大阪へ。そこからホテルのある天王寺へ快速電車に乗って出る。駅前から観光バスが出てるというのだったが、もう廃止されてしまっていた。見た案内が古本だったのである。ホテルに電話だけしておき、荷物をロッカーに預け、まずナンバというところへ出る。南海通り、千日前、劇場街、法善寺横丁、織田作之助句碑、心斎橋等を見て歩く。再びナンバへ戻って、中之島へ出、滴塾を見学。中之島附近を歩く。午後、尾上さん宅へ電話をする。奥さんが、「古書市場へ出かけてますが、六時前には帰ると言ってました」と。それで夫婦は天満へ出て、天満宮への一本道の長い長い商店街を行き、参詣を済ませた。

六時頃、その見上げるような共同マンションを訪ねる。二階の部屋はすぐ分かり、もう尾上さんも帰っていた。少しやせられたかなと思われる外はお元気であった。挨拶のあとは、自然私と尾上さんで話がはずみ、いつか妻は尾上夫人と今日の大阪めぐりの話を始めていた。尾上さんは私を別室に案内し、その膨大な四百冊を越える「古本屋日記」を見せてくれた。そこには、名のみ伺う有名古書店主の筆跡や肖像写真などがこれでもかこれでもかという感じで見られ、業界史に興味を持つことでは人後に落ちぬ私には、言葉にならない興趣を与えずにはおかなかった。ふと私はそこに、「本の歌」と題された尾上さんのこんな詩を見つけた。

綺麗な本です　初版です
漱石　藤村　紅葉と

蒐めつくしたものでした
今でも欲しい本ばかり

限定版です　署名です
肉筆絵入や　書痴版と
値段かまわず買っていた
そんな時代が懐しい

カバー付です　初版です
啄木　牧水　白秋と
想ひ出すさえすばらしい
昔の夢は生きている

私はそれから三、四十分も、「まあお茶でも」という奥さんの言葉も無視、次々と日記の頁を眺め続けた。

「お父さん、お茶を入れかえて下さったのですよ」と妻に言われ、私はやっとその行為をやめて、居間の方へ戻って行った。

するとと尾上さんは「古本屋日記」の最新号をテーブルまで持って来て、かたわらの筆を私に差し出す。どうやら、今日は私がそこへ駄文を記す番であった。尾上さんはそのあと、例のポラロイドカメラを取り出し私達夫婦の写真を撮ってくれた。尾上さんの骨太の手を握って一時間余りして尾上宅を辞し、その夜は水上バスで大阪の川めぐりをした。

翌日は、通天閣へ。私には、東京の浅草を往く思いのする新世界がもっとも面白かった。四天王寺、大阪城を見学して帰京する。八月八日、尾上さんからの便りが届く。「市場の夏休みをうまく利用されましたね。大阪への旅心地、しかも夫婦揃っての突然のお越しに驚きましたが、大変うれしい思いがいたしました。風月堂さんのうまいお土産まで頂戴いたしまして厚くお礼を申し上げます。」とあり、その日の写真が同封されていた。しかし、以上の文章を判読するのは実に大変な努力を要し、尾上さんの健康の回復が本当でないことを、私は改めて感じないわけには行かなかった。

それからも、年内に四通の「蒐文洞だより」が届いたが、みな宛名書きももどかしいほど筆跡は弱々しく、中味は「大阪古書月報」のみで、一行の筆も添えられてないものであった。

昭和天皇の崩御があり、平成一年になった。まず「大阪古書月報」のみの二通をおいて、九月二十日に便りがあった。

「その後、私は又病院に入っていました。『胆石症』でした。それで、ハガキも出せませんでした。／さて、九月十七日の反町さんのテレビによる古典籍のお話を聞きました。正に立派なものです。（反町さんから、ハガキにてお知らせを受けました）」

二枚目の原稿用紙には、テレビの反町氏が、番組の司会者に求められて筆をとっているところの画像がポラロイドカメラで撮られ、その写真が貼られてあった。それに添えるように、尾上さんは書いていていた。

「一隅を照らす―反町茂雄
欲しい色紙ですなあ」

欲しい色紙……という言葉が私の頭に残った。

平成二年になった。この一月二十三日の尾上さんの便りほど、不思議な形態の手紙はなかった。十一日に、私が少しだけ写ったNHK・ETV8の「人は何故日記を書くのか」の、画面毎の写真七枚が紙に貼られ、ほとんど数行の添え書き、というものであった。それもほとんど読める文字はなかった。私は、ありがたくそれを受けとっておくしかなかった。

四月十九日、私は反町茂雄邸に用事があり伺っていた。私はその用件が済んだあと、ずっと思っていて中々に言い出せずにいた一事を、今日こそ反町氏にお願いしようと思った。私は尾上さんの手紙を取り出して、反町氏に示しながら言った。

「ちょっとお願いがございます。これは大阪の尾上さんの手紙ですが、テレビでお書きになっていた〝一隅を照らす〟というお言葉ですが、欲しい色紙すな、―って書いてありました。今日、まことに恐れ入りますが、お書き願えないでしょうか。何しろ、尾上さんは最も尊敬されている人が反町さんなのです。是非送ってさし上げたいのです。」

「いや、私のところにも『蒐文洞だより』が来ることがありますが、近頃の字はさっぱり読めない。あの人はね、全く私とは商売では関係のなかった人です。でも古くから知ってはいます。大阪の古老的存在だった人に松本政治という人がいまして、その方が尾上さんを私に紹介したんです。大阪の古老的存在だった人に松本政治という人がいまして、その方が尾上さんを私に紹介したんです。その頃はけっこう尾上さんもやっていたのですが、戦後は少し横道に外れましたね。あの人はお酒が好きでね、当時はこの業界も酒好きの人が多く、あの方もその一人だったんです。……テレビの色紙はね。あれは急に何か書けってNHKの人が言うもので。いや字は全く下手ですから断わったんですが、出た方みなさんに書かせているって言うんで仕方なく……まあ、うまくごまかして写してくれましたが。……あなたには負けますね、今ですか？」

こうして書き始め、一枚目の元号を書く時「昭」と書いてしまった。それをなぞるように「平成」と直して書き終えたが、さすがにもう一枚書き改めてくれた。

「これを尾上さんに上げて下さい。こちら、よかったらあなたが貰って下さい」と反町氏。

私は早速尾上さんに、反町氏の色紙を送り、やっと一つの責任を果たしたような気がしたのである。尾上さんからも簡単な礼状がきた。

平成三年になった。七月十七日、私が天牛書店主の死去について書いたコラムの件で尾上さんの便りが来た。筆跡は再び大きくなったが、文章はやはり何分の一かは読めなかった。しかし「古本屋日記」からコピーしたのであろう八十七歳、九十一歳時の、二種の天牛新一郎氏の筆跡を送ってくれたのは大いにありがたかった。

九月四日、反町茂雄氏が死去。私は「日本古書通信」十一月号に、昨年「一隅を照らす」を書いて貰った時のことを書き、その失敗して私が頂いた方の筆跡を載せた。すると十一月二十五日、尾上さんからの便りが久しぶりに来た。あれを頂いて下さった時の御苦労がしのばれます、とあった。私は、平凡社が『一古書肆の思い出』第五巻を出すにつき、その「年譜」作成を私にと言って来ている、よろしく、と尾上さんに書いた。

十二月十九日、尾上さんからどっさりと反町氏の資料がコピーされて送られて来た。年が明け平成四年一月三十日にも別の資料が。いや、すでに前回送って来たものとかなりの部分がダブっていたのだけれど……。すでに、全くと言ってよいほど、文章が添えられていることはなく、書かれていても判読は難しくなっていた。その夜、私はお礼の葉書を書き始めたが、すぐそれをやめて沈思黙想した。

……反町茂雄氏と尾上政太郎さん、片や百年に一人出るか出ないかの古書業界の巨人、片や大阪のボンボンから転身した名物古本屋。片や晩年は学者以上の書誌学者とも言われた古書肆、片や晩年は「日本一の街の古本屋・天牛」の番頭。片や業歴を、業界史を比類なき筆で書き切った人、片やまとまった著書を残さず即席の筆になる日記と手紙を書き散じた人、――たとえそれが、前者にとっては後者などあってもなくてもよい存在であり、後者の前者への一方的思い入れであったとしても、共に本が好きだった古本屋としてどこが違うであろう！　前者は、

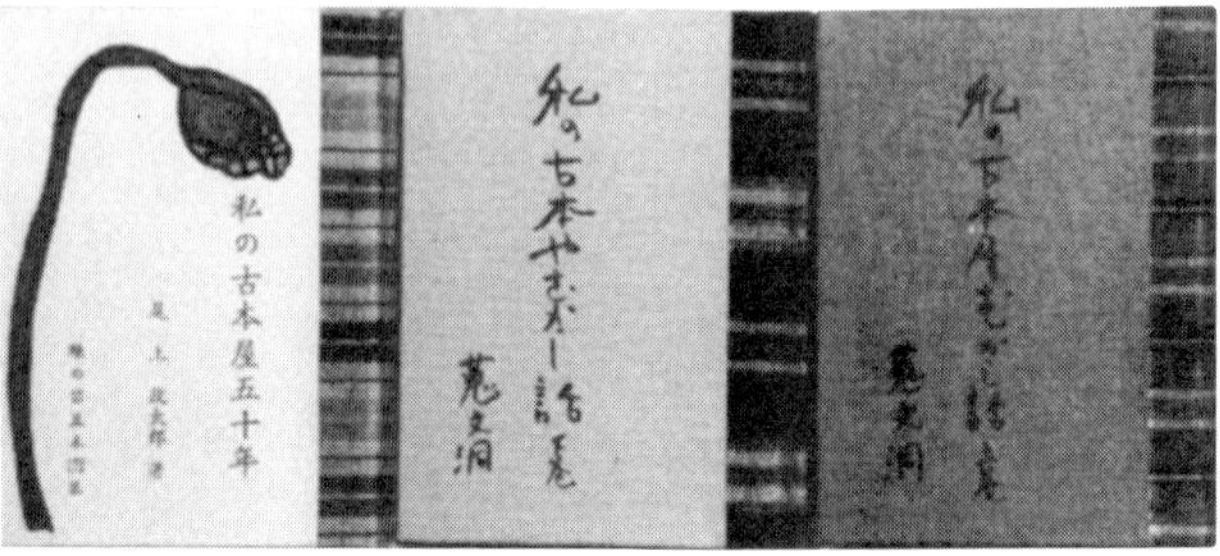

緑の笛豆本「私の古本屋五十年」「私の古本屋むかし話」上・下。

その死の前日まで哲人の如き明晰な頭脳を保った人、しかし後者は……今はその宛名書きさえおぼつかぬ筆遣いとなり、記したくも数行の文章さえ記し得ぬ人となってしまっている。にもかかわらず、利かぬ手指、ままならぬ頭脳を使って前者の年譜に一行でも二行でも役立つことあらばと、前者の大阪での資料を渉漁して送ってくれているのだ！

　生身の反町氏は謹厳この上なく、決して全部の業界人に好かれたとは言い難い人だった。後進の私にも、反町氏は尾上さんの悪口を言ってはばからない、己れにも人にも峻厳の人だった。尾上さんはそんなことは百も承知だ、ただ反町氏が好きだったのだ。理屈抜きで敬愛していたのだ。いや、それは己れにないもの、己れが及ばないものへの、尾上さんの一種の憧がれの対象だったのでは、と思えないこともない。私はふと、反町氏が尾上さんに宛てた一通の手紙を今更のように思い浮かべた。……あれは六年前、尾上さんが豆本二冊を送った時の反町氏からの礼状で、コピーされたものを以前私は尾上さんから頂いてあったのだ。

蒐文洞主・尾上政太郎

謹啓「私の古本屋むかし話」上下二冊を御恵送にあづかりありがとう存じました。

私は今私の「古本屋むかし話」（青木註・『一古書肆の思い出』のこと）四冊を苦心執筆中ですので特別の興味をもって、あちこち拝読しました。

私の一生が、真面目で、サッパリ融通がきかず、面白くも楽しくもない、（そうご覧になるでしょうが、）生活の永い続きで、酒を楽しむ事も知らず、女房以外の女も知らず、バカ正直に生きたゞけなのにくらべて、貴兄は「好きな事して遊ぶにしかず」と、自由奔放に生きて居られるのを拝見して今さらながら「人さま〴〵」の感にたえません。あなたは、私の様な窮屈な生き方は「真平御免」でしょうが、私もあなたの生き方を真似したい、とも思いません。大ゲサな又滑稽な類比ですが、西鶴には西鶴の生き方、好みがあり、芭蕉には芭蕉の好みがあったのでしょう。

私の「むかし話」は、あなたのようにサッパリした洒脱なものではなく、「長々しおのしだり尾の」式の、くどく、しつこいものです。昨八月の八日に、八十五回目の誕生日を迎えた老人が、果して終りまで書き了えられるかどうか、疑問ですが、「転ぶ所まで」歩きつづけ様と、覚悟して居ります。この十一月には第二巻が出来上る筈、出来ましたら、御笑覧に供しましょう。

先は御礼かたがた一筆まで

八月廿九日

反町茂雄

尾上政太郎様

こんな手紙を出す人と貰う人と、どうして何ほどかの通じ合うものがなかったと言えるであろうかと、私には思えたのであった。すでに時は夜半であった。私は書き終えたお礼の葉書の宛名書きをやめ、衝動的にある一冊の「本」を取りに書棚に立って行った。それはまだ本と言えるかどうか。便利なワープロというものが出来て、私はこの十年の反町邸訪問、そして反町氏関係の業界での見聞を正直に、克明に記してあるノートを印刷屋に持ち込み、複数印刷してあったのだ。尾上さんと同じく、私は業界で誰に興味を持つかと言って反町氏以上に興味を持った人はいなかったかもしれない。それは理屈ではなく、その人を見た時からそうなのだ。かと言ってこれはまだその伝記資料に過ぎない、生ぐさいものだ。しかし、尾上さんだけには、今これを差上げなくてはきっと自分が後悔するに違いないという決意が湧いたのである。私はペンをとり見返しを広げ、

謹呈　尾上政太郎様　　　　　　　　　青木正美

初め、同封の葉書だけを出す筈でした。夜中、ふと思い立ってこれをお送りすることにきめました。これは私の日記であり、このまま世に発表するつもりは全くありません。いわば「心の内」です。しかし、反町氏への「敬愛」では相通じるものがあると信じる尾上さ

んへ一冊差し上げることにしました。（三冊作っただけです。）あくまでこれは「伝記資料」で、門外不出にお願いします。又、反町氏の言葉で、尾上さんへの悪口（わるぐち）も出て来る等生ぐさい箇所もありますが、私に対するテレだったのでしょう。気にしないで下さい。

平成四年二月三日夜半

と記した。私は、一夜で自分の気が変わるのを恐れ、その夜のうちに包装し、宛名書きもみな済ませてしまった。

一週間すると、尾上さんから珍しく文章が書かれた便りが来た。六行に書かれた筆跡は、しかし喜こんでくれていること以外は判読不能だった。……心うたれました……厚く御礼を……と読んだ。また二、三日すると大阪の大丸から名産品が届き、私は早速礼状を出した。三月六日、また反町氏の資料が届き、便りも入っていた。大丸からのおつまみを喜こんで頂けて……古本屋日記……反町さん……コッピーして……と、かろうじて読めた。「大阪にて　尾上生」も私以外には「太陽……屋上」とでも読めてしまうだろう筆の乱れだった。そうして同封された資料は、前に入っていたものがもう一度コピーされたものであった。

四月半ば、私は例の如く自著（福武文庫版『古本屋四十年』）を発行と同時に贈呈した。すると四月二十二日、尾上さんとしては初めての葉書で返礼がしたためてあり、末尾に八冊に署名をして送れ、とあった。五月十三日付の現金書留の宛名書き文字は、もうやっと筆を動かしてい

ると言った力ないものであった。中には、

「代金をおとり下さい　好きな字が書けません　蒐」と、それこそやっとそう読める紙片と、一万円札が入っていた。私は送本時に書いた明細書をもう一度書きお釣りを入れ、御健勝を祈るむねを添えてすぐ返信した。

が、五月三十日に出た私の本（東京堂出版刊『古本屋控え帖』）への尾上さんの返事はとうとう来なかった。八十一歳の尾上さんの体は、もうそれどころではなかったのであろう。奇しくも、尾上さんが二十年来楽しみに上京した、明治古典会七夕大市会準備中の七月二日、私は尾上政太郎さんの訃を聞くことになった。

尾上さんを師と仰いで晩年まで親しくつき合い、近代文学書を扱って現在業界有数の古書店となった浪速書林・梶原正弘氏が、四日午後に上京された。

「この度は尾上さんが……」と挨拶すると、

「最後の頃の文通は、青木さんとのものばかりでした」という意味のことを、梶原氏は私に言ってくれた。

……没後、沢山の新聞記事が尾上さんの死を伝えた。その多くが大阪古書組合・今木芳和理事長の「本と美人と酒を愛した人。西鶴の好色一代男の世之介みたいな人だった」という追悼の言葉をのせ、どの記事もあの「古本屋日記」の最終頁に遺されていたという尾上さんの歌で結ばれていた。……

どうせこの世は神さんまかせ
おむかえくるまで生きてやる

蒐文洞主・尾上政太郎

神に仕える文献配達人

——ペリカン書房・品川　力（つとむ）

品川 力略年譜

明治37年（1904） 1月31日新潟県柏崎町港町に，父豊治・母ツネの長男として生まれる。

大正5年（1916） 柏崎尋常高等小学校を卒業。（その後，伊沢修二の創立になる楽石社に学ぶ）

大正7年（1918） 父豊治が政界入りに失敗。一家で上京して，父と共に神田猿楽町に品川書店を開業，店番につとめる。

大正12年（1923） 関東大震災により店舗を焼失する。

大正13年（1924） 伯父の大勝堂時計宝石店に入店。すぐ銀座の冨士アイスにつとめ替えする。

昭和6年（1931） 東大前の本郷落第横町に，レストラン「ペリカン」を弟工（たくみ）と開店する。

昭和14年（1939） 同じ横町の2～3軒奥に，古本屋「ペリカン書房」を開業。

昭和42年（1967） 『内村鑑三研究文献目録』刊。（明治文献）

昭和52年（1977） 『内村鑑三研究文献目録・増補版』刊。（荒竹出版）

昭和57年（1982） 『古書巡礼』刊。（青英舎）

昭和59年（1984） 『本豪・落第横町』刊。（青英舎）

(1) 奇人伝説

品川力さんは、季節に関係なく薄着で通す。六十を過ぎてから、品川さんは宇野千代女史がどこかに書いていた亀の子タワシで身体をこする健康法というのを読んで実行。以来寒さ知らずどころか、冬でも扇子を持参、暖房中のところでは顔に風を送っていないと気の済まない人だ。さすがに今は乗らなくなったが、その同じ冬のさ中、七十歳も半ばまでは、ランニングにワイシャツ一枚、裸足にサンダル履きで自転車を乗り廻していた人でもある。こう言うと、いかにも貧相な老人を思い浮かべる向きもあろうが、どうしてどうして、高貴な容貌にカウボーイハットがよく似合う、何ともダンディな雰囲気なのである。何しろ、あの若い女性に人気の雑誌「アンアン」が、品川さんを調布飛行場に連れて行って飛行服を着せモデルにしたというのも、そんなに昔の話ではない。

品川さんは長身で、帽子の下から美しい白髪がなびき、かつてこのことは、内村鑑三研究で博士になったジャン・ハウズが「心やさしいライオン」と評している。その上大柄で精悍な顔立ちな上、大のオシャレときている。それにホリの深い風貌から、電車の中でよく外国人と間違えられるということだ。すでに八十九歳だから席を譲ろうとする人がいる。健康のために、空いていても立ち続けるのを主義としている品川さんは、ただにこにこしているだけで座ろうとしない。そこで、この人言葉の通じぬ外国人？　ということになる。が、その品川さんにもたった一つ弱点がある。妙齢の女性に言葉をかけられた時には、心にもなく座ってしまうことになる。が、ドモリのためほとんどニッコリするだけが品川さんのお礼で、またも日本語を話せない外国人？　と見られるわけだ。

ある時、うまく礼の言葉がすっと出たのである。するとその娘さんが言ったのだそうだ。

「日本語、お上手なんですねえ」……

ある図書館での話も、受付の女性が妙齢の娘さんだったからのものだ。品川さんはその女性に、紙片に「寿岳文章」と書いて、

「この著者のもの、ありましたら見たいのですが」と頼んだ。女性は書庫の方に行ったが、しばらくすると戻って来て、

「すみません、この本の著者名は？」と聞く。

ここで品川さんは、この女性が「寿岳文章」は山岳讃美の文章を集めた書物の題名と思っているのでは、と気づいた。

「図書館に勤める人が、この有名な書物研究家の名前を御存知ないのですか」と、頭の中では言いかけたが、そう言ってしまってはこの女性に恥をかかすことになると思い返し、

「いやどうも、……わ、私は題名だけメモして、著者は誰か書くことを忘れて来ました」で

引き上げて来てしまったという。

……私が、親しく品川さんと話を交すようになってからはまだ十年ほどにすぎない。

私が、業界での体験を書いた最初の本『古本屋三十年』の校了近い昭和五十七年二月、『古書巡礼』なる品川さんの本が出た。私は早速買って読んだが、内村鑑三、新渡戸稲造、ゲーテ、エッケルマン、そして著名な学者などの名がふんだんに出る高踏を気どった文章と、異常なまでに他人の書物の中の誤りを発見する話などが目立ち、会いたくない人だなあ、というのが私の感想であった。

現日本学士院院長・脇村義太郎氏が、岩波書店の「図書」に「東西書肆街考」（原題「神田書肆街百年」）を連載した時は、品川さんはそれを読むのが嬉しくて、雑誌の出るのが待遠しいほどだった。しかし時々、間違いが品川さんの眼に入って来る。ことに人名書名のミスが目立ち、姉崎嘲風が潮風、社会学の建部遯吾が、琢吾に、農業経済の那須皓が浩になっていたりする。品川さんは気づくとそのつど岩波書店に届けた。それが著者にも伝わると、脇村氏も一度ペリカン書房を訪ねている。岩波新書に入れる時、ゲラが品川さんのところに廻って来た。

中に「堅木屋書店」の名が五ヶ所ほど出て来る。いずれも木篇のついた「樫木屋」になっていたので、品川さんはそれを訂正した。それが次の校正でもとの「樫」になっている。編集者に品川さんが注意すると、

「脇村先生が、もとの方が正しいとおっしゃったので、また戻した」と言う。

明治四十五年七月号の『婦人画報』に「男まさりの女主人」と題し堅木屋の女主人公が立志伝的に紹介され、記事は樫木屋と誤記されている。脇村氏はそれを元に書かれたわけである。そこで品川さんはかつて堅木屋の番頭だった洋書会の長老・原廣氏を訪ねると、便箋に「堅木屋が正しくあります」と書いて署名、捺印したものを届けた。すると今度は岩波から原廣氏に間違いないかの問合せがあり、さすがの品川さんも厳密な方針で望む岩波と、念には念を入れる脇村氏の態度に感服したが、結局これは堅木屋が正しいことになりケリがついた。

こうして品川さんは、昭和五十四年六月の脇村義太郎『東西書肆街考』(岩波新書)出版記念会に、古書業界から酒井宇吉、反町茂雄、原廣、八木敏夫氏等と共に招待された。

その岩波書店の「内村鑑三全集編集室」へ、品川さんがよく顔を出していたのはもう十二、三年前のことである。すでに昭和二十八年頃の『内村鑑三著作集』については、品川さんはこんな思い出もあった。著作集に載せられている内村鑑三の写真が、似てはいるがどうも別人のものに見える。やっとこの写真が、同時代人の円城寺清という人のものであることをつきとめ、岩波へ知らせに出かけたのである。品川さん自身も内村の文献目録作成を志していたので、以来何となく岩波通いを続けてしまっていたのである。

初めから品川さんを編集委員にしてしまう出版社もあった。研究社の『日本の英学一〇〇年』明治・大正・昭和・別巻四冊などで、品川さんは、文献の題名や人名のミスをかれこれ説明するより「現物をして語らしめよ」との主義から、手元にあるものは全て持参、ないものは自ら図書館から借りて来て示す方針をとったと言われる。

その間にも品川さんの誤りを正す仕事は続くのだが、時には素直でない学者もいて品川さんの失笑と軽蔑を買う。ある学者が原稿七百枚を持込み「間違いを調べて下さい」と言う。その人に、たまたま六義園で会ったので「原稿のミスは直しましたよ」と言うと「ありがとう」の代りに「アラ探しですね」と言う。さすがにムカッと来て、「誠心誠意、自分の仕事も放り出して調べたのに、これは何事か……」と早速怒りのハガキを出す。すると、出版記念会席上で「品川さんのおかげで十七ヶ所の間違いが正されました」と言ったものである。——これはいい方。

ハガキ一本寄こさない学者もザラで、そのくせ再版にはその箇所が直されていると言う。博学ぶりは品川さんも認めていた木村毅に『明治文学夜話 近代精神と文壇』（昭50・至文堂刊）という本がある。この文章を木村が雑誌に連載中のこと、晩年の内村鑑三の「基督再臨問題」に触れ、「……基督再臨問題を論駁し、非難する者が、実証を楯にとるのを、彼はせせら笑って『豚一ぴき解剖した経験もない者が、何をいうか』といった態度で応戦した」と、内村の言葉を紹介した。しかし「豚一ぴき」は「蛙一ぴき」の間違いであり、品川さんはすぐに木村にハガキを出し、雑誌刊行の出版社に出向いて注意したが、出来た本を見るとこれもまた「豚一ぴき」のままだった。品川さんはあきれて、もうそれ以上の追求はやめてしまったという。

またある大学教授は、その助教授が品川宅の文献のことを伝えると「それを見たい」と言う。

そして教授は、「いつ、大学に持って来て見せてくれるのかね」と、助教授へ催促したと言う。品川さんは書いている。

「『ワシは大学教授だから、貸してくれるもの』といった、このような学者はたとえ世界的研究者であっても、私には縁なき衆生である」……

こうした品川さんのことが、あちこちに知られるようになった。十年前のこと、こんなのがあった。（その後、品川さんから聞いたある方が区に指摘、正されたが。）

「この日私は、世田谷区八幡山に住むミシガン大学に学んだ一女性学者に文献をとどけ、ここからさらに調布若葉町の一女性を訪ねるべく、いつも蘆花公園の別れの杉の場所にくると、真新しい案内が杉の樹の傍に立っていたので、パネルの前に立つや、私の眼がどうにかなったのかと、これに喰入った。／信じられないような大きなミスとはこのことだ。徳冨蘆花が徳蘆富花になっているではないか。このパネル製作には数人の人たちがこれに立合っている筈なのに、どうしてこのようなことになるものか、不思議でならない。／私はこの道を通るごとにパネルを見ているが、もうそろそろ半年にもなろうとしているのに、依然として徳蘆富花である」

しかし逆に誤植に泣いている人には、あくまでやさしいのが品川さんである。ある日品川さんが出版社を訪ねると、編集員が机にもたれてションボリしている。

「どうした」と声をかけると、

「また誤植があったんです」と言う。

翌日品川さんは、最近古書展で見つけた大正六年十月第七版の阿部次郎著『倫理学の根本問題』(岩波・哲学叢書)の函文字が「論理」となっているのを持参、「岩波だってこんなミスをやるんだからガッカリしなさんな」と編集者を慰めたのである。

また品川さんが書物を愛することも異常で、本に腰かける人を見て怒るのなどは序の口で、いつか本郷の「明治新聞雑誌文庫」へある女流評論家と連れ立って出かけた時のこと。明治三十三年から十年ほど出た大判の「週刊サンデイ」を女史が調べるのを見て品川さんはハラハラし通しだった。その時の女史の雑誌の扱いがあまりにも乱暴で、近くに人もいるので注意するのも大人げなく、品川さんはそのムネをメモしてそっと女史に渡したと言う。

本を大事にする性向は今も変らず、市場に出品して最低(一冊もしくは一山で二千円)に満たない本は、とくに数十冊で札の入らない山は大がい所定の「ツブシ」の箱へ積み上げてしまう。ところが、品川さんはそれが出来ず、売れなかった数十冊を、幾度も幾度もカバンに詰めて本郷へ持ち帰っているのである。

……さて、話を品川さんが『古書巡礼』を出版した昭和五十七年まで戻そう。どちらかと言えば下町での営業の方が長い私は、同じくその年五月に出た、志多三郎『街の古本屋入門』という本の方に共感を覚えた。

そうした同じ年の六月十九日、朝日新聞の「天声人語」欄に品川さんのことが出ているのを

『本豪落第横丁』昭和 59 年刊

私は見た。

「太宰治は、この人の寡黙なところが好きで、ペリカンのあだ名で呼んでいた、という話をきいた。すぐれた文献学者であり、東京本郷のペリカン書房主でもある品川力さんのことだ。七十八歳になるいまでも、品川さんは週に一度か二度、本郷から駒場の日本近代文学館まで、自転車に乗ってやって来る。自転車には堀口大学『月下の一群』初版といった貴重な古書や古雑誌が積まれている。内村鑑三の肉筆の原稿もある。すべて寄贈である。それがすむと、お茶を一杯、おいしそうに飲んで帰る」

こうして、この十八年間で千回、一万五千点もの資料を運んだというのである。品川さんのような人々によって育てられた近代文学館が二十周年を迎え、天声人語子もその伊勢丹での記念展を見て来たという話である。私は半ば感心もしたが、一方では「これは変人だ」と思った。私は一度も品川さんに挨拶すらしないですごした。私は昭和五十八年に二冊目の本を出したが品川さんに本を贈ることはなかった。

品川さんは、昭和五十九年、今度は『本豪・落第横丁』を出した。私の先入観によるかたくなな感想は前著の読後感と同じだったが、この本の巻頭に載っているキップリングの詩には深く感じるものがあった。

真の人間

キップリング
品川　力　訳

気を失いし如き周囲の人々のたくらみによりて汝は不利の立場に陥ち入らんとすれど
いささかなりとも気を乱すことなく
すべての人々こぞりて汝を疑えども
汝ひとり己を信じ
寛大なる度量を示し
また人々汝を欺くことあるも汝は人を欺かず
またはげしく汝を憎むとも意に介せず
己を善く装わんがため、語るを欲っせずば

時にまた夢を抱くもその幻に溺るることなく
思索に耽けるもそのとりことなりて
浪費することもなく
またここに勝利を、

また時には失敗を経験するも
そのいづれも欺瞞の徒なりしを悟り、
ときに又汝の言葉の真を解せざる愚かなる人々に依りて陥し入れらるるの憂目を見るも意に止めず
また汝が全霊を賭しての事業ここに没落の悲運に遭遇するも
再び起ってその建設のために務めてやまずば

また汝が粒々辛苦によってかち得し財産の全てを悉く一つに集め、しかして手離すこと度重なるも
一言たりとも歎声を洩すことなく
また汝の肉体すでにその気力を失えるも
すべてをあげてあく迄も鞭打ち、しかして
「なおも続けよ!!」と汝の胸中に叫ぶ不屈の意気の溢るるならば、
若しまた汝俗衆のうちにありてもその気品を失うことなく、
たとえ王者とあるも卑下することなく
正しきを棄てず、友への忠実かわることなくば、人々みな汝を尊ぶとも
いささかも高ぶることもなく

しかして時の流れをついやさず
寸秒を惜んで進まんと
務めて怠らずば
「知るべし」この世に於けるすべてのものは悉く汝の所有なるを、
ただにそれのみが正しく汝こそ真の人間たるべきなり。

（原題「IF」）

この詩を原詩から選び、訳し、己れの指針とし、その著書の巻頭にかかげた人が、いつか私は気になり出した。詩の内容が、私自身の内にある理想像としてぴったりだったのである。しかし、今生きている私という人間の実態はどうか。およそこの詩の全てと正反対にあると言ってよかった。品川さんはどうなのだろう。私はこの人の実体を知りたいと思った。私が、この人に関する文献を漁り始めたのはこの頃からであった。

(2) 生い立ち

……品川力は明治三十七年、新潟県柏崎に生まれた。父は品川豊治。海岸通りの港町に牛が

十四、五頭いる品川牧場を、そして本町通りには新古兼業の品川書店を開いていた。父は内村鑑三の弟子で、教育、宗教などにも力を入れていた。町会議員で険視学の別名があるほど、地区の教員仲間には恐れられていた。幼稚園、盲学校の設立、日曜学校、慈善事業への協力者としても知られ、すぐれた教育者を見つけて来る手腕も中々のものだった。

力は子供の頃大変な乱暴者だった。姉は力なんか早く死んでくれればいい、と母に告げていたらしい。小学校では不良生徒として恐れられた。何しろ長身で、くぼんだ眼、そしてどもりながらの威嚇に下級生などは先生の叱声よりも恐怖を感じたという。書店の店番もやらされたが、いつもいたずらばかりして番頭が叱ると、力は番頭の顔を殴って逃げたりもした。いたずらの果て番頭につかまり、土蔵の中に放り込まれるということも一度や二度ではなかった。西瓜畑に泥棒に入り、追われて自家の牧場に入ったのが運のつき、母が呼ばれて金を払ったこともあった。その力が唯一人怖かったのが父の豊治で、父が書店に来ると牧場へ、牧場へ来ると書店へと逃げ廻ったものだ。力の乱暴の原因はドモリにあった。何か言いかけてもスムースに言葉が出て来ないので、つい手の方が先に出てしまうのだ。父は小学生の力を連れて久保良英博士の児童研究所を訪ね相談したこともあった。力は、動物相手なら少しもどもらないので動物園の飼育係として働きたいというのがたった一つの理想だった。だがそれを父に言えば、たちまち強いビンタを喰うこと間違いなしであった。

大正七年に、父豊治は政界入りをくわだてて見事に失敗した。これを機会に品川家は東京へ出て来た。父は神田表猿楽町に古本屋・品川書店を開業する。越山堂という店のあとで、十四歳の力もこの手伝いをした。神保町から水道橋に向かった丁度中ほどの右側、現在友愛書房と並ぶ小間物店あたりが品川書店の場所だった。店の前で、力が着物で角帯をしめて立っている写真が残っているが、頭も五分刈りでさすがにまだ小僧さんと言った感じだ。文学書主体の店で、ガラス戸がはずされ、三、四枚の商品の案内ビラが天井から下がっている。同業者としては松村書店の先々代・音松老、大雲堂・大雲英二、悠久堂・諏訪久作、田村書店・田村徳義などが時々この店にセドリに来た。

（右）大正７年開店の品川書店と少年力
（左）昭和６年開店のレストラン・ペリカンと青年時代の力

父豊治は、ドモリの力のことを考えてもいたのである。当時古本屋は一言も喋らずお店に座っていることでも商売になった。一方力の方は子供の頃からの本好きだったが、この頃からの店番での読書によってあらゆる教養を積んで行くことになるのだ。特に内村鑑三の『基督信徒の慰め』には深くうたれるものがあった。力は鑑三の訳詩集『愛吟』をほとんど暗誦、どこへ行くにもこれを手離すことがなかった。ひまな折には、九段坂上にあった大橋図書館へ出かけた。ある日カード箱のカードをくっていると、湊謙治著『信の内村鑑三と力のニイチェ』（大正６・警醒社）という文字が眼にとまった。実物を手にして力は電気に打たれたようになった。そこには内村鑑三と並んで、まるでそっくりの眼光鋭い外国人の写真が出ていたのだ。力はあっけにとられたが、そこでニイチェの名と顔を初めて知った。力はこの本を読むため憑かれたように幾日も九段の坂を登った。内村鑑三の講演は内幸町の衛生会館にあり、その度に力は出かけて聴いた。力が朝鮮の蠟石の茶碗に、ニイチェの横顔を刻んだのはその頃のことである。するとある日、父の豊治がそれを内村鑑三のところへ持って行って見せた。「俺はニイチェは嫌いだが、これはよく出来てる。貰っておくよ」と言って内村鑑三は机の上に置いたという父の話を聞き、力は嬉しくてたまらなかった。

そこへ大正十二年の大震災が来る。焼け出され、借り店だったので品川書店は元も子もなくした。そこで力はしばらく叔父の世話になる。銀座の大勝堂という時計宝石店で父豊治の弟が経営していた。内村鑑三がウオルサムのバンガード懐中時計を買ったのはこの店だったと言われている。そのうち、母の弟の成沢玲川が銀座の冨士アイスを紹介してくれて、力はそこで働く。始めはレジの係で、ほとんどしゃべらずに済むのが何より力にはありがたかった。

経営者の太田永福は成沢や清沢洌などのアメリカ時代の友人で、このレストランには銀座へ出た有名人がよく来たし、また大半は外国人の客が占めていた。支配人、コック数名はいずれもアメリカ仕込みで、英語がペラペラだったのに力は舌を巻いた。力は、料理の基本や国際的な各種マナーを学んだ。日本橋・丸善に行って英文の作法(エチケット)書を買って来て勉強し、分からぬ箇所は客の少ない時に、店に来ている外国人から教えてもらった。これはこうするのでしょうかと力が手真似で問い、相手が「ザツライ」と来た時ほどうれしいことはなかった。
ここでの六年間ほど、力にとって楽しく学べたことはなかったという。ちなみに、昭和九年頃、力は週刊誌に「食卓の作法」「英文メニューの見方」「なすこと勿れ洋食作法」といったエッセイを連載している。

(3) レストラン「ペリカン」

昭和六年、力は弟の工(たくみ)と一緒に本郷でレストラン「ペリカン」を始めた。ペリカンの名付親は成沢玲川、ペリカンは英国の王室の紋章で、一度会ったら永久に忘れられないという意味もあるのだと、力に教えた。

純アメリカ式喫茶と料理
若者の経営するティールームです。
一品好みのショート、オーダー、定食、クイックランチなどの味覚
百パーセントの腕前をお試しください。

お急ぎの御食事に、おひまのお茶に、ペリカンを御利用ください。気持よきサーヴィス
——みなさまのペリカン

これが開店のチラシで、成沢の作ったものである。東京大学の赤門と正門の中間に横丁があり、その入り口のところだった。狭い通りには喫茶店、酒場、天麩羅屋、玉突場などがあるため、この横丁でぶらついている学生は落第するという伝説がすでに有名になっていた。

ペリカンは全く女っ気なしの殺風景な店だったが、よく客が入った。とくに昼の時間は大学教授や学生でごった返した。弟の工が料理を作り、力がサービス・ボーイというわけだが、力のドモリを知らない大学の助手は後年、「俺は何年もペリカンで食事をしたけれど、主人はただの一度も話しかけたことがない。変った男だ」と友人に語ったという話を力は聞いた。力の方はそれどころではない、有難うございますが「アアア」で、客が外に出てから「ゴゴゴザイマス」と言うのがやっとだった。足で調子をとりながら、言葉を出そうとあせる、あせればあせるほど出ないのだから、ドモリというものは始末が悪い。これには自分ながら情けなくなり泣き笑いをしたことも度々だった。学生時代ここへよく通った串田孫一は、始め力をオシだと思ったという。昭和十四年の八月に、ごく少数の人の外誰にも言わず「ペリカン書房」に早変りするまでの八年間のこのレストランほど、多くの伝説に包まれて語られる店はないのではないか。現在は鉄筋コンクリートの店舗ビルが立並ぶ東大前の通りだが、横丁に入って五、六軒

目の右側に時代を超越してひっそりと残る木造家屋がペリカン書房である。今ではお世辞にも、昔レストランがあった通りの面影はない。……話はもう半世紀も前なのだ。前述した串田孫一の話で、力の無口ぶりをもう少し聞こう。

「はじめのうちはオシなのか、少しは口がきけるのかわからない。ハンバーク下さいっていうでしょ。ウッていうような気もするけどだまっているような気もする。料理を出す棚は料理がなくて、本がギッシリ詰まっている。あずかっている本ではなく、自分の本なんですよ。フランス語や立原道造の本が並んでいて、手まわしのレコードでね。ボオドレールの『旅への誘い』なんてのを黙ってにこりともしないでかけている。たいへんな店番がいたものです」

生物学者の白上謙一はその著『現代の青春におくる挑発的読書論』（昭51・昭和出版）の中で当時の店の雰囲気を伝えている。

「フォーレ作曲『月光の曲』のレコードが本郷の大学前の横丁『ペリカン』という食堂にあった。誰かの吹き込んだポーの『大がらす』の朗読レコードも、主人自慢のものであったらしい。／若白髪の主人は、いつも黒シャツの殺し屋スタイルだったが、ものしずかな人物で、話してみると、もとは本屋さん、当時も食堂をしながら、その方の準備をしているのだとのことであった。」

東大の常連では研究室の助手の大塚久雄、木村健康、戸田武雄、大河内一男などがペリカンで食事をした。石井照久、兼子一、牧野英一などの教授連も。が、ペリカン伝説を高からしめたのは何と言っても太宰治や織田作之助などの文学者連で、当時はみな現在のように有名ではなかった。この外、田宮虎彦、武田麟太郎、大谷藤子、矢田津世子、山岸外史、立原道造、津村信夫、吉野秀雄……。中村光夫、鈴木力衛、猪野謙二、杉浦明平、青山光二はまだ学生だった。青山光二は『(近代文学) 創刊のころ』で書いている。

「ペリカン書房は古書店であるが、むかし、というのは私や荒正人や佐々木基一が東大の学生だった頃は、品川力は、おなじ落第横丁でペリカン・ランチルームというのをやっていた。／品川力の弟が品川工で、妹が詩人の品川陽子である。ペリカン・ランチルームを溜りにしていた私や織田作之助は、独特の超俗的な雰囲気をもった三人のことを、ひそかに聖家族とよんでいた。三人の父が、内村鑑三の弟子のキリスト者だときいていたからでもあった。／ごくしぜんに、ペリカン・ランチルームは私たちの同人雑誌『海風』の発行所になり品川工は『海風』の表紙を描いた。そして品川はポーの詩の翻訳を、品川陽子は詩作品を『海風』に発表した。／こういうかたちで、私や織田作之助は聖家族の城を占領したつもりになっていた。／『海風』の雑務はすべて品川力がやってくれたからである」

右の如くで織田作之助は、よく力のレストランで原稿書きをしていた。中々の美男子で、原稿書きをしている時は店内の客の注目が集まるほどであった。今日は何枚書いたというのが自慢で、仲間には「君の小説はまだ木戸銭はとれないよ」などと言っていたのを力はよく聞かされた。と言っても織田は実は東大とは無関係だった。三高を中途退学して上京、友達の多くが東大にいたので、力のレストラン裏にあった秀英館という下宿に住んで、同人雑誌などへせっせと原稿書きをしていたのである。織田の小説は当時としてはきわどい男女間の描写が多く、発行人になっていた力が警視庁へ呼ばれたことさえあった。力があまりに無口なのと、風貌から先方には大学教授と見えたらしく、丁寧なものごしで、「こんな箇所はいけませんな」とあちこちラインを引いた「海風」を見せて言っただけであった。

店に太宰が来ていたことはすでに触れたが、広津和郎は、将棋評論の菅谷北斗星などとよく来ていた。広津が学生を連れて来て、「早大時代のことだが、坪内逍遥が生徒に講義をする前、私が分からなかった英語は今教員室で増田藤之助先生に教わって来た、と言うんだ。坪内先生の偉いところはここだよ」と言ったのなどを力は今でも忘れないでいる。太宰の言葉というのも檀一雄の証言として残っている。

「いつも黙って一言も喋らないあそこの主人が好きなんだ。『ダス・ゲマイネ』に出て来るペリカンはあの人のことだよ……」

要するに、力の無口はドモリという宿命から来たもので、いつかそれが性格にまでなっていたのである。そうした悲しい体験からのものと知ってか知らずにか、人々の印象に残ったのがこの寡黙な人間像だったとは……。こんな力から見ても、すうっと来てすうっと消えるような詩人・立原道造像は心に焼きつくものがあった。ある日、ランチタイムの嵐がやみ、力は店のテーブルで一休みしていた。そこへ建築科の学生と聞いている立原道造がやって来て、「ボオドレールをお願いします」と、その大きな眼玉でいかにも済まないという風にはにかんで言った。その後も立原は、ボオドレールの詩「旅への誘い」にデュパルクが曲をつけシャルル・パンゼラの絶唱で知られたこのレコードを聴くためにしばしば店にやって来た。

「品のいい犬のような顔の立原道造がよくペリカンに来ていた」と後年詩人・杉山平一は書き、作家・杉浦明平は当時すでに、誰かに尋ねられ、「ああ、あれは有名な詩人です」と立原について答えていたのを力は覚えている。いや、その詩人がある日、いかにもきまり悪そうに「これを差し上げます」と、楽譜判の詩集『萱草に寄す』と『暁と夕の詩』二冊を置いて行った日のことも力は忘れていない。別に親しく交わったわけではないが、信州追分や長崎の旅に出かける時も、人なつかしい大きな眼で力に挨拶に来るのを忘れない律義な男であった。——ちなみに説明すれば、何故力のレストランにパンゼラのレコードがあったのか？　それは力の友人・照井栄三が、パンゼラに師事したために力も感化されてパンゼラ党になってしまったのだ。他にも力は数十枚パンゼラのレコードを集めていたが、立原はいつもボオドレール一点張りであった。終始、度々来ては店の邪魔になりやしないかと言った、遠慮がちな物の言い方や態度で、力にはそれがあまりにも痛々しく感じられて、むしろ力の方が気の毒になるほどであった。

(4) ペリカン書房

昭和十四年夏、夏休みが終って学校へ戻りレストラン・ペリカンまでやって来て、学生や学校関係者はアッっと驚かなくてはならなかった。レストランがなくなった代りに今度はその二、三軒先に「ペリカン書房」の看板がかかっているではないか。力は、もうこの一、二年前からこの転業を考えていたのだ。やみがたい書物と暮らしたいという希望が高じていたこともあるが、力にそう決心させたものは日支事変の拡大に伴い食糧事情が窮屈になって行くのが諸食品の仕入れなどで分かって来たからである。レストランは九時開店だったが、その前の早朝割引電車を利用して市内の古本屋めぐりをしたりして本集めをしてあったのである。

力三十五歳の再々転身であった。弟工と父も一緒だった。父はすでに眼が不自由だったので、仕事が済むと力はどもりながらも大杉栄の『自叙伝』やファーブルの『昆虫記』などを読んであげたりした。とにかくこの転業をほとんどレストランの客に言わず、宣伝めいた挨拶ビラ一つ出さずやってしまった。力には大いなる味方が一人いたのである。当時経済学部の学生だった岡田道文は、本にくわしくこの売値はこの位などとよく教えてくれた。そしてペリカン書房の開店までの万端を手伝ってくれたのである。始めると次々と援軍があった。まず真砂町の清

ペリカン書房内の品川力。

和寮に下宿する学生の本を買いに行ったのだが、お金を受取ろうとしない。レストラン時代に来ていたお客と分かったが、力は一度も口を利いたことはなく、こんな黙りこくっている男の古本屋など三日と続かないだろうと同情したのだろうか。相当な量の本だったが、とうとう力はそれをもらって帰った。この二人について言うなら、岡田はのちに立正大学教授となり、その後三、四十年後に力が会いに行って見た清和寮の学生・稲井茂昌は三井アルミの重役になっていた。この外画家で郷里の柏崎にいた田村宗雄からは米俵に一杯の本が送られて来たし、英文学者で、力の日曜学校時代の先生だった松本恵子（作家・松本泰夫人）は沢山の洋書を寄贈してくれた。また前出の白石謙一は力の開店を祝して、永井荷風の蔵書印のある仏文絵入の『ベラミ』（モーパッサン）を贈った。

こうして力の二度目の古本屋稼業が始まったわけだが、仕入はどうやっていたのだろうと、同業の筆者にはそれがまず疑問となるところだ。多分、昭和の四十年代以降の業界なら、力も古本市場へ出入りし自由に仕入れることが可能だったに違いない。入札による売買が主流となるからである。が、当時古本市場は、郊外の古本市場は無論のこと、神田で行なわれる各種古書市場に至るまで、振り手が中央に座って口競りの方式で本が売買されていたのだ。普通の会話でさえ苦労し、口の重かった力が、振り手の持つ本に一秒を争うように発声して値を追って行かなくてはならない、いわゆる「振り市」で本が買えるわけがない。自然、棚への本の供給はセドリと宅買いということになる。力が七十歳代まで続けることになる、自転車に乗っての同業廻りが始まったに違いない。力の人柄をよしとする客からの買物も、きっと少しずつ増えて行ったに違いない。

ここに、日本近代文学館刊『日本近代文学館所蔵資料目録17―品川力文庫目録1・特別資料編』という小冊子がある。

この冊子には、力がレストラン「ペリカン」を始めた頃からの来簡、千余点を、個人別にその発信日時等を記録したものである。例えば、五十音順の最初の方にある作家・青山光二の書簡は九十通を越えている。そして戦時下だけをとってみても十四年十一、十五年十六、十六年十三、十七年五、十八年九、十九年二、二十年（二月十八日）一通という内容である。するとこの間の五十七通に交された力の書信も、約五、六十通青山光二宛に送られているに違いない。その書簡がもしあるなら、力の六年間もある程度はつかめるであろうが今はそれもなるまい。

こんなことについ触れたのは、実は串田孫一著『日記』（昭57・実業之日本社刊）に昭和二十、二十一年の力の書簡四十五通が引用紹介されていて、この頃の力の外内面のおおよそが伝わって来るからである。ともあれ、この目録の内、昭和十四年〜二十年までに力に発信しているのは、青山の外、織田作之助、式場隆三郎、松本恵子、吉野秀雄等があり、当然力の消息も受け取っている筈の人達である。

ところで、昭和十四〜二十年と言えば、古書業界にとっても平和時の平坦な五年六年というわけには行かなかった。まず、発行される本が、雑誌がどんどん紙質、頁を落とし、内容も軍国主義の時局を反映したものが増大する。無論この時点で、日本には明治以後六十年間に出された洋装本の古本が世の中に蔵されていたわけであるから、そのまま自由取引の時代が続いたなら古本屋もそう暗いものではなかった筈だ。が、力が業界へ復帰して一年後には、組合は商工省から「古書基準価格表」の調査提出を求められる。以後、幾度かの改訂を余儀なくさせられ、古本の売価は全てその統制下におかれることとなるのだが、ここでは最初の規則を引用しておく。「商工省告示・古書籍公定価格」で、昭和十六年三月二十六日の官報を以って発表、即日実施されたものである。

価格統制令第七条ノ規定ニ依リ中古品タル書籍ノ販売価格左ノ通リ指定ス

（一）　大正十三年一月一日以降ノ出版ニ係ルモノノ販売業者販売価格ハ定価ノ七割五分ヲ超ユルコトヲ得ズ但シ発売日ヨリ二週間以内ノ期間ニ於ケル新聞又ハ雑誌類ハ九割トス

（二）自大正十三年一月一日至昭和六年十二月三十一日ノ間ノ出版ニ係ルモノニシテ絶版トナリタルモノノ販売業者販売価格ハ（一）ノ規定ニ拘ラス定価ノ十割ヲ超ユルコトヲ得ズ

（三）自大正八年一月一日至大正十二年十二月三十一日ノ間ノ出版ニ係ルモノノ販売業者販売価格ハ定価ノ十三割ヲ超ユルコトヲ得ズ

（四）自明治三十九年一月一日至大正七年十二月三十一日ノ間ノ出版ニ係ルモノノ販売業者販売価格ハ定価ノ三十割ヲ超ユルコトヲ得ズ

（五）明治三十八年十二月三十一日以前ノ出版ニ係ルモノノ販売業者販売価格ハ定価ノ五十割ヲ超ユル事ヲ得ズ

何しろこの違反には罰金等の制裁まできめられていたのである。しかし逆に力が永年続けていた（昭和十四年からは同業となった）古本屋廻りの方は、売価の制限で買いやすくなったとも言えるかもしれない。

この背景が、戦時中の力とどう関係するかは分からない。がともあれ、それに続く終戦前後の力のことを知るには前述の串田孫一の『日記』が役立つことになる。力は昭和十九、二十年と、徴用で工場勤めをしていたことがまず分かる。「ここでの二年間は私にとつてまさにまつたくの牢獄のそれでありました。」と串田に向け書いているのは昭和二十年八月二十四日であ

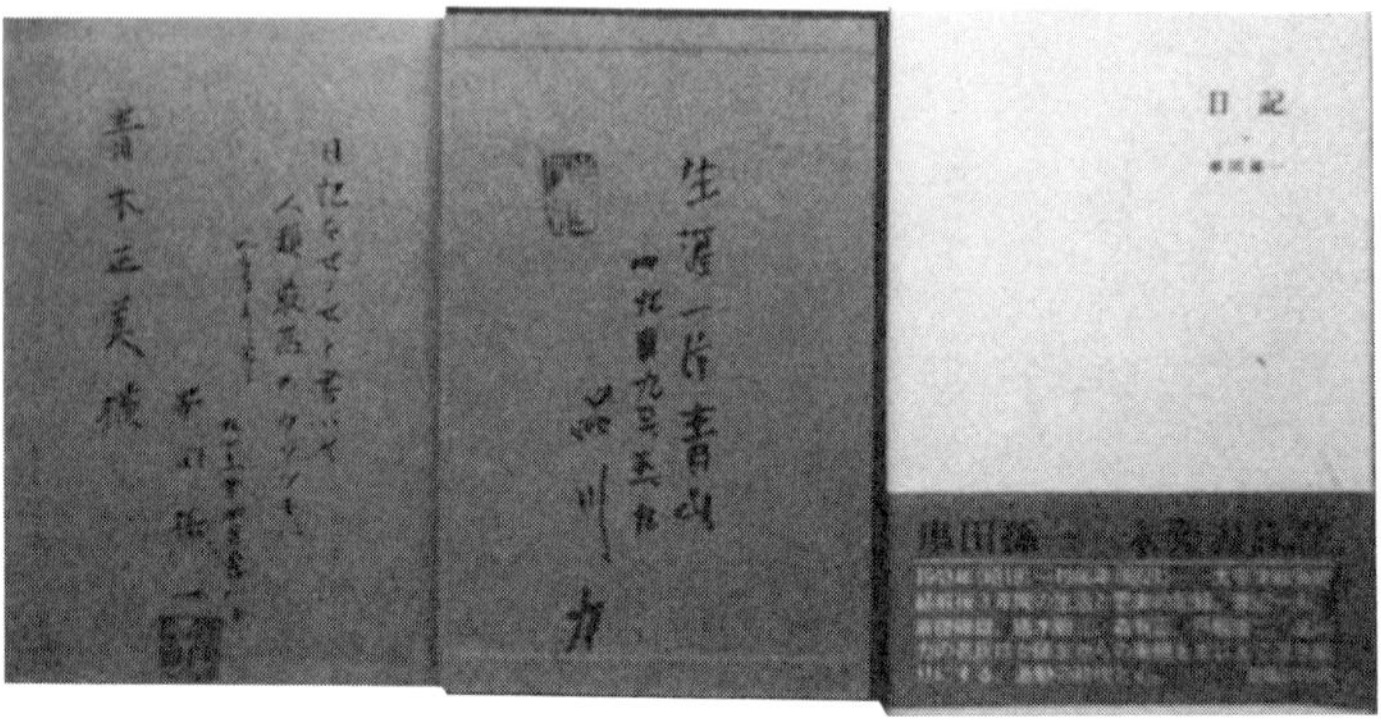

串田孫一著『日記』と品川力・串田孫一の筆跡。

る。串田と書簡が復活するのはこの十九日前の八月五日、家と書物を焼失し、なお体調さえくずして山形へ疎開する串田への返事からのようだ。書物を送った、御用の節はドシドシ申込んで下さいという言葉のあと、「今日は小田急で日本評論社を訪ねこ、の友人罇（モタイ）重吉氏から同社刊のもの数種引受け四回にして運びました。金子武蔵の古代哲学史などが十冊あり、よく売れます。／夜は約束の登山研究の田辺主計氏宅からリックでウント背負つてきました。またこの十日にも買入があります」とあり、この頃次々と本を処分する人のあったこと、又逆に求める人も多かったことがこの記録で分かるのである。力にはしかし勤めがあった。手紙は続けて言っている。「会社の仕事はすぐ疲れて仕方がありませんが、この自分のビジネスとなるといくら働いてもヘタばらないから有難いものです。／今夜はもう十二時、客間で蚊群に悩まされながら大きな眼をギロつかせてこの手紙をかいてゐる男を想像して下さい。」――こうして八月十五日の敗戦をはさみ二十四日の手紙になるわけだが、「牢獄」云々の一行に続けて、「これからはノンキにとはまいりませんが、二年間といふもの少しも勉強しなかつた千字文など取出してやりたいと思ひます。（略）家族一同で食事を共にして談笑する楽しさは格別であります。／この二十八日には、平野啓司先生宅にゲーテの夕がありますのでこれに出席することになつてゐます」とあった。

九月には串田から又葉書があり、返事を出さなくてはと思っていると、九月二十九日夜、力は横丁の火事騒ぎに巻き込まれてしまう。「三軒目の町会事務所が火になつてゐますので、消火につとめたのですが、火はたちまち隣家に燃えつきましたので必死になつたのですが、消防ポンプのくるのが手間どるためついに私の家の屋根がやられました。／そこへやうやくポンプがきて、二階に上つて天井板を抜いてポンプを向けたのですから一堪りもありません、室内はたちまち大洪水で、そのため私の書棚は勿論、タタミ、衣類、タンスなどが全部水びたしとい
ふ飛んだことになりました。／これればかりならよいのですが、こんどはとなりの焼跡の灰の中に足をとられるといふ大いなるヘマをやつて二十日毎日オンブされて医者通ひをいたしました。これが一ヶ月ぶりで全快するとこんどは右手がヒョウソウになりこれも手術で、引続き医者通ひですが、どうにかこのやうに筆がとれるやうになりました」という手紙が十一月十七日出された。

十二月十日付の手紙ではこんな風景も。「最近、妹の約百（ヨブ）と家内が初めたオヤツ（オサツを材

料にしたキンツバと、外に肉と甘い菓子の三種類）一個壱円と弐円が非常な人気を呼んでペリカン書房の店門前市をなす有様で二人はテンテコ舞をしてゐます。売上が毎日弐百円以上ですから、本の方より成績がよいわけです。」そのあと、まだ毎日医者通いは欠かせませんが指は大分よくなっています、と書き継いでいる。

以後、串田への力の手紙は、串田に向いた書籍の「アナウンス」、力が読んだ本、買った本のことなどで埋められ、時には串田の著書を出したいという出版社を紹介したりもする。昭和二十一年二月十八日付では「先日神田の書店街を見て歩きました」とあり、売価のつけ方の高いのに驚き、「この正気の狂人を見て私はすっかりメランコリになりました」と書いた。が力の店にも今は語り草になった古書店特有の好景気の一時期は歩み寄っていた。四月二十八日「ペリカンにはいつも千客万来、」五月十五日「今朝岩手新聞の社長から注文で七百円ばかりきます、昨日は篠遠喜人教授も買ってくれましたよ、ペリカンの金持ちであることを御存知ないですか？」

この頃、日に日にインフレが進行、勤め人の給料は急には上らず、物を売って食糧を求める人々さえ多かったのである。古本屋は売れるのも急だったが、日々持ち込まれる買入れ本も多かった。無論、右の力の「金持ち」云々の言葉は冗談であろう。しかし力の東奔西走は本当だったと思われる。力は四十二歳、古本屋としては最も油の乗り切った年齢であった。六月一日の短い手紙を一通、全文を引用してみよう。

内務省でなく外務省の友人宅からせつせと書物を運んで楽しい苦労をしてゐる最中である三十日の午後に山形からの小包を受取りました。／各冊売価三、五〇として早速店に出しました、三浦謹之助の「懐古」もとりあつかつてゐます。冬夏学派の人々の作品販売所であります。最近の大活躍によつて店の書棚が充実を示してきましたことは大なる喜び、／アンリー・ド・レニエ　ヴェニス物語　弘文堂世界文庫　バルザック　ツルーの司祭、赤い部屋　岩波文庫あります

こうして、九月九日付の、串田の上京の意志を聞いて力が家探しをし、見つけた物件を書き送っている力の手紙が『日記』の中の最後のもので、本自体もこのあと三頁を以って終っている。

私はいつか串田孫一宅を訪問してこの辺のことを聞いて見たことがある。

「……巣鴨で焼けて山形で暮らしたんですが、何しろ本がない。僕にとって、本は精神的食糧にも等しいわけです。当時下駄屋の一間を借りてたんです。田舎の人から見るとこの男何者?って感じなんですね。そこへ品川氏の援軍です。本のリストが届き、金はいつでもいいって言ってくれました。ボツボツ郵便屋が本の小包みを運んで来ます。村の人にはみんな分かっちゃう。私の部屋がだんだん本で埋まって来ると村人の僕を見る眼も少しずつ変って来ました。

無論、戦後の民主主義的世相もあって、だんだん大事にされるようになった。……品川さんという本屋がいなかったら、そう簡単に本も手に入らず、おそらくしばらくはお百姓でもしてるしかなかった。やがて上京はあったでしょうが、それも遅れたでしょうね」

当日の私の日記に残る串田の、当時を語った言葉である。

(5) 織田作之助とペリカン

さて、力がここ本郷東大前の「落第横丁」にレストランを開いてから（その後転業して古本屋になっているが）この昭和二十一年ですでに十五年が経っていた。客の多くが東大の関係者や学生だったのだから、十五年して著名な人間が何人か現われたとしてもそう不思議ではなかった。が、この年、最も華やかに名を挙げていた人物と言ったら何と言っても「夫婦善哉」の作家織田作之助をおいて外にはなかった。思えば、その「夫婦善哉」も、世に知られたのは雑誌「文芸」昭和十五年四月号によってだったが、そもそもの初出はその三ヶ月前に、力が発行人になっていた「海風」に載せた小説だったのである。その後大阪に帰り、新聞社に勤め小説を書いて活躍し、著書『夫婦善哉』『西鶴新論』『大阪の発見』などを力に贈って来ていたし、手紙もそれからも十数通は来ていた。そしてこの二年程はその活躍ぶりだけが聞こえて来たのだったが、この年十一月末、突然織田がヒョッコリと力の店に現われたのである。革のジャンパーを着込んだ織田が力の顔を見るなり最初に言った言葉が、「この辺にお菓子を売っている店はありませんか」というものであった。織田は連れの友人と店の本を見たり、二度ばかり落着きのないソワソワした動作で力の家の客間を覗いたりした。そこには、力の知っていた往年の美青年の面影はなく、顔色もすぐれなかった。宿は銀座裏で、十日ほど東京にいる予定と言い、第一書房の「現代フランス小説」七冊と、今度の小説の材料になりそうと、串田孫一訳のアラン『家族の感情』とを買い忙しそうに去った。そのあとすぐ、丸之内で絵の個展をやっていた力の弟工が立ち寄った。「一足違いだった、今織田作之助が来たんだ」と教えると、工は後を追って飛び出して行ったがやがて戻り「織田作は街をキョトキョトして歩いていたよ。人相が悪くなったのに驚いた」と力に言った。

二、三日すると、二日続けて織田のラジオ放送があった。力はそれを病床の父の傍らに座って聴いたが、恐ろしく早口の勢い込んだ話し方で、時々妙な咳をするのが気になった。が「エロチシズム文学論」と題された織田の話は、文壇諸作家を容赦なくコキ下す痛快なものであった。すると十二月五日、力のところへ青山光二が来て、「織田が銀座の宿で喀血したんです。当分絶対安静だけど調子よくなったら知らせます」と言った。その後の青山の織田に関する報告はかんばしくなく、昭和二十二年が明けた正月十一日、読売新聞社から力のところへ電報が届いた。織田の死は十日の午後七時だった。親友青山光二の作った「織田作之助年譜」は伝え

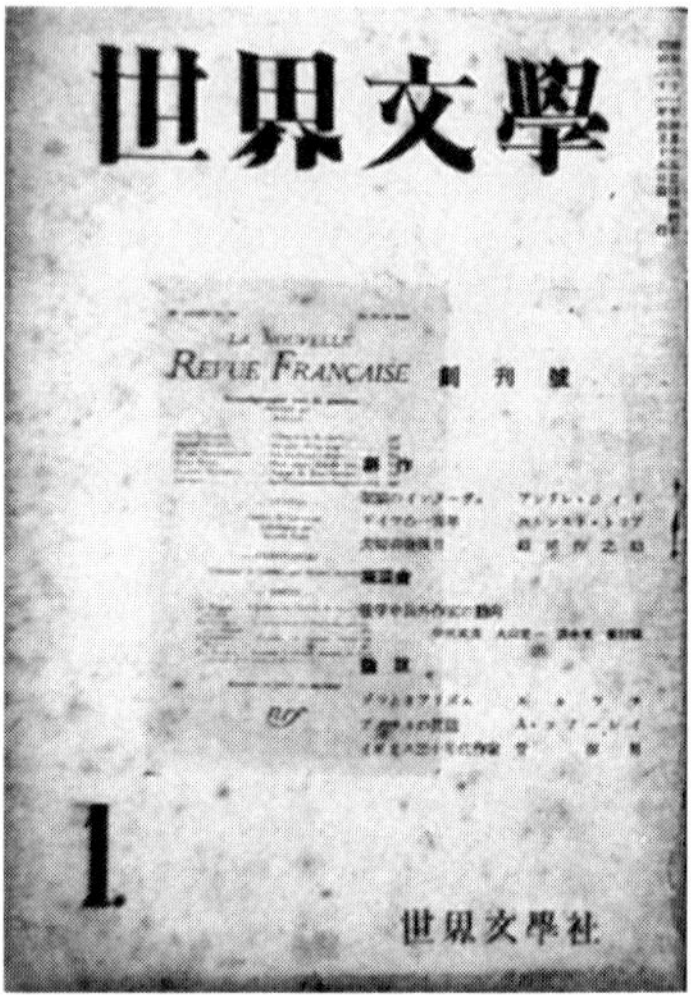

力一家がモデルにされた織田作之助の「夫婦善哉後日」が載った「世界文学」昭和21年4月創刊号。

ている。

「十一日、芝の浄土宗天徳寺で通夜、翌十二日、桐ケ谷火葬場で荼毘に付され、義兄竹中国次郎・長姉たつ夫妻、次姉山市千代、太宰治、林芙美子、十返肇、品川力（ペリカン書房主人）および青山光二が骨を拾った」

そのあと、力が故人の額入りの遺影を抱いて二十人ほどの人々は二つの自動車で、夕刻築地の一料亭の前に止まった。その時、同行の太宰治が「ああ、ここはこの間織田君と酒を飲んだ場所だ、思い出が残る」とつぶやいたのを力は覚えている……。

この時の力に、しかしこの一種「現代の英雄」でもあった戦後の織田については、ある感慨が去来しなかったと言えば嘘になろう。前年四月号の雑誌「世界文学」に、織田が「夫婦善哉後日」という一種の私小説を書き、中に力の一家のことも出て来るというのを知人の十返肇から聞き、力は読んだことがあった。

ペリカンの主人は中学校へ三年間行っただけの学歴だったが、あとは独学で勉強して、ポーの「大鴉」の翻訳などしている文学青年だった。もう四十過ぎたこの人のポーの翻訳を、私たち二十六七の青年が出している「亀」に載せてやる約束で、私たちはペリカンを「亀」の発行所にしていたのだが、彼の翻訳たるや、二行に一つずつある誤訳は敢えて意に介さぬとしても、訳文の拙さは民門などを憤死させるほどだった。

と織田は力のことを戯画的に描いていた。「亀」が「海風」のことを言っているのは言うまでもない。いや、織田はもう少し意地悪な場面さえも小説中に設定していた。

「また旅への誘いか。ペリカンにも困るね」

ペリカンの主人は蓄音機の竹針を切って「旅への誘い」のレコードを掛けはじめた——そのことを、野田は言ったのである。ボードレエルの詩をデュパルクが作曲して、パンゼラが歌っているこのレコードを、ペリカンの主人は私たちの顔を見るたびに掛ける——その悪癖に私たちはいい加減うんざりしていたのだった。彼はその曲が鳴っている間、一言も口をきかず、鉛のように静かに、時に寂しく、沈黙を守っていた。もっともひどい吃りで、元来無口な男だったが。

「ポーにボードレエルか」

と、民門が相槌を打った。

「随分いい気になって、調子に乗っているな」と力は思ったが、あれだけ売れっ子になってはこれで当然なのだろうと腹も立たなかった。が、敗戦を挟んだつい七、八年前の織田を思うと、力には別人の感がなかったわけでもなかったのである。

……汽車の中でも京都の街を歩く時でも口をついて出るのはエレジーです。／愉しさうには人に見えても、愛するものに逢ふのは悲しいことです。／逢ひみての後の心に比べると昔の方がものを想ひました。

……もはや青春を衷ひました。あ、あ、去にし春よ、駒鳥のなく声わびし、即ちエレージです。そしてあなたの青春が今や成熟して来さうな気合を感じます。（昭13／8月）

……ぼく、いよいよ旧姓宮田こと一枝女史と大阪に一戸をかまえる破目に落ちいらんとし、目下頭痛状態。午後六時頃起床してぽかりとペリカンにあらはれたる侍振りも、早や昔日の夢と化さんとし、大いにあはて丶居ります。（昭14／4月）

……御無沙汰しました。／貴方には非常に気の毒しました。不注意といひますか、この間の「雨」の時には何ともなかつたのでついうつかりしたのです。どこが削除されたか参

考のため一どお知らせ願ひます。

……今月一日から日本工業新聞社につとめることになりいろ〳〵忙しく手紙出せませんでした。(昭14／9月)

……ハガキありがたう。／大阪の生活はいつてみれば微温湯につかつてゐる様なもので、全く味気がありません。／東京での生活を想ふことしきりです。之で結婚してしまへば善良なる市民と成り果てるかと思ふと些か憂鬱でもあります。

……こんな生活がのんびりして来ればもう小説以外にピリッとしたものが感じられないのです。そろ〳〵志賀直哉、滝井孝作を軽蔑し出しました。／私小説、心境小説にあこがれるのは、ハランの多い生活の人たちだと思ひます。ロマンスのある小説を書きたいと思ひます。

……アランのスタンダール論を読み、感ずるところあり、こせこせした文章や、長つたらしい凝つた文章を書かぬことにしました。

……結婚しなけりゃいけないと思ひ、そのため逆立してあはて丶就職して、変なことになりました。(昭14／月日不明)

……海風の評判はどうです。同人雑誌としては、体裁といひ、意気ごみといひ、厚みと

いひ先づナンバーワンだらうと思ひますが、詩人の堅実さに比べて、小説陣はもう一息とぼくは思つてをります。

……商売いよいよ隆盛ださうで慶賀にたへません。東京へ行つてペリカンの料理がくへないといふことは些かわびしいことですが、せいぜい良い本をそろへて置いて下さい。諸氏によろしく。工氏、陽子さんはどうしてをられますか。（昭15／5月）

……来月はまた上京します（但し之は〝夫婦善哉〟が文芸コンクールに当選した時の話）。〝放浪〟は横光利一氏が賞めてくれました。一般に放浪は俗臭や夫婦善哉に劣るとの批評ですが放浪一つだけとりあげてみるとさまざまな技巧が凝らしてあつてぼくにも好きな作品です。工さん、陽子さんによろしく。それからお名前は分りませんがこの間お宅のサロンでお会ひした女性によろしく。（昭15／6月）

昔の織田作之助は、力にこんなにもナイーブなくだりの入る長文の手紙を寄こしていたのである。

いや、実はもっともっと織田は力に恩義さえあったのでは、と第三者からは思える手紙を織田は力に書いているのだ。それは例えば、同人の未納者への催促をうながす文面があるかと思うと、武田麟太郎、宇野浩二等への雑誌発送を依頼し、忙しくなると同人の投稿の採否まで力に命じた。かと思うと、昭和十五年には、織田は姉の十六歳の子が余りにボンボン育ち故東京で修業させたい、どこか本屋の小僧に、と力に頼み、力は早速知り合いの古書店を探した。織田はその子を連れて上京、夕方からは夜学に行く条件で東大前の雨宮書店に奉公ときまる。が、二週間ほどで少年は里心ついて逃げ出し、今度こそはの少年自身の堅い決心で、再度織田と共に上京。この間の力の世話に恐縮、織田は何通もの手紙を書いた。それがまたまた半月くらいで大阪恋しで帰ると言い出す。上京中の織田は少年を力の店まで連れて来、激怒した顔面蒼白の織田は少年のかぶっていた学帽を取り上げズタズタにやぶってしまったという。織田は昭和十五年七月三十日付の手紙中に記している。「……正男、遂に帰阪しましたね。貴兄や雨宮氏にお詫びのしやうがありません。ただ彼二十日間の修業で随分立派になりました。家でよく働いています。それがせめてもです。いろいろ御心配かけまして恐縮でした。」……

また昭和十七年七月二十日には、こんな書留を織田は送った。「『胸算用』うけとりました。小為替三円同封して置きます。在郷軍人の訓練にきてゐて、送金おくれて申わけありません。『西鶴新論』も別便でおくりました。西鶴の本、また、見つかりましたらお知らせ下さい」。

——織田はこのように多くの資料を力に依頼し、この時点では外に人形の本、荷風、鷗外の著作なども力に注文している。

(6) 文献配達人

記して来たように、戦後の古書流通は昭和二十年代だけで、ゆうに三十年四十年分の活発な動きを業界にもたらし、力もこの中にあった。力はようやく思い立って、神田の古書市場へも出入りするようになった。

最もここで栄えていたのは「一般書市会」「一新会」であった。何しろ中座に向かうコの字形に並ぶ座布団に大所達が座り、そのすぐうしろの長椅子に次が座って囲み、そのうしろにまた立錐の余地なく人が立って中座の競る本の山を見つめ、怒号のような声をかけ合うのが古本市場だ。力は人垣を見るだけで滅入ってしまった。たまに明らかに鑑三文献など入る山が振れるのが分かるが、のどから声が出ない内に本は競り手の手を離れて落札者に放られてしまう。前半生を、執拗な吃音に悩み血の出るような努力である程度まで征服したものの、とっさに声をかけるこういう現場は力の何にも増して苦手とするところであった。不満はもう一つあった。主として文学書の類しか扱っていない力には、工業、農業、経済、法律などの山が続くと、退屈でイライラして来る。ただ、そうして市へ出入するようになって、たとえ本を買うことはなくとも、力の古本屋としての勉強にはなった。また、月に一、二度ずつしか開かれなかったが、洋

ペリカン書房・品川 力

品川力が70代まで続けた文献配達人の勇姿。

書ばかりの市も出来、第一次明治古典会もこの頃から始まって、ここは適当な人数でなごやかな進行で廻し入札が行なわれていた。とくに洋書会へは、力は毎回のように出席した。

古書展が力の大いなる仕入場所になったのもこの頃からである。何しろこの時点での出品物は、当然ほとんどが戦前本である。力には、この頃最も探しあぐねていた本があった。例の冨士アイスに力を紹介してくれた成沢金兵衛（玲川の本名）の渡米前の著書で「新撰渡米案内」及び「家族遊戯全書」。この二冊と、当時流行した「家族合せ」なる一種のカード遊技も玲川の考案であった。そもそも、玲川自身が内村鑑三の熱烈な心酔者で、こうして鑑三をめぐる人々の文献も力の蒐集対照となっていたのである。

昭和二十四年からは、力は乞われて組合の

「古書月報」に文章を発表するようになる。十二月号からは、三回に亘って未定稿の「内村鑑三の文献について」を発表している。これが後年の『内村鑑三研究文献目録』となるもので、「越後柏崎の品川君は牧牛家なり、君は牛を牧場に誘うに手風琴を以ってす」の鑑三の文を引いての序は、三十年後の増補版でも変っていない。その後もユニークな力の文章は「赤門雑筆」「赤門雑記」「本郷雑記」などと題され、「古書月報」を飾ることとなる。二十八年からは業界の情報誌として蒐集家などを読者とする「日本古書通信」へも文章を載せるようになる。「二十九人のゴッホ、四十五人のゲーテ」「寥々ならざるポオ文献」と続き、永年の探索の明けくれが語られるようになる。対外的には一生をかけた内村文献探索の外にも、「日本におけるホイットマン文献」（「比較文学」⑦⑧昭和39／11・40／12）「日本におけるポー文献」（「日本比較文学会会報」4号～12号・昭31～35）、日本におけるゲーテ文献調査（東京ゲーテ記念館―昭和25～）、そして『日本の英学一〇〇年』別巻「日本の英学者・英米作家総合文献」（研究社・昭44）の章を執筆。が実際には、力の探索はこんなものではなかった。人々への文献配達人としての協力である。ここでは後年、昭和五十年に力自身が、私立大学図書館協会書誌作成分科会で発表している資料があるので載せてみることにする。

まず、研究や集める資料の対象が日本人では、

寺島　町子（堺　利彦）

渥美　育子（野口米次郎）

ペリカン書房・品川 力

鈴木　正（大杉　栄）
堀切　利高（荒畑寒村）
唐沢　隆三（石川三四郎）
天野　　茂（田中正造）
中村　勝範（安部磯雄）
後神俊文・山極圭司（木下尚江）
横山　春一（賀川豊彦）
伊東　一夫（赤羽巌穴、島崎藤村）
遠藤　一夫（生田長江）
山田　昭夫（有島武郎）
佐藤　　勝（徳冨蘆花）
三浦阿き子（新渡戸稲造）
大内　三郎（松村介石）
速川　和男（小泉八雲）
阿部　善雄（朝河貫一）
仁科　　惇（荻原守衛）
北川　太一（高村光太郎）
中村　青史（徳富蘇峰）
磯崎　嘉治（巌本善治）
大村　喜吉（斎藤秀三郎）
大島吉之介（森　鷗外）
山室　武甫（山室軍平）
大野　俊一（秋田雨雀）
上木　敏郎（土田杏村）
槍田　良枝（千葉亀雄）

外国人についての資料では、

粉川　　忠（ゲーテ）
広瀬　通典（オニイル）

鈴木　和子（ハイネ）
升本　匡彦（ショオ）
山本文之助（ハーディ）
中野　記偉（チェスタートン）
平井　　博（ワイルド）
桂田　利吉（コルリッヂ）
佐藤　孝己（ホーソン）
田鍋　幸信（スチブンスン）
坂井　幸男（シュワイツェル）
藤井　宏幸（イプセン）
望月　政治（リンカーン）
久木　　哲（パラトン）

難波　利夫（バーンズ）
梅田　良忠（シェンキヴィッチ）
柳生　四郎（タゴール）
小沼　文彦（ドストエフスキー）
徳座　晃子（ソロー）
二宮　尊道（ロレンス）
勝浦　吉雄（トウエン）
剣持　武彦（ダンテ）
杉浦　勝郎（H・アーヴィング）
近藤正之助（ロマン・ローラン）
式場隆三郎（ゴッホ）
吉田　璋也（モリス）

特殊な文献としては、

錦　　三郎（蜘蛛）
高田　栄一（蛇）
松下勝太郎（葬式・風俗習慣）
木下　順二（馬）

森村　稔（かもめ）

などの人達。

どなたにどれだけの協力をしているのかを力は言ってないが、少なくも力の頭の中には常にこの表が入っていたのであろう。丁度普通の古書店主が本を頼んで行った顧客を思い出すように。が、力の頭の中には、客としての顔より、それぞれの学者・研究者の真剣な顔、資料を目の前にして喜ぶ様子が先に浮かんで来てしまうのだ。それも、相手は並の本を探求しているのではない。並の資料は集め切った上で力に探求を依頼している人達なのだ。力の探して来るものは、その専門家達がアッと驚く本ばかりなのだ。諸家は力について言っている。

「多くの学者のかげの協力者」「文化の配達人」「町学者どころか歴とした文献学者」「義人古本屋」「電波探知器」「便利な人」「文献の鬼」「貴人」。

そして「奇人」とも……。

ペリカン書房・品川 力

……さて、それまで何やら反発さえ感じながら拾い読みだけして来た品川さんの著書二冊だったが、その他の資料と共にその全体像をさぐっている内、私はこの人と会ってみたいと思うようになった。そう言えば私は昭和二十六～七年の二年間、本郷弓町教会へ通い、時々日曜学校でも学び、ペリカン書房のある落第横丁こそ知らなかったが、帰りには何軒かあった本郷三丁目付近の古本屋をほっつき歩いてもいた。教会の牧師は当時六十代末の田崎健作先生で、若き日渡米して線路工夫をしながらキリスト教を学んだという立志伝的人物。夜学の文芸部の先輩に連れて行かれたのだが、次に行くと私を名前で呼んでくれたのに感激、通い出したのだった。そして時々は夜の集会にも出席する。私は『古書巡礼』の、前には読み飛ばしていた「大谷内越山『雄弁と話術』」(「越後タイムス」昭和27年5月18日掲載)のところで、思わず「へえ!」っと驚きの声をあげた。越山は越後長岡の人、この著書の中で「楷書を学ぶつもりで話をせねばならぬ」と書いてあるのを見て品川さんは実験してみたくなる。二年来、教会でほとんどしゃべったことがない品川さんだったが、意を決して夜の集会で談話を申し出、みなを笑わせ煙に巻くという一篇であった。そして品川さんの文章は「『私はこの教会の田崎先生のような雄弁家にはいくら勉強したってなれない、しかし決して失望はいたしません、突っかかり、吃り吃り話して、人を魅了(ひきつけ)ることは一つのリッパな話術だと思います』といって笑わせ『これから先もこの意識を以てやってゆきたいと思います』で引下った」と結んであった。——品川さんは何と、私が通っていた同じ教会の、おそらく同じ年に、同じ牧師の同じ夜の集会へ通っていたのである! やがて私自身は、田崎先生に洗礼を勧められ、決心出来ず挫折するのであるが。

すでに内村鑑三によって一生の信仰をきめていた品川さんは、その信仰によって吃音という宿命を克服したのだろうか。いや、品川さんは吃音という宿命によってより強い信仰を固めたのではないか。そして話すことの不自由がその全精力を本に向かわせ、独学で学問を積み、語学までも自らのものとしたのだ。……が私はと言えば、物心つくすぐの頃から自分の頭蓋のいびつという外見上の負い目を持って生れた。その劣等感は今に生き続け、呪い続けてさえ来ている。それればかりか、家の貧しさから学べなかったのだという今も残る学歴コンプレックス！小学校以外吃音が原因で正規の上級学校など行っていない品川さんの書くものには、ユーモアはあっても決して暗さなど微塵も感じられないというのに。昭和五十九年の暮、私は私が信仰に破れた十八歳の日記も載る三冊目の本『日記蒐集譚』を出し、今度は品川さんにも寄贈送本したのである。

正月のある日、日本古書通信社へ行くと「これ、品川さんがあなたに差上げといてって……」と言って八木社長から、ヨネ・ノグチの色紙様の筆蹟が私に渡された。何故品川さんが私にこれを？と一瞬考え、やがて私は、今度の本に野口米次郎について少し触れた箇所があったことを思い出したのである。私は私の本の人名などの誤りがいくつも正されるのかと思っていたのに、思ってもみない展開に驚かないわけに行かなかった。喫茶店「世界」で会い、早速お礼を言い、初めて話もした。そうする内、この年品川さんに私達が計画していた雑誌「古本屋」への執筆をお願いしたが、謙遜の言葉と共にあっさりと断わられてしまったのは意外だった。「織田作のことでも書いて下さいよ」と我々が注文をつけたのがいけなかったのかもしれない。雑誌は出ると差し上げていたが、品川さんが初めて文章を寄せてくれたのは昭和六十二年の第五号からである。以後、七号（昭63）、九号（平1）、終刊十号（平2）と文章を書いてくれた。この内個人的に思い出深い原稿としては、十号の「諸家の見た古本屋」である。この頃、私は組合資料室の整理のお手伝いをしていたが、その雑物の中に筆者名のないこの原稿を見つけた。どうやら品川さんの筆跡らしい。早速品川さんのところへ持参、その原稿に手を加えて頂いてこの稿となったからである。

やがて、本屋が商売の私まで、品川さんに本のことでお世話になるようになった。詩人、ドン・ザッキーのことでは戦前のドンを知る人としてゲーテ記念館長・紛川忠氏と会わせて下さったり、田崎牧師の思い出を話すとすぐさまその著書を探して来て下さる。その関連資料である千頁の大冊『弓町本郷教会百年史』までも。持ち帰ったその夜、私はその口絵写真の中に、十八歳の己が姿まで見ることとなる。「一九五一年十月七日・創立六十六年記念礼拝後」の説明がある、礼拝堂での百余人いる人々の中程に、いかにも暗く沈んだ相貌で首だけ写っているのが私だったのだ……。

また、ある時別の用談のあと、

「そ、それから、こんな本知ってますか？」

と一冊の本が私に渡された。

『佐々木彦一郎遺稿と追憶』（昭13刊・非売本）という初見のもの。これは三十六歳で亡くなった民俗学者の追悼集で、目次を見ると二高時代からの親友・反町茂雄氏の文章が載っているではないか。私がその頃、「弘文荘・反町茂雄書目」の作成を志しているのを知っての、品川さんのさりげない行為であった。ただ、一つ言わなくてもよいことを書けば、その生き方の相違から、品川さんがもっとも相容れぬタイプの同業と考えているのではないか、と私には思われていたのが反町氏だった。にもかかわらずそのことと「文献配達」とは違うのだと品川さんは言っているようであった。

(7) 不死鳥の如く……

昭和六十三年七月初めからの一年間、私が明治古典会の実務を担当することになると、品川さんはつとめて古書展の始まるまでの朝や帰りに、私を市場に訪ねてくれた。その何回に一度という割で、品川さんはいろんな珍本を市に出品してくれたりした。平成元年暮れから二年初春にかけては、私の八冊目の本『昭和の子ども遊びと暮らし』の印刷校正を、図々しく妹の約百さんにお願いした。その上、品川さんにはこの本の序文を串田孫一先生に書いて頂くことでお世話になってしまう。

平成二年五月、品川さんは東大安田講堂横を散歩中に軽度の脳こうそくを起こして入院する。私が小林静生君と千石三丁目の病院へお見舞いすると品川さんは、「気がつくと病院だった」と言われる。何でも、通りがかった付近の中学生が四、五人、「ペリカンのおじいさんだ！」

とみんなでお店までかついで行ってくれる。それから救急車で……という経過だったらしい。その後電話をしてみると、一ト月余りで退院され、脚に後遺症が残っているがもう大丈夫、と元気な品川さんの声が返って来た。

七月末、所用で神保町を歩き駿河台の交差点まで来ると、赤信号を挟んでいつものカウボーイハットをかぶった品川さんが見えた。向う側で品川さんは、逸早く私を見つけて手を上げた。私はこちら側の角に喫茶店があるので渡らずに待った。品川さんは右手に杖を持ち、多少片足をひきずっている。が入院までされた八十六歳の老人とは思えない回復ぶりであった。コーヒーを飲みながら二十分ほどすごした。今日は鈴木（岩波書店発行図書を主とした取次店）までこれを取りに……と岩波文庫『エックハルト説教集』を私に見せた。もう古書展へも行き始めたとか。

一日も早く、品川さんの手から杖がなくなる日を祈りたい気持で、私は品川さんと別れた。それから二年、品川さんの歩行にはいつの間にか杖などなくなっている。私はこの間に、品川さんのもう一つの「愛吟」する詩を見つけた。『内村鑑三研究文献目録（増補版）』（昭和52刊 品川力編・荒竹出版）の扉裏にそれはあった。

「急がずに、休まずに」　ゲーテ

ペリカン書房・品川 力

「急がずに、休まずに」、
是ぞ汝の胸飾（むなかざり）
心の底の奥に留（と）め、
浪風荒く吹き捲（ま）くも、
花咲く小径（こみち）たどるにも、
世を去るまでの旗章（はたじるし）。

「急がずに、心して」、
心の駒の手綱（たづな）取れ、
静に思ひ、能く計り、
決（き）めて全力もて進め、
急がずに、歳を経て、
思慮なき行為（わざ）に悔（くや）みすな。

「休まずに」、よく励め、
過ぎ行く年の足早し、
何にか朽ざる善き事業、

浮世の旅の記念物、
遺して我の身は果つも、
世々に長生ふその栄誉。

「急がずに、休まずに」
静に天の命を待て、
義務は汝の指南軍、
何はともあれ正を践め
急がずに、休まずに
戦闘終へて後の冕。

内村鑑三著『愛吟』（改版・大正十二年）

今八十九歳の品川さんを見ていると、品川さんの生き方はこの詩をこそ理想にしていると思わずにはいられなかった。いや、それは違うかも知れない。品川さんがこの詩を、そしてあのキップリングの詩をかかげたのは、決して理想をここにかかげたのではないのではないかということだ。品川さんは実践者としての共感共鳴からこれらの詩をかかげたのである。品川さんはもっともっと控え目な言葉で、すでに八十歳の時の著書『本豪落第横丁』の「あとがき」で言っているのだ。「貧乏暇なしである。毎日のように出かけては、あちこちと走り廻っている。これが健康にはいいものらしく病気ひとつせずにやって来た。これも文献配達屋に恵まれた大きな特権だと思う」……と。

品川力さんの歩みは、休むことなく続いている。

ペリカン書房・品川 力

父・品川力(つとむ)のこと

品川　純（次男）

先ず父について話す前に、品川家の家族構成ですが、私が生まれた時には、祖父・豊治（とよじ・内村鑑三の弟子）が病で床に伏せており、父・力（44才）母・律子（33才）叔母・約百（よぶ・42才）兄・研（けん）2才という6人家族でした。豊治は私が2才と1ヶ月位の時に、他界しました。

幼少期の頃は、自宅にうさぎ数羽とペルシャ猫の雑種でレオと言う猫がおりました。父が14才位まで、柏崎市の海岸通りという所で祖父が「品川牧場」を営んでいた関係からか、父は動物が好きで、若い頃は飼育係になりたかったと聞いていました。その理由の一つとしては、他人とあまりしゃべらなくても済む職業と考えていたようです。それは父が子供の頃、他人のまねをしていて自分自身が吃音者になってしまったからとの事でした。

それで父は、しゃべらなくて済む古本屋を営んだ様ですが、元々が本が大好きで、趣味を超えて恋人の様な存在だったと聞いています。そして祖父の影響を多大に受けて、内村鑑三研究をライフワークとして文献学者、書誌学者として研究者仲間に知られていました。元々が研究者の為に、また縁の下の力持ち的な仕事で、裕福とは言えない生活で、母の洋裁の内職で支えられていました。

父の性格は、人からよく言われるように純粋で、少年がそのまま大人になった様でした。そして正義感が強く厳格でしたが、吃音の為か、口より先に手が出るというやや短気な面があり、ダダをこねたり、間違った事をした時に、よくビンタをされ、母親の背中に回って隠れて泣いていました。

その反面、父の機嫌の良い時は、本郷から都電に乗って巣鴨、飯田橋、神田の映画館に連れて行ってもらい、父の好きな西部劇で往年のスター・ゲーリークーパー、アランラッドの出演する物を見せてもらいました。その帰りは必ず終電車がなくなり、大人の足で一時間位の所を自宅まで小走りに歩かされましたが、現在の私はお陰で健脚になりました。

この頃より父は、カウボーイハットが好きで、生涯愛用してトレードマークになっておりました。また、仕事で本を運ぶのに自転車が愛車で、よく荷台に乗せてもらい、たまに走行中のトラックの後部につかまって並走したりと危険な事もありました。当時は大きな道路でも車両数が現在と比較にならない程少なく、道路もすいていました。

小学校の中学年から中学一年生までは、年始回りのお供で親戚や文学者の家に行きました。親戚では、あまり世間話は得意でない為に、話は短いのですが、文学者達の家では、つい好きな本のことが話題になるので時間を忘れてスケジュールが合わなくなり、帰宅が遅くなりました。子供の私にとっては、長くつらい時間でしたが、内心お年玉をいただき小遣いにもなるので、有難く思っていました。

父が私を連れて行くのには訳がありまして、本などの荷物持ちの他、電車の道案内でした。それは毎日のように自転車で東京都内や近郊を走っておりましたが、電車に乗ると途端に不案内になり、よく行き先や乗り換えを間違えてしまう為でした。

私達兄弟は中学高校時代、バスケットを主としてスポーツが大好きでしたが、父は全くスポーツ音痴で、実技はもとより各種ルールも教えましたが興味を示さず無関心でした。テレビで見るボクシングやレスリングは何故か好きでしたが、それは他のスポーツより決着が単純明快だったせいかも知れません。キャッチボールなど一度もした事がありませんでした。

また、この頃より父の持論で、貴重な文献類は自分一人で死蔵せず、また散逸しない為にと、せっせと目黒の近代文学館に自転車で運んで寄贈をしていました。そして父の店で扱う本はキリスト教関係の思想書が多いので、来店されるお客様は研究者や学校の先生と限られていた為に少ないので、大学の教授室や図書館に出向くことが多く、行った先で文学談義をする事が楽しみの一つであったかも知れません。行く度に、ある大学の初等科の生徒達には、風貌が白髪でセミロングだったので「ライオンが来た！」と人気があったように聞いております。

自宅に訪ねて来る文学研究者は大歓迎で、熱心に色々とアドバイスを差し上げたりしていたので、来客がひっきりなしで、居間兼、応接間兼、勉強間はいつも塞がっていて、二階の和室で待機することがしばしばでした。

また、フェミニストだったので、女性には優しく親切だったように思えました。エピソードの一つとして、電車やバスに乗っている時に、若い女性に彫の深い顔立ちが外国人に間違われて「いつ頃から日本に来たの？」とか「日本語は話せるの？」とか見知らぬ人から聞かれ、本人は吃音で話下手なので、本心より「ほんの少し」と答えると、追い打ちをかけるようにさらに問い掛けて来るので、大変困惑した事があると聞きました。

私達兄弟に対して、父の教育は曲がった事をせずに、常に相手の立場に立って物を考えれば良いという事で、強制や干渉もなく自由主義で独立独歩の精神だったので、伸び伸びとした生活を送らせてもらいました。私達兄弟が大学生、社会人の頃の父は、外出以外は研究所、思想書、文献類等を熱心に読みあさり、回りが静かになる夜間によく物を書いており、必要がない限り、あまり家族とも世間話をする事もなく寡黙でした。

父は昔から酒・たばこを飲まず、甘い物は好きで、野菜嫌いとやや偏食だったので青少年時代はあまり丈夫でなく、太平洋戦争の徴兵検査では受からず、調布の飛行場で労働をさせられたと聞いています。

　そして、父が60才の頃、女流作家の宇野千代さんの影響で、健康の為、顔から全身に至るたわしマッサージを始めました。毎日読書をしながらもせっせとした為に徐々に皮膚が強くなり、背中に水をかけると水玉がはじけるようになり、それ以降風邪もひかなくなりました。真冬でもシャツ一枚で外出し、夜も毛布一枚だけで過ごしており、たまに電車やバスに乗って車内の暖房が暑いと扇子を使用した所、回りの人から迷惑がられたと度々話をしておりました。文学研究もそうですが、やり出すとトコトンまでするのが、父の性格だったように思います。難しい読書の合間の息抜きに、健康に関する各種本をよく読んでいました。

　80才前後の頃、人から頼まれると、生来断り切れない性格なのか、従兄弟の写真家・立木義浩に頼まれて、ファッション雑誌「アンアン」の中で、外人女性モデルの後方でセスナ機の老飛行士役で出演しました。また、串田孫一氏より誘われ、六本木の自由劇場が主催する舞台劇の映画化で「上海バンスキング」という映画の中で、上海の街で鳥カゴに入った小鳥を売る老人役で出演した事もあり、知り合いが偶然映画館で見て、びっくりして電話をいただいた事もありました。

　父の信条はキリストの教えの影響か、自分のした事が相手の為になり、喜んでもらえればそれで十分だと無欲で、もうけ主義とも無縁で、探すのを頼まれた本でも、新刊書は一割引、古本も購入した時の価格で、労力・電車賃などを上乗せすることなく、さらにお届けまでしておりまして、我々には到底理解が出来ませんでした。

父が88才の頃、2才下の妹・約百が肺炎で亡くなり。大変ショックを受けておりました。妹は詩人・佐藤春夫の弟子で、生涯を妹・枝咲（えさく）の看病、二度の日中・太平洋戦争時代に青春を過ごしてきたので婚期を失くし、兄である父が責任を感じ、ふびんに想い生涯を面倒を見ていました。その反面、父の書いた物を添削したり校正したりとアドバイスする事も多く、二人三脚でした。小さい時より苦労を共にしたので絶大な信頼を置いていました。また、その4年後、生活を助けてきた妻を病で亡くし、しばらくは肩を落としていました。

好きだった自転車の仕事は、84、85才の頃やや耳が遠くなってきて、車との追突が懸念されたので、家族の申し入れで辞めました。健康面では普段の生活には何も問題がなかったのですが、平成2年86才の時、夕方、東大構内を散策中に軽い脳梗塞で倒れ、また、平成11年95才の時、自宅玄関前で夕方、体操中に運悪くサンダルのベルトが突然切れ、石の段差に大腿骨を打ち付け骨折しました。手術のあとのリハビリを必死の形相で続け、予定の半分で退院しました。

その後は、しばらくして安全の為に杖を持って、補助もいらずバスでよく出かけていました。また、昼は文学研究の来客の対応をし、夜は明け方まで読書をしたり、物を書いたりし、明け方から昼近くまで寝ているという生活でした。晩年は文学研究の友人、後輩達が先に他界され段々と寂しい思いをしていたと感じました。そして平成18年の夏、猛暑で脱水症状になり、一ヶ月位入院し自宅に戻り、療養生活をしておりましたが、食も段々と細くなり、11月3日兄家族が見舞いに来た一時間後、いつも話しかけてくる声が無く静かだなと振り向いた所、キリストに祈る、両手を胸の前で合わせる姿勢で、息をひきとっていました。１０２才と9ヵ月余りの生涯でした。

いろいろと述べてきましたが、父の生きざまの一端でもお分かりいただければ幸いです。私が若い頃は、恨んだり、遠い存在だったりした事もありましたが、自分の信念を曲げずに貫き通した人生には、身内ながら敬服します。最後に、一方的に、こちらから書き記るしましたが、父はどう想っているのか？今となっては誰にも分かりません。

平成二十五年八月

柏崎ふるさと人物館
第34回企画展「本の配達人―品川力とその弟妹―」（平成25年）展示図録より

あとがき

古本屋の私が、敬愛する同業の先輩の列伝を書くのは、正直そう難しいこととは思えなかった。資料集めや取材、そしてそれらへの理解度においても、同業ということで有利な立場でもあった。私はやすやすと書き進めることが出来たし、同業だからこそ分かる、熱い思いさえ多くの箇所で代弁した。

が、その第一稿は編集者を納得させせなかった。私が思い入れはげしく書き込んだところが、むしろ感銘をさまたげるというのだ。

「読者はその事実に感じるので、あなたがその一々に感心しちゃたんじゃ、読む方は面白くも何ともありませんよ」と言って、編集者は全原稿の何分の一かを消し去って私に戻した。

こうして編集者と私の奇妙な戦いが始まった。私は消された分だけ、必ずそれをおぎなう枚数の事実を書き足し、二度三度と原稿を出版部へ持参した。……そうするうち私は、「五人を直接には全く知らない人たちにも分かるように！」という言葉とともども、やっと編集者の意図が理解出来るようになった。ただ、最終的に私の原稿がその意図に近づけたのかどうかは、不安が多いのだけれど。幸いに、この五人の人間像に感じるものありと読んで下さる向きがあるとしたら、その功の半ばは編集者のものであろう。

取材には三橋献雄、永島斐夫、関口洋子、品川力の各氏に御協力頂いた。そして原稿段階で、間違いを正して頂く等お世話になった。御家族から見れば叱られそうな表現も多くあったのに、どなたからも一切の苦情が出なかったのは望外であった。お一人、大阪の尾上政太郎氏の項は、文献と尾上氏が生前私に寄せて下さった書簡を元に評伝した。

また、途中、串田孫一先生には伺って談話を頂き、三茶書房・岩森亀一、明治堂書店・加藤武志、浪速書林・梶原正弘、天牛書店・天牛高志の各氏には資料の面で御援助を頂いた。

本を作る過程では、日本古書通信社社長・八木福次郎、小林書店・小林静生、江東文庫・石尾光之祐の各氏に、多くの我がままとお手間をおかけしたこと、これまでの本の時と同様である。最後に、昨年の『古本屋控え帖』にも増して、東京堂出版・松林孝至氏には御面倒をおかけした。

この『古本屋奇人伝』が、永く読書人の間に読み継がれることを祈りながら、右の各位に厚くお礼を申し上げる次第です。（本書では文中、歴史的叙述にかかわるところは、全て敬称を略させていただきました。）

平成五年八月

青木正美

「改編版」の終りに

本書をまとめるのを機に、十余年ぶりで読んだ感想などにつき書いておくことにしたい。己れが老いたように〝群雄〟〝奇人〟たちもそれだけ彼方になったが、私には懐しい人ばかりだった。

今度「群雄伝」の最後にあった〝先達たち〟の章を巻頭に置くことで幕末から明治大正昭和までの、古書業界人物史にもなった。同時にまた、断片的ながら自分史にもなっていることが分かった。

東京古書組合からも二〇二一年十月予定で、『古書組合百年史』も出される予定と聞くし、本書がそのささやかな外史＝裏面史ともなればと思う。

昔、百回予定で「群雄伝」を書かせ、絶妙な解説を寄せてくれた御同業にして編集者・田村七痴庵（治芳）氏は私より十七歳も若いのにすでに亡き人になった。またもっとも「群雄伝」＝「奇人伝」に書きたかった人に文学堂・内藤勇氏がいるが、あの頃、本など書き始めた私に、

「お前さんよ、俺のことはほめても書くなよな」と半ばおどすように言っていたのを思い出す。その後手に入れた資料に『老蛙生筆記＝六拾年思い出の記』がある。四十二頁の小冊子で著者は内藤徳治。奥付昭和四十年・非売一五〇部・文学堂刊とある。先代の自伝だった。私と文学堂とは明治古典会で四十五年、会館開催の「趣味の古書展」でも二十五年一緒で、私が見た限りの氏は業界随一の天才で、戦後の古書業界史そのものだった。

それでも、この本編集中の暮に近著『古書市場が私の大学だった』を贈ったことで、二夜にわたって電話してくれ、氏も「今なら」というニュアンスだったが、もうこっちがそれを書く気力がない。――唯一の心残りである。

なお第二部「ペリカン書房・品川力」のこと。執筆時〝力〟は八十九歳でご健在だった。実はその後送られてきた次男・純氏の書かれた「父・品川力のこと」が載るパンフ、『品川力とその弟妹』（平成25）がある。本書はその項に〝力百二歳大往生〟までの文章を転載しておくことが出来た。

触れておきたいもう一つは、一部二部にダブって取り上げた三橋猛雄、尾上政太郎、永島富士雄のことがある。これは元々視点が違う本で気にならなかったが、ただ第二部で消える関口良雄の項。これは〝断酒会〟のことが余りに生々しく出てくるので、その後のご家族のことも考え割愛した。

ここで本書成立につき。まず、六十人もの古書と生きた人物伝を企画してくださった七痴庵・田村治芳さんの霊に、

また、列伝を分解、「下町の古本屋」など部別に分け、一人々々の特徴をつかみタイトルをつける等見事な編集をして下さった筑摩書房・青木眞次さ

んに謝意をささげます。

――最後になりましたが「この本だけはどうしても出しておきたいんだ」という私の意をくみ、こんなぶ厚い本につきあい、いつもながらのご指導ご協力を頂いた日本古書通信社・樽見博さんに、また七〇〇頁にもなる改編版に取り組んで下さった、上毛印刷の大澤丈太さんに厚く感謝の意をささげるものです、ありがとうございました。

二〇二〇年二月二〇日

著者

著者略歴

青木正美（あおき・まさみ）

一九三三年東京に生まれる。五〇年都立上野高校中退。五三年葛飾区堀切に古本屋を開業。商売のかたわら、近代作家の原稿・書簡、無名人の自筆日記などの蒐集に励む。八六年同業三人で季刊誌「古本屋」を創刊、五年間で一〇冊を出し終刊する。また、文筆活動にも取り組み、著書に「昭和少年懐古」「古本屋三十年」「青春さまよい日記」「古本屋奇人伝」「古本探偵追跡簿」「知られざる晩年の島崎藤村」「近代作家自筆原稿集」「古書肆・弘文荘訪問記」「『悪い仲間』考」「古本屋群雄伝」「古書市場が私の大学だった」など多数を著している。

二〇二〇年二月二五日　初版　第一刷

定価二、六〇〇円＋税

古書と生きた人生曼陀羅図

著者　青木正美

発行者　八木壮一

印刷所　上毛印刷株式会社

発行所　日本古書通信社

〒101―0052　東京都千代田区神田小川町三―八　駿河台ヤギビル５Ｆ

電話　〇三(三二九二)〇五〇八

落丁本・乱丁本はお取り替えいたします

ISBN978-4-88914-062-0　C0095　Printed in Japan

中学
高校
教科書指定販売